I Lloyd, mewn edmygedd
ddiffuant am ei ymdrech
dros yr iaith ar rhan y
Gymdeithas Gymraeg Crawley
a'r Cylch.

Derfel Davies   Cadeirydd

Joseph Evans   Ysgrifennydd

1986

CERDD DAFOD

CERDD DAFOD

SEF

CELFYDDYD

BARDDONIAETH GYMRAEG

GAN

JOHN MORRIS-JONES

GYDA MYNEGAI GAN
GERAINT BOWEN

CAERDYDD
GWASG PRIFYSGOL CYMRU
1980

Argraffiad cyntaf gan Wasg Clarendon, Rhydychen 1925

Adargraffwyd 1930

Adargraffwyd drwy lun 1959

Adargraffwyd drwy lun (Gwasg Prifysgol Cymru) 1980

Dymunir cydnabod caniatâd Gwasg Prifysgol Rhydychen i gyhoeddi'r adargraffiad hwn, a chaniatâd y Dr. Geraint Bowen a Gwasg Gomer i gynnwys y Mynegai.

ISBN 0 7083 0722 1

Adargraffwyd yn Llyfrgell Genedlaethol Cymru
Aberystwyth

RHAGYMADRODD

Hen ystyr y gair *cerdd* oedd 'celfyddyd' neu 'grefft';
er enghraifft, yn chwedl Culhwch ac Olwen "yslipanu
cleddyfau" oedd *cerdd* Cai.[1] Ond ni pharhaodd y gair ar
arfer oddieithr yn yr ymadroddion *cerdd dafod* a *cherdd dant*;
fel enw ar bob celfyddyd gyffredin fe welir y gair Saesneg
crefft yn ei ddisodli eisoes yn y Mabinogion.[2] Y mae *cerdd
dafod* yn swnio'n addasach term am ddatganu nag am
farddoni ; ond yr *un* oedd y bardd a'r datgeiniad i ddechreu,
ac ar y rhan bwysicaf o'i gelfyddyd y glynodd yr enw.
Peth digon cyffredin mewn iaith yw rhoi enw'r gelfyddyd
ar ei chynnyrch, fel dywedyd *painting* am bictiwr; ac felly
fe aeth *cerdd dafod*, ac yna *cerdd* yn syml, i feddwl 'cân'.
Yna i gyfleu'r hen ystyr yn gliriach fe ddaeth ffurfiad
newydd, *cerddwriaeth*, i arferiad ; ac fe geir *Cerddwriaeth
Cerdd Dafawd* yn deitl y llyfr hynaf sy gennym ar gelfyddyd
barddoniaeth, § 227. Er hyn fe barhawyd i arfer *cerdd dafod*
a *cherdd dant* yn eu hen ystyron am y ddwy gelfyddyd ; ac
felly, gan fod mantais mewn enw byr ar lyfr, mi dybiais yn
oreu roi Cerdd Dafod yn deitl i hwn, gydag is-deitl yn ei
egluro, " sef Celfyddyd Barddoniaeth Gymraeg."

Fy amcan cyntaf yn ei sgrifennu oedd ceisio penderfynu
gwir egwyddorion y gynghanedd a'i mesurau drwy ddangos
pa reolau a gedwid a pheth fu eu hanes yn y cyfnod cyn y
bwlch yn y traddodiad, a thrwy olrhain yn fyr eu tarddiad
o'r ffurfiau Cymraeg hynaf, a tharddiad y rheini o elfennau
cyffredin yng nghanu'r hen fyd.   Ar wahan i ddiddordeb y
pwnc ei hun y mae i'r ymchwiliad ddau bwrpas ymarferol :

(1) Y mae'n angenrheidiol er sefydlu testun yr hen

[1] R.M. 126.   [2] Eto 47, 52, eithr *celfyddyd* yn yr un ystyr yn 48.

farddoniaeth gynganeddol.   Er enghraifft, heb wybodaeth
o'r hanes ni wêl dyn ragor rhwng darlleniad gwreiddiol
a "chywiriad" o waith copïwr yn ol canonau oes ddiwedd-
arach.   A phrin y mae'n rhaid chwanegu na fedr neb *ddeall*
yr hen farddoniaeth yn iawn heb ddeall ei chelfyddyd, yn
gystal â'i hiaith.

(2) Y mae'n angenrheidiol er sefydlu trefn a dosbarth eto.
Nid trwy dderbyn rheolau Tudur Aled, na'r un hen ddosbarth
arall, y gwneir hynny ; rhaid i ni benderfynu egwyddorion
y gelfyddyd drosom ein hunain, trwy astudio'i hanes yng
ngoleuni'r hyn a wyddom yn awr am ddeddfau sain.

Ond y mae athrawiaeth cerdd dafod yn cynnwys mwy na
rheolau mydru ; nid cywirdeb ffurf yn unig a ddysgid gan
yr hen athrawon, ond cymhwyster iaith ac addasrwydd
defnydd hefyd.   Y mae cymaint, neu fwy nag erioed,
o angen am ymdriniaeth newydd yn Gymraeg ar yr
agweddau hyn o'r pwnc ; ac am hynny, a hefyd am fod
Mater, Iaith, a Ffurf mor anwahanadwy mewn barddoniaeth,
mi ystyriais y byddai'r llyfr yn gyflawnach a mwy defnyddiol
pe cynwysai beth ystyriaeth ar y ddwy elfen gyntaf.   Yn
y bennod ar y Mater nid amcenais fwy na thrafod yr
egwyddorion sylfaenol—terfynau mater barddoniaeth a
detholiad y mater mewn cân.   Yn y bennod ar yr Iaith yr
oedd yn rhaid manylu mwy os oedd hi i fod o werth ; ac y
mae honno'n llawer meithach, er nad yw'n cyffwrdd ond â
ffiniau gramadeg fel y cyfryw.   Y mae'r tair pennod olaf
yn ymdrin â'r Ffurf yn gyffredinol ac â ffurfiau arbennig
barddoniaeth Gymraeg.

Nid oes gan yr hen lyfrau cerddwriaeth ddim i'w ddysgu
i ni am y Mater—ni chynwysant ond cyfarwyddiadau afraid
megis bod milwr i'w foli am ei ddewrder, a rhiain am ei
glendid, etc. ; na nemor ddim am yr Iaith—nid oes ynddynt
ond elfennau cyntaf gramadeg.   Er hyn rhaid bod yn
nisgyblaeth y beirdd gynt ryw hyfforddiant ymarferol, yn

yr iaith o'r hyn lleiaf, i gadw'r traddodiad mor bur : yr un
iaith a genid, heb fawr ol tafodiaith, o Fôn i Fynwy. Ond
yng ngweithiau'r beirdd, nid yn llyfrau'r athrawon, y cawn
ni wybodaeth am hon. Yn y goleuni a daflant ar y gy-
nghanedd a'r mesurau y mae gwerth mawr yr hen lyfrau ;
eithr yma eto gweithiau'r beirdd yw'r maen praw. Megis
mai casgliadau wedi eu tynnu o arferiad y prif ysgrifenwyr
yw rheolau gramadeg, felly casgliadau wedi eu tynnu o
arferiad y prifeirdd yw rheolau mydriad.[1] O dan yr arferiad
yr oedd egwyddorion yn gweithredu'n reddfol; pan aeth pwyd
i'w gosod allan yn rheolau ymwybodol, ni bu'r dosbarthiad
yn agos i gyflawn, ac fe dynnwyd ambell gam-gasgliad.
I gyflawni diffygion a chywiro athrawiaeth y llyfrau rhaid
inni fynd i lygad y ffynnon yng ngweithiau'r beirdd.

Am hynny, o'r hen feistri y dyfynnais yn bennaf ; ond
mi ddyfynnais o'r beirdd diweddar hefyd rai esiamplau
o wychter crefft, ac aml un o'i dirywiad. Mi fernais yn
oreu beidio â dyfynnu o'r beirdd byw i'r naill bwrpas na'r
llall. Hyd yr oedd yn bosibl fe gymerwyd yr enghreifftiau
o ganiadau argraffedig, gan nodi pa le y ceir hyd iddynt.
Y mae llawer mwy o ddefnyddiau gwerthfawr ar gael yn
awr nag oedd ychydig o flynyddoedd yn ol ; bu argraffiad
bychan yr Athro Ifor Williams o gywyddau Dafydd ap
Gwilym yn arbennig o werth amhrisiadwy. Ond y mae
rhai o'r beirdd pwysicaf, fel Tudur Aled a Guto'r Glyn, nad
oes ond ychydig iawn o'u gwaith yn argraffedig eto, a bu
raid i mi ddyfynnu o'u gweithiau hwy ac eraill yn aml o
lawysgrifau. Ni thybiais yn werth rhoi cyfeiriadau at yr
ysgrifau eithr unwaith neu ddwy, ond ambell waith mi
nodais y cywydd y cymerwyd y llinell ohono.

---

[1] O weithiau beirdd o'i flaen y dyfynnai S.V. ei enghreifftiau yn y
P.LL.; yr oedd yr hen athrawon wedi dysgu'r *method* gwyddonol o wydd-
oniaeth gramadeg. Cyferbynier tywyllwch awdur *Yr Ysgol Farddol*, a
ymffrostiai, td. v, mai llinellau o'i waith ei hun oedd holl enghreifftiau'r
cynganeddion yn ei lyfr ef !

Fe gyflewyd yr enghreifftiau mewn orgraff unffurf, ond yn cadw, hyd y gellid, sain y geiriau yn y cyfnod yr ysgrifennwyd hwynt. I mi gwrthuni yw ysgrifennu *ei*, er enghraifft, am y rhagenw 'his' mewn hen gywydd; ond am nad yw darllenwyr heddyw yn gynefin â'r hen *i* syml, ac am y gall weithiau fod yn amwys, mi arferais '*i*, gan adael y nod ' (fel y byddai'n gyfleus pa un bynnag yn *a'i*, *o'i*, etc.) nid i arwyddo bod dim yngholl, ond fel nod gwahaniaethol i ddangos i'r llygad mai'r rhagenw a feddylir, ac nid *i* 'to' nac *i* 'I' neu 'me'.[1] Yn gyffelyb mi arferais *ỹn*, *ỹch* i gyfleu sain gywir (ag *y* dywyll ddi-acen) y geiriau a gam-ysgrifennir *ein*, *eich* yn awr.

Fel y mae'n hysbys, ac fel y dangosir yn § 458, y mae'r cywyddau a'r awdlau yn y llawysgrifau a'r llyfrau argraffedig yn llawn o wallau, a'r rheini'n fynych yn ddigon amlwg i'r cyfarwydd; wrth ddyfynnu mi gywirais y cyfryw heb ymdroi i nodi beiau'r copi oni bai reswm dros hynny.

Nid oes brinder geiriau barddonol yn yr iaith Gymraeg, ond y mae eisiau llawer o eiriau newyddion i drafod ynddi syniadau diweddar mewn rhyddiaith. Fe wnaeth geiriadurwyr ac ysgrifenwyr y ganrif ddiwaethaf eu rhan yn y mater hwn; ac o blith cannoedd o eiriau a ddyfeisiasant y mae nifer da'n dderbyniol ac ar arfer, ac nid yw'r angen agos cymaint ag y gallasai fod. Ond ni lwyddasant i gael geiriau boddhaol am *abstract* a *concrete*; y geiriau Saesneg a ddefnyddir gan amlaf yn awr, ac addefiad o fethiant yw hynny. Wedi llawer o chwilio ac arbrofi, y termau goreu y medrais i eu cael oedd *haniaethol* am 'abstract' a *diriaethol* am 'concrete'; a dodaf fy rhesymau yn y ddau nodyn a ganlyn.

[1] Nid oes fwy o reswm dros ' fel collnod yn *father's* yn Saesneg nag yn *fathers*, ond cedwir ef fel nod gwahaniaethol. Arferir ef hefyd fel cysylltnod mewn ffurfiau fel *p's and q's*, ac y mae'n gyfleus felly yn *o'i, a'i*, etc. yn Gymraeg. A chan ei fod yn gynefin yn y ffurfiau hyn, mi dybiais yn well ei arfer ar waban hefyd, am ei fod yn dangos y sain a'r ystyr, er nad yw'r nod yn gywir fel collnod.

1. Y mae'r hen arddodiad neu adferf *han* 'from, out' i'w ganfod yn *o-han-af* (yn awr *ohonof*), ac yn *han-fod* 'to be from' ac fel enw, 'essence'; a hefyd yn *gwa-han-u* 'to separate'; yr un gair yw *gwa-* â'r Lladin *sub*, ac y mae iddo'r un ystyr yma ag sydd i *sub-* yn *sub-tract.*—Y mae'r terfyniad *-aeth* o'r un tarddiad â'r Lladin *act-*, ac yn golygu 'cwrs' neu 'weithred'; ac nid oes ystyr bosibl i *haniaethu* ond 'allan-u,' sef 'tynnu allan' neu 'abstráct.'—Nid ansawdd yw pob *abstraction*, fel nad yw *d-ansodd-ol* yn cyfleu'r ystyr; er enghraifft, gall *abstraction* fod yn rhif: wrth ddywedyd bod dau a thri'n bump, ymdrin â haniaethau'r ydym, sef â rhifau *ar wahan* i ba un ai dynion ai afalau ai dyddiau ai beth a rifir. Yr ystyr i'w chyfleu ydyw syniad wedi ei wa*hanu* oddiwrth bethau, ac ymddengys i mi mai *haniaeth* yw'r gair y buom yn chwilio amdano. Yna, *haniaethol* 'abstract', *haniaethu* 'to abstráct.'

2. Ystyr gyffredin *dir* yw 'sicr': *ys dir* 'it is certain'; ac o hynny y daw 'rhaid': *dir i mi* 'rhaid i mi'. Yr ystyr wreiddiol yw 'caled', ac y mae'r gair o'r un tarddiad â'r Lladin *dūrus.*[1] Ffurf arall a dardd o'r un gwreiddyn yw *derw*, y pren caled; ac fe geir yn yr hen Wyddeleg *derb* 'sicr', ac yn Gymraeg *derw* 'gwir' yn *ce(i)fnderw* 'true cousin', ac yn *derwydd*, sef 'true seer'. Tebyg bod y Saesneg *true* o'r un gwraidd hefyd. Felly, y mae'r ystyr o 'wirioneddol' sydd i'r gair *dir* yn gorffwys ar yr ystyr o 'galed' neu 'sylweddol'; ac ni welaf well sylfaen i adeilio arni air am *concrete.* Fy nghlynnig i, gan hynny, yw *diriaethol* 'concrete'; *diriaethu* 'to make concrete'; a *diriaeth* am y gwrthrych diriaethol.

Bu raid i mi lunio llawer o eiriau newyddion eraill, megis cyfieithiadau o dermau gramadegol a rhetoregol, a thermau i drin y gynghanedd yn fanylach; y mae'r rhain wedi eu hegluro naill ai yn y testun ai ar waelod y dalennau. Gwell gennyf bob amser ddefnyddio hen dermau lle bônt yn foddhaol, ac nid arferais yr un newydd er mwyn newydd-deb na newid. Y mae amrywiol ffurfiau i rai o'r hen dermau

---

[1] Fe dyb rhai (gweler Walde d.g. *dūrus*) mai o'r Lladin *dūrus* y tardd *dir*, am fod *dur* wedi mynd yn *dir* yn Llydaweg! Ni byddai'n llai priodol i'r pwrpas hwn pe gwir hynny. Ond nid oes un eng. o *ir* yn Gymraeg o *ūr* Lladin, ond *ur* bob amser: *cur, dur, pur, mur, segur, creadur.* Y mae *dir* mewn hen Wyddeleg hefyd, yn golygu 'due' (fel *gwir* mewn hen Gymraeg). Tebyg felly mai Celtaidd yw *dir*, a bod rhywbeth fel 'real' yn hen ystyr iddo.

eu hunain; o'r rhain mi ddewisais yr un a ystyriwn yn oreu, megis *rhupunt* Einion yn hytrach na *hupunt* Simwnt; neu, o ddwy dda, y fwyaf cynefin, megis *englyn* fel yn *A*, *B*, yn hytrach nag *ynglyn* fel yn *C*, P.II.[1]

Bellach, fe weddai i mi gydnabod y gymwynas a'r help a gefais gan fy nghyd-athrawon ac eraill ynglŷn â'r gwaith. Ac yn gyntaf y mae fy niolch goreu'n ddyledus i'r Athro Ifor Williams, a fu mor garedig â chynnig mynd drwy'r proflenni; fe ddarllenodd braw cyntaf pob llen, ac fe ganfu ym mhob un ryw feiau nas gwelswn i;[2] mwy o lawer na hyn, fe awgrymodd aml gywiriad a gwelliant yn y sylwedd hefyd; buom yn trafod ac yn dadleu aml bwynt; ac y mae'r gwaith yn loywach o'r herwydd. Fe welodd yr Athro W. J. Gruffydd hefyd y ddwy bennod gyntaf mewn ysgrifen; mi ges y fantais o'i feirniadaeth yntau ar ambell adran, ac fe roes imi ddwy neu dair enghraifft well nag oedd gennyf o ffigurau ymadrodd. Yr wyf yn ddyledus i Mr. Shankland am ei gynhorthwy cyfarwydd, a pharod fel arfer, mewn ymchwiliadau yn llyfrgell Coleg y Gogledd, a hefyd am roi benthyg imi o'i gasgliad ei hun rai llyfrau nad oeddynt yn y llyfrgell. At Mr. G. J. Williams yr euthum yn naturiol am wybodaeth am lawysgrifau Llanover, ac iddo ef yr wyf i ddiolch am bob nodiad o gynnwys y rhain, a phob cyfeiriad atynt. Ond o gofnodion a dynnais fy hunan o'r ysgriflyfrau gwreiddiol y daw cyfeiriadau at lawysgrifau eraill a dyfyniadau ohonynt, oddieithr y rhai a gymerwyd o R., ac a nodir felly. Yn y Llyfrgell Genedlaethol y mae'r defnyddiau

[1] O ran tarddiad ac ystyr wreiddiol y mae amryw o'r termau hyn, megis *awdl*, *cywydd*, *englyn*, *rhupunt*, *proest*, heb eu hegluro'n foddhaol eto. Yr un gair yw *awdl* ac *odl*, td. 134; ac fel term crefftwrol y mae iddo ddwy ystyr: 'odl' a 'chân odledig' ar un odl ond odid i ddechreu. Cân o hanner llinellau cyfartal oedd *cywydd*, a chân felly â'r un brifodl oedd *awdl-gywydd*. Tebyg mai hen air am 'bennill' oedd *englyn*, § 581.

[2] Gwelwyd eraill gan Ddarllenydd y Wasg, a rhyngom ein tri mi hyderaf y bydd y llyfr yn bur lân o feiau argraff. Mi welais ddau'n rhy ddiweddar i'w cywiro: "yn mhridd" yn lle "ym mhridd" yn enghraifft 4, td. 73; a "berffeithrwyd" yn lle "berffeithrwydd" td. 126, ll. 12 o'r gwaelod.

gan mwyaf; mi fûm yno gryn lawer o dro i dro, weithiau
am ddyddiau gyda'i gilydd, ac y mae fy niolch yn ddyledus
i'r Llyfrgellydd Mr. Ballinger, ac i Mr. W. Ll. Davies a'r
swyddogion eraill, am bob rhwyddineb a help i wneuthur y
goreu o'm hamser yno.

Traddodwyd sylwedd y tair pennod olaf mewn cyfres o
ddarlithiau yng Ngholeg Prifysgol Cymru, Aberystwyth, ym
mis Tachwedd, 1923; a dymunaf yma gyflwyno fy niolch
diffuant i Awdurdodau'r Coleg am yr anrhydedd a osodasant
arnaf drwy fy ethol yn Ddarlithydd Arbennig am y tymor
hwnnw.   Yn olaf, y mae fy nylêd yn ddyblyg i'r Prifathro
J. H. Davies, ac mi hoffwn dalu diolch cynnes iddo, nid yn
unig am oleuni ar bwyntiau yn yr hanes o stôr ei wybodaeth
neilltuol ef o gynnwys hen lyfrau a llawysgrifau, ond hefyd
am ei garedigrwydd a'i groeso i mi ar fy ymweliadau ag
Aberystwyth, ac am yr oriau dedwydd a dreuliais ymysg
trysorau ei lyfrgell ddigyffelyb yn y Cwm.

JOHN MORRIS-JONES.

CYNWYSIAD

TERMAU MYDRYDDOL

Rhestr o'r termau pwysicaf nad oes gyfeiriad yn y daflen uchod at eu
heglurhad, gyda rhifau'r tudalennau lle'r eglurir hwynt.

CYFNODAU'R HANES

Y mae pedwar cyfnod amlwg yn hanes y gelfyddyd ar linell yr hen draddodiad, sef heb gynnwys canu rhydd diweddar. Y mae mwy nag un ffordd o sôn am yr un cyfnod, a chan i mi arfer gwahanol enwau yn ol eu haddasrwydd i'w cysylltiadau, efallai y bydd o fantais, er rhoi syniad clir i'r darllenydd am rediad yr hanes, ddwyn y cyfystyron ynghyd yma, gyda rhyw amcangyfrif o amseriad dechreu a diwedd pob cyfnod. Rhwng y cyfnodau y mae ysbeidiau ansicr o draws-symudiad; ond ni bu fwlch yn y traddodiad ond rhwng y ddau olaf, ac ni bu hwnnw'n doriad llwyr.

I. Cyfnod y Cynfeirdd; cyfnod yr Hen Gymraeg; yr hen gyfnod: cylch 550–1075.

Yn ol barn Rhys yn yr 8fed a'r 9fed ganrif y cyfansoddwyd y caniadau hynaf a briodolir i Daliesin ac Aneirin; yr wyf innau'n dal y gall rhai o'r darnau hyn fod yn ddilys, ac yn mynd yn ol i'r 6ed neu'r 7fed; pa un bynnag sy'n iawn, y mae'r cwbl o fewn y cyfnod yna.

II. Cyfnod y Gogynfeirdd; y canol oesoedd: cylch 1120–1300.

III. Cyfnod y gynghanedd gaeth; y cyfnod caeth; cyfnod y cywyddau (am mai'r cywydd oedd y mesur mwyaf poblogaidd): cylch 1330–1640.

Y cywyddau cynnar, yr hen gywyddau, neu'r cywyddau hynaf, cylch 1330–1410; diwedd, neu ran olaf cyfnod y cywyddau, cylch 1560–1640.

IV. Y cyfnod diweddar; y beirdd diweddar: cylch 1730 hyd yn awr.

TALFYRIADAU

I. Beirdd, Gramadegwyr a Llyfrau.

Talfyrrir enwau awduriaid â phriflythrennau mawr, megis T.A.; teitlau llyfrau â phriflythrennau bach, megis m.a., neu lythrennau italig. Cynwysir yn y rhestr rai hen enwau nas talfyrrwyd, a ffugenwau diweddar. Cyfeirir yng nghorff y gwaith at *dudalennau* pob llyfr, oddieithr pan noder yn wahanol yn y rhestr isod, neu yn y cyfeiriad ei hun; weithiau rhoir rhif y *llinell* fel hyn, 24·16, sef td. 24, ll. 16. Lle dêl rhif yn union ar ol priflythrennau'r awdur, cyfeirir at dudalen yr argraffiad o'i waith a nodir isod; am y cromfachau ar ol D.G., gweler D.G. isod. Wrth gwrs, lle dêl enw llyfr ar ol enw awdur, at y llyfr y cyfeirir; er enghraifft, golyga W.IL. f. 32 (ar waelod td. 163) mai yn y *Flores* td. 32 y ceir y llinell, ac nid yn y gyfrol o waith W.IL.

Defnyddir y talfyriadau cyffredin i gyfeirio at adnodau'r Beibl, ac at weithiau clasurol a safonol.

Talfyriadau yn y rhestr: arg. = argraffiad; bl. = blodeuodd; c. = cylch, tua; cfr. = y llyfr neu'r arg. y cyfeirir ato; cyh. = cyhoeddwyd; d-a. = di-amseriad; gol. = golygydd.

† = bu farw.

Ab Ithel: gweler *Dosp. Ed.* isod.
Aled o Vôn: Owen Rowlands, Llannerch-y-medd a Llundain, † 1877.
Alun: John Blackwell, 1797–1840; cfr. *Ceinion Alun*, Rhuthyn 1851.
An.: anadnabyddus.
B.A.: Bedo Aeddren, Llangwm (R. ii 449), c. 1500.
b.a.: *The Book of Aneirin*; gol. J. G. Evans, Pwllheli 1908.
b.b.: *The Black Book of Carmarthen*; gol. J. G. Evans, Pwllheli 1906.
BBCS.: *The Bulletin of the Board of Celtic Studies*, 1921–.
B.Br.: Bedo Brwynllys, Brwynllys, Brycheiniog, c. 1460.
b.cw.: *Gweledigaetheu y Bardd Cwsc*, 1703; gol. J. Morris Jones, Bangor 1898.

B.D. : *Blodau Dyfed*; gol. J. Howell, Caerfyrddin 1824.

B.Ph.B. : Bedo Phylip Bach, c. 1480.

BR.: *Y Brython*; 5 cyfrol, Tremadoc 1858–63.

B.T.: *The Book of Taliesin*; gol. J. G. Evans, Pwllheli 1910 (cyh. 1916).

C. : Cynddelw Brydydd Mawr, bl. 1155–1200.

C. (i a ii): *Ceinion Llenyddiaeth Gymraeg*; gol. O. Jones, Llundain 1876.

Ca.: Casnodyn, c. 1330.

Caledfryn : William Williams, 1801–69; cfr. *Gramadeg Cymreig*, arg. Wrexham d-a., oddieithr pan enwer y *Caniadau*, Llanrwst 1856.

C.B.Y.P. : *Cyfrinach Beirdd Ynys Prydain*, gan Iolo Morganwg; dechreuwyd ei argraffu 1821, td. iii–v o'r llyfr; gwelodd Iolo'r broflen olaf, td. vi; yr oedd "wedi ei argraffu er ys dwy flynedd" meddai Gwallter Mechain ddydd Gwyl Dewi 1825 (*Gweithiau* ii 579, 584), ond ni cheid mono o wasg J. James Merthyr; cyh. yn Abertawy 1829.

C.C.: *The Cefn Coch MSS.*; gol. J. Fisher, Liverpool 1899.

Ceiriog : John Ceiriog Hughes, 1832–87 ; C.G. *Cant o Ganeuon*, Wrexham [1863]; teitlau ei lyfrau eraill yn llawn.

C.F. : *Cymru Fu* [gol. I. Foulkes 1862–4] ; ail arg. Wrexham d-a.

C.Ll. : *Cynfeirdd Lleyn*; gol. J. Jones (Myrddin Fardd), Pwllheli 1905.

C.Ll.C. : *Cymdeithas Llen Cymru*, pedwar rhifyn ac un rhifyn dwbl (v–vi) o ddyrïau, etc., o lawysgrifau [gol. J. H. Davies], Caerdydd 1900–5.

Cofn. Eist.: *Cofnodion Eisteddfod Genedlaethol*.

CY.: *Y Cymmrodor, the Magazine of the Honourable Society of Cymmrodorion.*

Cynddelw: Robert Ellis, 1812–75 ; *Barddoniaeth Cynddelw*, Caernarfon 1877 ; *Tafol y Beirdd*, Llangollen 1852 ; *Geiriadur y Bardd*, Caernarfon d-a.

CY.TR. : *The Transactions of the Hon. Society of Cymmrodorion.*

D.B.: Dafydd Benfras, bl. 1210–60.

D.B., gweler R.D. isod.

D.D.G., gweler D.G.G. isod.

D.E.: Dafydd ab Edmwnd, Wepre, Fflint, bl. 1450–80 ; cfr. *Gwaith Dafydd ab Edmwnd*, gol. T. Roberts, Bangor 1914.

D.E. : dyfynedig o'r gyfrol uchod, ond nid yn waith D.E.

D.FF.: *Deffyniad Ffydd* Maurice Kyffin 1595, gol. W. P. Williams, Bangor 1908.

D.G.: Dafydd ap Gwilym, Bro Ginin, plwyf Llanbadarn Fawr; bl. 1345–80 ; cfr. *Barddoniaeth Dafydd ab Gwilym*, Llundain, 1789; cyfeiria rhifau rhwng cromfachau ar ol D.G. at dudalennau D.G.G. a D.D.G.

D.G.: dyfynedig o gyfrol D.G., arg. 1789, ond heb fod yn waith D.G.

D.G.G.: *Cywyddau Dafydd ap Gwilym a'i Gyfoeswyr*, gol. Ifor Williams a T. Roberts, Bangor 1914; dyfyniadau o waith y *Cyfoeswyr* a nodir fel hyn gan amlaf. Cyhoeddwyd ail arg. o'r rhan gyntaf dan y teitl *Detholion o Gywyddau Dafydd ap Gwilym* . . . gan Ifor Williams, 1921; cyfeirir at hwn fel D.D.G.; y mae tudalennau'r testun yn cytuno â D.G.G., ond y rhagymadrodd yn wahanol.

D.H.: Dewi Havhesp = David Roberts, Llandderfel, 1831–84 ; cfr. *Oriau'r Awen*, ail arg., Bala 1897.

D.I.: Dafydd Ionawr = David Richards, Dolgellau, 1751–1827; cfr. *Gwaith Dafydd Ionawr*, gol. Morris Williams, Dolgellau 1851.

D.I.D.: Deio ab Ieuan Du, Ceredigion, c. 1460–80.

D.IL.: Dafydd Llwyd ap Llywelyn ap Gruffudd, c. 1480.

D.IL.M.: Daniel ap Llosgwrn Mew, c. 1170.

D. Llwyd Mathew: gweler § 604.

D.N.: Dafydd Nanmor, Nanmor ger Beddgelert, bl. 1450–80; cfr. *The Poetical Works of Dafydd Nanmor*, gol. T. Roberts ac Ifor Williams, Cardiff 1923.

Dosp. Ed.: *Dosparth Edeyrn Dafod Aur*, etc.; gol. John Williams ab Ithel, Llandovery 1856, gweler § 227. Dyfyniadau amgen nag o'r P.IL. a nodir fel hyn.

Dr. D.: Dr. John Davies, Mallwyd, genedigol o Lanferreis; cfr. *Antiquæ Linguæ Britannicæ . . . et Lingvæ Latinæ Dictionarium Duplex*, Londini 1632. Yr ail ran (Llad.-Gymr.) yn fyrhad o waith T.W., td. [vi], cf. *Cambrian Register* ii 473; gweler T.W. isod.

D.T.: Dafydd Thomas = Dafydd Ddu Eryri, Y Waun Fawr, 1760–1822; cfr. *Corph y Gainc*, ail arg., Caernarfon 1834.

D.T.: *Diddanwch Teuluaidd, neu Waith Beirdd Môn*, ail arg., gol. D.T., Caernarfon 1817.

D.W.: Dewi Wyn o Eifion = Dafydd Owen, Llanystumdwy, 1784–1841; cfr. *Blodau Arfon*, Caerlleon 1842.

E.F.: Eben Fardd = Ebenezer Thomas, Llangybi, 1802–63; cfr. *Gweithiau Barddonol Eben Fardd*, Bangor [1873].

Egl. Phr.: *Egluryn Phraethineb*, gweler gwaelod td. 35 isod.

Eidiol Môn: Robert Jones, Cerrig Ceinwen, 1846–79.

E.P. : Edmwnd Prys, Archddiacon Meirionydd, 1544–1623 ;
cfr. *Edmwnd Prys*, gan T. R. Roberts (Asaph), Caernarfon
1899.

e.p. : dyfynedig o'r gyfrol uchod, ond nid yn waith E.P.

E.R. : Edward Richard, Ystrad Meurig, 1714–77.

E.S. : Elidir Sais, bl. 1200–40.

E.Wan : Einion Wan, c. 1240.

E.W.G. : *Elementary Welsh Grammar*, J. Morris-Jones, Oxford
1921.

F. : *Flores Poetarum Britannicorum* [dyfyniadau, o gasgliad
Dr. D.], Mwythig 1710.

F.N. : *Y Flodeugerdd Newydd*; gol. W. J. Gruffydd, Caerdydd
1909.

G. : Gwalchmai (ap Meilyr), bl. 1140–75.

G. : *Gorchestion Beirdd Cymru* ; gol. R.J., Amwythig 1773.

G.A.D. : Gruffudd ab Adda ap Dafydd, oes D.G. ; amheus yw
† 1344 D.G.G. lxxxix, cf. xvi.

G.B. : Gwynfardd Brycheiniog, c. 1180.

G.D.A. : Gwilym Ddu o Arfon, c. 1320.

G.D.T. : Gruffudd ap Dafydd ap Tudur, c. 1380.

Gethin : Owen Gethin Jones, Penmachno, 1816–83 ; *Gweithiau*,
Llanrwst 1884.

G.G. : Guild of Graduates Series of *Reprints* (i, ii), *Transcripts*
(iii), *of Welsh Manuscripts*: i = Llst. 6 ; ii = Pen. 67 ;
iii = Pen. 57 ; gol. E. Stanton Roberts, Cardiff 1916, –18,
–21.

G.Gl. : Guto'r Glyn, bl. 1450–80.

G.Gr. : Gruffudd Gryg, bl. 1355–1412, D.D.G. xvi.

G.I.H. : Gwilym ab Ieuan Hen, c. 1460.

G.I.Ll.F. neu G.I. : Gruffudd ab Ieuan ap Llywelyn Fychan,
bl. 1500–25 ; cfr. *Detholiad o Waith G.I.Ll.F.*, gol. J. C.
Morrice, Bangor 1910.

Glan Llyfnwy : William John Davies, 1848–91.

Glasynys : Owen Wynne Jones, 1828–70.

G.Ll. : Gruffudd Llwyd ap Dafydd ab Einion Lygliw, bl. 1385–
1420.

G.M.D. : Gruffudd ap Maredudd ap Dafydd, bl. 1360–80.

G.R. : Dr. Gruffudd Robert ; cfr. *Dosparth Byrr ar y rhann
gyntaf i ramadeg cymraeg* ([Milan] 1567) ; ad-arg. Paris
1870–83 (fel atodiad i'r *Revue Celtique*).

g.r. : dyfynedig o ramadeg G.R. fel uchod.

GR. : *Y Greal* (*Welsh Magazine* ar ben y clawr), Llundain
1805–7 ; un gyfrol, 408 td.

Gr.D. : Gronwy Ddu, c. 1380.

Gr.H. : Gruffudd Hiraethog, bl. 1540–60.

Gr.O. : Gronwy Owen, Gronwy Ddu o Fôn, 1723–69 ; cfr. *Gronoviana*, Llanrwst 1860 ; cyfeiria *Letters* at arg. J. H. Davies, Cardiff 1924.

G.T. : Gwilym Tew, Morgannwg, c. 1480, gweler § 600.

Gu.O. : Gutun Owain, bl. 1450–90.

Gu.P. : Gutyn Peris = Griffith Williams, 1769–1838; cfr. *Ffrwyth Awen*, Trefriw 1816.

Gwallter Mechain : Walter Davies, Manafon, 1761–1849 ; cfr. *Gwaith y Parch. Walter Davies*, gol. D. Silvan Evans, 3 cyfrol, Caerfyrddin 1866.

Gwilym Hiraethog : William Rees, 1802–83 ; *Caniadau Hiraethog*, Dinbych 1855.

Gwilym Ryfel : c. 1170–90.

G.Y.C. : Gruffudd ab yr Ynad Coch, c. 1282.

H.A. : Huw Arwystl, c. 1550–70.

H.C.Ll. : Huw (neu Hywel) Cae Llwyd, c. 1475, isod td. 213.

H.D. : Huw Dafi, neu Hywel ap Dafydd ab Ieuan ap Rhys, bl. c. 1450–70, G.G. ii, td. vii.

H.E. : Hywel ab Einion Lygliw, c. 1370.

Henri Perri : awdur *Egl. Phr.*, gweler uchod.

H.K. : Hywel Kilan, c. 1480.

H.R. : Hywel Rheinallt, c. 1480.

H.S. : Hywel Swrdwal, c. 1450; cfr. *Gwaith Barddonol Hywel Swrdwal a'i fab Ieuan*, gol. J. C. Morrice, Bangor 1908.

Huw Tegai : Hugh Hughes, Llandegái, 1805–64 ; cfr. *Gramadeg Cymraeg*, 3ydd arg., Caernarfon 1859.

Hwfa Môn : Rowland Williams, 1823–1905.

H.Y. : Hywel Ystorm, c. 1330.

I.B.H. : Ieuan Brydydd Hir o Feirionydd, c. 1450.

I.B.H. ieu. : Ieuan Brydydd Hir ieuaf, neu'n hytrach, Ieuan Fardd ac Offeiriad = Evan Evans, 1731–88; cfr. *Gwaith y Parchedig Evan Evans*, gol. D. Silvan Evans, Caernarfon 1876.

I.C. : Iorwerth ab y Cyriawg, c. 1360–70.

I.D. : Ieuan Deulwyn, bl. 1460–80 ; cfr. *Gwaith Ieuan Deulwyn*, gol. Ifor Williams, Bangor 1909.

I.D.B. : Ieuan Du'r Bilwg, c. 1460.

I.F. : Iorwerth Fynglwyd, Morgannwg, c. 1490.

I.G. : Iolo Goch, c. 1355–95; cfr. *Gweithiau Iolo Goch*, gol. Charles Ashton, Cymdeithas y Cymmrodorion 1896.

I.G. : dyfynedig yn y gyfrol uchod, ond nid yn waith I.G.

I.G.E.: *Iolo Goch ac Eraill;* gol. Henry Lewis, T. Roberts ac Ifor Williams; yn y wasg; dyfyniadau a chyfeiriadau a gefais gan yr olaf.

I.G.G.: Ieuan Glan Geirionydd = Evan Evans, Trefriw, 1795–1855; cfr. *Geirionydd,* gol. W. J. Roberts, Rhuthyn [1862].

I.H.S.: Ieuan ap Hywel Swrdwal, c. 1470; cfr. fel H.S. uchod.

I.MSS.: *Iolo Manuscripts,* Llandovery 1840.

Iolo Morganwg: Edward Williams, 1747–1826.

I.R.: Ieuan ap Rhydderch ab Ieuan Llwyd, c. 1400–20.

Islwyn: William Thomas, 1832–78; *Gwaith Barddonol Islwyn,* gol. O. M. Edwards, Gwrecsam 1897.

I.T. hen, neu I.T.h.: Ieuan Tew (hen) o Gydweli, c. 1460.

I.T. ieu.: Ieuan Tew Brydydd (ieuaf), Llanidloes CY. ix 35, bl. 1568–1608 (R. ii 492); hwn yw'r mwyaf o'r ddau, cywirer *W.G.* td. xxi.

J.D.R.: Dr. John Dafydd Rhys; cfr. *Cambrobrytannicæ Cymraecæve Lingvæ Institvtiones et Rvdimenta,* Londini 1592.

J.D.R.: dyfynedig yng ngramadeg J.D.R. fel uchod.

L.G.C.: Lewis Glyn Cothi, bl. 1455–85; cfr. *Gwaith Lewis Glyn Cothi,* gol. Tegid a Gwallter Mechain, Oxford 1837.

L.M.: Lewis Morris, Llywelyn Ddu o Fôn, 1701–65.

L.Men.: Lewis Menai, c. 1570.

L.Mg.: Lewis Morgannwg, bl. 1510–50.

L.Môn: Lewis Môn, bl. 1480–1520.

LL.: Llawdden, Machynllaith, c. 1460.

LL.A.: Llyfr yr Ancr 1346 = *The Elucidarium and other tracts,* etc.; gol. J. Morris Jones a J. Rhys, Oxford 1894.

LL.F.: Llywelyn Fardd, c. 1185–1220.

LL.G.: Llywelyn Goch Amheurig Hen, c. 1360–80.

M.: Meilyr (Tre Feilir, Môn), y cyntaf o'r Gogynfeirdd; canodd farwnad Gr. ap Cynan, 1137; prin felly ddernyn 1081 (isod td. 312), er "a'i cant" y llsgr. hynaf.

M.A.: *The Myvyrian Archaiology of Wales,* ail arg., Denbigh 1870.

M.B.: Madog Benfras, c. 1350.

M.Ber.: Morys Berwyn, c. 1600.

M.Cl.: Mab y Clochyddyn, c. 1370.

M.D.: Madog Dwygraig, c. 1370.

M.E. (i a ii): Mil o Englynion = *Pigion Englynion fy Ngwlad,* gol. Eifionydd; i ail arg.; ii (ail fil); Liverpool 1882.

M.R.: Maredudd ap Rhys, c. 1440.

Mr.H.: Mastr Harri, neu Harri ap Hywel o Gydweli, c. 1460.

MSL.: Mémoires de la Société de Linguistique de Paris.

Myrddin Fardd : John Jones, Chwilog, 1836–1921.

P.B. : Y Prydydd Bychan o Ddeheubarth, bl. c. 1230–60.

P.Ll. : *Pump Llyfr Cerddwriaeth*, gan S.V., gweler td. 140 isod; cfr. arg. Ab Ithel yn *Dosp. Ed.* uchod.

P.M. : Llywarch ap Llywelyn, Prydydd y Moch, Wigwer, Llanelwy, bl. 1160–1200.

Proll, y : c. 1400 (*ll* am *l* ddwbl? cf. y *prol* R. i 406; *Proth*! yn M.A. 327).

P.T. : *Penillion Telyn*; gol. W. Jenkyn Thomas, Caernarfon 1894.

Pughe : *A Dictionary of the Welsh Language*, W. O. Pughe, ail arg., Denbigh 1832.

R. (i a ii): *Report on Manuscripts in the Welsh Language*, gan J. G. Evans, dwy gyfrol; cyfeirir at ddudalennau'r cyfrolau, nid at rifau'r llawysgrifau.

R.B.B. : Red Book Bruts : *The Text of the Bruts*, etc.; gol. J. Rhys a J. G. Evans, Oxford 1890.

R.D. : Robert Davies, Bardd Nantglyn, 1769–1835; cfr. *Gramadeg Cymraeg*, Caerlleon 1808; ail arg., *Ieithiadur neu Ramadeg Cymraeg*, Dinbych 1818; trydydd, eto 1826; D.B. = *Diliau Barddas*, ei waith barddonol, Dinbych 1827.

R.G.D. : Robert ab Gwilym Ddu = Robert Williams, Llanystumdwy, 1767–1850; cfr. *Gardd Eifion*, Dolgellau 1841.

Rhisserdyn : c. 1380, *BBCS.* i 132.

Richards : *Dictionary* Thos. Richards, Dolgelley 1815; gweler td. 142 isod.

R.J. : Rhys Jones o'r Blaenau, 1713–1801; golygydd G.

R.M. : Red Book Mabinogion = *The Text of the Mabinogion* . . . *from the Red Book of Hergest*; gol. J. Rhys a J. G. Evans, Oxford 1887.

R.N. : Rhys Nanmor, c. 1500.

R.P. : Red Book Poetry = *The Poetry in the Red Book of Hergest*, gol. J. G. Evans, Llanbedrog 1911 (cyh. 1921); cyfeirir at rif y *colofnau*.

S. : Sefnyn, c. 1380.

S.B. : Siôn Brwynog, o Frwynog ym Môn, bl. c. 1530–60.

S.C. : Siôn Cent, c. 1420.

Se.B. : Seisyll Bryffwrch, c. 1150–70.

S.G. : *Y Seint Greal*, cyfrol i o'r *Selections from the Hengwrt MSS.*, gol. Robert Williams, London 1876.

Silvan : *Geiriadur Cymraeg* D. Silvan Evans, anorffenedig, Caerfyrddin 1888–1906.

S.Ph. : Siôn Phylip, Mochres, Ardudwy, 1543–1620.

S.R. : Siôn Rhydderch, cfr. *Gramadeg Cymraeg* John Rhydderch, Mwythig 1728.

s.r. : dyfynedig yng ngramadeg S.R. fel uchod.

S.T. : Siôn Tudur, Wigwer, Llanelwy, bl. 1567–1602.

S.V. : Simwnt Fychan, Ty Brith, Rhuthun, bl. 1567–1606, awdur P.IL.

Syr O. : Syr Owain ap Gwilym, curad Tal y Llyn, c. 1565.

T. : Talhaiarn = John Jones, Llanfair Talhaearn, 1810–69 ; cfr. *Gwaith Talhaiarn*; i, London 1855 ; ii, London 1862 ; iii, Llanrwst 1869.

T.A. : Tudur Aled, bl. 1485–1525.

Tegid : John Jones, 1792–1852, golygydd testun L.G.C.

T.J. : Tho. Jones, *Y Gymraeg yn ei Disgleirdeb* (geiriadur), London 1688.

T.M. : Trebor Mai = Robert Williams, Llanrwst 1830–77; cfr. *Gwaith Barddonol Trebor Mai*, Liverpool 1883.

T.P. : Tudur Penllyn, c. 1460.

T.Pr. : Thomas Prys o Blas Iolyn, † 1634, c.c. td. xi.

Tudno : Thomas Tudno Jones, 1844–95 ; *Telyn Tudno*, Gwrecsam [1897].

T.W. : Syr Thomas ap Wiliam, neu Wiliems, o Drefriw, bl. c. 1575–1610 ; awdur geiriadur Lladin-Gymraeg a Chymraeg-Ladin, R. i 1055, –7 ; gweler Dr. D. uchod.

W.C. : Wiliam Cynwal, Ysbyty Ifan, bl. 1560–85.

W.G. : *A Welsh Grammar*, J. Morris Jones, Oxford 1913.

W.IL. : Wiliam Llŷn, 1535–80; cfr. *Barddoniaeth Wiliam Llŷn*, gol. J. C. Morrice, Bangor 1908.

w.m. : *The White Book Mabinogion*; gol. J. G. Evans, Pwllheli 1907 ; cyfeirir at rif y colofnau.

W.Mn. : Capten William Middleton, Gwilym Ganoldref; *Llyfr Barddoniaeth* (sef rheolau) 1593, ail arg. F. 59–80 ; *Psalmae* etc., 1603 (wedi marw'r awdur) ; ail arg., gol. Gwallter Mechain, Llanfair-Caer-Einion, 1827.

Wms. : William Williams, Pant-y-Celyn, 1717–91 ; cfr. *Gwaith Prydyddawl* (sef yr hymnau), Caerfyrddin, 1811 ; cyfeiria Wms. i at *Gweithiau Williams*, gol. N. C. Jones, Treffynnon 1887, cyf. i (sef y caniadau).

W.S. : William Salesbury ; bl. 1545–80 ; cynwysir ei Retoreg yn P.IL.

Y Gen. Eist. : *Y Geninen Eisteddfodol*.

Yr Ysgol Farddol, gan Dafydd Morganwg, ail arg., Aberdar 1877.

II. Llawysgrifau.

A, B, C, D : pedwar hen gopi Dosbarth Einion, gweler td. 139.

B.M. add.: British Museum additional MS.

Card.: Cardiff MS. (Llyfrgell Rydd Caerdydd).

Cwrt Mawr, neu Cwrt: Cwrt Mawr MS. (Llyfrgell y Prifathro J. H. Davies).

Havod: Havod MS. (yn awr yn Llyfrgell Rydd Caerdydd).

Jes.: Jesus College MS. (ynghadw yn Llyfrgell Bodley).

Llanover: Llanover MS. (ynghadw yn y Llyfrgell Genedlaethol).

Llst.: Llanstephan MS. (yn y Llyfrgell Genedlaethol).

Mos.: Mostyn MS. (yn y Llyfrgell Genedlaethol).

N.L.W.: National Library of Wales MS.

Pen.: Peniarth MS. (yn y Llyfrgell Genedlaethol).

Dodir rhif y llsgr. fel y mae yn R., ac weithiau linell ar osgo rhwng rhif y llsgr. a'r td. ynddi, fel hyn: Pen. 157/5 = Peniarth MS. 157, td. 5.

III. Amrywiol.

adarg.: ad-argraffiad.

arg.: argraffiad.

cf. (Lladin *confer*): cymharer.

d.g.: dan y gair (mewn geiriadur).

ed. (Saesneg *edition*): argraffiad.

e.e.: er enghraifft.

eng.: enghraifft.

etc. (Llad. *et cetera*): ac felly 'mlaen.

ff. (Saes. *and the following*): a'r tudalennau dilynol.

fl.: flwyddyn.

h.y.: hynny yw.

ib. (Lladin *ibidem*): yn yr un fan.

ll.: llinell.

llsgr.: llawysgrif.

p. (Saes. *page*): tudalen.

pp. (*pages*): tudalennau.

td.: tudalen.

Defnyddir talfyriadau hawdd eu deall am enwau'r mesurau mewn taflenni, fel yn § 571, td. 349, ac am enwau llyfrau, etc., yn y nodiadau.

Arwydda llinell ar osgo rhwng dau air fod y ddau'n cyfateb drwy odli neu gytseinio â'i gilydd.

RHAGLITH

Barddoniaeth a Rhyddiaith.

1. Mewn dwy ffordd y treithir meddwl, sef mewn iaith
rydd ac ar gân. Fel yr eglura'r Athro i Monsieur Jourdain
yn nrama Molière,[1] "Cerdd yw popeth nid yw ryddiaith,
a rhyddiaith yw popeth nid yw gerdd." (Bu syn gan
Mons. J. ddeall iddo fod yn siarad rhyddiaith ers deugain
mlynedd heb erioed wybod hynny.) Felly y mae i lên
ddwy ran : rhyddiaith a barddoniaeth. Celfyddyd ddef-
nyddiol yw'r naill ; celfyddyd gain yw'r llall.

2. Gwaith a diben celfyddyd ydyw efelychu natur, a
gwella arni ; er enghraifft, fe roes natur i ddyn anifeiliaid
buain, ond trwy eu celfyddyd fe wna'r gofaint iddo beiriannau
llawer buanach. Gwaith arbennig celfyddyd gain yw
efelychu natur yn ei heffeithiau ar deimladau a chyneddfau
dynion. Fel yr awgryma'r gair " cain ", ei ffordd hi o wella
ar natur ydyw dethol ei defnyddiau o'r gwych yn unig, heb
y gwael, a'u trin yn wych i greu prydferthwch amgenach.

> Dyfalaf weld fy eilun—yn fywdeg ;
>   Myfi ydyw'r darlun !
> *Heb ddim yn swrth na gwrthun—*
> Yn *fwy hardd* na mi fy hun !

medd Cynddelw am y darlun a beintiwyd ohono. Ac fe
rydd celfyddyd gain *ffurf* arhosol i'w chreadigaethau :

> *Byw* 'n hoywddyn heb waneiddio—a wna hwn
>   Wedi i'm hoes fynd heibio.[2]

---

[1] *Le Bourgeois Gentilhomme*, Act ii, Sc. 6.
[2] *Cynddelw : Traethawd* . . . J. Spinther James, Caernarfon, 1877,
td. 120.

Fe aeth yr ymherawdr a'i rwysg i fysg y pethau a fu, ond erys ei ddelw ar y darn arian. A mynnai Gronwy (ar ol Horas) fod cerdd dda'n well a mwy anfarwol na delw gerfiedig:

> Pond gwell llên ac awenydd?
> Gwell llun na'r eilun a rydd. . . . .
> Cerdd ddifai i rai a roes
> Ynnill tragywydd einioes.[1]

3. Er bod y gwahanol gelfyddydau'n amrywio'n fawr yn eu neges a'u cyfryngau, eto y maent mor gyffelyb yn eu hanfod nes peri i ddynion arfer termau'r naill wrth sôn am y llall. Fel hyn, fe sonnir yn fynych am *eilio* neu *blethu*[2] cân, ac am ei *gweu*, a'i *nyddu*, a'i *llunio*, a'i *naddu*[3]; ac fe elwir y bardd yn *eiliwr* a *gwehydd gwawd*, a *lluniwr*, a *pheintiwr*,[4] a'r cyffelyb. Gall termau un gelfyddyd, trwy drosiadau fel hyn, daflu goleuni ar natur celfyddyd arall; ac yn yr ystyr yna gellir dywedyd yn gyffredinol mai *darlunio* yw swydd pob celfyddyd gain.

4. Y mae barddoniaeth fel celfyddyd gain a rhyddiaith fel celfyddyd ddefnyddiol yn gwahaniaethu i ryw fesur yn eu holl elfennau; sef—1. yn y *mater*, neu'r meddyliau a dreithir;—2. yn yr *iaith* y treithir hwynt ynddi;—3. yn y *ffurf*, neu drefniant y seiniau.

Yr oedd awdur y cyntaf o'r hen drioedd cerdd yn canfod y tair elfen yna mewn barddoniaeth:

> Tri bei kyffredin yssyb ar gerb: torr mesur, a dryc ystyr, a cham ymadrawb.[5]

---

[1] Gr.O. 4.

[2] 'Plethu' wrth gwrs yw ystyr *eilio*; nid oes dim a wnelo'r gair ag *ail* 'second', ond *ail* 'plethiad' fel yn D.G. (79).

[3] Bu Iolo Morganwg yn diwyd gasglu enghreifftiau o'r trosiad hwn i brofi ei haeriadau am "goelbren y beirdd". Dangosent, meddai ef, mai *naddu* eu caniadau y byddai'r beirdd ar briciau o bren. Os yw trosiadau i'w deall yn llythrennol y mae llawer mwy o dystiolaeth (fel y dywaid Silvan Evans d.g. *coelbren*) mai nyddu a gweu eu gweithiau a wnaent.

[4] Pond truan, *peintiwr* awen,
Na weli di liw dy ên?—Mr. H. G.G. i 96.

[5] A 1140.

"Tor mesur" : diffyg yn y *ffurf*—yr oedd yn naturiol i'r hen feirdd Cymraeg sôn am y ffurf yn gyntaf; "drwg ystyr" : diffyg yn y meddwl neu'r *mater*; "cam ymadrodd" : diffyg yn yr *iaith*. Fel yna y crynhoai'r hen athro mewn chwe gair bob bai sy bosibl.

Y mae perthynas agos rhwng y tair elfen a'i gilydd; fe effeithia'r naill ar y llall—y mater ar yr iaith, a'r iaith ar y mater, a'r ffurf, fel y cawn weled, ar yr iaith a'r mater.

5. Y mae *cain* a *defnyddiol* yn ddosbarthiad cyfleus o'r celfyddydau; ond nid yw'r ansoddeiriau hyn i'w deall mewn ystyr ry gyfyngedig. Dewiswyd hwynt am eu bod yn disgrifio prif nodweddion y ddau ddosbarth, ac nid i wadu'r un o'r ddau nodwedd i'r naill na'r llall. Gall celfyddyd ddefnyddiol ddangos ceinder, ac y mae celfyddyd gain yn ddefnyddiol mewn ystyr uwch. Celfyddyd ddefnyddiol yw adeiladaeth, ac ysywaeth ni chynyrchodd fawr o geinder yn y rhan fwyaf o'n tai; ond mewn eglwys Gothig wych fe aeth y gelfyddyd yn gain, nid yn unig am ei bod yn codi uwchlaw angenrheidiau noeth defnyddioldeb, ond am ei bod yn ymgorfforiad o ddrychfeddwl aruchel. Celfyddyd ddefnyddiol, fel y sylwyd, yw rhyddiaith; dyna ydyw yn ei dechreuad ac yn gyffredinol. Ond hi all godi uwchlaw angenrheidiau defnyddioldeb, ac ennill ceinder uchel; a phan ddefnyddier hi i ddarlunio bywyd a chyfleu ffrwyth y dychymyg, rhaid ei chyfrif hithau, gyda barddoniaeth, yn gelfyddyd gain.

I. Y MATER

I. Y Testun.

6. Mewn rhyddiaith fe ellir ymresymu, athrawiaethu, a rhoi pob hysbysrwydd a chyfarwyddyd; ond ni pherthyn y pethau hyn i farddoniaeth—darlunio bywyd dyn ydyw ei phriod waith hi. Fe ddywaid Aristoteles mai swydd y bardd ydyw efelychu gweithredoedd a theimladau dynion. Nid adrodd yr hyn a *fu*—gwaith yr hanesydd yw hynny; ond traethu'r hyn a *allai* fod—dychmygu cymeriadau, a pheri iddynt deimlo a gweithredu yn y modd sy'n naturiol iddynt. Croniclo y mae'r hanesydd, ond y mae'r bardd yn efelychu natur trwy greu fel hi ei hun. Ffyddlondeb i ddigwyddiadau neilltuol yw gwirionedd hanes, ond ffyddlondeb i ddeddfau cyffredinol natur yw gwirionedd barddoniaeth. Dyna paham y dywaid Aristoteles mai â'r Cyffredinol y mae a wnelo barddoniaeth, ond hanes â'r Neilltuol.

7. Am yr arwrgerdd a'r ddrama'n unig y traetha ef,[1] ac y mae cywirdeb y diffiniad hwn i'w ganfod yn lled amlwg yn y rhain. O hen draddodiadau am yr arwr y deilliodd yr arwrgerdd gynt. Yr oedd digwyddiadau ei hanes wedi eu trawsffurfio yn nychymyg y cenedlaethau a'u trosglwyddodd, ac wedi eu cymysgu â chwedloniaeth y duwiau— ffrwyth dychymyg pur. Odid nad oedd llawer o'r defnyddiau ar ryw fydr rhwydd hefyd cyn i'r bardd awdurol ymddangos. Yna y mae'r bardd yn pasio'r cwbl trwy ei ddychymyg ei

---

[1] Y tebyg yw, fel yr awgryma Bywater (*Aristotle on the Art of Poetry*, Oxford, 1909, td. 97), fod Aristoteles, oherwydd pwysigrwydd yr elfen gerddorol yn y delyneg, yn ei rhestru ymysg y celfyddydau gyda cherddoriaeth.

hun; y mae'n dethol yr hanfodol a'r gwych, ac yn anadlu bywyd newydd iddynt; ac y mae'n addasu a chymhwyso'r cwbl, ac yn eu cyfuno mewn ffurf orffenedig yn un gerdd fawr. Nid creu o ddim a wna; fel pob celfyddydwr arall rhaid iddo gael ei ddefnyddiau gan natur, a'u trafod yn ol ei ddeddfau hi. Ond nid copïo natur a wna, eithr ei hefelychu; nid adrodd yr hyn a fu, ond traethu'r hyn a allai fod.

8. Y mae'n amlycach fyth mai efelychu natur a wneir yn y ddrama, am fod yr efelychiad yn fwy digyfrwng. Nid adrodd *am* ei gymeriadau a wna bardd y ddrama, ond eu gosod yn fyw ger ein bron. Beth bynnag oedd ei ddefnyddiau, gwaith ei ddychymyg ef oedd creu'r bywyd yna. Trwy ei adnabyddiaeth o'r natur ddynol y canfu'n sicr beth a *allai* fod, nes bod pob cymeriad yn gweithredu'n ol ei anian, a phob gweithred yn cyfranogi at ffurfio'r cymeriad.

9. Ond â'r delyneg y mae a wnelom ni, canys i'r dosbarth telynegol y perthyn holl hen farddoniaeth Cymru. Y mae rhyw fydr telynegol rhwydd i'r faled, neu gerdd yn adrodd stori, ond o ran mater, cyffelyb i'r arwrgerdd yw hi, ac mewn egwyddor y mae'r un peth yn wir amdani. Ond a oes gennym hawl i gymhwyso at y delyneg bur y diffiniad a seiliodd Aristoteles ar ystyriaeth o'r arwrgerdd a'r ddrama'n unig? Er nad yw priodoldeb hynny'n amlwg ar yr olwg gyntaf, eto y mae barddoniaeth yn ei hanfod yn un, ac fe geir bod y diffiniad yn wir mewn ystyr ddofn am y delyneg hefyd. Yn y delyneg bur profiad neu deimlad un person a adroddir, a'r person ei hun a fydd yn gyffredin yn llefaru. Ond yma eto darlunio'r person yn y teimlad hwnnw a wna'r bardd; a chreadigaeth ei ddychymyg ef yw'r portread. Y mae hyn yn berffaith eglur pan fo'r person yn rhywun amgen na'r bardd ei hun. John Jones Llangollen ydyw awdur cerdd " Deio Bach," ond mam Deio sy'n llefaru ynddi. Y mae mam Deio'n gymeriad wedi ei chreu mor wirioneddol gan John Jones ag y crewyd cymeriad mewn drama erioed.

Ond hyd yn oed pan fo'r bardd yn llefaru megis yn ei berson ei hun, nid fel ef ei hun y mae'n llefaru, ond yn y *cymeriad* o fardd ; nid yw'r hyn a draetha'n *debyg*, o ran mater nac iaith na ffurf, i'w ddull cyffredin o ymddiddan â'i gydnabod.   Pan ddywedwyd—

> Fy angyles ! fy ngwylan !—wyd wastad
> Yn destun fy nwyfgan,

nid Mr. John Jones, Architect, oedd yn llefaru, ond Talhaiarn y Bardd.[1]   Cymeriad rhamantus o greadigaeth dychymyg yr awdur ydyw'r bardd a fydd yn llefaru mewn cân. Anwybodaeth dybryd o beth yw barddoniaeth a barodd i William Owen Pughe geisio llunio hanes bywyd Dafydd ap Gwilym o helyntion dychmygol y bardd yn ei gywyddau. Gofynnai Robert Browning (drosto'i hun am unwaith) pwy a ollyngodd ef erioed i mewn i'w fynwes i chwilota'i deimladau preifat ef.[2]   Ac eto, o'r ochr arall, y mae'n sicr am bob gwir farddoniaeth fod yr awdur wedi teimlo'r cwbl ei hun. Nid oes dim gwahaniaeth hanfodol pa un ai amgylchiadau a ddychmygodd ef, ai amgylchiadau a ddigwyddodd iddo, a achosodd y teimlad ; traethu ei brofiad ei hun a wna pa un bynnag. "Camgymeriad," medd Mr. Drinkwater,[3] "yw tybio bod profiad yn llai personol am mai rhywbeth a ddigwydd i arall a'i hachlysura. Os goddiweddir fy nghyfaill gan glefyd marwol, y mae fy mhrofiad i, os yw fy nychymyg yn effro, mor llym â'i brofiad yntau."   Y mae'r dychymyg, wrth sylweddoli'r cyflwr, o angenrheidrwydd yn cynyrchu'r profiad.   Pan ddywedir mai ffugio a wna'r bardd, y mae hynny'n wir am yr allanolion, ond nid ffug yw hanfod y peth. Y mae'r dych-

---

[1] T. i 139.
[2]   Which of you did I enable
   Once to slip inside my breast
   There to catalogue and label
   What I like least, what love best ?
[3] *The Lyric,* Llundain, Martin Secker, td. 34.

ymyg yn efelychu natur trwy ddarparu tanwydd i'r enaid;
ond pan gyneuo yn yr enaid, tân natur ei hun yw hwnnw.[1]

10. Felly, datgan profiad a wna'r delyneg; ac y mae ei
thestunau mor amrywiol â theimladau'r galon. Yn gyntaf,
o ran ei brydferthwch ei hun a chyffredinolrwydd ei apêl,
daw cariad; cân serch, medd Gummere,[2] ydyw'r " lyric *par
excellence* ". Yna galar, yn enwedig am y marw; y mae'r
farwnad yn rhan bwysig o'n barddoniaeth ni. Yna profiad
crefyddol; yng nghyfoeth eu profiadau y mae emynau
Williams, er enghraifft, yn rhagori fel barddoniaeth.
Gwlatgarwch hefyd, a phob sêl dros ryddid a chyfiawnder,
ac yn erbyn trais a cham. Edmygedd, megis mewn
molawd; dirmyg, megis mewn gwatwargerdd; cyfeill-
garwch, cydymdeimlad, tosturi, hiraeth; mewn gair,
llawenydd a thristwch, a phopeth y gellir ei restru rhwng
eithafion y ddau. Ac wrth gwrs eu symudiadau a'u
cysylltiadau; gall teimladau fod yn gymysg megis gobaith
ac ofn, neu'n gymhleth megis serch a hiraeth.

11. Y mae i natur allanol le mawr mewn barddoniaeth am
ddau reswm, sef yn gyntaf, ei bod yn cynysgaeddu'r bardd
â stôr o gyffelybiaethau i ddarlunio'i deimlad, ac yn ail, ei
bod ei hun yn cyffroi teimladau, megis o hyfrydwch yn ei
gwên ac o arswyd yn ei gwg. Y *teimlad* yw'r testun, ac
nid yw natur ond moddion i'w draethu neu achlysur iddo.
Nid oes werth barddonol i ddisgrifiad ond fel mynegiant
o deimlad. Yng nghanol y ddeunawfed ganrif, dan swyn
Seasons Thomson, yr oedd y " Swissiaid " Bodmer a

---

[1] " Am alar a ddychmygais wylo'r wyf," medd Metastasio; neu yng
nghyfieithiad rhydd Isaac D'Israeli, " While *genuine tears* for *fancied
sorrows* roll." Cymharer Watts-Dunton am y bardd, " His passages of
pathos draw no tears so deep or so sweet as those that fall from his own
eyes while he writes," Art. " Poetry ", *Encyc. Brit.* 11th ed., vol. xxi,
p. 879. Ond nid yw'r *dychymyg* yn bosibl heb brofiad gwir tu ol iddo :
" how could a man delineate a Hamlet, a Coriolanus, a Macbeth, so many
suffering heroic hearts, if his own heroic heart had never suffered ? "—
Carlyle, *On Heroes*, The Hero as Poet.
[2] *A Handbook of Poetics*, td. 44.

Breitinger yn dadleu dros farddoniaeth ddarluniadol ; ac yn
eu herbyn hwy'n bonnaf y dywedir i Lessing ysgrifennu ei
Laocoon, sef traethawd " ar derfynau barddoni a pheintio."
Ei ddadl yn fyr yw hon : Llun a lliw mewn lle yw cyfryng-
au'r peintiwr ; seiniau llafar mewn amser yw cyfryngau'r
bardd. Gwaith y peintiwr yw dangos pethau'n cyd-fodoli
ar yr un foment, sef sylweddau—ni all ond *awgrymu* gweith-
rediadau ; gwaith y bardd yw dangos pethau'n dilyn ei
gilydd mewn amser, sef gweithrediadau—ni all ond *awgrymu*
sylweddau. Am y rhesymau hyn, a ddatblygir yn oleu
iawn gantho,[1] fe ddeil Lessing yn dynn wrth ddiffiniad
Aristoteles, mai efelychu gweithredoedd a theimladau
dynion ydyw priod waith y bardd ; ac er cymaint o sôn
a fu wedi hynny am *"word-painting"*, y mae beirniaid
diweddar yn cytuno ag ef.[2]

12. Felly fel moddion ac fel achlysur y mae i natur le
mewn barddoniaeth. (1) Fel moddion : trosiadau o natur
yw corff y geiriau sy gennym i sôn am yr enaid, § 46 ; ac
y mae gwerth barddonol llawer ymadrodd (megis " y bryniau
tywyll niwlog ") yn gorwedd yn y trosiad, neu'r ystyr
ysbrydol. (2) Fel achlysur *a* moddion : y mae rhyw ramant
ynglŷn â gwrthrychau naturiol yn fynych, ac y mae ei
hadrodd yn rhan o waith y bardd. Trwy gyffelybiaethau
y gwna hyn fynychaf. Ym mhryd a gwedd ei anwylyd y
mae hyfrydwch y bardd serch ; ac wrth ei chyffelybu i'r lili
a'r rhos, traethu ei hyfrydwch a wna, a dyna'r unig ffordd
i draethu'r hyfrydwch hwnnw. (3) Fel achlysur yn unig :
mewn barddoniaeth natur yn ystyr gyfyng y gair, hyd yn
oed yn y darnau a gyfrifir yn fwyaf darluniadol, y peth a'u

---

[1] Gweler cyf. Saesneg o'r ddadl sylfaenol yn B. Bosanquet, *A History
of Æsthetic*, 1892, td. 224.

[2] Er enghraifft, Gummere, eto, td. 48 : Mr. Pattison has shown as
regards Milton's two poems [*L'Allegro* and *Il Penseroso*] that they are
not "descriptive" ;—that descriptive poetry (as Lessing proved in his
Laocoön) is " a contradiction in terms . . . Human action or passion is the
only subject of poetry ".

gwna'n fyw ydyw eu bod yn atgynyrchu ynom brofiad y bardd yng ngŵydd yr olygfa. Cymerer, er enghraifft, englyn Dewi Wyn i'r rhaeadr:

> Uchelgadr raeadr, dwrr ewyn—hydrwyllt,
> Edrych arno'n disgyn;
> Crochwaedd y rhedlif crychwyn,—
> Synnu, pensyfrdanu dyn.[1]

Nid oes yma lawer o ddisgrifiad—rhyw gyffyrddiad neu ddau—*hydrwyllt, crychwyn*; ond y mae twrf rhuthr y rhaeadr yma hyd yn oed yn sŵn y geiriau, a hwnnw'n lleddfu i ryw rwnan at y diwedd wrth "bensyfrdanu *dyn*". Y teimlad, y *mood*, sydd yma, wedi ei "ddal ar gerdd"; ac wedi ei gyfleu'n fwy effeithiol nag y gallai'r peintiwr, am fod i'r gwrthrych nid yn unig liw a llun, ond sŵn a symudiad. Yr un modd yn yr hen ganiadau, megis "Llym awel, llwm bryn" yn y Llyfr Du [2]; profiad *dyn* sydd yma eto, fel y gwelir yn y geiriau nesaf, "anhawdd caffael clyd".

13. Y mae cywyddau Dafydd ap Gwilym, fel y gwŷs, yn gyforiog o farddoniaeth natur. Plentyn natur oedd Dafydd, a'i brofiad fel y cyfryw a dreithir gantho. Yn yr eira, "nid af o dŷ," meddai, er cymaint carchar oedd hynny; canys y mae "Gweren dew ar groen daear," a "Llwyth o'r calch yn llethu'r coed," [3]—anghysur a rhyndod. Ac yn y niwl,

> Lle'r ydoedd ym mhob gobant
> Ellyllon mingeimion gant,[4]

ellyllon trabludd ei feddwl ef oeddynt. Ond y mae'r llwyn banadl wrth ei fodd, a mwynhad pur sydd yn y cywydd trwyddo:

> Teg yw'r pren, a gwyrennig
> Y tyf yr aur tew o'i frig . . . . .
> Bid llawen Gwen bod llwyn gwŷdd
> O baradwys i brydydd . . . . .
> Mae i minnau a'm meinir,
> Oes, ffair maes o saffrwm ir.[5]

---

[1] D.W. 5; *dŵr* yno, *dwr* yn GR. 217. [2] B.B. 89.
[3] D.G. (72). [4] Eto (68). [5] Eto (79).

Fe enfyn y creaduriaid mewn dychymyg yn "llateion" at
Forfudd, a rhaid iddo ddangos eu cymwysterau i'r swydd;
ac weithiau y mae'n ymdroi cyhyd gyda'r rheini nes peri
i George Borrow ddywedyd mai natur ac nid Morfudd oedd
ei gariad. Nid rhaid gwadu iddo garu'r "ferch dawel
walltfelen ",[1] ond yr oedd ei gymdeithas â natur yn rhamant
hefyd; ac adrodd ei helynt a wna gan amlaf. Mae'n wir ei
fod yn fynych yn gorddefnyddio'r *moddion* o gyffelybu; ond
yn hyn dilyn hen draddodiad y beirdd o "ddyfalu" yr oedd.
Yr oedd ei adnabyddiaeth o natur a'i lygad craff a'i ddawn
barod yn gwneuthur yn hawdd iddo ateb yr alwad am
bentyrru cyffelybiaethau. Ond wedi'r cwbl peth gwahanol
iawn yw hyn oll i'r hyn a elwir yn "farddoniaeth ddis-
grifiadol". Cymerer, er enghraifft, "Myrddin Wyllt, sef
Cân ddesgrifiadol o Gymru" o waith Glasynys. Dyma
ddarn heb fod y gwaelaf o lawer yn y gân:

> Mae Ynys Môn yn onglog fylchog lannerch,
> A'r tonnau gwrdd o'i hamgylch yn ymannerch,
> Crigyllau aml, a chreigiog gafnog forfan,
> Ac ambell geule, a chornelog gilfan;
> Nid oes ym Môn ond bryniau isel corrog,
> Yn cywilyddio o flaen caerau tyrog
> Hen Eryri; ond mae ei gwastadedd
> Yn wlad doreithiog yn dwyn grawn trugaredd.[2]

Y rheswm nad oes un gronyn o farddoniaeth yn y darn
ydyw nad oes un gronyn o deimlad ynddo; mewn rhyddiaith
y dylasai peth fel yna fod. Cymharer ag ef linellau Gronwy
a ganwyd dan deimlad o hiraeth:

> Henffych well, Fôn, dirion dir,
> Hyfrydwch pob rhyw frodir!
> Goludog, ac ail Eden
> Dy sut, neu baradwys hên . . .[3]

14. Y mae natur yn cyffwrdd â'r teimladau mewn llawer
dull a modd. Fe wêl dyn beunydd yn ei bywyd ryw

---

[1] D.G. (39).   [2] *Y Llenor* xiv, 1898, td. 46.   [3] Gr.O. 15.

gyffelybrwydd i'w fywyd ei hun. Y mae iddo yntau ei
wanwyn a'i haf a'i aeaf, ei fore a hwyr :

> Mae 'mlinion hwyrion oriau
> A'm nos hir yn ymnesháu.[1]

Ni fedr adrodd ei gyflwr a'i deimlad heb drosiadau a
chyffelybiaethau o natur: "Daw, fe ddaw y wawr wen oleu."[2]

> Oer yw rhew ar warr heol ;
> Oerach yw 'mron donn yn d'ol.[3]

Ac y mae'r bardd yn fynych yn canfod rhyw gynghanedd
rhwng agwedd natur a'i agwedd meddwl ei hun :

> Pony welwch chwi hynt y gwynt a'r glaw ?
> Pony welwch chwi'r deri yn ymdaraw ?

medd Gruffudd ab yr Ynad Coch [4] wedi marw Llywelyn ein
llyw olaf. Fe geir llawer o hyn yn y marwnadau :

> Marwnad Gweirful ferch Fadawg
> A wna'r haul yn winau 'rhawg.[5]

> Os marw bun, oes mwy o'r byd ?
> Mae'r haf wedi marw hefyd.[6]

Ond yn gyffredin nid adlais o'i deimlad ei hun ond sym-
byliad newydd a gaiff y bardd yn natur. Awgrymu o hyd
a wna hi. Y mae rhyw olygfa'n dwyn ar gof iddo'r dyddiau
gynt ; y mae blodeuyn gwyw yn atgoffa iddo'i dynged :

> Diwedd sydd i flodeuyn,
> Ac unwedd fydd diwedd dyn.[7]

Y mae cân aderyn yn ennyn ysbryd cân ynddo, a chysgodion
yr hwyr yn dwyn meddyliau prudd. Deffroi myfyrdodau
a wna natur yn fynych, a myfyriol yw llawer o farddoniaeth
natur.

15. Myfyrdod yn aml ydyw amod y teimlad, ac ni ellir
gwahanu'r naill oddiwrth y llall. A chan mai adrodd y

---

[1] R.G.D. 151.   [2] Wms. 722.   [3] W.Ll. 135.   [4] R.P. 1418,
[5] L.G.C. 380.   [6] T.A. F.N. 154.   [7] Gr.O. 61.

myfyrdod ydyw'r unig ffordd i ddarlunio'r teimlad, y mae
myfyrdod o anghenrhaid yn rhan o destun y bardd.   Yn
wir, myfyrdod yw llawer o ddarnau gwych a hanfodol y
ddrama.   Ond y mae greddf y gwir fardd yn ei gadw rhag
crwydro dros y terfyn o dir y teimlad i dir rheswm noeth.
Nid barddoniaeth fyddai Euclid hyd yn oed pe gellid ei roi
mewn cynghanedd.   "Am yr hyn a elwir yn farddoniaeth
resymegol," medd Watts-Dunton,[1] "efallai y gellid dangos
nad yw'n bod o gwbl,"—nid barddoniaeth mono.   "Nid
oes a wnelo'r bardd," medd ef,[1] "â haniaethau oddieithr i'w
cymryd a'u troi'n ddiriaethau."   Fe all gorffori egwyddor
mewn cymeriad neu weithredoedd; ond nid yw sôn am
egwyddor *fel* egwyddor yn perthyn dim iddo ef.   Rhyddiaith
yw priod ffurf pob rhesymu ac athronyddu; ni waeth mo'r
llawer ceisio datrys problem rifyddol ar fesur cerdd na thrin
drychfeddyliau noeth yr athronydd.   Ac nid i'r bardd y
perthyn hyfforddi a dysgu gwers, er cymaint o demtasiwn
y gall hynny fod i lawer mydrydd.   "Shakespeare", medd
Arglwydd Morley,[2] "is never directly didactic"; ac
ychwanega fod bardd creadigol mawr yn fwy o allu moesol
na llu o athrawon moes.   Nid yw clywed yr athrawon yn
sôn am harddwch rhinwedd yn argyhoeddi dyn fel y gwna
gweled y peth drosto'i hun yng nghreadigaethau'r bardd.
Fe all y bardd mewn cân draethu ei fyfyrdod ar y peth
a ganfu, ond pan ymostyngo i dynnu "moeswers" y mae'n
peidio â bod yn fardd.   Arall yw gogoniant pregeth, ac
arall yw gogoniant cân.

16. Y mae pob gwir farddoniaeth yn ei hanfod yn
ddramadaidd.   Mewn *cymeriad* y mae'r prydydd yn llefaru
bob amser, a phan na bo'n personoli arall, y mae'n llefaru,
fel y sylwyd uchod, yn ei gymeriad o fardd.   Ac nid ef ei
hun, fel y mae, neu fel yr oedd, ydyw hwnnw.   Fe genfydd
yn ei ddychymyg bethau a *allai* fod, ac wrth roi ffurf

---

[1] *Enc. Brit.* 11 ed., xxi 877.   [2] Yn ei ysgrif ar Wordsworth.

arnynt o fydr a chynghanedd, y mae'r canlyniad yn aml yn ddatguddiad iddo ef ei hun. Fe ymddengys ei ddawn iddo, ac i eraill hefyd, fel math o ysbrydoliaeth; fe'i gelwir yn awen, ac y mae hi'n dyrchafu ei pherchennog yn uwch nag ef ei hun. Fel perchen awen y mae dadleu ac ymresymu islaw ei urddas. Nid trwy resymeg y mae'r bardd yn cael hyd i wirionedd, ond trwy welediad; nid dadleu a darbwyllo ydyw ei waith, ond mynegi a datgan. Yn yr oesoedd bore ni wahaniaethid rhwng bardd a gweledydd: o'r un gair Celtaidd y tardd y gair Cymraeg *gwawdydd* am fardd a'r gair Lladin *vātes* am broffwyd. Wrth hynny, pan ddywedir na pherthyn i'r bardd athronyddu, nid yr hyn a feddylir yw na pherthyn iddo draethu doethineb; eithr doethineb profiad ydyw'r eiddo ef. Fe ellir yn hawdd dynnu camgasgliad wrth resymu; ond fe *ŵyr* dyn y peth a welodd ac a deimlodd. Ac felly y mae cyfundrefnau athroniaeth yn mynd heibio, ond gweithiau'r beirdd yn aros.

II. YR YMDRINIAETH.

17. Beth bynnag fo'r testun fe ddylai'r gân fod yn un peth, cyfan a chyflawn. Rhaid bod i ddrama neu arwrgerdd, medd Aristoteles, ddechreuad a chanol a diweddiad, pob rhan yn angenrheidiol i'w gilydd. Nid cyfres o rannau digyswllt, ond aelodau o'r un cyfanwaith, ag undeb organaidd creadur byw.[1] Y mae'r un egwyddor i'w chymhwyso at bob math ar gân; yn wir, rhaid i bob darn gorffenedig o waith celfyddyd feddu ar yr unoliaeth organaidd hwn.

18. Yn hyn y mae awdlau eisteddfodol y ganrif o'r blaen yn colli, yn bennaf am na wyddai'r pwyllgorau amgen na rhoi haniaethau i'r beirdd i ganu arnynt, ac na wyddent hwythau pa fodd yn y byd i'w diriaethu ond trwy gymryd rhes o esiamplau digyswllt ohonynt. Ond unoliaeth corff

[1] *Poet.* xxiii. 1; Bywater 71,

byw ydyw unoliaeth cerdd i fod, nid unoliaeth casgliad o *fossils* mewn amgueddfa, er iddynt fod wedi eu dethol oll i amlygu'r un egwyddor ddaearegol. Gwir iawn y dywaid Eben Fardd am awdlau Dewi Wyn nad ydynt "yn dyfod i fyny â'r rheol Aristotelaidd o feddu 'dechreuad a chanol a diweddiad.'" [1] Tryblith didrefn o rannau digyswllt ydynt. Fe geir yn y tryblith ambell berl, fel yr englyn i'r rhaeadr, § 12, ac amryw ddarnau yn " Elusengarwch ". Fe fedrai Dewi naddu gemau, ond nid oedd gantho'r ddirnadaeth leiaf am eu llunio'n goron. Ni wneir cerdd o *esiamplau* o farddoniaeth er ceined fônt ; rhaid iddi fod wedi ei hamgyffred fel cyfanwaith. Ni bu'r un bardd o bwys mor ddisyniad o hyn â Dewi ; crefftwr gwych o ddawn ryfeddol oedd ef, ond heb agor ei lygaid ar gelfyddyd fawr y pensaer.

19. Bai mewn cerdd yw pob amherthynas. Diweddodd Gronwy " Gywydd y Farn " â'r pennill—

> Crist fyg a fo'r Meddyg mau ;
> Amen ; a Nef i minnau.

Barnwr oedd Crist trwy'r cywydd ; fe welai Gronwy ei hun mor amhriodol oedd y Meddyg ar y diwedd, ac fe geisiai esgusodi'r gair wrth Richard Morris fel hyn : "gwybyddwch mai clâf a thra chlâf o'r cryd oeddwn y pryd y dechreuais y cywydd." [2] Y mae hyn yn egluro'r ymadrodd, ond nid yn ei gyfiawnhau ; yn hytrach dangos y camgymeriad yn eglurach a wna. Wedi trin mater mawr, Cyffredinol ei natur a'i apêl, dyna'r bardd yn dwyn i mewn ymadrodd nad oes ystyr iddo ond fel cyfeiriad at ddigwyddiad Neilltuol ac eithriadol yn ei hanes ei hun, ac anhysbys i'r darllenydd. Ond am ei fod yn anhysbys, nid oes ar yr wyneb ond anghysondeb ; ac nid yw fai cynddrwg â'r gwrthuni o lusgo'r Neilltuol i'r amlwg o hyd drwy gorff y gerdd.

---

[1] *Y Traethodydd* i, 1845, td. 362.   [2] Gr.O. 169; *Letters* 17.

Pan roed rhamant yn destun cadair yn 1902, mynnai'r rhan fwyaf o'r ymgeiswyr ddinistrio'r lledrith drwy gyfeirio byth a hefyd at yr oes hon, neu dynnu gwers i'r oes hon. Wrth ffugio rhamanta fe ddaw'r moesolwr diweddar i'r golwg; nid oes gantho ddigon o ddychymyg i ffugio'n iawn. Hwn yn ddïau yw'r bardd a welir amser eisteddfod mewn gwisg dderwyddol a het ffelt. Nid yw cam-amser o angen-rheidrwydd yn fai mewn cerdd—ni allai ond hynafiaethydd ei osgoi, os gallai ef; y bai yw anghysondeb amlwg a fradycha'r ffuant ac a ddinistria'r hud.

20. Y mae i'r gathl ei hunoliaeth a'i chysondeb hefyd. Yn wir, rhaid cyfrif cân fer yn fethiant oni bydd pob ymadrodd ynddi'n cludo'i neges. Y gamp yw ei chanu heb ry nac eisiau, heb eiriau di-bwynt i wanychu'r effaith na bylchau i dywyllu'r meddwl. Mewn soned, er enghraifft, y mae weithiau ryw *un* llinell yn ymddangos fel pe na bai iddi bwrpas ond cyflawni rhif y pedair ar ddeg; cael cy-mesuredd perffaith rhwng y mater a'r ffurf yw anhawster mawr y mesur hwn. Ond o benillion byrion y llunnir telyneg yn gyffredin, a gall y bardd ddewis y nifer ohonynt a fo cyfleus. Nid oes yma ond un sefyllfa i'w phortreadu; ond fe ddylai ei helfennau fod yn y drefn oreu, a'r diweddiad yn faen clo. Y mae amherthynas yn waeth mewn cân fer, od oes modd, nag mewn cerdd fwy, ac y mae'n druenus ar ei diwedd. Ym "Morfa Rhuddlan" Ieuan Glan Geirionydd, er gwaethaf gwallau diweddar mewn odl ac iaith,[1] y mae'r efelychiad o'r hyn y gellid meddwl am hen fardd yn ei ganu ar y dôn yn effeithiol iawn; ond yn y pennill olaf y mae'r awdur yn ei grybwyll ei hun, a'i bobl—caiff lety yn nhy "Ioan lân . . . y Ficar . . . gan ei gu rïan": dyna fantell yr hen awenydd rhamantus wedi disgyn, a'r gŵr mewn côt ddu a chadach gwyn yn sefyll ger ein bron—holl gyfaredd

---

[1] *Haul* ac *ael*, odl amherffaith yn awr, amhosibl gynt; *rhedy*, gwall trwstan am *rhed*, etc. I.G.G. 185-6.

y gorffennol Cyffredinol gwych yn diflannu drwy gyffyrddiad
y presennol Neilltuol distadl.

21. Daliai Edgar Allan Poe [1] mai telyneg yw'r unig wir
gân. Nid oes y fath beth â chân faith, medd ef; y mae
"cân" a "maith" yn wrth-ddywediad. Nid yw cân yn
haeddu'r enw ond cyn belled ag y symbyla trwy ddyrchafu'r
enaid; a'r symbyliad dyrchafol hwn yw mesur ei gwerth
fel cân. Ond y mae pob cyfryw symbyliad wrth natur yn
fyr ei barhad; ni ellir ei gynnal yn ei angerdd drwy
gyfansoddiad maith iawn. Wedi rhyw hanner awr, y fan
bellaf, y mae'n llaesu a llesgáu, ac nid yw'r gân mwy'n gân.
Nid yw "Coll Paradwys", medd ef, i'w chyfrif yn farddonol
ond trwy golli golwg ar unoliaeth (anghenrhaid pob celfydd-
ydwaith), ac edrych arni fel rhes o ganau byrion. Cytuna
Mr. Drinkwater â'r gair olaf: "y mae dywediad Poe," medd
ef, "mai cyfres o ganau byrion yw cân faith, yn berffaith
iawn." [2] Ond nid cyfres yn unig ydyw iddo ef. Y mae'r
ddawn farddonol bur yn cyrraedd ei phinagl yn y delyneg.
Hon yw'r ddawn uchaf a roed i ddyn, a'r brinnaf. Ond y
mae dawn arall radd yn is yn berthynas agos iddi—y ddawn
bensaernïol i drefnu tyrrau mawr o fanylion, a'u cyfuno'n
gyfangorff dosbarthus o gytbwysedd cain. Hon a fu'n
adeiladu "Coll Paradwys"; ond y ddawn farddonol bur
a luniodd ei rhannau. Y mae doniau eraill, megis y ddawn
ddramadaidd—y gallu i ddychmygu teimladau a meddyliau
a theithi cymeriadau amrywiol. Y doniau hyn yn cyd-
weithio â'r ddawn farddonol bur a gynyrchodd y gweithiau
barddonol mawr. Y mae dawn adeilio a dawn adnabod
cymeriad ar waith yn y delyneg hefyd yn ei chylch ei hun;
ond gweithrediad y ddawn farddonol bur sy'n wastadol
amlwg ynddi hi.

22. Telynegol fel y sylwyd yw hen farddoniaeth Cymru.

[1] Yn ei ysgrif "The Poetic Principle".
[2] "—perfectly just", *The Lyric*, td. 43.

Y mae ynddi elfennau drama—ambell ymddiddan ar gân,
ac ambell bwt o chwaraegan grefyddol. Ond ni chafodd
Cymru mo'r bywyd tawel sefydlog, y cyfoeth a'r dinasoedd,
y sydd (neu oedd) yn anhepgor i dwf y ddrama. Ac ni
chynyrchodd arwrgerdd am iddi droi'n fore i adrodd
hanesion ei harwyr mewn rhyddiaith ; y mae'r ddawn
bensaernïol a pheth o'r ddawn ddramadaidd i'w canfod ar
waith yn y Mabinogion. Y mae ffurf farddonol yn addas
i fynegi'r delfrydol, yn enwedig brofiad neu deimlad dwys ;
ond wrth geisio darlunio bywyd yn gyfan fe gyfyd awydd
am efelychiad a fo'n nes i natur, ac mewn llenyddiaeth
ddiweddar y mae'r ddrama wedi diosg mydr, a'r gerdd hanes
wedi rhoi lle i'r nofel. Ni wnaeth yr hen Gymry ond achub
y blaen ; trwy reddf gywir y cyfyngasant gân i'r materion
addasaf iddi, ac i'r hyd y gellid cynnal ei hangerdd.

II. YR IAITH

I. Priod-ddull a Geiriad.

Ymadroddion Rhyddieithol.

23. Fe ŵyr pawb fod arddull barddoniaeth·yn wahanol i arddull rhyddiaith, ac fe all gŵr a rhyw gymaint o reddf lenyddol ynddo roi ei fys ar unwaith ar ymadroddion rhyddieithol mewn peth a gais fod yn gerdd. Fe geir llawer o hynny yng nghystadleuaethau'r Eisteddfod, er nad cymaint yn awr â chynt. Yng *Nghofnodion Eisteddfod Llandudno* 1896 gwelaf i mi ddyfynnu,[1] o waith un ymgeisydd am y goron a ataliwyd, y gemau hyn:

> "Tra bu y trefniant hwnw mewn gweithrediad";
> "Mwy cydnaws a'u hanianawd";
> "yn dra chynar yn ei yrfa Dechreuodd sylweddoli ei sefyllfa";
> "amlygai astudrwydd Arwyddol o urddas a boneddig-eiddrwydd";
> "Os iddo 'i gyfiawn freintiau a wrthodwyd Oherwydd anffawd nad oedd ef gyfrifol Am dani, iddo yr oedd mab meddianol Ar bob cymhwysder y gallesid gofyn Am dano yn yr hwn fynasai esgyn I sedd lywyddol ac urddasol Gwynedd."
> "Cynullodd dywysogion ac arglwyddi Y wlad yn nghyd i bwyllog ymgynghori Yn nghylch y moddion effeithiolaf ellid Sicrhau er dyogelu eu nerth a'u rhyddid."

Nid yw'r darnau'n ddim llai o ryddiaith er eu rhannu'n llinellau lle mae'r llythyren fawr. Ac y mae'r arddull yn echrydus hyd yn oed fel *rhyddiaith* yn Gymraeg. Y mae

---

[1] Td. 136. Er mai myfi a sgrifennodd y copi, y mae'r feirniadaeth wedi ei hargraffu yn orgraff Isaac Foulkes.

rhyddiaith Gymraeg dda yn nes i farddoniaeth na rhyddiaith Saesneg am ei bod yn fwy diriaethol ; ond dyma briod-ddulliau haniaethol cwmpasog rhyddiaith Saesneg yn honni bod yn farddoniaeth Gymraeg ! " Mewn gweithrediad " *in operation,* " sylweddoli ei sefyllfa " *to realize his position,* " arwyddol o " *significant of,* " meddiannol ar " *possessed of.* Ac nid yw " ymgynghori yn nghylch y moddion effeithiolaf ellid sicrhau " yn cynnwys dim mwy o feddwl nag " ymgynghori pa fodd oreu."

24. Y mae barddoniaeth, hyd yn oed yn Saesneg, yn ymwrthod â siarad gwag fel yna—sw̑n yn byddaru'r glust heb ddim i lygad y meddwl gael craff arno. "*Poetry* ", medd Gummere,[1] " *instinctively shrinks from colorless and abstract talk. Prose concerns itself with the* sense *alone ; but poetry always seeks a concrete image.*" Er enghraifft, lle dywedid mewn rhyddiaith, " Gan bwy mae digon o win coch ? " fe ofyn Tudur Aled,

> Pwy bïau *gwaed* pibau gwin ? [2]

Dyna'r *image*—y delwedd ; yr ydym yn *gweled* y gwin yn llifo'n goch o'r pibau, y barilau mawr. Os chwiliwch i darddiad geiriau chwi gewch fod pob iaith ar y dechreu yn llawn o ddelweddau byw fel yna ; " is not your very *Attention* a *Stretching-to* ? " medd Carlyle.[3] Wrth ddel-weddu'r corff gweledig yn " ymestyn at " beth, fe allai'r llefarwr gyfleu syniad am osgo'r meddwl anweledig. Ond yn nhreigl amser fe anghofir y darlun, ac nid erys ond y syniad noeth. Fe gollodd yr ymadrodd ei rym a'i fywyd, ac nid yw mwyach ond arwyddlun marw. Ond fe gais barddoniaeth ymadroddion byw a grymus o hyd, yn cadw min a swyn yr iaith yn ei hieuenctid.

---

[1] *A Handbook of Poetics,* td. 84.   [2] R. i 13.
[3] *Sartor Resartus,* pop. ed., p. 49.

Geiriau Haniaethol.

25. Nid â syniadau haniaethol y mae a wnelo barddon-
iaeth, ond â syniadau diriaethol. Dyfynna Watts-Dunton
o *Spanish Gypsy* George Eliot—

> Speech is but broken light upon the depth
> Of the unspoken ;

ac medd ef, " The abstract method is substituted for the
concrete. Such an abstract phrase as *the unspoken* belongs
entirely to prose."[1] Pa faint gwaeth yn Gymraeg ydyw
ymadroddion fel *yr anhraethadwy, yr ysbrydol, y prydferth,
y cain,* a'r cyffelyb mewn barddoniaeth ? Efallai na ddylid
gwarafun i'r rhyddieithwr arfer y priod-ddull, er bod yn lled
amlwg mai benthyg diweddar ydyw. Mewn Cymraeg
dilediaith y mae rhyw *enw* sylweddol yn ddealledig bob
amser pan arferir *y* gydag ansoddair : *yr hen a'r gwan*
(L.G.C. 10) ydyw *dyn* hen a *dyn* gwan ; *yr uchelion*
(Gr.O. 120) ydyw'r ffurfafen ; *y gwir* ydyw'r *gair* gwir, neu'r
meddwl gwir, sef 'the truth,' nid ' the true ' yn yr ystyr
gyffredinol haniaethol Seisnig.[2]

26. Y mae teithi'r iaith Gymraeg yn peri bod ymad-
roddion haniaethol yn fwy gwrthun mewn barddoniaeth
ynddi hi nag yn Saesneg. Ysywaeth y mae gennym lawer
o eiriau o'r fath sydd efallai'n anhepgor mewn rhyddiaith,
ond sy'n ddinistr i farddoniaeth. *Dylanwad*, er enghraifft
—cyfieithiad slafaidd ond disynnwyr o *influence.* Ystyr
gyntaf *influence* oedd y gallu y tybid ei fod yn *dylifo* o'r
planedau ac yn effeithio ar fywyd dyn ; cyfieithwyd ef
â gair yn golygu llanw'r môr : nid yn unig y mae'r hen
ddelwedd wedi ei golli, ond y mae un arall hollol dywyll
a diystyr wedi ei roi yn ei le. Y mae gair sydd a'i ddelw

---

[1] *Enc. Brit.*, 11th ed., xxi, p. 877.
[2] Y mae ychydig ansoddeiriau yn hen enwau haniaethol hefyd, megis
drwg a *da*, a geiriau lliw fel *glas* y nef, *gwyrdd* y dail, D.E. 5.

a'i argraff wedi gwisgo ymaith fel hen swllt yn pasio mewn rhyddiaith, a hyd yn oed gam-gopi annelwig o'r cyfryw fel y gair hwn ; ond i farddoniaeth y mae'r ddelw a'r argraff yn bwysig. Ac eto yr oedd *dylanwad* yn air mawr gan feirdd diwedd y ganrif aeth heibio, am na wyddent y gwahaniaeth rhwng rhyddiaith wael a barddoniaeth.[1] O'r ochr arall, mewn hen air fel *mabwysiad* y mae'r ystyr wreiddiol mor amlwg nes bod ei arfer am *adoption* ynglŷn â chynllun neu'r cyffelyb yn rhywbeth rhy drwstan hyd yn oed mewn rhyddiaith ; fe wêl pawb mai chwithig yw delweddu " cynllun " fel " mab ". Y mae llawer o'r fath eiriau'n hollol gyfaddas i ryddiaith, megis *datblygiad*, *diwylliant*, *cyflenwad* (cam ffurf—*cyflanwad* a ddylai fod), *darganfyddiad*, *cynrychiolaeth*, a'r cyffelyb ; ond rhyddieithol hollol ydynt, yn eu hanfod ac yn eu cysylltiadau. Mae'n debyg bod anghenion y meddwl diweddar yn galw am air fel *ffaith*, er mai cam-darddiad[2] o eiriau fel *effaith* ydyw ; ond yn sicr nid gormod cymhendod ydyw dywedyd ei fod yn wrthun mewn barddoniaeth. Yr un modd am ferfau diweddar : *dylanwadu*, *datblygu*, *mabwysiadu*, *cyfansoddi*, *anwybyddu*—beth a bair fod *anwybyddu*'n air mor ddigrif ? Nid oes deddf ond greddf mewn mater fel hyn, a dewisiad y prydydd a ddengys ei awen.

27. Gwaeth na defnyddio geiriau haniaethol ydyw eu cam-ddefnyddio. Y bai mwyaf cyffredin, efallai, mewn rhigymau Cymraeg ydyw dodi'r haniaeth yn lle'r diriaeth. Yn awdl " Clawdd Offa " Tudno,[3] er enghraifft, fe geir—

> Ond blinai clod blaen y cledd
> Mewn rhyw waed am anrhydedd.

Y mae " blinai'r cleddyf " yn ymadrodd priodol fel troad ; ond yr oedd eisiau " blaen " i gynganeddu â " blinai ", ac

---

[1] Gweler *Y Geninen*, 1892, td. 52.

[2] Mae *-aith* yn rheolaidd o *-ect* yn *effect-*, *perfect-*, etc. ; ond *ffaeth* a ddaeth o *fact-* yn Gymraeg—" tir *ffaeth* ".

[3] *Y Geninen Eisteddfodol*, 1892, td. 1-3.

nid yw " blinai blaen y cledd " mor briodol. Ond yr oedd
eisiau gair i ateb " cledd " drachefn, a dodir " clod " i mewn
heb ystyriaid dim am synnwyr y frawddeg. A'r canlyniad
yw " blinai *clod* "—nid dim y gellid ei gyffelybu i greadur
a allai flino, ond *clod* yn blino! A hynny " mewn rhyw
waed am anrhydedd." *Clod* yn blino am *anrhydedd*! Eto:

> Fel na bu o fil yn bod
> Braidd wyneb i brudd hynod
> Garu adrodd gwrhydri
> Dial nerth ein cenedl ni.

Heb ymdroi â'r " bu yn bod ",[1] y mae *wyneb* am *ddyn*, y rhan
am y cyfan, yn droad cymeradwy, § 67, er mai chwithig yw
sôn am *wyneb* yn caru nac yn adrodd.[2] " Ni bu braidd
wyneb i adrodd " a feddyliai'r awdur, ond " i *garu* adrodd "
a ddywaid, ac i " brudd hynod garu adrodd ". Yna fe
feddyliai am ddywedyd " adrodd gwrhydri ein cenedl ni " ;
ond yn lle gwrhydri cenedl, gwrhydri *dial* sydd yma ; ac
nid dial cenedl chwaith, ond dial *nerth* : " gwrhydri dial nerth
ein cenedl ni "! Dywedai Rossetti fod " ymenyddwaith
sylfaenol " yn anhepgor i farddoniaeth ;[3] ond yma nid yw'r
ymennydd ar waith o gwbl—nid ymdrôdd y cynganeddwr
i ystyriaid arwyddocâd y geiriau a gordeddai.[4]

28. Camarferiad trwstan o haniaethau yw rhoi'r weithred
yn lle'r gweithredwr, ac fe geir hyn hefyd yn yr un awdl :

> Ac yn brwd sibrwd mae sôn.

---

[1] Nid oes dim yn anghywir mewn ymadrodd fel "*Mae* Duw yn *bod*",
am fod i'r ferf ' bod ' ddwy ystyr, ' be' ac ' exist', a gall ' be ' fod yn ferf
gynorthwyol i ' exist ' heb amhriodoldeb. Ond peth arall yw "*bu* yn
bod" am *bu*.

[2] Calon i garu, pen neu enau i adrodd.

[3] *Y Beirniad*, 1916, td. 145.

[4] Y mae'n amlwg fod y cast oedd gantho yn ei dwyllo ef ei hun.
Tybiai na byddai gair llanw yn air llanw os rhoid ef yn rhediad y gystrawen.
Pan fynnai ddywedyd " blinai'r cledd " yr oedd " clod " yn air llanw
hwylus ; ond wrth ei roi'n destun y ferf tybiai nad oedd yn air llanw
mwyach, am fod y llinell yn rhedeg yn llithrig ; ac ni chanfu mai *nonsense*
perffaith oedd " blinai clod ". Yr hyn a wnaethai, wrth geisio osgoi llanw,
oedd rhoi gair llanw amherthynasol yn y lle pwysicaf yn y frawddeg.

Yn lle *pobl* yn sibrwd, dyna sôn yn sibrwd, sef sibrwd yn sibrwd. Gellir personoli haniaeth, a phriodoli gweithred *arall* iddo, megis dywedyd bod rhyw *sôn* yn *tystiolaethu*; ond *sôn* yn *sôn*! Ni thâl hyn. Dyma'r un peth eto:

> Ef drengai: ond ni fedr anghof
> A'i ddwylaw cudd ddileu cof
> Gwrthun teyrn a greithiai'n tir.

Nid yw personoli angof trwy roi iddo "ddwylaw *cudd*"[1] yn chwanegu dim at briodoldeb yr ymadrodd "Ni fedr angof ddileu cof", sef ni fedr angof beri angof. Â'r un llacrwydd meddwl fe all Tudno briodoli haniaeth iddo'i hun, neu i briodoledd ohono'i hun: yn ei awdl "Beibl i bawb" fe all ddywedyd mai "Dylanwad . . . *yw*'n Beibl ni", ac yn yr anadl nesaf grybwyll "Dylanwad ei oleuni",[2] sef dylanwad goleuni'r dylanwad!

29. Dyma'r pethau a wobrwyid â chadeiriau yn 1884-5, cyfnod darostyngiad isaf barddoniaeth Gymraeg, ac, ar ol eu cyhoeddi yn *Y Geninen Eisteddfodol* yn 1890, 1892, a osodwyd i ymgeiswyr am urddau'r Orsedd i'w hastudio fel patrymau o farddoniaeth. Nid rhyfedd bod llawer o beth cyffelyb i'w gael wedi hynny hyd yn oed ar fesur rhydd. Yn 1896, yn lle sôn am rai'n troi o gylch Llywelyn, fe soniai un ymgeisydd amdanynt yn troi

> o gylch ei *ddylanwad*
> Fel y planedau yn llaw deddf disgyrchiad.[3]

Nid o gylch *dylanwad* y try'r planedau, ond o gylch yr *haul*; dyna roi gallu yn lle gwrthrych; a dyna wrthdrawiad rhwng *o gylch* gallu ac *yn llaw* gallu, a rhwng yr hen syniad am *influence* a'r syniad newydd am *attraction*. Y mae eisiau meddwl clir iawn i drin haniaethau; a hawdd yw cymysgu trosiadau oni chedwir golwg ar y delweddau sy tu ol iddynt. Y bardd yw'r gŵr sydd wrth ei swydd yn gwneuthur hyn.

---

[1] "Drwg ystyr", gweler § 528.
[2] *Y Geninen Eisteddfodol*, 1890, td. 3.
[3] *Cofn. Eist. Llandudno*, 1896, td. 136.

Geiriau Anfarddonol.

30. Ond heblaw geiriau haniaethol sy'n amlwg yn
perthyn yn hollol i ryddiaith, fe ddifwynir cerdd gan eiriau
sy'n *awgrymu* pethau anfarddonol : "the word *hatter* cannot
be used seriously in emotional verse," medd Stevenson ; ac
felly am air fel *heddgeidwad*, dyweder, yn Gymraeg. Ond
mi welais ymgeisydd mewn eisteddfod yn galw torf o
angylion yn *heddlu* ![1] Gwelais un arall yn adrodd rhamant
Arthuraidd yn nhermau masnach yr oes hon :

> A Geraint mewn dull gwrol—i Ynwyl
> Adfeddiannai'r *gwaddol* :
> I'r teulu'n awr talai'n ol
> Y colledion *cyllidol.*[2]

Yma eto, nid wrth reol y mae penderfynu beth sy farddonol,
a pheth nad yw. Pa fodd, er enghraifft, y mae cyfrif am
y gwirionedd diamheuol mai methiant truenus fel bardd-
oniaeth yw pob cyfeiriad at *drwyn* yr anwylyd mewn cân
serch, o Gân y Caniadau ("dy drwyn fel twr Libanus" vii
4) i lawr? Nid yn swn y *gair* y mae'r drwg, gan fod yr
un peth yn wir ym mhob iaith ; ac fe ellir sôn yn ddidram-
gwydd am *drwyn* o dir, megis yn yr hen bennill—

> Dacw long yn hwylio'n hwylus
> Heibio i'r trwyn ac at yr ynys :
> Os fy nghariad i sydd ynddi
> Hwyliau sidan coch sydd arni.[3]

Yn yr hyn a *awgrymir* y mae'r dirgelwch, ac nid yn y sain ;
am ryw reswm meddylegol y *syniad* o drwyn dyn sy'n creu
ysgafnder. Ond y mae'r geiriau *ceg* a *boch* yn anfarddonol
am fod eu hen ystyron wedi aros yn ddigon hir i effeithio ar
y traddodiad ; *ceg* oedd yr agoriad i lawr i'r gwddf,[4] a boch

---

[1] *Cofn. Eist. Lerpwl*, 1900, td. 3.   [2] *Cofn. Eist. Rhyl*, 1904, td. 3.
[3] Ni welais hwn mewn casgliad ; ei ddysgu oddiar lafar yn blentyn a
wneuthum.
[4] A'r gwddf ei hun : "gerfydd fy ngheg" B.CW. 7.

chwyddedig oedd *boch*.[1] Rhyw adflas o hen *slang* sydd
yma, nid dim yn y gwrthrychau, canys y mae eu henwau
priodol *genau* a *grudd* yn eiriau barddonol.

Geiriau Gwerinaidd a Geiriau Ffug.

31. Y mae i'r eiriadaeth farddonïaidd ei thraddodiad, na
wiw i'r bardd, ar boen ei fywyd fel bardd, ei ddïystyru.
Dau beth yn arbennig sydd i'w gochel : geiriau gwerinaidd
a geiriau ffug. Dirmygus i ddarllenydd diwylliedig a ŵyr
lenyddiaeth ei wlad yw gair tafodieithol di-urddas fel *dynes*
mewn cerdd—gair rhy wael i ryddiaith y Beibl, neu *lodes*,
llygriad o *herlodes* o'r Saesneg *harlot* ; a gair ffug di-hanes
di-awen fel *boneddes*. Eto dyma'r geiriau oedd gan amryw
o ymgeiswyr Eisteddfod y Rhyl, 1904, yn ceisio canu
rhamant,[2] pryd yr oedd at eu dewis eiriau barddonïaidd
gwych fel *gwraig, morwyn, gwyry, merch, arglwyddes, iarlles,
unbennes, banon, bun, rhïain*, heb sôn am *feinir* a *meinwen*.
Y mae yng ngeiriadur Pughe liaws mawr o eiriau ffug
a ddyfeisiwyd gantho ef yn " wreiddiau " i eiriau eraill yn
ol ei gyfundrefn blentynnaidd o eirdarddiad ; ac yn anffodus
ni wyddai beirdd y bedwaredd ganrif ar bymtheg amgen
na bod yr erthylod hyn yn eiriau Cymraeg, ac anurddent
eu gwaith â phethau fel *derch* a *blydd* a *def*.[3] Hyd yn oed
yn y ganrif hon fe geid rhai yn arfer coeg-eiriau fel *tain*
a *brén*,[4] neu *ethw, plydd, bus*.[5] Nid oes gan neb hawl i
ddefnyddio gair oni bydd ef ei hun yn gyfarwydd ag ef
mewn llenyddiaeth, ac yn hollol sicr o'i ffurf a'i ystyr.

32. Yr un dosbarthiad sydd i feiau gramadegol : sef

---

[1] Ceir y ddau air yn nychan L.G.C. 390 i bibydd Fflint : "A chwyddo'r
ddwy*foch* eiddaw ", "Gwythi *ceg* yn gwthio cerdd." Y mae hyn yn iawn
mewn gwatwargerdd, gweler § 40.

[2] *Cofnodion*, td. 2.

[3] *Def* wedi ei dynnu o'r lluosog *defon*, sy'n digwydd (M.A. 202 *a*) fel cam-
ddarlleniad o *deddfon* ; gwnaethpwyd *defon* yn *defion* wedi hynny.

[4] *Cofn. Eist. Rhyl*, 1904, td. 5.

[5] *Cofn. Eist. Llundain*, 1909, td. 4, 10.

dirywiadau tafodieithol a ffurfiau ffug. I'r dosbarth cyntaf
y perthyn ffurfiau berfol fel *gwnes, dois, buais* am *gwneuthum,
deuthum, bûm*; *elot* am *elych*; *hiraf* am *hwyaf*; *hawddach,
hawddaf* am *haws, hawsaf*; *alarchod* am *elyrch*; *castelli* am
gestyll. I'r dosbarth o ffurfiau ffug-lenyddol (am nas ceir
ar lafar) y perthyn berfau fel *rhodda* am *rhydd, torra* am *tyr,
ca* am *caiff, dyrchu* am *ddyrchafu*; a phethau fel *borau* am
fore, creig am *greigiau, blodion* am *flodau, brïeill* am *frïallu,
emrynt* am *amrannau, goraf* am *gorau*, a'r cyffelyb. Gwrthuni
yw'r holl bethau yna i bawb sy'n weddol gydnabyddus â
thraddodiad llenyddol yr iaith.[1] Rhaid i iaith barddoniaeth
fod yn urddasol a phur.

Enwau Personol.

33. Odid nad yw enwau priod yn amrywio mwy hyd yn
oed na geiriau cyffredin yn eu gwerth barddonol—rhai
ohonynt yn bersain a rhamantus, eraill yn wrthun yn
difetha'r hud. Rhaid i'r bardd eu dethol yn ofalus iawn,
yn enwedig enwau personol. Yr oedd gan hen feirdd
Cymru fantais fawr ar feirdd yr oes hon yn hyn o beth:
gallent alw eu cyfoedion wrth eu henwau eu hunain heb
ddwyn hagrwch ac anghytgord i mewn i'w canu. Yr oedd
yr enwau'n rhan o'r iaith, yn wir yn rhan o'i barddoniaeth:
*Maredudd, Gruffudd, Llywarch, Llywelyn, Gwalchmai, Tudur,
Gwladus, Gweirful, Gwenllïan, Angharad, Morfudd*; ac yr
oedd hen enwau benthyg, fel *Selyf, Dafydd, Gwilym,
Ifor, Ynyr,* yn cymryd eu lle'n esmwyth yn yr iaith. Ond
y mae enwau gwneuthur fel *Menna Rhên*[2] Ceiriog mor
ddiflas â geiriau ffug o eiriaduron; a gofid i'r neb a gâr

---

[1] Ni ellir uchod ond rhoi ychydig enghreifftiau o'r gwrthuni hwn.
Ceisiais nodi ffurfiau cywir y traddodiad diweddar yn fy *Elementary Welsh
Grammar*, Oxford, 1921.

[2] *Menna* o ryw *menn-* diystyr a'r terfyniad benywaidd Lladin *-a* sy mor
hoff gan y Sais; a'r enw cyffredin *rhên* wedi ei droi'n gyfenw priod, heb
briodoldeb yn y byd, hyd y gwelaf fi.

draddodiadau'r iaith yw gweled eraill yn benthyca'r ffug
newydd hwn, a rhoi afieithair fel *Men* yn eu canau yn lle'r
enw Cymraeg *Gwen*, yr enw tlysaf ar ferch mewn iaith yn
y byd. Â'r Cyffredinol, fel y sylwyd y mae a wnelo
barddoniaeth ; ond peth hollol Neilltuol i Geiriog ei hun
yw'r enw *Menna*—ei gamgymeriad neilltuol, os mynnwch,
canys nid yw wedi ei lunio yn ol deddfau cyffredinol yr iaith.
Nid yw'r beirdd mawr yn dyfeisio enwau personol, oddieithr
ambell gyfenw neu lysenw neu enw anwes a *allai* fod ; ac
ni bydd beirdd eraill yn gormesu ar eu patent yn y rheini.
Beth bynnag, fe ddylai pob enw fod yn un a *allai* fod yn ol
deddfau'r iaith o ffurfio enwau. Ond yr oedd greddf Ceiriog
yn gywir cyn belled â'i fod yn amcanu at y delfrydol ; fe
wyddai na wnâi enw fel *Jane Davies*, er enghraifft, mo'r tro
mewn barddoniaeth. Fe wŷr y beirdd serch òll gymaint â
hynny ; ond nis gŵyr pawb a fu'n ceisio nyddu marwnad
neu folawd. Nis gwyddai Gutyn Peris : " Jane Davies deg
ei phryd," medd ef mewn cân o fawl.[1] Nis gwyddai
Williams Pant y Celyn : " William Jones, 'r ych yn
amddifad," [2] medd ef ; neu—

> Mr. Bassett a rodd ffarwel,
> Ffarwel lân i'n daear ni.[3]

A mynych mewn marwnadau diweddar y ceir pethau fel
" Roberts enwog ", neu " Jenkins hoff", neu " Richard
Evans, gyfaill ffyddlon ".[4] Mewn rhyddiaith rhaid i ni
ysywaeth arfer yr enwau Seisnig a wthiodd ein huniad
â Lloegr arnom, ond mewn bàrddoniaeth Gymraeg gwybed
yn yr ennaint ydynt. Ni chrybwylla'r hen feirdd enwau
Saesneg ond mewn ffurf wedi ei llwyr gymreigio, megis

---

[1] Gu.P. 145.   [2] Wms. i 567.   [3] Eto 529.
[4] Y mae rhai yn y dyddiau hyn mor ddi-syniad ag arfer prif-lythrennau
enw dyn, megis " O.M. Edwards " mewn cerdd ddifrif ! A hyd yn oed
heb gyfenw, megis " O.M." I ryddiaith a chanu digrif y perthyn pethau
fel hyn.

Rhoser, Rhisiart, Siaspar, Hopcyn ; a hyd yn oed felly anfynych y bydd yr effaith yn hapus. Rhaid i iaith barddoniaeth fod yn ddelfrydol, ond iaith y byd *matter-of-fact* ydyw enwau gwirioneddol, a cheir y beirdd mawr yn eu greddfol osgoi, neu'n rhoi enwau delfrydol neu ddelweddol yn eu lle. Fe ddywedir bod ym mryd Fferyllt, pan oedd yn ŵr ieuanc, ganu cerdd genedlaethol, ac mai diffyg urddas yr hen enwau Rhufeinig, megis *Decius Mus* a *Vibius Caudex*, a'i troes o'i fwriad. Nid oedd dim yn anghydnaws yn enw Edward King yn Saesneg ; ond dewisodd Milton, yn ei farwnad iddo, ei ddelweddu fel bugail, a'i alw'n *Lycidas*. Oherwydd bod y Saesneg wedi ei thrwytho â Groeg a Lladin, y mae enw clasurol yn weddus ynddi hi ; ond rhodres fuasai yn Gymraeg—rhaid i ni gael ein henwau delfrydol yn ein hen lenyddiaeth ein hunain.[1]

34. Y mae enwau anwes yn hen iawn ; gellir olrhain y ffurf yn -*o* yn ol i'r fam-iaith gyntefig. Fe'i harferid erioed mewn dirmyg ac mewn anwyldeb ; ac fe'u ceir felly mewn barddoniaeth, megis *Guto* yn lle Gruffudd, a *Deio* yn lle Dafydd mewn dychangerdd ; a *Gwen, Gwenno, Llïo* yn lle Gwenllïan mewn rhieingerdd neu gân serch.

Enwau Lleoedd.

35. Y mae enwau lleoedd yng Nghymru, hefyd, yn rhan o'r iaith ac o'i barddoniaeth.[2] Nid rhaid ymhelaethu ar swyn llawer ohonynt—*Môn, Eryri, Ardudwy, Dyfed, Gwent, Caernarfon, Caerfyrddin, Conwy, y Bala, Dyfrdwy, Hafren, Dwyfor, Teifi, Llwyn Onn, Hafod Unnos, Rhyd y Delyn, Ystrad Ffin.* Nid oes ond cynefindra'n pylu'r glust

---

[1] Y mae'n anodd dygymod â'r enwau coeg-glasurol yn *Theomemphus* ; er cynefino â hwynt rhyw ddïeithriaid ydynt o hyd.

[2] " Wales, where the past still lives, where every place has its tradition, every name its poetry."—Matthew Arnold, *Celtic Literature*, pop. edn., p. 2.

i fiwsig llawer o enwau'r llannau; fe allwyd eu gweu
weithiau ag effaith rhyfedd, megis yn llinell Tudur Aled—

Llanrhaeadr oll yn rhewwynt.

36. Y prif wrthuni ynglŷn ag enwau lleoedd mewn
rhigymau diweddar yw eu cam-ynganu: fe sgrifennir
enwau *Abérffro* ac *Abérmo* yn gyffredin yn eu ffurfiau
canoloesol *Abérffraw* ac *Abérmaw*, a gwelwyd rhai di-wybod
yn eu hacennu'n *Aber ffráw* ac *Aber máw*. A gwaeth na
hynny, od oes modd, yw seinio *Glyn Dŵr* fel *Glŷndwr*—y
mae hyd yn oed y Saeson sy'n dywedyd *Glendówer* yn
cadw'r traddodiad am yr enw yn well na'r Cymry anwybodus
sy'n dywedyd *Glŷndwr*.[1] Peth arall yw camarfer y fannod,
megis dilyn dirywiad y tafodieithoedd a'i rhoi yn lle *A-*,
drwy ysgrifennu *y Bermo, y Berffro, y Mwythig*, yn lle
Abermo, Aberffro, Amwythig; nid oes *y* nac *yr* yn yr enwau
hyn. Yr un gwall yw ysgrifennu *y Werddon* neu *yr Iwerddon*
yn lle *Iwerddon* yn syml; y mae'r enw hwn yn eithriad i'r
rheol gyffredin fod *yr* o flaen enwau gwledydd sy'n dechreu
â llafariad yn Gymraeg, megis *yr India, yr Aifft, yr Affrig,
yr Almaen, yr Eidal*, a chynt *yr Asia* D.N. 1, ac y mae
eithriadau eraill fel *Europa, Affrica*. Peth diweddar, hyd
yn oed yn Saesneg, yw rhoi'r fannod o flaen enwau afonydd,
a dynwarediad slafaidd o'r Saesneg yw ei harfer yn
Gymraeg; hebddi y cân yr hen feirdd yr enwau'n wastad:

> Troes *Menai* tros y mynydd,
> Troes *Dyfrdwy* oll, trist fu'r dydd.—G.Gl. c. i **201**.

---

[1] Wrth gwrs *Glyn Dŵr* sy gan yr hen feirdd bob amser:
  Owain, glain dwyrain, *Glyn Dŵr*.—(I.G. 196)? L.G.C.
  I Luned wen o *Lyn Dŵr*.—L.G.C. 402.
  Glyn Dŵr, un galon â'i dad.—D.I.D. G. 178.
  Aeth *Glyn Dŵr* i'th galyn di.—T.A. c. ii 80.
  Gwalch a gloyn Duw gweilch *Glynn Dŵr*.—T.A. G. 246.
  Glyn Dŵr, gwae dy galon di.—L.Môn.
  Ac o lin deg o *Lyn Dŵr*.—W.Ll. 76 ʒ cf 198.
Barna'r Athro Ifor Williams nad I.G. (ond efallai L.G.C.) yw awdur y
llinell gyntaf; gweler *Y Blenor* i, 1922, td. 62-70. Canwyd yr ail i
Wenllïan ferch Owain.

37. Heblaw lleoedd yng Nghymru a gwledydd tramor, y mae'n aros hen enwau Cymraeg ar lawer o drefydd Lloegr, megis *Llundain, Rhydychen, Caer Grawnt, Caer Gaint, Caer Efrog* (York), *Caer Liwelydd* (Carlisle), *Caer Lŷr* (Leicester) ; ac am leoedd eraill arferai'r hen feirdd yr enwau Saesneg wedi eu cymreigio, megis *Banbri, Berwig, Dwnster, Ewsam* (Evesham), *Sandwis* (Sandwich), *Warwig,* a'r cyffelyb.[1] Ond nid yw enwau Seisnig rywsut yn cartrefu'n dda mewn barddoniaeth Gymraeg—yr ydym yn rhy gynefin â'u priod sain. Y mae enwau mwy dieithr yn well, yn enwedig rhai y gellir eu hacennu fel geiriau Cymraeg ; pan fo'r sain yn beraidd bydd cyfaredd yn eu dieithrwch. Onid yw'r swyn dieithr hwnnw i'w glywed ym "Marwnad Heber" yn yr enwau soniarus *Caveri, Travancore, Tranquebar, Coromandel*?[2] Fe wybu Dewi Wyn gyfaredd enwau, ac fe ymddifyrrai yn eu sain :

> Llwybr i'w chyniwair lle bu arch Noah ;
> Aed o'r Arárat i dir Aurora ;
> O'r Ynys moried i'r hen Samária ;
> Dychwel hi'n dawel i hen Iwdëa ;
> Ys llafur hon nis llwfrhâ,—adnebydd
> Y cu leferydd ochrau Calfaria. . . . .

> Dawn Dduw'n dwyn newyddion da—i'w hoff dir
> Hermon a Senir, Amen, Hosannah !

> Daw'r genedl adre i Ganan,—daw ail
> Adeiliaw coed Liban,
> Daw mil myrdd o demlau mân--mewn purdeb
> O odre Horeb draw i Haran.[3]

Nid oedd gan Galedfryn well beirniadaeth ar y bardd yn ei afiaith fel hyn na sych athrawiaethu nad barddoniaeth yw llinynnu enwau.[4] Diameu fod Dewi'n ymollwng

---

[1] L.G.C. ; gweler ei *Index*.
[2] *Ceinion Alun*, 1851, td. 185-9.   [3] D.W. 99-101.
[4] *Y Traethodydd* ix, 1853, td. 205 ; tebyg bod yn edifar gantho erbyn hynny iddo yn 1838 ddynwared Dewi yn hyn, gweler ei *Ganiadau* 62-3.

gormod, ond ar wahan i hynny yr oedd ei reddf yn iawn :
bu'r beirdd mwyaf, o Homer i lawr, yn ymhyfrydu fel hyn
ym miwsig enwau. Pwy ni ŵyr mor hoff oedd Milton
o'u corddeddu ?

> Next Chemos, the obscene dread of Moab's sons,
> From Aroar to Nebo and the wild
> Of southmost Abarim ; in Hesebon
> And Horonaïm, Seon's realm, beyond
> The flowery dale of Sibma, clad with vines,
> And Elealè to the Asphaltic Pool :
> Peor his other name, when he enticed
> Israel in Sittim, on their march from Nile . . . . . .[1]

Geiriau Benthyg.

38. Nid mewn enwau'n unig y trig y cyfryw swyn â
hwn, ond mewn hen eiriau benthyg fel *fflŵr de lis, ffloring,
miragl, caregl, lifrai, lawnt, galawnt, saffrwm, effros, syndal,
sirig, mwrrai, diémwnt* neu *ddeimawnt, cwrel, beril, saffir.*
O enwau lleoedd y tardd rhai ohonynt, megis *arras* a
damasg, ac *osai* am win Osai, sef Oseye (Alsace). Yr oedd
yr hen gywyddwyr yn hoff o eiriau fel hyn, ac y mae'r
hudoliaeth yn aros megis adlewych o wychter y dyddiau
gynt, fel ym mhennill Dafydd Llwyd :

> Merched ieirll a'u meirch a'u dawns,
> Mewn damasg a main deimawns.[2]

O dan hud y geiriau hyn a'u tebyg y mae rhai beirdd
diweddar wedi dyfeisio rhai newydd, fel *emrallt* am
smaragdus. Nid teg, i'm bryd i, yw ceisio effaith drwy
ffugio *geiriau.* Nid ffuant o'u bathiad eu hunain oedd
geiriau'r hen feirdd, ond geiriau gwirioneddol ar lafar
y bobl. Diau fod gan y bardd bob hawl i ddychmygu
meddylddrychau ; ond fe ddisgwylir iddo'u trosglwyddo
yn aur bath y deyrnas. Yn ei eiriau fel yn ei fydr neu ei

---

gynghanedd rhaid iddo ufuddhau'n ffyddlon i'r traddodiad barddonïaidd.

Hen Eiriau.

39. Ònd o fewn cylch y traddodiad y mae i'r bardd bob rhyddid rhesymol. Fe all arfer hen eiriau: y mae ym mhob iaith liaws o eiriau sy wedi llwyr ddiflannu oddiar lafar ac o ryddiaith, ond sy'n gyffredin o hyd mewn barddoniaeth, megis, yn Gymraeg, *iôr, iôn, udd, pôr, nêr*, oll am 'arglwydd'; *bun, rhïain, rhianedd; huan, lloer; mad, eirian, araul, mirain, iesin, dir, mau*, 'my', *tau* 'thy', ac eraill, heblaw yr arferir eto mewn barddoniaeth ambell air yn ei ystyr wreiddiol, fel *gwawd* am 'gân'. Ond ni chyfyngir dewisiad y bardd i hen eiriau mwy neu lai cyffredin fel y rhain; fe all gyfoethogi ei ymadrodd, ac ennill grym, trwy arfer hen eiriau mwy ansathredig. Ond yn unig ar yr amod a grybwyllwyd uchod : rhaid iddo ef ei hun fod yn gyfarwydd â'r geiriau; y mae defnyddio gair o eiriadur bron yn dwyll, ac efallai mai'r defnyddiwr ei hun a dwyllir gyntaf—dall yn cymryd ei dywys gan ddall. Rhaid i'r prydydd fod yn gynefin â'r gair, ac yn sicr ohono ac o'i gysylltiadau; ac fe ddylai ei roi mewn cysylltiad y ceir ef yn gyffredin ynddo, ac ynglŷn â geiriau a wna'r ystyr yn glir, canys ffolineb yw ceisio grym ar draul eglurder. Er enghraifft, ystyr wreiddiol *arial* ydyw 'dewrder', ac yna 'nwyf, ysbrydiaeth'; yn y pennill—

> Clywaf arial i'm calon
> A'm gwythi, grym ynni Môn,[1]

fe roes Gronwy'r gair mewn cysylltiad arferedig—y mae *arial calon* yn ymadrodd gweddol gyffredin, a dengys mai teimlad yn y galon a feddylir; ac y mae'r geiriau "grym ynni Môn" yn cyfleu rhyw syniad am natur y teimlad. Oni ellir rhoi'r gair fel hyn mewn ymadrodd a'i gwna'n

---

[1] Gr.O. 15.

ddealladwy, fe ddylai o'r hyn lleiaf fod yn well na'r un
gair arall yn ei le, fel y cofier ef *wedi* ei ddeall. Ond y mae
rheswm yn dangos mai'n gynnil y dylid defnyddio hen
eiriau : wrth eu pentyrru y mae'r prydydd yn ceisio megis
ysgrifennu iaith cyfnod arall, ac yn gyffredin yn syrthio i
anghysonderau dybryd ; ar y goreu nid yw gwaith o'r fath
ond dynwarediad, i'w restru yn yr un dosbarth â *Latin
verse* yr ysgolion. O oes Dafydd ap Gwilym hyd ein
dyddiau ni y mae'r traddodiad yn lled gyfa, a gellir
ystyriaid yr ysbaid hwn yn un cyfnod, er cymaint o
wahaniaeth sydd rhwng yr eiriadaeth gyffredin yn ei
ddechreu ac ar ei ddiwedd. Fe ddylai stôr geiriau'r cyfnod
hwn fod yn ddigon i bawb. Am eiriau nis arferwyd
wedi'r gogynfeirdd, y mae ansicrwydd mawr ynghylch
arwyddocâd llawer ohonynt, a rhaid eu rhestru gyda
chywreinion oesoedd a fu. Nid pethau i'w defnyddio
ydynt, ond i'w cadw a'u hastudio, megis mai'r amgueddfa
ac nid y farchnad yw lle hen arian bath.

Canu Digrif.

40. Yn yr hyn oll a ddywedir uchod am ddullwedd a
geiriad barddoniaeth, yr ydys i ddeall mai gwir fardd-
oniaeth, sef barddoniaeth *ddifrif*, a feddylir. Mewn cerdd
ddigrif neu watwargerdd fe dorrir y rheolau o fwriad, am
mai rhywbeth chwithig mewn gair neu osgedd neu weithred
fydd bob amser yn peri chwerthin. Yn y canu digrif goreu
y mae'r mydr a'r odl yn berffaith ; [1] chwanega hynny at
chwithigrwydd ysmala'r priod-ddull a'r geiriad rhydd-
ieithol a wisgir ynddynt. Wrth gwrs, nid yw hyn ei hun
yn ddigon ; rhaid bod rhywbeth chwithig yn y syniad
hefyd, fel yn narlun Ceiriog o'r Prince of Wales yn byw

---

[1] Wrth gwrs y mae tor mesur a thwyll odl a'r cyfryw yn un ffordd o
geisio bod yn ddigrif ; gweler § 576. Fe'u gwneir i ffugio trwstaneiddiwch ;
neu i ddynwared bwnglerwch crachfeirdd, § 518.

a gweithredu a llefaru fel tyddynnwr o Gymro.[1] Ond â'r
iaith y mae a wnelom yn awr. Os edrychir ar ganuau
digrif W. S. Gilbert, er enghraifft, fe welir mai dynwared-
iad agos o siarad cyffredin Sais parchus *matter-of-fact*, yn
gymysg ag ymadroddion barddonllyd, ydyw eu hiaith gan
mwyaf. Nid yw'r canwr digrif yn osgoi geiriau anfardd-
onol—yn hytrach eu ceisio a wna. Gall sôn am *hatter*
neu *drwyn* neu'r peth a fynno, fel Lewis Môn yn gwatwar
y beirdd serch :

> Mi a oerais er morwyn
> O fawd 'y nhroed hyd 'y nhrwyn.

Gall ddefnyddio'r enwau mwyaf anfarddonol, fel Calverley'n
galw'i angyles yn "Miss Clara Jones," [2] a Cheiriog yn
enwi cyfeillion Evan Benwan, "Moses Joseph Parry a Bili
Jones a Jacko Prys." [3] Gall arfer geiriau Saesneg mewn
cerdd Gymraeg, fel y Prince of Wales yng nghân Ceiriog
yn addo dyfod i Gymru " Pan glywai am *cheap trip*." [4] Gall
arfer tafodiaith—yn wir dyma un o'r ffyrdd mwyaf cyffredin
o greu difyrrwch. Diameu fod hyn oll o'r goreu yn ei le ;
y mae'n sicr yn foddion effeithiol i beri llonder, ac y mae
llonder yn iachau'r galon. Ac na thybier ei fod yn
ddirmyg ar farddoniaeth ; yn hytrach tystiolaeth i'w
hurddas ydyw. Yr *an*farddonol a'r barddonllyd (neu'r
coeg-farddonol) sy'n peri digrifwch, a hynny oherwydd y
cyferbyniad anymwybodol a wneir rhyngthynt a gwir
farddoniaeth. Nid oedd gan Euclid ei hun well praw o rai
o'i reolau na dangos bod y gwrthwyneb yn arwain i
ynfydrwydd. Fe dorrir rheolau barddoniaeth heb geisio,
neu'n ddifeddwl, gan brydyddion trwstan, ond o bwrpas

---

[1] *Y Bardd a'r Cerddor* 125–8.   [2] *Verses and Translations*, p. 25.
[3] *Oriau'r Hwyr* 100.
[4] *Y Bardd a'r Cerddor* 128. With gwrs fe gymysgir llawer mwy ar y
ddwy iaith mewn rhai darnau fel *Sesiwn yng Nghymru* Glan y Gors. Ond
lleihau'r effaith a wna gor-wneuthur peth, ac y mae cyffyrddiadau cynnil
Ceiriog yn ddigrifach.

gan y beirdd digrif am mai creu difyrrwch yw eu hamcan.
Y mae'r difrif a'r digrif, fel wyneb a gwrthwyneb, yn
perthyn yn agos i'w gilydd; a'r neb a allo ganfod a
mwynhau'r naill a genfydd ac a fwynha'r llall. Nid oes,
fel y dywedir, ond cam o'r naill i'r llall; a rhaid i'r bardd
o ddifrif, beth bynnag, ofalu am gadw i'w du ei hun i'r
terfyn, rhag digwydd i'w ddarllenwyr chwerthin, nid
gydag ef, ond am ei ben.

II. TROADAU YMADRODD

41. Y mae'r gwahaniaeth rhwng arddull barddoniaeth
ac arddull rhyddiaith yn mynd yn ddyfnach na phriodd-
ddull a geiriad, hyd at y modd o amgyffred a chyfleu'r
meddwl. Y mae iaith barddoniaeth yn fwy ffigurol. Fe
arferir y term " ffigur " yn gyffredin mewn ystyr eang fel
yna i gynnwys troad ymadrodd *a* ffigur—yn wir yn fyn-
ychach am y naill nag am y llall. Ond yn ei ystyr briodol
y mae ffigur yn wahanol i droad. Fel y dywaid Henri
Perri : " Mae dau fraich i Addurneg : y naill yw Troell
ymadrodd, neu drofeg ; arall yw Dullwedd ymadrodd, neu
Ffygr." [1] Â *meddwl* geiriau y mae a wnelo troad ; â'u
trefniant neu eu *ffurfiau* y mae a wnelo ffigur.

42. Cyfieithiadau Perri o'r Lladin *tropus*,[2] a gymerth
Quintilian o'r Groeg τρόπος, ydyw " troell ymadrodd " a
" trofeg ". Ond ' troad ' ydyw ystyr wreiddiol y gair
Groeg ; a pham na wna *troad* yn syml ein tro ninnau ?

---

[1] *Eglúryn Phraethineb*, 1595, td. 1. Y mae'r llyfr yn orgraff J. D.
Rhys, sef â *bh* am *f*, *dh* am *dd*, *lh* am *ll*, *ph* am *ff*. Yn y dyfyniad uchod
ni newidiwyd ond y llythrennau hyn.—3ydd arg. (yn orgraff Pughe),
Llanrwst 1829, td. 9.—Nid peth diweddar yw galw troadau'n ffigurau.
Dywedai Quintilian (yn y ganrif gyntaf) fod rhai rhetoregwyr yn gwneuthur
hynny ; ond noda ef y gwahaniaeth, *Institutiones Oratoriae* ix 1, 2–4.
Eithr er y gwahaniaeth y mae " ffigur " weithiau'n gyfleus fel gair
cyffredinol am droad *neu* ffigur, ac y mae hen arferiad yn cyfiawnhau'r
ystyr eang yn gystal â'r ystyr gyfyng gywir.

[2] O'r Lladin *tropus* y daeth yr enw Saesneg a Ffrangeg *trope*.

Fe'i harferid mewn rhetoreg am *droi* gair o'i ystyr lyth-
rennol i arwyddocáu rhywbeth arall,[1] fel pan ddywedir
"Mi welaf" yn lle "Yn wyf yn deall,"[2] lle *troir* y gair
"gwelaf" o'i ystyr lythrennol o ganfod â'r llygad i arwyddo
canfod â'r meddwl. Y mae'r iaith lafar yn llawn o'r
troadau yna ; a gwaith y bardd yw ei hefelychu hi yn hyn
o beth, a gwella arni lle gall.

I. TROADAU TEBYGRWYDD
Trosiad.

43. Y mae'n amlwg na ellir troi gair o'i ystyr ei hun
i ystyr arall heb fod rhyw debygrwydd, neu ryw berthynas
neu gysylltiad arall, rhwng y ddwy ystyr. Y mwyaf
cyffredin o'r troadau yw'r un a gyfyd o debygrwydd syml.
Gelwir ef yn Saesneg *metaphor*, o'r Lladin *metaphora*, a
gymerwyd yn ddigyfnewid o'r Groeg. Cyfieithwyd y
term gan Henri Perri yn "drawsymddwyn",[3] a chan
Salesbury yn "drawssymudiad."[2] Ond byddai "trosiad"
yn syml yn llawer gwell na'r termau trwsgl yna. Fe
gyflea'r ystyr yn gywir—*translatio* oedd y cyfieithiad
Lladin ; ac nid oes eisiau ond cofio mai math arbennig ar
droad yw *trosiad*.

44. Cymerer yn gyntaf y trosiad a ddefnyddir pan roir
gair priodol i un o synhwyrau'r corff i draethu am un
o'r synhwyrau eraill. Y mae'r Cymro'n *clywed* yr hin yn
oer, ac yn *clywed* ei fwyd yn dda. Pan ddywedodd
Gronwy "*Clywaf* arial i'm calon ", § 39, yr oedd ei ymad-
rodd yn farddonol ac yn Gymreig ; fe ddywedasai ambell

---

[1] Y mae *troell* yn hollol gamarweiniol o ran delwedd ; nid troi fel
troell, ac nid troelli mewn un ystyr i'r gair a feddylir, ond troi yn yr ystyr
o droi i bwrpas arall. Diameu mai â'r terfyniad -*eg* (fel *addurneg*, etc.)
y ffurfiwyd *trofeg*, fel nad yw'r *f* yn ddim ond peth i lenwi bwlch. Pe
gellid ei ystyriaid fel *tro* ac ail elfen y gair *go-feg* ' meddwl ' byddai'r ystyr
yn llawn ynddo. Ond oherwydd ansicrwydd y -*feg* yna, prin y mae'n
werth atgyfodi'r gair.—Cyfieithiad W.S. o'r term oedd "kynnwrf" P.Ⅱ.
cxxi ; ni welaf ddim synnwyr yn hwn ; ai camddarlleniad ydyw ?

[2] W.S. P.Ⅱ. cxxi.   [3] *Egl. Phr.* 3ydd arg. td. 10, 26.

un yn yr oes hon "*Teimlaf* arial", gan adael bardd-
oniaeth a Chymraeg o'r naill du, a rhoi yn eu lle
ryddiaith a'r hyn a ystyria ef yn rhesymeg. Ond y mae'r
trosiad yn rhoi ystyr fanylach na'r "rhesymeg" yna trwy
arfer berf oddefol. Yn yr ieithoedd yn gyffredin nid oes
ferf weithredol *a* berf oddefol ond i'r golwg a'r clyw, sef
edrych a *gweled*, *gwrando* a *chlywed*; ond trwy'r trosiad fe
wneir *clywed* yn ferf oddefol i'r synhwyrau eraill hefyd,
megis *teimlo*'r pren a'i *glywed* yn galed; *profi*'r bwyd a'i
glywed yn dda. Ni ellir dywedyd y peth yn fyw a chymwys
fel yna yn Saesneg, am na ellir arfer y trosiad hwn ynddi.
Ond y mae trosiadau cyffelyb ym mhob iaith : yr ydych
yn *profi* rhyw fwyd i *edrych* a yw'n dda, neu i *weled* pa flas
sydd arno. Fe ddywedir bod *sain* yn *felys*, er mai'r glust
ac nid taflod y genau sy'n barnu; fe ddywedir bod *cán* yn
*bryd*ferth neu'n *dlos*, er nad oes iddi na phryd na gwedd.
Nid oes yn yr un iaith yn y byd ddigon o eiriau i fynegi
hyd yn oed feddyliau cyffredin heb y trosiadau hyn ; ond
yn ffodus y mae priodoldeb iaith yn rhywbeth anhraethol
uwchlaw "rhesymeg" y llythyren. Nid oes air i fynegi
effaith ar y glust cyffelyb i effaith peth *gloyw* ar y llygad ;
ond fe droses Dafydd ap Gwilym y gair *gloyw* ei hun i'r
pwrpas wrth sôn am y ceiliog bronfraith :

> Pell y clywir uwch tiroedd
> 'I lef o'i lwyn a'i *loyw* floedd.[1]

Mewn enghraifft anghynefin fel hyn y gwelir pa mor
fyw y gall y peth fod.

45. Cam byr sydd o'r trosiad yna i'r un a wneir pan
gymerir gair yn arwyddo gweithred neu deimlad corfforol
i sôn am beth cyffelyb yn yr enaid, fel pan ddywedir " Mi
welaf" am "Yr wyf yn deall", § 42, neu fel pan roes yr
hen Ladiniaid i *at-tend-* 'ymestyn at' yr ystyr sy'n awr i
attend, § 24. Mynych y sonnir am y meddwl yn *crwydro*,

[1] D.G. (60).

neu'n *rhedeg ar ol* peth, neu'n *ymborthi ar* beth, neu'n cael *gafael ar* beth, neu'n ei *amgyffred* ('grasp'); neu am feddwl *trwm*, neu feddwl *cryf*, neu enaid *gwan*; am yr ysbryd yn *ymostwng*, neu'n *plygu*, neu'n *ymollwng*; am *lygad* y meddwl, neu am *boen* meddwl, neu *ymdrech* meddwl. Y mae iaith yn llawn o'r trosiadau hyn; pan gaffer rhai gweddol ansathredig, y mae'r delwedd yn fyw a'r effaith yn rymus; megis—

> Nid ystyr hon dosturháu
> Am *ddolur* fy meddyliau.—T.A.
>
> *Dyrnod* o serch merch im oedd—
> Dieneidio dyn ydoedd.—B.A.

46. I'r dosbarth hwn o drosiadau y perthyn y rhai a grybwyllwyd uchod, § **3**, sef *gweu* cân, *naddu* cerdd, a'r rhelyw, canys trosi gwaith y llaw ar waith y meddwl a wneir. Ond nid o deithi'r corff yn unig y ceir delweddau i draethu am yr enaid, eithr o natur oll : sonnir amdano weithiau *ar uchelfannau'r maes*, dro arall yn y *niwl*, neu mewn *caddug* neu *dywyllwch*; sonnir am *storm* yn yr enaid, ac am enaid *ar dân*; am feddyliau *hedegog* neu *wibiog*, neu feddyliau'n *pefrio* neu'n *melltennu*; am air *gwenwynig*, neu gelwydd *noeth*; am *flodau'r* awen, a'i *pherlau* a'i *gemau*; am *drysorau* llên, a *ffrwyth* a *chynnyrch* y meddwl. Am bethau materol yn unig yr oedd gan ddyn eiriau ar y cychwyn, a thrwy drosiadau fel yna y cafodd eiriau i sôn am bethau'r enaid. Erbyn hyn y mae'r delweddau gwreiddiol wedi eu colli gan mwyaf, ac nid oes ond yr ystyr drosedig yn aros. Ni chofir nad yw'r gair *enaid* ei hun ond ffurfiad arall o'r *an-* a geidw'i ystyr wreiddiol yn *anadl* a'r Groeg ἄνεμος (*anemos*) 'gwynt'; ac nad yw *meddwl* a *meditate* ond tarddiadau o hen wreiddyn *med-* yn golygu 'mesur', sydd i'w weled yn ei ystyr wreiddiol yn y gair troed-*fedd*, sef 'mesur troed'.

47. Nid i draethu am yr enaid yn unig y gwneir

trosiadau o natur, ond am y dyn oll neu ryw ran ohono, fel
pan elwir llaw yn *grafanc*,[1] neu wallt melyn yn *llwyn
banadl* ;[2] neu fel pan elwir gŵr yn *haul*, neu ferch yn *lloer*
neu *seren* ; neu ŵr yn *llew* neu'n *eryr*, megis

> Nid mawr well nad meirw 'i wŷr—
> Lled-féirw pan golled f'*eryr*.—T.A.

Y mae'r trosiadau hyn yn gyffredin iawn yn yr hen
gywyddau—mor gyffredin nes colli eu heffaith ; y trosiad
mwyaf effeithiol yw'r un a lunia ddelwedd byw o'r peth a
drosir, heb ei enwi, megis pan ddywedai Tudur Aled am
Syr Rhys ap Thomas :

> O dôn', dy gas, *dan dy gyrn*,
> Nis ceidw Ynys y Cedyrn.

Dyna ffordd y bardd o ddywedyd " os daw dy elynion i'th
gyrraedd ni all Prydain oll eu hachub." A'r un modd, lle
dywedid mewn rhyddiaith fod Cymru a'i gororau oll dan
nawdd Syr Rhys, fel hyn y dywedai Guto'r Glyn :

> Deunawsir a'u dinesydd
> *Dan fôn 'i adain* a fydd.

Wrth gwrs, nid am ddyn yn unig yr arferir trosiadau fel
yna, ond am greaduriaid eraill hefyd, megis pan alwai
Tudur Aled farch yn *ehedydd* a *llwdn hydd*,[3] neu pan alwai
Dafydd ap Gwilym wylan yn *lili môr*.[4]

48. Fe arferir llawer o drosiadau o natur wrth sôn am
fywyd dyn, megis pan ddywedir *gwanwyn* oes, *bore* oes,
" *hanner dydd* eu heinioes " ;[5] a phan elwir yr einioes yn
ddydd neu'n *dymor*, neu'n *daith*, neu'n *yrfa*. Y mae cynef-
indra'n lleihau gwerth barddonol trosiad, am ei fod yn
magu dibristod : nid yw *bore oes*, er ei dlysed, ond ymad-
rodd cyffredin i ni, ond fe gyfrifid *life's morning* yn
ymadrodd barddonol yn Saesneg.

---

[1] F.N. 187.   [2] G. 158.
[3] G. 243.   [4] D.G. (51).   [5] G.Gl. F. 27.

49. Y mae cyfatebiaethau hapus yn swyno'r meddwl, ac o hynny y daw'r hudoliaeth sy mewn cynghanedd ac odl ar dir sain, ac mewn trosiad a chyffelybiaeth ar dir syniadau. Mewn trosiad y mae'r dychymyg effro'n canfod y delwedd a'r drychfeddwl ar unwaith, y naill megis yn ymgorfforiad o'r llall; ac yn yr uniad dedwydd hwnnw y mae'r swyn. Ond fe geir llawer un yn defnyddio trosiadau heb ganfod y delweddau o gwbl, fel awdur y pennill—

> Fe dyf yr hedyn mwstard yn bren canghennog mawr,
> A'i wreiddyn yn y nefoedd, a'i frigau ar y llawr.[1]

Yn gyffredin, pan goller golwg ar y delweddau, eu cymysgu a wneir, fel yn " *Ffynnon* bur *ffon* ein bara ";[2] neu—

> Dos, gan herio anhawsterau,
> *Dring i gopa mynydd* clod;
> Paid a gorffwys ar dy *rwyfau,*
> Byth *i fyny* fyddo'r nod.[3]

Yr esiampl oreu yn Gymraeg o gyfres echrydus o drosiadau cymysg, ym marn yr Athro Gruffydd, yw'r pennill hwn o "Theomemphus":

> *Sêr* gwibiog bwhwmanllyd sy'n *rhedeg* yma a thraw,
> At y *pleserau* cynta' ynddynt a *ymaflo eu llaw;*
> Ac iddynt rhowd ynghadw niwl *twllwch dudew* chwith
> Digofaint dwyfol *tanbaid* i'w poeni ynddo fyth.[4]

50. Mae'n wir bod y beirdd mwyaf wedi cymysgu trosiadau weithiau, ond nid yw hynny'n cyfiawnhau'r peth; fel rheol, gwrthuni amlwg ydyw. Ond nid yw'r rheol yn hollol ddi-eithriad chwaith; gellir nodi dau ddosbarth o eithriadau :— (1) Mewn "gwrthfynegiad", fel y ceir gweled isod, § 114, fe gymysgir y delwedd a'r drychfeddwl weithiau, neu fe gymysgir dau ddelwedd—felly y gwneir y ffigur. (2) Mewn hen drosiadau nid yw priodoldeb y delweddau gwreiddiol yn cyfrif dim; yn yr ystyr bresennol yr arferwn

---

[1] *Y Beirniad* iii, 1862, td. 343.   [2] R.D. D.B. 31.
[3] *Y Darian*, Rhag. 29 1921, td. 5.   [4] Wms. i 390.

y geiriau, a heb hynny ni ellid cynnal ymddiddan am bum
munud. Ond gan fod y delweddau gwreiddiol wedi
diflannu'n llwyr o ymwybyddiaeth a gwybodaeth llefarwr
a gwrandawr, nid priodol galw'r peth yn gymysgu tros-
iadau. Er enghraifft, nid oes gymysgedd o gwbl mewn
ymadrodd fel *dolur enaid*, am na feddylia neb yn awr, ac na
feddyliodd neb ers llawer iawn o ganrifoedd, am *enaid* fel
trosiad o *wynt*, ac na wybu'r Cymry erioed am ystyr
wreiddiol y gair *dolur* a gawsant gan y Rhufeiniaid, ac a
luniwyd gan eu hynafiaid hwy o'r gwreiddyn *del-* neu *dol-*
a olygai 'hollti', ac a welir yn y gair Cymraeg *dellt*, ac
ond odid yn y gair *delw* hefyd.

Personoliad.

51. Heblaw trosi termau naturiol ar ddyn fe wneir y
gwrthwyneb hefyd, sef trosi termau dynol ar natur, megis
pan sonnir am *drwyn* o dir (§ 30), neu *lygad* ffynnon, neu
ael bryn, neu *gesail* mynydd, neu *droed* rhiw; neu am *wên*
yr haul, a *chwch* y cwmwl, *dannedd* y ddrycin, a chant o'r
cyfryw. Ymadrodd tlws yn y Mabinogion yw "*ieuenctid*
y dydd".[1] Rhagoriaeth y bardd yw cael ohono rai anghy-
nefin a byw, megis pan ddywedai Twm o'r Nant wrth
gymharu Deheubarth â'i fro'i hun :

> Gwell gennyf gwall ac annwyd
> Hen *ffroen* clawdd yn Nyffryn Clwyd;[2]

neu Ddewi Wyn yn un o'i Englynion i Bont Menai :

> A theithiaf uwch Porthaethwy—
> *Safnau*'r môr nis ofnir mwy.[3]

52. Trosiadau'n ddiau yw'r rhain, yn gorffwys ar debyg-
rwydd y gwrthrych i'r peth y rhoir ei enw arno. Ni
feddylir am berson yn y trosiad, fel mai prin y gellir ei
alw'n bersonoliad, ond fe'i gelwir weithiau'n "bersonoliad
amherffaith." Pan sonnir am wrthrych difyw fel petai'n

---

[1] R.M. I, 71, etc.   [2] T. i 313.   [3] D.W. 271.

fyw, gelwir hynny'n bersonoliad perffaith, neu *bersonoliad*
yn syml. Er enghraifft, Gronwy'n cyfarch Môn fel—

> Arglwyddes a meistres môr,[1]

neu Ddafydd Llwyd yn galw afon Dyfi'n "ddwywes"
(duwies). Mynych y rhoir enwau cyffelyb ar wrthrychau
natur fel haul, lloer neu fynydd.[2] Personolir creadur
direswm weithiau trwy roi enw dyn arno, megis galw'r
llwynog yn *Gadno*[3] a *Madyn* (Madog) yn Gymraeg,
a *Reynard* yn Saesneg; ac weithiau enw cyffredin, fel pan
alwai Siôn Phylip yr wylan yn grefyddwraig (sef mynaches):

> *Crefyddwraig* fwydsaig o fôr,
> Cregleisferch cyrrau glasfor.[4]

Yma yr ydys bron yn croesi'r ffin sy rhwng personoliad
a throsiad neu gymhariaeth ddealledig.

53. Ond nid rhaid newid enw'r gwrthrych i'w bersonoli;
fe wneir hynny trwy briodoli iddo weithredoedd neu deiml-
ladau neu deithi eraill person, megis pan ddywedai Guto'r
Glyn am y ddaear:

> A *faco*'r ddaear aren
> A *lwnc* hi fal afanc hen.[5]

Dan eu henwau eu hunain yn gyffredin y personolir han-
iaethau fel doethineb,[6] cariad, llid, angau; megis—

> *Angau* arfog miniog mawr
> Ar ei gadfarch ergydfawr.[7]

Pan ofynnodd Dafydd ap Gwilym—

> Oio, *Gysgu* ddu, mae'dd wyd?[8]

fe wnaeth y personoliad yn fwy trwyadl fyth trwy feddalu
cytsain flaen *ddu* fel y gwneir ar ol enw person, megis pan
ddywedir Dafydd *Dd*u.

---

[1] Gr.O. 15.

[2] Fe dybir mai hen bersonoliad o'r môr ydyw *gweil-gi*, am ei fod yn
cyfateb yn hollol o ran ffurf i'r gair Gwyddeleg *fael-chú* 'bleidd-gi'.

[3] Yr un yw'r -*no* yn *Cadno* ag yn yr enwau *Tudno, Machno, Gwyddno*;
ac y mae *Cadnaw* mor anghywir a phed ysgrifennid Tudn*aw* a Machn*aw*.

[4] F.N. 203.   [5] F. 24.   [6] Diar. i 20, 21, etc.

[7] R.G.D. 95.   [8] D.G. (30); *mae'dd wyd* = 'pa le'r wyt?'

54. Y mae traddodiadau barddoniaeth yn cyrraedd yn ol
i'r oesoedd cyntefig pan gredai dyn fod popeth yn fyw fel
ef ei hun, ac mai duwiau a duwiesau oedd galluoedd natur
a'r nwydau a ganfyddai megis yn llywodraethu arno.
Adroddiad llythrennol o'i feddwl oedd personoliad iddo ef
yr adeg honno; erbyn hyn troad ymadrodd ydyw—dull
byw o gyfleu priodoleddau.   Fe erys rhyw ymdeimlad o'r
hen ystyr mewn ymadrodd fel *yr awen,* a rhyw atgof ohono
mewn ambell enghraifft fel personoliad Dewi Wyn o elusen
fel *duwies* yn y llinellau a ddyfynnir isod.

Alegori.

55. Pan ganlyner ar yr un troad mewn cyfres o ddau
neu ragor o drosiadau, gelwir hynny'n *alegori* ; " aralleg "
yw cyfieithiad Henri Perri o'r term—gelwir ef felly am
fod y llefarwr yn dal i sôn am un peth a meddwl peth
arall.   Er enghraifft, yn yr esiampl a rydd Perri, sef
Matt. iii 12, yn ysbrydol y deëllir y *wyntyll* a'r *llawr
dyrnu,* a'r *gwenith,* a'r *ysgubor,* a'r *us,* a'r *tân* ; ac fel y
dywaid ef, trosiad yw pob un o'r geiriau hyn ar ei ben ei
hun, ond alegori yw'r gyfres.[1]   Y mae emynau Williams
yn llawn o hyn, megis—

Rho *oleuni,* hwylia f'enaid dros y *cefnfor* garw draw ;
Gad i'r *wawr* fod o fy wyneb, rho fy enaid llesg yn rhydd ;
Nes i'r *heulwen* ddisglair godi, tywys fi wrth y *seren ddydd.*[2]

Yr un modd alegori yw cyfres o bersonoliadau i'r un
perwyl, neu gyfres o osodiadau'n cynnwys yr un personol-
iad, megis yn llinellau Dewi Wyn i elusen :

Disgynnodd duwies gwiwnef
I'n daear ni, do, o'r nef ;
Llysoedd brenhinoedd heini
Islaw ei holl sylw hi ;
Chwyddai serch y dduwies hon
At aelwydydd tylodion . . . .[3]

[1] *Egl. Phr.* 3ydd. arg. 35.   [2] Wms. 273-4.   [3] D.W. 79.

Gellir cario cyfres o bersonoliadau ymlaen trwy lyfr cyfan, ac yna try alegori yn ffurf lenyddol, fel yn *Llyfr y Tri Aderyn* neu *Daith y Pererin.*

Cyffelybiaeth neu Gymhariaeth.

56. Y mae *trosiad* a *chyffelybiaeth* yn perthyn yn agos i'w gilydd ; ar debygrwydd y gorffwys y ddau, ac nid hawdd gwahaniaethu rhwng cyffelybiaeth *ddigyfrwng* neu *ddealledig* a throsiad. Ond y gwahaniaeth yw hyn : mewn trosiad fe roir y delwedd *yn lle*'r gwrthrych ; mewn cyffelyb-iaeth fe enwir *y ddau*.[1] Ym mhennill Tudur Aled—

> Ba herwydd na bai hiraeth
> Bwrw *dâr* ymysg brodyr maeth ?

trosiad yw *dâr* am mai delwedd o'r dyn wedi ei roi *yn lle* 'i enw ydyw. Ond yn llinell Llywelyn Goch amdano'i hun—

> Llywelyn Goch, *gloch* dy glod,[2]

cyffelybiaeth yw *gloch*, am fod y gwrthrych a gyffelybir wedi ei enwi, ac felly fod deufraich y gymhariaeth yn gyflawn. Pan fo dau air mewn cydosodiad fel yna, y mae *sydd* 'who is' yn ddealledig rhyngthynt, a phan fo'r ail yn ddelwedd fe ellir dywedyd bod *sydd megis* yn ddealledig, fel mai ystyr gyflawn y llinell uchod ydyw ' Llywelyn Goch (sydd megis) cloch (yn canu) dy glod.' Yr un modd pan roir enw'r gwrthrych i ddibynnu ar enw'r delwedd, naill ai ar ol *o*, neu yn y cyflwr meddiannol ; fel hyn, cyffelybiaeth yw " *llew* o ddyn ", am mai ' dyn *fel* llew ' ydyw'r ystyr ; a chyffelybiaeth yw " *mêl* canmoliaeth " am mai ' canmoliaeth felys ' neu ' *fel* mêl ' a feddylir. Felly, yn y pennill—

> Edau'r oes fal hud a red ;
> Och i'r anap—'i chrined ![3]

y mae dwy gyffelybiaeth, sef y gyffelybiaeth ddealledig rhwng yr einioes ac *edau*'n rhedeg, a'r gyffelybiaeth a dreithir pan ddywedir ei bod " fal hud " (like magic).

---

[1] Quintilian viii 6, 8. [2] D.G.G. 167.

57. Cyffelybiaeth ddigyfrwng a fydd hefyd pan fo enw'r delwedd yn ddibeniad i'r ferf 'bod', fel pan ddywedodd Tudur Aled—

> Edn a'i draed ydwy'n y drain,
> A'r glud ar gil 'i adain ; [1]

canys fe'i crybwylla'i hun wrth ddywedyd *ydwyf*, ac y mae dau derm y gymhariaeth ger ein bron. Mewn geiriau eraill yr un peth yw dywedyd "edn ydwyf" a phe dywedid "yr ydwyf *fel* edn". Felly hefyd pan fostiai Gruffudd Gryg wrth Ddafydd ap Gwilym—

> Llew ydwyf, cryf ; llo ydwyt ;
> Cyw'r eryr wyf ; cyw'r iar wyt ; [2]

a'r un ffunud ym mhob ymadrodd fel "Pererin wyf mewn anial dir," [3] lle mae dibeniad y ferf yn ddelwedd, ac nid yn wirionedd llythrennol. Yr un modd pan fo'r ferf yn y trydydd person, megis—

> Gŵr *fu*'n *glo* ac *arf* ein gwlad, [4]

lle ceir dwy gymhariaeth ; neu'n syml—

> *Gwyfyn* i'w ebargofi—*ydyw* dyn. [5]

58. Ystyriai'r hen retoregwyr mai trosiad oedd yr ail derm yn y cyffelybiaethau digyfrwng hyn : medd Quintilian, [6] "Cymhariaeth yw pan ddywedaf ymddwyn o ddyn 'fel llew'; trosiad yw pan ddywedaf am ddyn, 'llew ydyw'." Dyna'r syniad cyffredin ; dyfynna Gummere [7] yr un sylw a'r un enghraifft o Nichol (*Eng. Comp.*) ; ond myn ef mai cymhariaeth yw'r ddau osodiad—mai cymhariaeth ddealledig yw "He was a lion", am mai rhywbeth fel "He was like a lion" a feddylir. Diameu ei fod yn ei le wrth ddal bod gwahaniaeth rhwng yr hyn a wneir pan enwir dau beth i'w cyffelybu, a'r hyn a wneir mewn trosiad, sef rhoi'r naill

---

[1] *W.G.* 211 ; F.N. 151.   [2] D.G. 248.   [3] Wms. 675, 805.
[4] T.A. G. 234.   [5] R.G.D. 154.   [6] viii 6, 9.
[7] *Handbook*, td. 105 ; ni chrybwylla Gummere fod yr enghraifft cyn hyned beth bynnag â Quintilian.

beth *yn lle*'r llall. Ond er nad yw cyffelybiaeth ddigyfrwng
yn hollol yr un peth â throsiad, eto y mae'n cynnwys troad
ymadrodd ; canys pan ddywedir bod dyn yn llew, nid yn
yr ystyr lythrennol y deëllir y geiriau, ond yn yr ystyr
droëdig fod y dyn yn *gyffelyb* i lew.

59. Ond pan wneir y gyffelybiaeth yn gyfan—pan
ddywedir bod y dyn *fel* llew, nid oes yna droad ymadrodd
o gwbl, eithr y mae i bob gair ei ystyr lythrennol a naturiol.
Sylwa Gummere [1] fod cyffelybiaeth gyfan yn " nodi terfyn
eithaf [2] y troad a seilir ar debygrwydd " ; ond yn sicr
ynddi hi yr ydym wedi croesi'r terfyn, a gwell yw ei chyfrif
nid yn droad, ond yn hytrach fel y gwna Cicero [3] a'r hen
retoregwyr yn *ffigur* ymadrodd. Ond bydd yn gyfleus ei
hystyriaid yn y fan hon oherwydd y cysylltiad agos sydd
rhyngthi a chyffelybiaeth ddigyfrwng a throsiad.

60. Yr hyn a wna gyffelybiaeth yn gyfan ydyw'r
cyfryngair sy'n *mynegi* tebygrwydd y naill derm i'r llall.
Y gair a arferwn ni'n gyffredin i'r pwrpas yw *fel* (neu *fal,
mal*). Y mae enghreifftiau'n ddirifedi : digon fydd dyfynnu
ychydig o rai gwych. Ym mhennill enwog Dafydd ab
Edmwnd y mae dwy gyffelybiaeth yn gyfochrog :

> Dy wyneb *fal* od unnos ;
> Dy rudd *fal* cafod o ros.[4]

Fel hyn y disgrifiai Dewi Wyn bobl Môn yn ymgrymu i'r
brenin (Siôr y Pedwerydd ysywaeth !) :

> Iddo pengrymu'r oeddynt
> *Mal* brithlwyn gwanwyn mewn gwynt.[5]

Ac fel hyn y dywedai Robert ap Gwilym Ddu am
flynyddoedd ei einioes :

> *Fel* y niwl o afael nant
> Y dison ymadawsant.[6]

---

[1] *Handbook*, td. 107. [2] " marks the extreme stage ".
[3] Yn ei restr o ffigurau : "y ddwy effeithiolaf hynny *cymhariaeth* ac
esiampl," *De Oratore* iii 52, dyfynedig gan Quintilian ix 1, 31.
[4] G. 112. [5] D.W. 147. [6] R.G.D. 149.

Weithiau fe geir *megis* : " Y ddyn *fegis* Gwen o'r Ddol ; "[1]
a hyd yn oed y gair *tebig* ei hun, fel yn llinell D. ab
Edmwnd i wallt merch :

> A'i frig yn *debig* i dân.[2]

61. Fe lunnir cyffelybiaeth hefyd drwy ddefnyddio
ansoddair yn y radd gyfartal ac *â* ar ei ol, neu yn y radd
gymharol a *na* (gynt *no*) ar ei ol. Fe geir enghraifft o bob
un mewn cyfochraeth yn y pennill—

> Dwy fron *mor* wynion *â*'r od,
> Gloyw-wynn*ach no*'r gwylanod ;[3]

ac o'r radd gymharol ei hun ym mhennill Tudur Aled
i ganwr telyn :

> Ni thrawut gnith â'r ewin
> Na bai lais *gwell no* blas gwin.

Yn negyddol gellir cyffelybu mewn tair gradd : (1) nid
gwynnach yr od *na* hi ; (2) nid cyn wynned (neu mor wyn)
yr od *â* hi ; (3) nid gwyn yr od *wrthi* hi :

> Nid gwyn pryd lilis disglair
> *Wrth* bryd gwyn fy myd, myn Mair![4]

Wrth gwrs y mae *mor* . . . *â* yn gyfystyr â *fel* ; ac fe geir
cyfystyron eraill, megis *ail* yn "*ail* Esyllt"[5] neu "*ail*
Eden".[6] Hefyd *unwedd â, cyfliw, unlliw â, deuliw,* a *lliw* ei
hun, neu ei gyfystyron *gne* (*deune*), a *hoen,* fel yn *eiry mân
hoen*[7] sef 'o liw eira man', neu *hoen geirw* sef ' lliw ewyn '
yn llinell Llywelyn Goch i Leucu Llwyd :

> F'enaid *hoen* geirw afonydd.[8]

Neu fe elwir dyn yn *frawd* neu ferch yn *chwaer* i'r peth y
cyffelybir hwynt iddo, megis ym marwnad Guto'r Glyn
i Weirful ferch Fadawg :[9]

> Och fi wedi merch Fadawg !
> *Chwaer y rhos* ni cheir yrhawg.[10]

[1] D.G. 379.   [2] D.E. 26.   [3] D.G. (49).
[4] D.G. 54 ; *dilys* yno, gwall amlwg am *lilis,* ffurf arferedig, IL.A. 65.
[5] G. 230.   [6] Gr.O. 15.   [7] D.G. (18).   [8] D.G.G. 169.
[9] Gweler uchod, § 14. Camenwir Gweirful yn " brydyddes " yn F.N. 84,
o gamddeall yr ymadrodd "ei chywyddau" td. 85 ; yr ystyr yw ' cywyddau
iddi '.   [10] F.N. 85 ; *yrhawg* yn yr hen ystyr o ' byth mwy '.

62. Yn lle rhoi ansoddair mewn gradd cymhariaeth hen ddull gwych ydyw ei ailadrodd ag *os*, fel y gwnaeth Ieuan Deulwyn yn y pennill hwn:

> Melys ydyw dy gusan
> *Os* melys y mefys mân.[1]

Weithiau fe roir y delwedd yn gyntaf gydag ansoddair, ac yna'r gwrthrych gyda'r ansoddair mewn gradd uwch:

> *Oer* gennych eira gwanwyn,
> *Oerach* yw 'myd er y̆ch mwyn.[2]

Neu fe gysylltir y ddau derm â rhyw ragenw fel *yntau* sy'n golygu 'ef hefyd', 'he likewise', megis—

> Un gair a gair gan y gog:
> *Yntau*, ŵr, nid dau-eiriog.[3]

63. Y mae'r tair cymhariaeth olaf, fel y gwelir, ar ffurf cyfochraeth; fe wneir cyffelybiaeth weithiau heb ddim ond cyfochraeth, sef gosod y ddau beth a gymherir ochr yn ochr, megis pan ofynnai Goronwy—

> Pwy a rif dywod Llifon?
> Pwy rydd i lawr wŷr mawr Môn?[4]

Dyna ddull y bardd o ddywedyd, ar ol enwi rhai o wŷr mawr Môn, fod ceisio'u henwi oll *fel* ceisio rhifo'r tywod. Ond am na *ddywedir* "fel" rhaid cyfrif hon yn un o ddulliau cyffelybiaeth ddigyfrwng—a dull effeithiol iawn yn ddiau ydyw. Fe'i ceir yn ein barddoniaeth gynnar, megis yn yr englyn a ganlyn o blith y rhai a briodolir i Lywarch Hen:

> Pwyllei Vorgant ef ae wŷr
> Vyn dihol, llosgi vyn tymyr:
> Llyc a gravei wrth glegyr;[5]

sef 'Meddyliai Morgan efo'i wŷr fy alltudio a llosgi fy stad: llygoden a grafai yn erbyn craig!'

64. Ystyrrir yn gyffredin mai cyffelybiaeth heb ei llawn fynegi yw trosiad;[6] ond dangosodd Gummere fod trosiad

---

[1] I.D. 31.   [2] T.A. F.N. 151.   [3] D.Ll.   [4] Gr.O. 14.
[5] R.P. 1040-1.   [6] Er enghraifft Quintilian viii 6, 8.

yn *hŷn* na chyffelybiaeth. Yr oedd Henri Perri yn ei le
pan ddywedai am drosiad mai "Prinder geiriau o'r dechreuad
ydoedd achos o'r rhyw honn," ond yn cyfeiliorni'n fawr
pan ychwanegai mai "gwŷr doethion am hynny a alwassant
i'w cof y pethau oeddent gynhebyg y naill i'r llall." [1] Nid
fel yna y bu; nid gwŷr doethion a ddechreuodd y peth,
ond y ddynoliaeth yn ei phlentyndod, cyn bod ganthi eto
nemor o eiriau yn ei hiaith; ac fe wna plant yr un peth o
hyd. I gymryd enghraifft Gummere,[2] fe eilw plentyn
nyth yn *dŷ*'r aderyn, nid am ei fod yn *cymharu* nyth â thŷ
—nid oes yna gymhariaeth o gwbl: yr hyn a wna'r plentyn
ydyw defnyddio'r unig air sy gantho i sôn am beth o'r fath.
Digon gwir bod "gwŷr doethion" yn oesoedd gwareiddiad
wedi efelychu natur yn hyn, a gwella arni; ond cyfeiliornad
yw synio mai o gyffelybiaeth y tardd trosiad. Y mae
cyffelybiaeth—gosod dau beth gerbron a'u cymharu—yn
beth diweddarach yn hanes meddwl ac iaith. Yn y fardd-
oniaeth Saesneg hynaf y mae llawer o drosiadau grymus,
ond ni cheir ond prin ddechreu cyffelybiaeth; ac er bod
Homer a'i gyffelybiaethau llawn yn llawer hŷn o ran amser,
y mae'n llawer diweddarach yn nhrefn datblygiad.[3]

65. Y mae'r farddoniaeth Gymraeg hynaf eisoes yn
defnyddio cyffelybiaethau; fe geir amryw yn y caniadau y
ceisiais i ddangos y gallant fod yn wir waith Taliesin;[4]
megis byddinoedd

Mal tonnawr tost eu gawr tros elfydd,[5]

sel fel tonnau rhuadwy dros y tir; Owain yn cosbi'r gelyn

Mal cnut yn dylut deveit,[6]

sef fel haid o fleiddiaid ar ol defaid; glewion yn "llubo"
(lleibio?) 'i gilydd fel ton yn "llubo" ton; rhyfel "mal

---

[1] *Egl. Phr.*, 1595, td. 2, 3ydd arg. td. 9.
[2] *The Beginnings of Poetry* 448.
[3] Gummere, *Handbook*, 107–8. [4] CY. xxviii 154–222.
[5] Eto 161. [6] Eto 187.

ocheneit gwynt uch onwydd"; a lladd yr arwr gan haid
fel haid o gŵn am wyddwal.[1] Yn ddiweddarach fe
aethpwyd i ystyriaid *dyfalu* (sef cyffelybu, canys dyna ystyr
wreiddiol y gair) yn brif gamp y bardd; fe'i gwnaethpwyd
yn amcan yn lle'n foddion; ac aeth yn arferiad pentyrru
cyffelybiaethau. Yr oedd Dafydd ap Gwilym, fel y sylwyd
uchod, § 13, heb ymysgwyd o afael yr hen draddodiad hwn.
Nid da rhy o ddim; ond nid oes ffigur gwell na chyffelyb-
iaeth yn ei lle. Diflas er hynny ydyw gwneuthur
cymhariaeth amlwg a chyffredin; a goreu po *an*nhebycaf
ym mhopeth arall fo'r ddau beth a gymherir, fel y bo
hynotach y tebygrwydd a saif allan o'r gymhariaeth.[2]

II. TROADAU PERTHYNAS.

Cydgymeriad.

66. Nid tebygrwydd ydyw unig sail troadau ymadrodd;
eithr mynych y rhoir enw un peth ar beth arall, nid am ei
fod yn debyg iddo, ond am ei fod yn perthyn mewn rhyw
fodd iddo, fel y gellir ei gymryd yn arwydd ohono. Pan
ddywedir bod y gwartheg yn hyn a hyn y *pen*, y mae
pawb yn deall mai'r holl anifail a feddylir er mai'r *pen*
a ddywedir. Gelwir y math hwn ar droad yn gyffredin ar
ei enw Groeg *synecdochē*, sef 'cyd-gymeriad'. Tebyg mai
'cymryd' yn yr ystyr o 'ddeall' a feddylir; canys eglura
Quintilian y troad fel "deall y lliaws wrth un, y cwbl wrth
y rhan, . . . neu'r gwrthwyneb i hyn." [3] Ymddengys *cyd-
gymeriad* yn addasach term am ddeall y cwbl wrth y rhan
nag am y gwrthwyneb; ond gan nad hawdd llunio term
eglur a chyflawn, ni waeth i ni ddefnyddio'r cyfieithiad yna
o'r hen derm Groeg.

---

[1] Eto 2c9, y tair olaf.   [2] Gummere, *Handbook*, td. 108.
[3] viii 6, 19. Y term Groeg a arferir gan Quintilian, er bod hen gyfieithiad
Lladin *intellectio* ar arfer amdano cyn ei amser ef. Cyfieithiad o'r cyf-
ieithiad Lladin hwn yw "dyall" W.S., a chamgyfieithiad di-ystyr o'r
Groeg ydyw "cyforddwyn" Henri Perri.

67. Y ffurf gyntaf ar y troad yw rhoi'r rhan dros y cwbl. Enwir yr aelod yn lle'r dyn mewn ymadroddion fel "pob *wyneb*", "pob *calon*", a'r cyffelyb ; ac yn enwedig yr aelod a fo ar waith yn y peth y sonnir amdano, megis "ni chlywodd *clust*" ;

> Os anhuddwyd Siôn heddiw,
> Nid â *'nhraed* i'w dai'n y rhiw.—T.A.

Mynych hefyd y gelwir dyn ar enw rhyw ran ohono a fo'n arwyddocäol :

> *Llaw* ddewr oll a ddaearwyd,

medd Tudur Aled ; y dyn oedd yn ddewr oll, ond gwaith ei *law* a'i dangosasai. Cyfarchai Dafydd ap Gwilym ei fun fel "tâl (sef talcen) ewyn" :

> Duw a liwodd, *dâl ewyn*,
> Dy wallt aur i dwyllo dyn.[1]

Yr un peth a wneir pan ddywedir *aelwyd* am dŷ, *tannau* am delyn, *llafn* am gleddyf, a'r cyffelyb.

68. Weithiau fe grybwyllir rhyw *ran* arwyddocäol o weithred neu sefyllfa, ac fe ddygir y peth yn fwy byw ger ein bron na phed arferid geiriau'n mynegi'r cwbl. Enghraifft seml ar lafar gwlad ydyw dywedyd "codi'r bys bach" yn lle "yfed". Dyma ddwy enghraifft mewn barddoniaeth : yn lle "wylais uwchben ei fedd," fe ddywaid Tudur Aled :

> Fy neigr aeth o fewn y gro
> Ar erchwynnau'r arch honno.[2]

Ac yn lle dywedyd bod y gelyn wedi ei yrru hyd fin y dŵr lle ni allai gilio 'mhellach, yr hyn a ddywaid Taliesin yw—

> Gwanecawr golchynt rawn eu caffon,[3]

'yr oedd y tonnau'n golchi cynffonnau eu meirch '.

69. Cyffelyb i roi'r rhan am y cyfan ydyw rhoi un am y lliaws, megis pan ddywedir *y Sais* gan feddwl y genedl yn

---

[1] D.G. (39).   [2] G. 254.   [3] CY. xxviii 161.

gyffredinol, a'r *Cymro*, neu'r *Gwyddel* yr un modd ; neu'r *gelyn* am y gelynion :

> Lleia tâl, pe gellid hyn,
> Oedd gael deuddeg o'i *elyn*.[1]

Neu pan ddywedir *y dref* wrth sôn am nodweddion trefydd, neu *yr ardd, y gegin,* a llawer o'r cyfryw. Mwy nodedig yw enghreifftiau fel dywedyd am farch fod *blewyn* da arno, neu am ddyn ei fod yn fyr ei *gam,* neu'n llafurio am ei *damaid.* Fe wneir defnydd effeithiol o un o'r rhain ym mhennill Dewi Wyn i'r dyn tlawd :

> Dwyn ei *geiniog* dan gwynaw ;
> Rhoi angen un rhwng y naw.[2]

70. Anfynychach yw'r gwrthwyneb, sef rhoi'r cyfan am y rhan ; ond fe'i gwneir beunydd wrth sôn am *bawb,* neu'r *byd,* pan na feddylir ond pawb yn y cylch, neu'r rhan o'r byd sy'n cyfri i ni. Weithiau fe roir enw lle neu wlad ar ryw ychydig a fo'n eu cynrychioli, fel pan ddywedir *Bangor* am gôr Bangor. Dywedai Wiliam Llŷn na byddai ar Iarll Penfro gywilydd siarad Cymraeg yn y llys—

> Pe bai'r iarll pybyr 'i win
> Oll ger bron *Lloegr* a'i brenin,[3]

lle saif *Lloegr* am gymaint ohoni ag oedd yn cyfri, sef ei gwŷr mawr.

71. O dan y pen hwn yr ystyrrir yn gyffredin roi enw'r defnydd ar y peth a wnaethpwyd ohono, canys mewn ystyr rhoi'r cwbl am y rhan ydyw hynny. Er enghraifft, fe ddywedir *gwydr* am ddrych :

> Y̆ch pryd chwi a'ch balchïodd,
> Ac edrych mewn *gwydr* y̆ch modd.[4]

Fe ddywedir *dur* am gleddyf, megis " Dewr o lid a *dur* i'w law " ;[5] a *metel* am arfau, megis—

> Ef a âi atynt hwy â'i fetel ;[6]

[1] L.G.C. 14.   [2] D.W. 109.   [3] W.Ll. 73.
[4] T.A.   [5] D.G. (109).   [6] L.G.C. 12.

ac *onnen* am waywffon,[1] *aethnen* am saeth, ac *yw* neu *bren yw* am fwa :

> Pwy sydd mor gampus heddyw ?
> Pwy a ŵyr nerth y *pren yw* ? [2]

A pheth cyffredin yw rhoi enw'r defnydd am y peth a wisgir, megis *aur* am goron, *ysgarlad, damasg,* a *sidan* neu *sirig* am wisgoedd a wneir ohonynt :

> Syr Cai Hir mewn *sirig* gwyn.[3]

Trawsenwad.

72. Nid oes, fel y dywaid Quintilian,[4] fawr o bellter [5] rhwng cydgymeriad a'r troad a elwir *trawsenwad*.[6] Wrth y term hwn y golygir rhoi enw'r achos am yr effaith, ac i'r gwrthwyneb rhoi enw'r effaith am yr achos.

73. *Achos am effaith.*—Fe roir enw'r awdur weithiau am y gwaith, fel pan ddywedir bod rhyw air i'w gael yn *Nafydd ap Gwilym.* Yn lle enw'r eglwys fe ry'r beirdd weithiau enw'r sant a'i sylfaenodd, megis pan sonia Tudur Aled am "lawr Cadwaladr".[7] Mynych y rhoir enw'r offeryn am y gwaith, megis pan ddywedir *cleddyf* am alanas : "Ni welwn *gleddyf* na newyn," Jer. v 12 ; neu pan ddywedir *clych* am ganu clych :

> Gwalch a haeddai *glych* heddyw ; [8]

neu *ben a thant* am ganu gyda'r tannau ; neu *law* am lawysgrifen. Yn gyffelyb fe ddywedir *caib a rhaw* am dorri bedd :

> Mae rhyw amwynt i'm rhwymaw,
> Ac e bair hwn *gaib a rhaw.*[9]

74. O dan y pen hwn y dyry Quintilian roi'r llestr am

---

[1] Eto 149.   [2] T.A. G. 230.   [3] L.G.C. 59.   [4] viii 6, 23.
[5] Er enghraifft dyry'r traethawd a gyfieithodd Salesbury y troad o roi'r defnydd am y peth yn gydgymeriad, P.IL. cxxiii, fel y gwenir uchod ; ond dyry awdurdod Perri ef yn drawsenwad, *Eyl. Phr.* 3ydd arg. 11-12.
[6] Saesneg *metonymy* o'r Groeg μετωνυμία.
[7] G. 226.   [8] T.A. G. 236.   [9] I.D. 1.

ei gynnwys, megis dywedyd *y cwpan* am y ddiod a fo ynddo ;
neu roi enw tref neu wlad am ei phobl, megis—

> *Gwynedd* ni phair i'm genau
> Ganu dim os Gwen a dau ;[1]

ac enw cyffredin yr un modd :

> Galwer dan 'i faner fo
> *Ddeunáw-tir*, hwy ddôn ato.[2]

A chyffelyb i hyn yw rhoi enw lle am y peth a ddigwydd
ynddo, megis dywedyd *maes* am frwydr:

> O gwnewch *faes* rhoch a'r Saeson.[3]

75. *Effaith am achos.*—Fe roir enw'r gymwynas am y
cymwynaswr, megis—

> Ymlid fy *mhroffid* a'm *rhent*
> Yr wyf innau i'r fynwent.[4]

Rhoir enw'r gynneddf am yr aelod, megis *trem* am lygad :
"aml llif o dremau."[5]　Ac fe roes Eben Fardd y *bywyd* am
y rhannau bywydol pan ddywedai am Risiart ddarfod i Syr
Rhys—

> Daro'i fwyall drwy'i *fywyd*.[6]

Grym y troad yn yr ymadrodd hwn ydyw bod y gair yn
annisgwyliadwy, ac yn dywedyd *mwy* na'r disgwyliad ; y
mae'r bardd megis yn llamu dros y manylion i'r canlyniad
terfynol.　Anfynych y rhoir haniaeth yn lle'r diriaeth,
a rhyw rym anorfod fel yna yn unig a'i cyfiawnhâ.

76. Rhoi'r effaith am yr achos a wneir hefyd pan roir
enw rhyw nodwedd amlwg yn lle enw'r peth neu'r dyn ;
megis pan ddywedir *penwynni* am henaint, *du* am alarwisg-
oedd, a *du a gwyn* am ysgrifen ; neu pan enwir dyn wrth
ei arfbais, megis dywedyd *tair brán* am Syr Rhys.　Yr un
modd am nodweddion personol, megis—

> Ban aeth *gwrolaeth* ar elawr—o'r llys,
> Bu bobl 'i Ynys heb eu blaenawr.[7]

[1] D.E. G. 118.　　　　[2] L.G.C. 32.　　　　[3] H.D. G.G. ii 86.
[4] D.I.D. G. 183 ; *ymlid* = ' dilyn '.
[5] D.N. G. 155.　　　　[6] E.F. 323.　　　　[7] D.N. G. 154.

Dyna eto roi haniaeth yn lle'r diriaeth ; ond nid yn hollol chwaith, canys y rhinwedd wedi ei bersonoli sydd yma, a'i gorffori yn y gŵr.

77. Weithiau fe roir term haniaethol yn lle un diriaethol mewn cyffelybiaeth ddigyfrwng, fel pan ddywedodd Ieuan Brydydd Hir (hynaf),

> Crynedig i'm croen ydwyf,
> *Crynfa* deilen aethnen wyf.[1]

Mae'n amlwg i bawb fod yr ail osodiad yn llawer mwy nerthol fel y mae na phe dywedid yn syml (heb droad) "Yr wyf yn crynu fel deilen aethnen." Dengys y cyfieithiad hwn i ryddiaith fod yn yr ymadrodd gyffelybiaeth ddealledig ; ond y mae'r trawsenwad *Crynfa* yn dwyn ger ein bron ddelwedd byw o'r dyn fel ymgorfforiad o gryndod.

78. Weithiau y mae'r trawsenwad ei hun yn drosiad, fel pan alwodd Lewis Glyn Cothi Hengist a Horsa yn "ddau *ddrewiant*" :

> Plant y ddau *ddrewiant* aethant yn ddrywod.[2]

Pe rhoesai arnynt enw a olygai eu bod yn ffieidd-dod i'w enaid, trawsenwad syml fuasai hynny—rhoi'r effaith am yr achos ; ond i fynegi ffieidd-dod i'r enaid fe wnaeth drosiad o air yn golygu ffieidd-dod i'r ffroenau. Y mae yma felly ddau gam o'r hyn a feddylir i'r hyn a ddywedir: Hengist a Horsa a feddylir, fel ffieidd-dod enaid y meddylir amdanynt, ond ffieidd-dod ffroen a ddywedir. Gelwir y troad dwbl hwn yn *drawsgymeriad*.[3]

Arallenwad ac Amgylchiaith.

79. Yn lle enwi dyn fe'i gelwir yn aml ar ryw deitl neu ddisgrifiad yr adweinir ef wrtho, fel pan ddywedwn *y llyw*

---

[1] BR. ii 126; *Cryniad* yn F. 18. [2] L G.C. 52.
[3] Μετάληψις, Quintilian viii 6, 37. *Trawsgymeriad* yw cyfieithiad W.S. P.IL. cxxii ; ond y mae ei ddiffiniad yn anghywir, a'r enghraifft yn gyfeiliornus. Felly y rhan fwyaf o'r hen rai Saesneg, gweler y *New Eng. Dict.* d.g. *metalepsis.*

olaf am Lywelyn, neu *y pér ganiedydd* am Williams.
Efallai y byddai *arallenwad* yn burion term Cymraeg am y
troad hwn.[1] Nid oes raid i'r teitl neu'r disgrifiad fod yn
adnabyddus a phersonol fel yr enghreifftiau uchod ; eithr,
os bydd yn amlwg pwy a feddylir, peth cyffredin iawn, yn
enwedig mewn barddoniaeth, ydyw cyfeirio ato fel *y prydydd,
yr awenydd, yr iarll, yr abad,* neu beth bynnag fo ; neu fel
proffwyd neu *ddewin, athro doeth* neu *filwr dewr.* Ond yn
lle disgrifiadau fel y rhai olaf hyn fe roir yn fynych enw
rhyw ŵr a fo'n nodedig am y teithi a briodolir : fe elwir
dyn doeth yn *Selyf* (Solomon), un hael yn *Nudd* neu
Rydderch, bradwr yn *Suddas* (Judas), dyn tàl yn *Gai Hir*
(e. e. § 71), un dewr yn *Arthur* neu *Rolant,* etc.

> Mae digon o sôn gan Sais
> Am *Rolant* Abermarlais,[2]

medd Lewis Glyn Cothi ; gwir enw'r *Rolant* hwn, a drigai
yn Abermarlais, oedd Morgan ap Tomas ap Gruffudd ap
Nicolas.

80. Yr un fath beth ydyw *amgylchiaith,*[3] sef rhoi disgrifiad
o wrthrych neu weithred yn lle'i enwi, fel dywedyd " y tŷ
o glai a'r to glas,"[4] neu—

> Y tŷ derw to daearen
> A ocha byd uwch 'i ben,[5]

yn lle " y bedd " ; neu fel pan ddywedai'r bardd " Y gŵr
hir a gâr Harri ",[6] am na fynnai ei gyfarch wrth ei enw.
Defnyddir amgylchiaith yn lle rhagenw weithiau, megis
pan ddywedir " y bardd " neu " yr ysgrifennydd " yn lle
" myfi " : amgylchiaith am " myfi " yw " mab 'y nhad ",[7] ac
amgylchiaith am " Na bawn Sais " ydyw—

> Na bai Sais yn y bais hon.[8]

[1] Groeg ἀντονομασία. Cyfieithiad W.S. yw *Newid enw.*
[2] L.G.C. 145 ; *Orlant* yno, ond gweler isod § 261.
[3] Yr hen gyfieithiad o'r Groeg περίφρασις, *periphrasis.*
[4] S.C. c.c. 13.   [5] Gu.O. G. 196.   [6] *BBCS.* i 253, 305.
[7] D.E. 4.   [8] I.D. 24.

III. TROADAU GRADD.

Gormodiaith.

81. Yn lle troi'r ymadrodd i fynegi meddwl tebyg neu berthnasol fel uchod, fe ellir ei droi i fynegi meddwl o'r *un* rhyw, ond anghymesur. Mewn geiriau eraill fe ellir dywedyd *mwy* neu *lai* na'r meddwl, neu hyd yn oed *wrthwyneb* i'r meddwl.

82. Y mae'r cyntaf o'r troadau hyn yn adnabyddus i bawb dan yr enw *gormodiaith*.[1] Fe'i defnyddir gan bob lliw a llun, ac ym mhob iaith. Fe'i clywir mewn clod a gogan, mewn dadl ac araith, a phob rhyw ymddiddan. Y mae'n gyffredin iawn mewn cyffelybiaethau, megis pan ddywedir bod peth yn "wynnach na'r eira"; fe welir amryw enghreifftiau yn y cyffelybiaethau a ddyfynnir uchod, megis "Pwy a rif dywod Llifon?" § 63. Ac fe'i ceir mewn troadau fel pan ddywedir *pawb* am y rhan fwyaf, § 70, neu *neb* lle bo rhyw ychydig; ac yn fynych mewn ymadroddion fel *miloedd, myrdd, lluoedd* a'r cyffelyb am ryw nifer mawr, neu *oes* neu *dragwyddoldeb* am amser a *ymddengys* yn faith :

> Oeri y bûm ar y barth
> *Er cyn cof*—a'r ci'n cyfarth.[2]

Y mae gormodiaith "yn celwyddu heb geisio twyllo â'r celwydd",[3] canys y mae'n ddealledig mai ffordd o siarad ydyw. A thra *fo*'r fath ddealltwriaeth, nid yr ormodiaith, ond y gair gwir a fyddai'n gamarweiniol. Er enghraifft, pe mesurid y geiriau'n fanwl wrth ganmol, fe'i deëllid fel gogan : "Damn with faint praise", medd Pope. Y mae i wahanol oesoedd a gwahanol genhedloedd eu gwahanol

---

[1] Groeg ὑπερβολή, sef 'tros-dafliad'; Saesneg *hypérbolē* o'r Groeg. Cyfieithiad Thos. Wiliems (Geiriadur Dr. D. 1632) o *hyperbole* oedd *gormoddiaith*, a dyna'r term a'r ffurf sy gan R.D., 1808, td. 119, a'r arg. diweddarach; ond er hynny nis ceir yng ngeiriadur Pughe 1832. Cyfieithiad Perri oedd *gorwireb*; cyfieithiad Salesbury oedd *celwydd*! Petai gywir hynny, y mae llawer o *gelwydd* yn y Beibl.

[2] D.E. 65.   [3] Quintilian viii 6, 74.

arferion a'u hamryfal safonau ; i ni, ymddengys gor-
modiaith molawdau'r cywyddwyr yn eithafol a gwrthun.
Amheuai rhai ohonynt hwy eu hunain ai iawn hyn.
Ymosodai Huw Dafi ar Uto'r Glyn am wenhieithio,[1]
a rhoes batrwm o ganu di-weniaith, sy megis clod a
gogan ynghyd, fel yr etyb Guto. Yn yr atebiad hwnnw
cawn ddatguddiad clir o safle'r bardd yn y bymthegfed
ganrif :

> *Ni cheisiaf*, o chanaf, chwaith,
> Wedi gwin, *wadu gweniaith*,
> Minnau'n dyst *na mynnwn dwyll*
> Mewn gweniaith, myn y gannwyll !
> Pe bai gyfiawn pob gofeg,
> Beth yw gweniaith ond *iaith deg* ?
> O threithir y gwir a'r gau,
> Y *gair tecaf* yw'r gorau ;
> *Ni* threithir y gwir *i gyd*
> Yn llyfr, nac unlle hefyd.

Ar fyr, nid oedd dwyll mewn peth a ddeallai pawb ; nid
yw'r ormodiaith ond " iaith deg "—moesgarwch defod ac
arfer.[2] Y mae grym yn y pwynt olaf hefyd : ni all na llyfr
na dim arall draethu'r "gwir *i gyd* " am . y peth lleiaf ;
arwyddion go amherffaith ydyw geiriau. Ac nid y meddwl
noeth *sydd* i'w draethu, ond y meddwl fel y mae yn *nheimlad*
y llefarwr, ac y mae'r ormodiaith yn cyfleu hwnnw'n
gywirach na geiriau mesuredig.

83. Mater o arfer a thraddodiad ydyw beth sy'n oddefol
mewn gormodiaith ; i ni nid oes dim yn wrthun yn y llinell—

> Wylo'r wyf fal yr afon ;[3]

ond ni wnâi cyfieithiad llythrennol ohoni mo'r tro mewn

---

[1] Yr oedd y syniad na ddylai barddoniaeth gynnwys ond y gwir
llythrennol yn hŷn na hyn ; S.C. oedd ei brif amddiffynnydd yn gynharach
yn y 15fed ganrif. Tardd o hen ddatganiadau eglwysig yn y canol oesoedd.
Rhoes Iolo le amlwg i'r athrawiaeth yn ei ffug-dderwyddiaeth.

[2] "Our common forms of compliment are almost all of them extravagant
hyperboles."—Hugh Blair, dyfynedig yn *Lloyd's Enc. Dic.* d.g. *hyperbole.*

[3] S.B. ; a W.Ll. ym marwnad S.B. F.N. 192 ; " Wylo'r wyf lawer afon,"
Gu.O.

barddoniaeth Saesneg. Nid yw fai ar ormodiaith ei bod yn
eithafol, os bydd yn urddasol hefyd. Yn llinellau Tudur
Aled—

> Pe caid troi i enaid draw,
> A'i roi eilwaith er wylaw,
> Ef a wylid am Felwas
> Oni fai'r glyn yn fôr glas,

y mae aruthredd yr ormodiaith yn symud y peth o fyd
mater i fyd y dychymyg; a rhywbeth tebyg i drosiad yn
arwyddo dwyster y teimladau ydyw'r delwedd o'r glyn yn
fôr. O'r ochr arall pan ddywedodd Tudur,

> Dau alwyn doe a wylais,[1]

yr oedd yn nes i bosibilrwydd, ond ym myd mater y mae
yma, ac i gyfleu tristwch anfesurol y mae'r mesur yn
ddistadl a dirmygus.

84. Mewn gormodiaith yn anad un ffurf o ymadrodd
rhaid gofalu am urddas. Y mae'n iawn ei harfer pan fo'r
pwnc yn deilwng a hithau'n deilwng o'r pwnc. Oni
chedwir y ddau amod yma fe â gormodiaith yn druth. Yn
hyn efallai yr oedd greddf yr hen gywyddwyr ansicraf.
Nid yw "dau alwyn" Tudur Aled yn deilwng o'r pwnc;
yng nghywydd Dafydd Nanmor i'r gloddesta yn nhŷ Rhys
o'r Tywyn nid yw'r pwnc yn deilwng; ond y tebyg yw
mai ceisio bod yn ddifyr yr oedd y bardd, a bod ei gyfoedion
yn deall yr ysmalhäwch yn burion, ac yn ei fwynhau :

> Pe bai'r ddaear yn fara,
> Neu flas dŵr fal osai da,
> Yn y wledd rhyfedd barhau
> Dŵr a daear dri dïau.[2]

"Mynych iawn," medd Quintilian,[3] " yr arwain y peth i
chwerthin; os bwriadol, fe gaiff yr enw o ffraethineb, os
amgen, o ynfydrwydd." Ffraeth, mae'n debyg, y cyfrifid
yr hen Siôn Wiliam y soniai Talhaiarn amdano : "'Dyma

---

[1] F.N. 154.   [2] G. 149, F.N. 96.   [3] viii 6, 74.

i chwi gae', ebr o, 'os poerwch chwi arno, bydd yn rhy
wlyb, os chwythwch arno, bydd yn rhy sych.'"[1] Da y
gŵyr y beirdd digrif pa ddefnydd a allant ei wneuthur o'r
troad at eu pwrpas eu hun ; nid oes angen ond crybwyll
cerdd Ceiriog i bastai fawr Llangollen :

> Daeth dyn o Ffrainc i ddringo'i phen
> 　Ac efo gant o bobol ;
> A dringo buont bedwar mis,
> 　O ris i ris Alpyddol,—
> Ac yna hyrddiwyd oll i lawr
> 　Gan ddarn o eira oesol.[2]

Lleihad.

85. Am ddywedyd llai na'r meddwl nid oes gennym
derm ar arfer cyffredin. Ni thâl *eiddileb* Henri Perri [3] ddim ;
awgryma hwn eiddilwch, pryd nad eiddil mo'r peth, ond
grymus yn fynych. Gelwir ef yn Saesneg *meiōsis*, o'r Groeg
μείωσις ; ac efallai mai cystal i ninnau gyfieithu hwn, a'i
alw'n *lleihad*.

86. Gellid ystyriaid rhai enghreifftiau o gydgymeriad yn
enghreifftiau o leihad, megis dywedyd *tamaid* am bryd o
fwyd, neu am holl luniaeth dyn, neu *ei geiniog* am ei enillion,
§ 69. Weithiau fe leiheir y lleihad, megis pan ddywedir
gylfinaid (sef llond pig aderyn) am damaid, neu *eiliad* am
funud.

87. Fe ddefnyddir y troad hwn beunydd (ac yn aml yn
ddiarwybod) wrth eiriol, neu amddiffyn, neu esgusodi :
hawdd yr â'r mawr yn fychan, a'r trosedd yn gwymp. Ac
nid oes dull ymadrodd mwy cyffredin i fynegi gresyni : " y
creadur *tlawd*," meddir, neu " druan *bach* " ; a phwy ni wêl
gymaint mwy effeithiol oedd dywedyd " Dwyn ei *geiniog*
dan gwynaw " na phe dywedasid " Dwyn ei gyflog " ?
Fe'i defnyddir hefyd yn fynych mewn gwatwar, megis pan
ddywedir am ddyn meddw ei fod wedi cael *diferyn*.

---

[1] T. i 28.　　[2] *Oriau'r Hwyr*, 99.　　[3] *Egl. Phr.* 3ydd arg. 39.

Darluniai Thomas John, Cilgerran, enaid colledig yn gofyn yn uffern, " A fydda' i yma'n hir? "   " Byddi, *dipyn*," medd rhyw gythraul wrtho.

88. Weithiau fe ddywedir llai na'r cwbl rhag bod y cwbl yn rhy boenus, megis dywedyd " *nid yw* mwy " yn lle " bu farw "; " Rachel yn wylo am ei phlant, ac ni fynnai ei chysuro, am *nad oeddynt*." [1]   Yr un modd " nes ei *orfedd* " [2] am nes bod wedi ei gladdu; ac,

> Os d'eiriau a ystyriaf,
> Gruddiau gwin, *gorwedd a gaf.*[3]

89. Fe all lleihad fod yn llawer mwy effeithiol na gormodiaith: yn dilyn gormodiaith anhapus Tudur Aled am y " ddau alwyn " y mae'r pennill prydferth hwn:

> Hawdd im, wrth roi hawddamawr,
> Gael *gwlith* o'm golwg i lawr.[4]

90. Defnyddir term arall o gyffelyb ystyr, *lĭtotēs* (Groeg λῑτότης), i nodi'r math hwnnw ar leihad a wneir drwy wadu'r gwrthwyneb, megis dywedyd *nid drwg* yn lle *da*. Fe wneir hyn i liniaru'r ymadrodd mewn cerydd, ond i'w gryfhau mewn gogan a chlod.   " Nid gwrol Gai Hir " oedd Rhys Meigen, medd Dafydd ap Gwilym [5] wrth ei ddychanu; ac wrth foli Ifor Hael fe luniai iddo, medd ef, " air nid gwael." [6]   Mewn clod bydd y cyd-destun yn dangos y meddwl yn amlwg:

> Cymell yn gadarn arnaf
> Arian ac aur—hyn a gaf . . . .
> *Ni bu galed* y Bedo:
> Na bwyf ond yr hyd y bo ![7]

Awgrymu'r eithaf arall fel yna, ac nid gwadu'n unig, y bydd blaenddod negyddol yn aml, megis yn y geiriau *anystwyth*, *disynnwyr, anfri, amarch,* a'r cyffelyb.

---

[1] Matt. ii 18.   [2] G. 237.   [3] D.G. (39).   [4] F.N. 154.
[5] D.G. 454.   [6] D.G. (104).   [7] L.G.C. 430.

Gair Teg.

91. Ni chad hyd yma derm Cymraeg cymeradwy am *euphemism* (Groeg εὐφημισμός); ond nid yw amgen na *gair teg*.[1] Fe roir enw mwy dymunol weithiau ar beth anhyfryd er mwyn rhoi gwedd fwy hygar arno, neu rhag briwo teimladau â'r gair plaen. Galwai'r Groegiaid y duwiesau llidiog yn *Eumenides* (Εὐμενίδες) sef ' y rhai hynaws (da eu hewyllys),' rhag eu digio drwy eu galw ar eu henwau eu hunain, canys—

Gair teg a wna gariad hir.[2]

Fe ddefnyddiwyd gair teg wrth enwi lleoedd cyn hyn, rhag bod coel mewn enw, fel pan newidiwyd enw'r *Cape of Storms* i'r *Cape of Good Hope*. Y mae Rhagrith, medd Ellis Wynne,—

> mor gelfydd yn cuddio pob *camwedd* tan enw a rhith rhyw *rinwedd*, oni wnaeth hi i bawb agos golli eu 'dnabod arnynt eu hunain. Cybydd-dod a eilw hi *cynilwch*; ac yn ei hiaith hi *llawenydd diniwed* yw oferwch; *bonddigeiddrwydd* yw balchder; .... *cydymaith da* yw'r meddwyn.[3]

92. Nid ymadrodd croes i'r meddwl ydyw gair teg bob amser; fe all fod yn drosiad o rywbeth cyffelyb, fel pan elwir marw yn *huno* neu *orffwys*; neu fe all fod yn ddisgrifiad o'r pethheb ei wrthuni, fel pan ddywedir *llon* am feddw, neu *gartref* am wallgofdy.

Coegni a Gair Du.

93. Y troad mwyaf cyffredin o eiriau croes i'r meddwl ydyw eu defnyddio'n watwarus; "coegi" y gelwir hynny yn y Gogledd, a'r gwatwar-eiriau'n *goegni*.[4] Ni wn am well gair na hwn am *irony* (Groeg εἰρωνεία); 'siarad ' ydyw ystyr wreiddiol y gair Groeg, ac o hynny siarad peth heb

---

[1] Byddai *geirda*'n gyfieithiad mwy llythrennol, ond golyga *geirda* ' ganmoliaeth (wirioneddol)' yn Gymraeg.

[2] Gu.O. G. 213. [3] B.CW. 140.

[4] "Gwaeth na'r boen oedd *goegni* a chwerwder y diawliaid yn eu gwawdio ac yn eu gwatwar," B.CW. 92.

ei feddwl, neu goeg-siarad ; a pha beth ond hynny yw *coegni*
yn Gymraeg ?[1] Pan fo'n chwerw fe'i gelwir yn *sarcasm*
(Groeg σαρκασμός 'brathiad'), ac yn Gymraeg *gair du.*
Yn y troad hwn eto rhaid i'r meddwl fod yn amlwg tu ol
i'r geiriau; y rhagor rhwng celwydd a throad ymadrodd
ydyw mai amcan celwydd yw cuddio'r meddwl, ond amcan
troad yw dangos ei fin. Pan ddywedodd Job " Diau mai
chwychwi sy bobl, a chyda chwi y bydd marw doethineb,"[2]
nid cuddio'i ddirmyg oedd ei amcan, ac nid oedd berigl i'w
gysurwyr gamddeall ei feddwl.

94. Y mae'n amlwg mai coegi'r hen Fol Haul a wnâi
Lewis Morris pan soniai am ei fawr ddysg :

> Constrio Ofydd bydd yn bêr,
> A hymio uwchben Homer.[3]

Ond nid cyn y bedwaredd linell o'i farwnad watwarus y
dengys Llywelyn ap Gutun mai coegi Guto'r Glyn y mae :

> Tristach yw Cymry trostyn',
> Tre a gwlad am Uto'r Glyn ;
> Boddi wnaeth ar draeth heb drai—
> Mae'n y nef am na nofiai.[4]

Prin yr eiddunir y fendith " rhad arno " ond pan fo melltith
yn y galon :

> A ffis a'r arian yn ffo
> I'r twrnei—*rhad Duw arno* ;[5]

ac o'i arfer yn goeglyd yr aeth yr hen air *gwawd* ' cân,
moliant ', i olygu 'gwatwar '.

III. Ffigurau Ymadrodd.

95. Â meddwl geiriau, fel y sylwyd, yr ymwnâ troad,
ond â'u trefniant a'u ffurf yr ymwnâ ffigur. Wrth reswm
y mae cysylltiad rhy agos rhwng geiriau a meddwl inni allu

---

[1] Y mae *irony* yn Saesneg yn ddiau beth yn ysgafnach na *choegni,* ond
y mae *sarcasm* yn chwerwach o lawer. Arferir *brathog* ar lafar y Gogledd
am *sarcastic,* ond nid yw Silvan yn crybwyll yr ystyr drosiadol hon.
[2] Job xii 2.   [3] D.T. 131.   [4] C. i 199.   [5] S.V. cy. ix 6.

amrywio hyd yn oed drefn y naill heb effeithio ar y llall, ac fe rydd ffigur gwych odidogrwydd i'r meddwl hefyd. Ond ni chyffwrdd ffigur ag ystyr y geiriau, namyn eu trin yn gelfydd mewn ystyr gynefin, pa un bynnag ai llythrennol ai troëdig fo.

Ail-adroddiad.

96. Y mae *ail-adroddiad* yn nodwedd i farddoniaeth o'r dechreuad cyntaf. Yn yr oesoedd cyntefig pan luniai'r cylch eu geiriau difyfyr i'w canu gyda'r ddawns, yr oedd yr ail-adrodd yn ddiddiwedd, pe na bai ond am fod yn haws, wedi cael geiriau cymesur i ryw symudiad, eu defnyddio drachefn, pan ddychwelid i'r symudiad, na chael rhai newydd addas. Y peth tebycaf yn yr oesoedd diweddar i'r farddoniaeth gyntefig honno ydyw rhyw rigymau a drosglwyddwyd ar lafar gwlad o oes i oes. Fel y canlyn yr enwa'r Prifathro J. H. Davies[1] y nodau sydd ar hen ganu gwerin Cymru yn dangos ei berthynas i'r canu cyntefig:

symlder ymadrodd, absenoldeb cynghanedd, mydr rheolaidd (oherwydd yr oedd hyn yn rheidiol i'r ddawns), *ail-adroddiad* llinellau neu frawddegau, a'r byrdwn.

Dyfynna'r Prifathro[2] esiampl o hen rigwm o lawysgrif a sgrifennwyd (ym Môn) tua 1715:

> Un o'm brodyr a rois imi,
> Ag a rois imi, ag a rois imi,
> Ag un o'm brodyr, ag o'r rheini,
> Un o'm brodyr a rois imi,
> > Un ych, un tarw, un blaidd, un ci, etc.
> > * * * *
> Dau o'm brodyr a roes imi, etc.
> > Ddau ych, ddau darw, dau flaidd, dau gi, etc.,

hyd y nawfed. Y mae'r gân, medd ef, yng *Nghymru*, 1900, td. 139, gyda nodiad yn dywedyd ei chymryd o enau rhyw hen ŵr yn Chwilog, a fyddai'n "hanner canu, hanner dawnsio wrth fynd drwy'r penillion." Yr oedd y rhigwm

---

[1] O.LL.C. v-vi, td. 13. [2] Eto, td. 10.

i'w glywed hefyd ym Môn hyd yn ddiweddar, onid yw eto;
ac y mae'n hŷn o lawer na chopi 1715.[1] Dengys hyn fel
y gall un esiampl rychwantu canrifoedd, ond y mae'r *dull*
ei hun yn mynd yn ol i'r oesoedd cyntefig.

97. Y mae llawer o hen rigymau cyfrif fel hyn i'w cael
ymysg y werin drwy wledydd Ewrop. Ond nid yw'r rhain
ond un math o rigymau lle'r ail-adroddir pennill wedi newid
gair neu eiriau ynddo. Mwy cyffredin yw newid ansoddair
lliw, neu gyfnewid geiriau o gyffelyb ystyr. Fe ŵyr pawb
am yr hen rigwm " Gafr wen, wen, wen," a genir yr ail
waith " Gafr las, las, las," ac felly 'mlaen. Yn y rhes olaf
o'r englynion i Eraint ab Erbin yn y Llyfr Du fe geir—

> Oedd re r(y)ereint dan forddwyd Gereint,
> Garhirion, grawn a'e bu :
> Rhuddion rhuthr eryron du.

> Oedd re r(y)ereint dan forddwyd Gereint,
> Garhirion grawn boloch :
> Rhuddion rhuthr eryron coch ;[2]

ac yna "eryron gwyn," " eryron llwyd," gyda'r cyfnewidiad
angenrheidiol yn yr ail linell i gadw'r odl. Yn y rhes
gyntaf o'r un englynion fe geir amrywiaeth arall :

> Rhag Gereint, gelyn cystudd,
> Y gweleis feirch can crymrudd,
> A gwedy gawr garw, achludd.

> Rhag Gereint, gelyn dihad,
> Gweleis feirch crymrudd o gad,
> A gwedy gawr garw, pwyllad.

> Rhag Gereint, gelyn ormes,
> Gweleis feirch can eu crëes,
> A gwedy gawr garw, achles.[3]

98. Y mae'r englynion hyn yn sicr yn hŷn o ganrifoedd
na'r ddeuddegfed—oed y llawysgrif ; ac er bod nodau
celfyddyd y bardd yn amlwg arnynt, y mae'r un mor

---

[1] Y mae'r *tarw* unsillafog ynddo yn awgrymu ei fod gryn dipyn dros
200 oed yr adeg honno; gweler § 357.

[2] B.B. 72.   [3] Eto 71.

amlwg bod y patrwm i'w olrhain yn ol i ddull y gorfoledd naturiol difyfyr pan gyd-ganai'r tylwyth cyntefig yn y ddawns wedi'r fuddugoliaeth.[1] Weithiau'n ddïau fe geid mwy o amrywiaeth, megis ail-adrodd y llinell gyntaf yn unig, neu'r olaf yn unig. Y mae llawer o ail-adrodd y llinell gyntaf neu'r geiriau cyntaf mewn hen englynion fel englynion "Eiry mynydd"[2] neu "Stafell Gynddylan."[3] A diameu bod y byrdwn, neu'r gytgan, mewn canu gwerinol yn deillio'n syth o'r hen gyd-ganu cyntefig, er na ellir ei olrhain mor glir mewn llên. Yn wir, nid yw'r byrdwn weithiau amgen na sillafau diystyr fel "tra la la la" neu " ffal di ral," a dyna ffordd haws fyth nag ail-adrodd i gael rhywbeth i'w floeddio i fesur y ddawns—dull sy'n mynd yn ol i'r dechreuad cyn i ddyn ddysgu addasu geiriau i'r mesur, sef cyn *bod* y ffurf isaf ar farddoniaeth.

99. Y mae'r hen benillion telyn o ddau gwpled radd yn uwch fel celfyddyd, ac yn anhraethol uwch fel barddoniaeth, na'r hen rigymau a grybwyllwyd; ond cynnyrch y werin yw'r rhain hefyd—y rhai dilys,[4]—ac y maent yn dwyn llawer o nodau canu cyntefig. Y mae rhai ohonynt yn mynd yn ol ganrifoedd,[5] ond nid yw'r hynaf ond esiampl ddiweddar iawn o'r mydr a'r dull, § 213. Weithiau fe ail-adroddir llinell bron yn gyfan, megis—

> Ni bu ferch erioed gyn laned,
> Ni bu ferch erioed gyn wynned.[6]

Ond mwy cyffredin na hyn ydyw ail-adrodd dechreu'r

---

[1] Gweler isod §§ 196–8.

[2] R.P. 1026–9.   [3] Eto 1045.

[4] Y mae rhai ohonynt yn waith prydyddion da, neu'n efelychiadau gan ysgolheigion: efelychiad o Roeg Anacreon (er na fyn L.M. mo hynny) ydyw "Blin yw caru yma ac acw" c. i 285, a chyfieithiad (perffaith lythrennol bron yn y tair llinell gyntaf) o'r un geiriau yw'r pennill nesaf "Caled ydyw peidio caru." Y mae'r Groeg yn yr un hyd: "Χαλεπὸν τὸ μὴ φιλῆσαι."

[5] Dyfynna Lewis Morris mewn llythyr yn 1738 amryw o rai a genir eto, ac a genid er cyn cof yr amser hwnnw, C.IL.C. v–vi 26–36.

[6] C. i 285; P.T. 65; y mae hwn yn un o'r rhai a ddyfynnir gan L.M.

llinell, weithiau trwy'r pennill fel yn hen benillion " Tros
y Môr " :

> Tros y môr mae'r adar duon,
> Tros y môr mae'r dynion mwynion,
> Tros y môr mae pob rhinweddau,
> Tros y môr mae 'nghariad innau; [1]

ond gan amlaf yn y tair llinell gyntaf yn unig :

> Geiriau mwyn gan fab a gerais,
> Geiriau mwyn gan fab a glywais,
> Geiriau mwyn sy dda dros amser,
> Ond y fath a siomodd lawer. [2]

100. Yn y mesur hwn, ac mewn iaith werinaidd, y canodd
yr Hen Ficer y rhan fwyaf o *Gannwyll y Cymry* yn nechreu'r
ail ganrif ar bymtheg, ac y mae llawer o'r nodau yna ar ei
benillion. Ac yr oedd yn naturiol i'r emynwyr yn y
ddeunawfed ddilyn yr hen ganu rhydd yn hyn, nid yn unig
am ei fod yn hawdd fel yr awgrymwyd, ond am ei fod yn
effeithiol hefyd. Er enghraifft fe gân Williams :

> Yn dy law y gallaf sefyll,
> Yn dy law y dof i'r lan. [3]
> Gyda thi mi af trwy'r fyddin,
> Gyda thi mi af trwy'r tân. [4]

Ond heblaw ail-adrodd dechreu'r llinell fel yna, fe geir yn
aml yn yr emynau *atgymeriad* hefyd, yn y ffurf o ail-adrodd
diwedd llinell ar ddechreu'r nesaf :

> Y mae arnaf fil o *ofnau,*
> *Ofnau* mawrion o bob gradd. [5]
> Bydd dy degwch *fyth yn newydd,*
> *Fyth o newydd* ennyn dân. [6]

101. Er mai diweddar o ran amser yw'r emynau, y mae eu

---

[1] c.f. 363; c. i 284; p.t. 103.
[2] c.f. 363; c. i 283; p.t. 60; "cywiriad" coeg-lenyddol yw'r *ynt* yn
lle *sy* yn y llyfrau.
[3] Wms. 359. [4] Eto 270. [5] Eto 356.
[6] Eto 608. Dyfynna Quintilian (ix 3, 44) yr enghraifft a ganlyn o'r
ffigur o Verg. *Ecl.* x 72 :

> Pierides, vos haec facietis maxima *Gallo,*
> *Gallo,* cuius amor tantum mihi crescit in horas.

celfyddyd i gryn fesur yn gyntefig—nid yn hollol, gan fod
canu rhydd Lloegr gerllaw yn ffrwyth diwylliad canrifoedd.
Ond fe dorrodd yr emynwyr yn llwyr â'r hen gelfyddyd
Gymraeg, ac y maent yn dechreu bron o'r newydd, ac yn
agos at y canu gwerinol. Nid efelychiad ymwybodol o
hwnnw o angenrheidrwydd oedd ail-adroddiadau fel y rhai
uchod yn yr emynau; yr oedd y peth yn codi'n naturiol o
geisio gosod geiriau'n rhwydd ar fesur cerdd, ac fe'i ceid
mewn canu o'r fath o'r cychwyn cyntaf. Ail-adrodd
dechreu'r llinell ydyw ffurf gyntaf "cymeriad" mewn cerdd
dafod, ac ail-adrodd diwedd llinell ar ddechreu'r nesaf yw
"cyrch-gymeriad."

102. Y mae'r ddau beth hyn yn ffurfiau cyffredin yn y
farddoniaeth Gymraeg hynaf. Yn y farwnad i ddisgynnydd
Cunedda yn Llyfr Taliesin—cân sy cyn debyced â'r un o
fod cyn hyned â'r chweched ganrif—ceir pedair llinell
wythsillaf nesaf at ei gilydd yn dechreu â *Rymafei* 'rhoddai
i mi.'[1] Yn "Nadolwch Urien" fe ail-adroddir dechreu
hanner-llinell :

> Llwyfenydd diredd, | *ys meu* eu rheufedd,
> *Ys meu* eu gwyledd, | *ys meu* eu llaredd,
> *Ys meu* eu llideu | a'e gorefrasseu.[2]

Mewn cân arall i Urien, "Yng Ngorffowys,"[3] fe geir llawer
o gyrch-gymeriad:

> Yng ngorffowys, | can ry chedwys
> Parch a chynnwys, | medd *meueddwys*;
> *Meueddwys* medd | 'i orfoledd,
> A chein diredd | im yn *rhyfedd*,
> A *rhyfedd* mawr | o ged ac *awr*,[4]
> Ac *awr* a ched | *achyfrifed*,[5]
> *Achyfrifiant*, | a rhoddi *chwant*.
> *Chwant* o'e roddi | er fy llochi, etc.

---

[1] CY. xxviii 210.   [2] Eto 181.   [3] Eto 175.

[4] Yn y llsgr. *ac eur ac awr*; ond *awr* oedd 'aur' fel enw yn yr oesoedd
bore, ac y mae *eur* yn amhosibl. Dengys y cymeriad mai *o ged*, ac nid *ac
eur*, yw'r darlleniad cywir.

[5] *ach-* am *angh-*; *achyfrifed* = anghyfrif, afrifed; felly *achyfrifiant*.

Nid wyf wedi italeiddio ond y gair olaf yn y llinell a'r
cyntaf yn y llinell a ddilyn, ond fe sylwa'r darllenydd fod
yr hanner-llinell oll gan amlaf wedi ei ail-adrodd mewn
trefn wahanol. Unwaith fe ail-adroddir yr holl linell yn
ei gwrthol:

> Anogiad cad, | diffreidiad gwlad,
> Gwlad ddiffreidiad, | cad anogiad.

103 Fe godwyd yr hen gerddi hyn i Lyfr Taliesin o hen
gopïau a sgrifennwyd tua'r nawfed ganrif;[1] ac oni bai mai
Cymraeg ydynt nid amheuasai neb eu dilysrwydd.[2] Y
maent yn wahanol i'r hen farddoniaeth Saesneg o gymaint
â bod odl ynddynt, ac nad oes dim tebyg i'r hen gynghanedd
Seisnig; ond y mae'r ddwy olaf y dyfynnwyd ohonynt yn
debyg mewn dau beth i'r caniadau Saesneg hynaf fel
Beowulf a sgrifennwyd *cyn* yr wythfed ganrif.[3] (1) Rhennir
y llinell yn ddau hanner, i gyfateb i symudiad blaen-ac-ol
y ddawns.[4] (2) Ail-adroddir dywediad o hyd, ond mewn
geiriau gwahanol yn y gerdd Saesneg, a chan symud yn ol
ac ymlaen, "nes ein bod yn ymddangos yn brysur iawn,
ond heb fynd rhagom."[5] Dyma enghraifft mewn cyfieithiad
Saesneg diweddar:

> Then the SON of Wîhstân | bade command,
> MAN of battles, | *many a warrior,*
> *Many a hero,* | hither to bring
> From far the pyre-wood, | *the people-lords.*[6]

Yr un yw'r "son of Wîhstân" a'r "man of battles," felly
dyna gymeriad synhwyrol[7]; yr un rhai yw "many a warrior"
a "many a hero," felly dyna gyrch-gymeriad synhwyrol, ac

---

[1] CY. xxviii 144.
[2] Fel y dangosais yn y gyfrol y cyfeiriwyd ati, nid oedd yr un o'r
rhai a'i hamheuai, o Rys a Zimmer i lawr, wedi eu hastudio nac yn deall
hyd yn oed eu mydr.
[3] Gummere *Hdb.* 11.   [4] Eto 174.
[5] Eto 87.   [6] Eto 86.
[7] Yn yr ystyr o ail-adrodd y synnwyr, nid yr ystyr gyffredin o gario'r
synnwyr ymlaen § 505 (3).

enwir hwynt drachefn yn "people-lords." Dyma ddau
gyrch-gymeriad synhwyrol :

> | They let the wave bear him,
> They gave him to the ocean; | grave was their heart,
> Mournful their mood. | [1]

104. Wrth newid yr odl yr arferid cyrch-gymeriad
fynychaf yn hen ganiadau Llyfr Taliesin. Y mae'r odl yn
newid yn aml yn yr enghraifft uchod, § 102 ; ond weithiau
fe genid rhes o linellau ar yr un odl, a rhoi cyrch-gymeriad
i'w chysylltu â'r rhes nesaf. O hynny y daeth y cyrch-
gymeriad sy mewn cadwyn o englynion. Ond yn yr hen
ganiadau hefyd fe ail-adroddid y pennill cyntaf ar y diwedd ;
ac weithiau fe roid gair cyntaf y pennill cyntaf ar ddiwedd
y pennill olaf, ac felly pan ddôi'r datgeiniad i'r gair yn y
diwedd fe'i harweinid yn ol i'r dechreu, ac fe ail-adroddai'r
pennill cyntaf.[2] Fe ddaeth hyn yn rheol mewn barddoniaeth
Wyddeleg, ac fe geir enghreifftiau yn y caniadau hynaf,
a gyfansoddwyd yn y chweched ganrif.[3]

105. Ail-adrodd diwedd sillaf yw odl ; ail-adrodd ei
dechreu yw cytseinedd. Mewn cynghanedd sain fe wna
ail-adrodd gair y tro yn lle odl :

> Pob *glân* i *lân* a luniwyd.[4]

> *Celwydd* â'n *gelwydd* golau ;
> A *gwir* a fydd *gwir*, nid gau.[5]

Aml y cymerir gair yn syml ac yn gyfansoddedig i lunio
nid yn unig odl cynghanedd sain, ond prifodl hefyd :

> Pob creiglethr crog a ó-*gwymp*,
> Pob *gallt* a gór-*allt* a *gwymp*.[6]

> Cerais fy *ngwlad*, gein*wlad* gu.[7]

A hawdd fyddai dyfynnu llawer o enghreifftiau o lunio

---

[1] Gummere, *Hdb*. 87.

[2] Gweler enghraifft ym "Marwnad Owein" Taliesin, CY. xxviii 187,
B.T. 67–8 ; y mae amryw yn y Llyfr Du ; gweler § 508.

[3] CY. xxviii 192.   [4] G.I.LL.F. 2, F. 39.

[5] AN. F. 24.   [6] Gr.O. 90.   [7] Eto 13.

cynghanedd gytsain o dreigliadau'r un gair fel yng nghymar
y llinell olaf:

Cerais, ond ofer *caru*.

106. Ond er bod ail-adroddiad yn codi'n naturiol o
gelfyddyd canu, yn enwedig yn ei ffurfiau cyntefig, eto nid
am hynny'n unig nac yn bennaf y ceir ef mor gyffredin
mewn barddoniaeth, ond am ei fod ei hun yn ffigur effeithiol.
Nid oes dull ymadrodd mor reddfol dan deimlad dwys, fel
y gwelir yng nghŵyn Dafydd am Absalom, 2 Sam. xviii
33. Mynych iawn yr ail-adroddir drosodd a throsodd
ebychiadau fel *och* a *gwae*; digon fydd dyfynnu un
enghraifft—o farwnad Gruffudd ab yr Ynad i Lywelyn:

> *Gwae fi* o'r golled, *gwae fi* o'r dynged,
> *Gwae fi* o'r clywed fod clwyf arnaw.[1]

A'r un modd am eiriau eraill yn iaith trallod, fel yng
ngalarnad R. ap Gwilym Ddu am ei unig ferch:

> Ymholais, crwydrais mewn cri;—och, alar!
> Hir *chwiliais* amdani;
> *Chwilio* 'r celloedd oedd eiddi,
> A *chwilio* heb ei chael hi;[2]

neu yng nghŵyn hiraeth Gronwy yn nhir estron:

> *Dieithr* i'n hiaith, hydriaith hen,
> *Dieithr* i berwawd awen.[3]

Ac nid galar yn unig a dreithir felly, ond llawenydd ac
afiaith hefyd:

> *Canai* Efa, deca dyn,
> *Canai* Adda, cain wiwddyn.[4]

107. Nid oes, ychwaith, ddim mwy naturiol mewn
datganiad dwys nag ail-daro'r hoel i'w gyrru adref, megis—

> Hwn a fedd fawredd a fwrir—*heb ddim*;
> A *heb ddim*, *di-ddim*, y diweddir.[5]

Fe ail-adroddir ansoddair i'w gryfhau, megis *mawr*, *mawr*;

[1] R.P. 1417. [2] R.G.D. 96. [3] Gr.O. 58.
[4] Eto 80. [5] W.Ll. G. 292.

fe ddyblir enw wrth annerch, a berf orchmynnol hefyd, megis—

> Hiraeth, hiraeth, cilia, cilia![1]

108. Rhy faith fyddai ceisio olrhain pob effaith hapus a geir o ail-adrodd gair fel rhyw gyngan mewn llinell neu bennill, neu fel adlais rhyw nodyn peraidd yn cyniwair mewn cân. Ond y mae un agwedd bwysig arall ar y mater: rhag i unrhywiaeth ddiflasu fe gais barddoniaeth *amrywiaeth mewn unrhywiaeth.* Mewn tair ffordd y ceir amrywiaeth yn unrhywiaeth ail-adroddiad:

(1) Fe ail-adroddir yr un geiriau mewn trefn wahanol, fel y gwelsom yng nghyrch-gymeriadau Taliesin, § 102. Dyma enghraifft mewn pennill o gywydd:

> O bu *donn* dy *fron* freiniol,
> Llawer *bron* yn *donn* yn d'ol.—S.T.

(2) Fe ail-adroddir gair, ond mewn ystyr wahanol, fel pan alarai G. ab yr Ynad am dorri pen Llywelyn:

> Gadel *pen* arnaf, heb *ben* arnaw! . . . .
> *Pen* milwr, *pen* moliant rhagllaw;[2]

neu fel pan ddywedai Wiliam Llŷn ym marwnad Gruffudd Hiraethog:

> *Hiraethog ddoeth, o doeth* d'oes,
> *Hiraethog* fydd rhai wythoes.[3]

Ond oni bydd y peth yn dyfod megis heb ei geisio fe â'n chware ar eiriau, ac ni wedda hynny mewn canu difrif.

(3) Fe ail-adroddir y meddwl mewn geiriau gwahanol, fel y gwelsom yn y dyfyniadau o hen gerdd Saesneg *Beowulf.* Fe wneir hyn yn aml wrth enwi dyn neu ddywedyd amdano, megis—

> Addwyn oedd y *winwydden,*
> A da o ddysg ydoedd *Wen.*[4]
> *Dieithryn* adyn ydwyf;
> Gwae fi o'r sud! *alltud* wyf.[5]

[1] P.T. 53.   [2] R.P. 1418.
[3] W.Ll. 213, G. 293; *o doeth d'oes* = 'os daeth dy oes [i ben].'
[4] L.G.C. 232, am Wenllian ferch Rhys.   [5] Gr.O. 58.

Dywedai Tudur Aled wrth Syr Thomas Salbri, gan gyfeirio at yr hen ddihareb "A fo pen, bid pont,"

> Band didwyll o *bont* ydwyd?
> *Bwa maen* heb ameu wyd.

Ond fe ail-adroddir pob math ar feddwl yn yr un modd. Dyma enghraifft o ail-adrodd ystyr berf ac enw gan newid y drefn:

> *Gorthaw, donn!* dig wrthyd wyf;
> *Llifiaint, distewch* tra llefwyf.[1]

Weithiau y mae'r ail air yn cyfleu'r ystyr yn fanylach, fel yn y pennill hwn:

> Mae *llen gêl* ar wallt melyn,
> Mae ar y gwallt *farmor gwyn.*[2]

Dyna gyfochraeth gyflawn rhwng dwy linell y cwpled, ac fe'i ceir yn aml mewn pennill o gywydd; dyma enghraifft o farwnad Tudur Aled i Domas Conwy:

> Man 'i rhoed mae anrhydedd,
> Mae rhodd fawr yn mhridd 'i fedd.

Gwelsom uchod fod llawer cyffelybiaeth ar ffurf cyfochraeth, §63. Y mae'n ddigon hysbys mai cyfochraeth, sef ail-adrodd yr un neu gyffelyb feddwl mewn geiriau gwahanol, ydyw prif nodwedd barddoniaeth Hebraeg.

Cyferbyniad.

109. Ond mewn cyfochraeth fe ellir nid yn unig ail-adrodd a chyffelybu, ond *cyferbynnu* hefyd. Fe all cyferbyniad gynnwys ail-adroddiad, fel pan fo'r negydd *ni* yn ei draethu, megis yn y ddihareb "*Trengid* golud: *ni threing* molud," neu'n llawnach ym mhennill Tudur Aled am ddiwedd dedwydd Thomas Salbri hen:

> *Ni bu drist* 'i *wyneb* draw:
> *Bu drist wynebau* drostaw.

[1] Gr.O. 15.   [2] L.G.C. 38.

Yn aml bydd un gair yn gyffredin i'r ddau derm, a geiriau
cyferbyniol yn y rhelyw ohonynt, megis—

> *Duw* a *ry gwymp* i'r *drwg wr* :
> *Duw* a *gyfyd* 'i *gofiwr*.[1]

Ac weithiau fe roir gair gwahanol am y peth sy'n *gyffredin*
i ddau derm y cyferbyniad, fel ym mhennill Siôn Phylip :

> Ifanc, ifanc *a ofyn* :
> Henaint, *at* henaint *y tyn*.[2]

Yr ifanc a'r hen a gyferbynnir, ond yr un peth yw'r *gofyn*
a'r *tynnu at*.

110. Ond yn aml y mae'r cyferbyniad yn gyflawn, drwy
fod geiriau cyferbyniol ym mhob rhan o'r ddau derm, megis—

> Y gair ydoedd garedig :
> Y weithred oedd uthr a dig.[3]
>
> Hael am y parch nis archwyf :
> Cybyddes am neges nwyf.[4]

Gwrtheiriad a Gwrthfynegiad.

111. Weithiau, yn lle cyferbynnu dau wrthwyneb fe'u
cyfunir mewn ymadrodd ; gelwir hyn ar yr enw Groeg
oxymōron (ὀξύμωρον), sef ' llym-ddylni,' hynny yw, ffolineb
call—y term ei hun yn enghraifft o'r peth. Yn Gymraeg
gallwn roi *gwrtheiriad*[5] yn enw arno.

112. Yn y ffigur hwn y mae dau air, un yn dibynnu ar
y llall, fel enw ac ansoddair, dau ansoddair, neu ferf ac adferf ;
ac y mae troad bob amser yn un o'r ddau ; fel hyn, yn yr
ymadrodd *dydd du*,[6] nid ei ystyr lythrennol sydd i'r gair *du*,

---

[1] H.A. F. 10.   [2] F. 40.   [3] G.I.Ll.F.   [4] D.G. (30).
[5] Yn y geiriaduron rhoir *gwrtheiriad* yn gyfieithiad o *antiphrasis*. Dis-
grifia W.S. *antiphrasis* fel coegni mewn un gair, a geilw ef yn *wrthwyneb-
air*. Ac fe arferir y term yn ddigon aml fel pe na bai ond enw arall ar
irony. Fel y cyfryw nid oes eisiau term Cymraeg amdano. Ond yn ol
Quintilian (ix 2, 47) ystyr *antiphrasis* yw dywedyd, er enghraifft, " Nid
wyf yn sôn am ei anlladrwydd," ac *yn* sôn yn y gwadiad ei hun. Enw
cyfleus ar yr *antiphrasis* hwn, petai eisiau un, fyddai'r cyfieithiad llyth-
rennol *gwrthymadrodd*.
[6] L.G.C. 258, Gr.O. 64.

ond trosiad ydyw, yn golygu 'trychinebus'; ac mewn ymadrodd fel *sŵn distaw*, yn ei ystyr droadol o ormodiaith y deëllir y gair *distaw*. Cyffelybiaeth ddealledig yw'r troad weithiau, fel pan ddywedir *merch wryw*; yr ystyr yw 'fel gwryw.' Yn yr ansoddair y mae'r troad yn y tair enghraifft yna ; ond fe all fod yn y sylweddair, a'r ystyr y pryd hynny fydd 'ymddangosiad' neu 'rith' (trwy ryw droad fel cyffelybiaeth, coegni neu drawsenwad). Fel hyn, yn hen enw'r ffigur, "ffolineb call," ymddangosiad yw'r *ffolineb*, canys er ymddangos *fel* ffoledd, peth *call* ydyw. Y mae'r ystyr o 'rith' yn gyffredin: yn *open secret*, rhith yw'r *secret* a'r *open* yw'r gwir ; pan alwai Job ei gyfeillion yn *gysurwyr gofidus*,[1] rhith oedd y cysuro, ond y gofidio'n wirioneddol; pan ddywedai Edmwnd Prys am arddull Wiliam Cynwal—

> Goreu meddi *grym eiddil*—
> Gwyddost ti 'i gwedd a'i stil,[2]

rhith oedd y grym, ond yr eiddilwch yn wir—coegni yw'r naill, a'r gair plaen yw'r llall. Yn yr ymadrodd *tán oer*, trawsenwad yw *tán*—rhoi'r effaith am yr achos. Fel enghraifft o ddau ansoddair gellir cymryd *poeth anghynnes*, ac o ferf ac adferf *prysuro'n araf* ; a gellir cymhwyso atynt yr un egwyddorion.

113. Hen ddull ar wrtheiriad yn Gymraeg yw ail-adrodd y sylweddair gyda negydd i lunio'r ansoddair, fel yn yr enw sarhaus *brenin na frenin*[3] a roid ar Harri fab Harri II. Yn yr enghraifft hon y sylweddair, sef y *brenin* cyntaf, yw'r troad—nid brenin mono, ond un yn rhith brenin. Eithr yng ngogan Tudur Aled i ryw *ddeon na ddeon*[4] yr ail *ddeon* yw'r troad—yr *oedd* y dyn yn ddeon, ond nid '*fel* deon' (neu'n deilwng o'r enw).[5] Yn lle ail-adrodd y gair fe roir

---

[1] Job xvi 2.
[2] E.P. 265; *stil* = Saes. *style*. Tebyg mai rhwng 1580 a 1590, fel na allai E.P. fod yn gydnabyddus â "forcible Feeble" Shakespeare (*Hen. IV*, part 2, 1600).
[3] B.B. 62. [4] GR. 316.
[5] Felly y mae ymadrodd fel *barwn na farwn* S.V. CY. ix 5 yn amwys;

weithiau air cyfystyr, fel ym mhennill Lewis Morris am
faban :

> Dadwrdd a dechreu dwedyd
> *Araith heb iaith* yn y byd.[1]

114. Pan roir y peth ar ffurf gosodiad, yr enw a roir arno
yw *paradox* (Groeg παράδοξος). Ond y mae'r un egwyddor
yn dal ; er enghraifft yn y llinell—

> Nid call call wedi colled,[2]

yr ail *call* yw'r sylweddair, ac 'un a *ymddangosai*'n gall'
a olyga ; ond y golled a ddangosodd y gwir, sef "Nid call."
Ond mewn gosodiad y mae mwy o amrywiaeth yn bosibl :
gall fod i'r sylweddair ddwy ystyr, un naturiol ac un drosedig,
megis, "Pwy bynnag a fynno gadw ei fywyd, hwnnw a'i
cyll" ;[3] y bywyd anianol sydd yn y rhan gyntaf o'r
ymadrodd, a'r bywyd ysbrydol yn yr ail. Neu fe all fod yn
y gosodiad ddau ansoddair, a'r ddau'n drosiadau, fel ym
mhennill Gronwy i'r wrach tlodi :

> *Trom* iawn a thra *ysgawn* yw :
> Gwrth-ddwediad rhy gerth ydyw.[4]

Personoliad o dlodi yw'r wrach, a throsir arni briodoleddau
dau o'i heffeithiau—baich trwm a phwrs ysgafn. Cyffelyb
i hyn yw bod dau drosiad mewn dau enw, fel pan ddywedir
bod dyn "yn llew ac oen" ar unwaith.[5]

115. "Gwrth-ddywediad," fel y gwelir, y geilw Gronwy
ei baradox ;[6] ond gwell term Cymraeg am y ffigur fyddai
gwrthfynegiad, am y gall awgrymu mai yn y mynegiad, fel

---

gall olygu (1) un yn *honni* bod yn farwn, heb fod ; neu (2) un *sy*'n farwn,
ond nid yn ymddwyn fel barwn.—Y mae gan T.Pr. res â'r negydd *di-*
mewn enigma : *carreg ddi-garreg = pumys* 'pumice' ; *aderyn di-aderyn =
ystlüm* 'bat', c.c. 64.

[1] D.T. 198.   [2] W.Ll. F. 39.

[3] Marc viii 35, cyf. new. Anffodus yw *einioes* yr hen gyfieithiad, am
na ellir ei arfer *ond* am y bywyd naturiol.

[4] Gr.O. 107.   [5] Er enghraifft T.A. G. 230.

[6] Galwodd Milton "deathless death" yn "strange contradiction" P.L.
x 798. Cyfieithiad o'r ymadrodd hwn yn ddïau yw "gwrth-ddwediad rhy
gerth," canys dyry Dr. D. (awdurdod Gronwy) i *certh* yr ystyr 'strange'.

yr awgryma *gwrtheiriad* mai yn y geiriad, ac nid yn y sylwedd, y mae'r anghysondeb.[1] Nid yw gwrtheiriad a gwrthfynegiad ond dwy ffurf ar yr un peth ; ac, fel y dengys yr enghreifftiau uchod, ffigurau ydynt sy'n dywedyd llawer mewn ychydig. Mae gwrthfynegiad yn cynnwys dau derm cyferbyniad wedi eu gwasgu i un ymadrodd, ac nid oes ffigur arall a edrydd wirionedd mor fyr a chynwysfawr, ac ar yr un pryd mor gryf a gafaelgar.[2]

Esgynfa.

116. Wedi ail-adrodd a chyfochraeth yn eu gwahanol rywiau, daw *esgynfa*, yn Saesneg *climax* o'r Groeg κλῖμαξ, sef, yn wreiddiol, 'grisiau' neu 'ysgol'. Nid arferid y term hwn ar y dechreu ond am y ffigur y bydd pob gris yn amlwg ynddo, ac atgymeriad o ris i ris, megis—

> A ddarlleno ystyried ;
> A ystyrio cofied ;
> A gofio gwnaed ;
> A wnêl parhaed.[3]

117. Ond yn yr oesoedd diweddar fe arferir y term mewn ystyr ehangach i gynnwys pob cyfres o ymadroddion a fo'n esgyn o nerth i nerth ac yn diweddu'n rymus. Yn wir, nid yw graddiad yr esgynfa mor bwysig â'r diweddiad uchel ; ac yn Saesneg fe arferir *climax* yn aml fel pe na olygai ond yr uchafbwynt. Fe ŵyr pawb fel y gall y diwedd goroni'r darn, a thaflu ei ogoniant dros y cwbl ; a'r camgymeriad mwyaf y gall bardd ei wneuthur ydyw difetha'r effaith o ddiffyg gras neu synnwyr i dewi wedi cyrraedd y nod. Gelwir y camgymeriad hwnnw'n *anticlimax*, sef 'gwrth-

---

[1] Ystyr y term Groeg yw 'croes-ymddangosiad', neu beth yn ymddangos yn groes—disgrifiad cywir o'r ffigur ; nid yw'r *amrydyb* a welir yn y geirlyfrau ond camgyfieithiad (T.W. ai Dr.D. ?) yn codi oddiar y syniad mai 'athrawiaeth' (ac nid ymddangosiad) yw'r -*dox* yn enw'r ffigur.

[2] Gweler Percy Gardiner, *Exploratio Evangelica*, pen. xvii, ar ddyfnder "jewel-like paradoxes" Iesu Grist. "In this kind of speaking Jesus stands unrivalled."

[3] B.CW. 3.

esgynfa '; term cymharol newydd yw hwn—ni sonia'r hen retoregwyr amdano,[1]—ac nid yw'n addas o gymaint ag yr awgryma raddiad ar i waered. Yn hytrach, *disgyniad* ydyw, ac nid graddol ond swrth; fe'i gwneir yn gyffredin mewn un cam.

118. Nid oes raid i ni wrth well esiampl o esgynfa na'r darn hwn o " Faes Bosworth " Eben Fardd :

> Bu galed y bygylu
> A'r hyrddio dewr o'r ddau du ;
> Ni ddorai y ddau wron
> Unrhyw ffurf wnâi'r wayw ffon ;
> A theflynt o'u gwarthaflau
> Ddyrnod am ddyrnod, y ddau,
> Nes i Syr Rhys (aswy'r hwrdd !)
> Gynddeiriogi'n ddewr agwrdd,
> Ac â'i fraich fraisg a'i froch fryd
> Daro'i fwyall drwy'i *fywyd*.[2]

Fe sylwyd uchod, § 75, ar y gair *bywyd* ar y diwedd—pinacl gwych yn wir i'r esgynfa. Yn anffodus iawn, nid oes eisiau ond mynd un cam ymhellach i gael yr enghraifft druenusaf o ddisgyniad yn yr iaith :

> Ar ddyrnod mor ddiwyrni—
> I lawr ag ef, mal rhyw gi !

Ac i lawr ag Eben hefyd ! Ni ellid cael gwell esiampl o'r diffyg disgyblaeth sy'n difwyno athrylith ym marddoniaeth Gymraeg y bedwaredd ganrif ar bymtheg.

119. Gan mai un cam i lawr ydyw disgyniad nid rhaid bod esgynfa fel uchod o'i flaen ; fe'i ceir weithiau mewn cylch bychan iawn, fel yn llinell watwarus Llywelyn ap Gutun, § 94 :

> Mae'n y nef *am na nofiai*.

Mewn gwatwar fel yna fe'i gwneir o fwriad ; ac fe'i llunnir

---

[1] Prin y gellid meddwl am y Groegiaid (a'r gair *climax* yn fyw iddynt yn ei ystyr lythrennol) yn ffurfio'r fath air cyfansawdd, mwy nag am y Saeson yn dywedyd *anti-ladder*.

[2] E.F. 323.

yn fynych o ran cellwair, megis yn yr ymadrodd "Cymru,
Lloegr, a *Llanrŵst*." Am hynny fe'i ceir yn ddigon
cyffredin mewn canu digrif:

> "Gadewch gael *galwyn*," ebe fe,
> "A *hanner owns* o 'baco."[1]

> Gweled prif rosyn Gwalia,
> Beti Ffowc, yn byta ffa.[2]

> Ac, yng nghinio'r gynghanedd,
> Rhowch im uwd Llannerch-y-medd.[3]

Sangiad.

120. Yn y ffigurau uchod y mae'r ymadroddiad yn gyfan;
ond fe dorrir weithiau ar rediad yr ymadrodd i ddodi yn ei
ganol rywbeth cysylltiedig ag ef, ond heb fod yn rhan
ramadegol ohono. Gelwir y geiriau dodi yn Saesneg ar yr
enw Groeg *parenthesis* (παρένθεσις); efallai mai'r term
Cymraeg mwyaf cyfleus ydyw *sangiad*.[4]

121. Fe all y sangiad sefyll yn y berthynas a fynner bron
(ac iddi fod yn berthynas) â'r ymadrodd y sengir ef ynddo;
dyma bedair enghraifft:

> Gennyf y mae (*gwyn fy myd* !)
> Ugain haf ac un hefyd.[5]

> Gwae fi (*gwn boeni beunydd* !)
> Weled erioed liw dy rudd;
> Y ddwyais (*ni haeddais hyn*)
> A guriodd o'th liw gorwyn;
> Aeth dy wedd (*Gwynedd a'i gwŷr*)
> A'm hoes innau a'm synnwyr.[6]

Y mae'r sangiad cyntaf, *gwyn fy myd !* yn mynegi'r profiad

---

[1] Ceiriog, *Oriau'r Bore* 107.   [2] Eidiol Môn, M.E. i 133.
[3] Gethin, M.E. ii 113.
[4] *Deithrsang* ydyw gair G.R. 66; *gwahansangiad* yw term Perri,
Egl. Phr. 3ydd arg. 44. 'Ymsang a roir mewn rheswm' sy gan T.W.
dan y gair *parenthesis*. Arferir *ymsang* yn fwy cyffredin am 'gromfach',
sef *nod* sangiad; e.e. T.J. 1688 (Trefn y llyfr hwn), R.D., 1826, td. 88.
[5] G.IL. (?) D.G. 99.   [6] D.G. (39).

sy'n *effaith* y peth a ddywedir; y mae'r ail yn mynegi'r profiad sy'n *achos* i'r dywediad " Gwae fi weled," etc.; y trydydd yn cryfhau'r ymadrodd drwy awgrymu cosb drom; y pedwerydd yn cadarnhau'r gosodiad fel peth hysbys.

122. Sangiad ydyw pob ebychiad neu lw yng nghanol ymadrodd, a phob enw, priod neu gyffredin, yn y cyflwr galwedig, megis—

Edrych, *y dyn*, dryched wyd ![1]

Weithiau yn lle'r enw fe roir rhyw fyr-gyfarchiad, megis—

O châi fachgen, wrth eni,
(*Wyd awen deg*) dy wên di.[2]

123. Sangiad hefyd ydyw gair a ddodir mewn cyd-osodiad â gair arall i'w egluro. Y mae hyn yn amlwg pan roir enw mewn cydosodiad â rhagenw, megis—

Yntau, *Hywel*, sy'n tewi.[3]

Weithiau mewn barddoniaeth fe roir y gair cydosodedig i mewn *cyn crybwyll* y gair y cydir ef wrtho; er enghraifft :

Ac nid af (*berffeithiaf bôr*)
O'i serch ef, os eirch *Ifor*.[4]

Ni bu (*dref sorth dan orthrech*)
Fy nhrem, am *Gaersalem*, sech.[5]

Yn nhrefn rhyddiaith : "Nid af, o'i serch ef, os eirch Ifor — berffeithiaf bôr " ; " Ni bu fy nhrem yn sech am Gaersalem—dref sorth dan orthrech." Felly, yn ramadegol, y mae'r disgrifiad sy rhwng cromfachau yn sefyll mewn cydosodiad â'r enw sy'n dilyn yn y pennill ; ond o ran effaith, sangiad o natur ebychiad ydyw, fel petai deimlad y bardd am y gwrthrych yn ymwthio allan cyn iddo'i enwi.

---

[1] W.LL. c.LL. 129.
[2] Gr.O. 1, cf. "wyt Un a Thri" § 556.
[3] T.A. c. ii 76.   [4] D.G. 3.   [5] Gr.O. 59.

124. Weithiau fe ddodir gair mewn cydosodiad ebych-
iadol â'r ymadrodd y sengir ef ynddo, megis—

> Ni bu heb fynd (*helynt dall*)
> Mewn gweryd mwy nag arall,[1]

lle saif *helynt dall* mewn cydosodiad â "mynd mewn
gweryd", fel disgrifiad ohono, sy'n allwedd i deimlad y
bardd.   Yr un modd :

> Caru 'dd wyf (*gwaith hynwyf gwyllt*)
> Eneth ddíseml, nith Esyllt.[2]

125. Fe welir y gall sangiad fod yn ffigur grymus, yn
cadarnhau'r ymadrodd, ac yn aml yn agor y llen ar y
teimlad sy tu ol iddo.   Ond y demtasiwn mewn cyng-
hanedd ydyw ei dra-mynychu.   Y mae gor-ddefnyddio
ffigurau yn ddrwg ynddo'i hun ; y mae gor-ddefnyddio'r
un ffigur yn waeth.   Fe geir rhes o linellau weithiau yn
yr hen gywyddau a sangiad ym mhob un, yn tywyllu'r
synnwyr, a rhwystro rhediad y meddwl yn waeth na'r
symudiad ol-a-blaen yn yr hen ganu Saesneg.   Ac weithiau
ni bydd i'r sangiad nemor berthynas â'r ymadrodd, na
phwrpas ond gwneuthur cynghanedd.   Gelwir ef y pryd
hwnnw'n *air llanw*.   Ond fe all gair a fo'n rhan ramadegol
o'r frawddeg, fel *helaethiad*, fod yn air llanw hefyd, oni
bydd iddo ddiben ond llenwi.   Bu'r cywyddwyr yn brysur
yn ceisio cynganeddu'r hen ddiarhebion (heblaw llunio
rhai newydd da eu hunain), ac â geiriau llanw y gwnaent
hynny'n gyffredin, megis—

> A laddo *gŵr â chledd gwyn*,
> Ef a leddir *ryw flwyddyn*.[3]

Gwanychu'r hen ddihareb yn ddifrifol ydyw ei helaethu
fel yna.[4]   Efallai mai yn Salmau Capten Wiliam Middleton
y ceir mwyaf o'r llenwi hwn ; mae gantho ef fwy o eiriau

---

[1] W.IL. 59.   [2] D.G. 129.   [3] F. 23.
[4] Fe wnaeth D.G. 461 rywbeth cyffelyb, ond nid cynddrwg ; wedi
dywedyd "a laddo a leddir" yn syml yr helaetha ef, megis helaethu ar

llanw nag o'r geiriau gwreiddiol mewn llawer man yn ei
fydriad ; dechreua fel hyn :

> Gwynfyd *o'i febyd gwinfaeth*
> (*Gwirion dôn*) i'r gŵr nid aeth
> Ar ol cyngor (*lwc angall*)
> Y drwg *a ro'i fryd ar wall,*
> Ni saif yn ffordd (*briffordd brys*)
> Bechaduriaid (*baich dyrys*),
> Nac ar gadair (*gyfair gawdd*)
> Gwatwarwyr a gyd-tariawdd.

Dyna gladdu'r synnwyr dan gruglwyth o sangiadau a
helaethiadau, heblaw llwyr ddileu'r esgynfa sydd yn yr
adnod, o *rodio* i *sefyll,* ac o *sefyll* i *eistedd.* Wrth gwrs,
ceisio gwneuthur peth amhosibl yr oedd y Capten ; ni thâl
y gynghanedd i draethu meddyliau wedi eu ffurfio'n barod ;
rhaid i'r meddyliau a draether ynddi ymffurfio yn ei
miwsig hi. Ac wedi'r cwbl, er bod yr ymgais yn fwy
ysmala nag urddasol, y mae'r geiriau llanw'n ddaros-
tyngedig i'r meddwl, ac yn amlwg yn bethau i gamu
drostynt. Diameu fod Tudno'n ei ystyriaid ei hun yn
llawer mwy celfydd na'r hen gynganeddwyr wrth weithio'i
eiriau llanw i mewn i rediad y frawddeg, ac ni welai ei fod
felly'n troi'r cwbl yn ffiloreg.[1] Yr oedd yr hen gywyddwyr
yn ddigon trwsgl yn aml, ond nid yn hollol ddisynnwyr ;
a gwell synnwyr cloff nag ynfydrwydd rhugl.

126. Nid oedd yn yr hen amser gymaint o ragfarn ag
sy'n awr yn erbyn sangiad, na llawn cymaint o edmygedd
o gynghanedd yn dyfod "fel anadlu". Yn hytrach, fe
hoffid ffigurau, ac fe'u llunnid er mwyn y gelfyddyd ; ni
wn i pa reswm arall a barai i neb ddefnyddio'r ffigur

destun. Fel enghraifft o'r peth wedi ei gario i eithafion gellir cymryd
"A gais moch, gwich a glyw" yng nghynghanedd Wm. Cynwal :

> *A gais moch* (ac os meichiad—
> Mawr goel oedd ym mrig y wlad—
> Garw dwedyd gwiried ydyw—
> Gwae uwch y glyn) *gwich a glyw.*—E.P. 204.

[1] Gweler uchod, gwaelod td. 22, nodiad 4.

a elwir *trychiad*, sef dodi sangiad rhwng dau hanner gair
cyfansawdd. Mewn enwau priod y gwneir ef gan amlaf,
megis—

> Dull *Tal-* (tri hual traheirdd)
> *-iesin* a'r ddau Ferddin feirdd.—I.R.

> Chwaer i *Wen-* (gymen, gemaur)
> *-frewi* a'i gwallt o frig aur.[1]

Y mae'r ffigur yn un hynafol, ac enw Groeg arno, *tmēsis*
(τμῆσις) ' toriad '. Ond ni luniai neb mono'n awr oddi-
eithr, efallai, i geisio bod yn ddigrif; ac ni allaf synio nad
cellwair â'r ffigur yr oedd yr hen fardd a wnaeth yr
enghraifft a ddyfynnir yn aml:

> *Ysgyfar-* (yn âr y nos)
> *-nogod* sydd yma'n agos.[2]

A phwy ni chwarddodd wrth ddarllen llinell Williams ?—

> Yn *Constant-* fawr *-inople* ei drigfan ef y sydd.[3]

127. Trychiad ysgafnach o rywfaint yw brathu ymadrodd
rhwng dau air cysylltiedig heb fod yn gyfansawdd, megis
bardd teulu yn y pennill—

> Dywed *fardd* (da yw dy fodd)
> *Teulu,*—pwy a'th ataliodd ?[4]

Neu *berchen tŷ* yn y pennill—

> Goreu *perchen* (â'r wên wiw)
> *Tŷ* o Adda hyd heddiw.[5]

Trefn Geiriau.

128. Heb dorri ar draws yr ymadrodd fel y gwneir
mewn sangiad, fe ellir amrywio trefn y geiriau ynddo.
Fel y sylwa Gummere, y mae dywedyd " Mawr yw

---

[1] L.G.C. medd Tlysau Ben Simon 309, a Llanstephan 133, rhif 647;
tebyg mai anghywir yw " H.D." yn P.IL. cxxvi.

[2] G.R. 201 ; P.IL. cxxvi (gan D.I.D. medd hwn, a Mostyn 110/156).

[3] Wms. i 421. Y peth sy'n ddigrif yn y ddwy enghraifft hyn ydyw nad
yw'r trychiad yn disgyn yn rhaniad elfennau'r gair. Digrifach byth yw
Te- . . . *-tragrammaton* gan H.D. G.G. i 60.

[4] W.IL. 133 ; G. 297 ; F.N. 184.

[5] D.N. 1. Fe wneir hyn ag enwau, megis *Glyn* . . . *Llifon*, gan E.P.
205, lle tramynychir y ffigur.

Diana'r Ephesiaid" yn llawer mwy effeithiol na phe dywedid " Y mae Diana'r Ephesiaid yn fawr ".[1]

129. Mewn gosodiad uniongyrchol yn Gymraeg fe ddaw'r ferf yn gyntaf, ac yna'r testun a'r gwrthrych ; yn yr iaith gyffredin, os rhoir enw neu ansoddair yn gyntaf, y mae rhyw bwys arno, megis cyferbyniad i rywbeth arall. Ond mewn barddoniaeth fe ddaw enw neu ansoddair yn gyntaf yn amlach na pheidio ; ac nid pwys cyferbyniol rhesymegol a fydd arno, ond pwys rhetoregol fel sydd ar y gair *Mawr* yn yr ymadrodd a ddyfynnir uchod. Trefn yr iaith gyffredin yw—

> Fe *wna* gwan o fewn 'i garn
> Ryw hocedion i'r cadarn.[2]

Ond mewn barddoniaeth y drefn a ganlyn a geir fynychaf :

> Dafydd a *wnâi*'r gerdd dafawd.[3]

Yr un modd mewn gosodiad negyddol ; trefn arferol rhydd-iaith yw—

> *Ni all* da'r byd, ennyd awr,
> Estyn einioes dyn unawr ;[4]

ond yn fynych mewn barddoniaeth :

> Eryr gwyllt ar war gelltydd
> *Nid ymgel* pan ddêl 'i ddydd.[5]

Y mae'n amlwg bod " Neb ni chân "[6] yn fwy effeithiol na'r drefn gyffredin " ni chân neb " ; ac felly am lawer o'r cyffelyb. Fe all enw *neu* ferf sefyll ar ol *os* a *pe(i)* ; ac mewn barddoniaeth fe roir yr enw weithiau lle rhoid y ferf mewn rhyddiaith ; megis—

> Dof at Tomas ap Dafydd,
> *Os fy nhraed* a saif yn rhydd.[7]

> Mynnwn, *pei nef* a'i mynnai,
> *Pei deuddeng mis* fai mis Mai.[8]

---

[1] *Hdb.* 123. Ysywaeth anfynych y cymerth y cyfieithwyr Cymraeg ddim sylw o drefn y geiriau gwreiddiol ; ond gwelsant ei fod yn bwysig yma, Act. xix 28. [2] T.A. F. 14. [3] Eto F.N. 138.
[4] W.IL. F. 24. [5] Eto F. 25. [6] T.A. F.N. 140. [7] L.G.C. 95.
[8] D.G. 288 ; nid yw'r pennill yn rhan o'r cywydd, ond ychwanegiad ato o ryw gywydd arall, D.G. (88).

Ond rhagweision berf ydyw *pan* a *tra* (fel cysylltair) ; a thrais ar Gymraeg, nas gwneir gan yr hen feirdd, yw dodi enw neu ansoddair ar ol y rhain.[1]

130. Yn Gymraeg fe ddaw'r ansoddair ar ol yr enw, megis *galar mawr* ; ond fe ellir ei roi'n gyntaf, megis *mawr alar*. Pan wneir hyn, ffurfio gair cyfansawdd y byddir, canys yr un peth yw *hén ddŷn* â *hénddyn*—gwahaniaeth aceniad yn unig sy rhwng y ddau, ac nid gwahaniaeth cystrawen. Sylwer fel y meddalheir cytsain flaen yr enw ar ol yr ansoddair [2]—dyna nod gair cyfansawdd ; ac wrth y nod hwn y gellir canfod mai gair cyfansawdd ydyw *máwr álar*, er bod pob un o'r ddwy elfen yn cadw'i hacen ei hun. Yr un modd pan newidir trefn dau enw, megis *Pówys dír* am "dir Powys". Camgymeriad yw synio bod y ffurf hon yn anghymreig ; y mae'r cyfansoddeiriau hyn yn mynd yn ol trwy'r hen Gelteg i'r famiaith gyntefig. Ond yn Gymraeg y maent yn llawer mwy cyffredin mewn barddoniaeth nag mewn rhyddiaith, am fod yn naturiol i farddoniaeth ddilyn hen draddodiad ac amrywio'r drefn sathredig. Gellid dyfynnu cannoedd o gyfansoddeiriau, dan un acen a dwy, o farddoniaeth Gymraeg, megis—

> Yr *ẃybr-wynt*, helynt hylaw,
> *Ágwrdd drẃst* a gerdda draw.[3]

Yn aml fe geir dau ansoddair o flaen enw, yn ffurfio cyfansawdd dwbl, megis—

> Awn yn noeth i'r cylch poethlosg,
> Hynt y *llŷm ddehéu-wynt* llosg ; [4]

---

[1] Yn y ganrif o'r blaen ymddengys fod pawb yng Nghymru'n meddwl nad oedd eisiau ond troi pob gair Saesneg i Gymraeg yn eu trefn i gyfieithu'r Saesneg ; a gwneid pethau fel "Pan Johnnie ddaw'n ol i dref" am "When Johnnie comes marching home" ! Rhaid i'r Gymraeg gael "Pan ddaw"— *nid* Cymraeg *ydyw* "Pan Johnnie." Ac nid Cymraeg ydyw "pan yn ieuanc" am "pan oeddwn ieuanc", na "pan yn canu" am "wrth ganu". Nid Cymraeg chwaith ydyw "tra yn myned" ; ac nid yw "tra'r adar yn canu" (*while* the birds *singing* !) na Chymraeg na Saesneg. Yn Gymraeg *a* a roir i arwain ymadrodd amserol fel yna—"*a*'r adar yn canu".

[2] Nis meddalheir ar ol graddau cymhariaeth : cystal *d*yn, gwell *d*yn, callach *d*yn, pennaf *p*eth, goreu *g*wŷr ; eithr caredicaf *f*erch, etc., hefyd yn yr uchafradd, R.B.B. 212.   [3] D.G. (52).   [4] Gr.O. 31.

neu ag acen ar bob un o'r geiriau a gyfansodder, megis
dég éuraid góron isod § 133. Weithiau fe roir cysylltiad fel
a neu *na* rhwng dau ansoddair o flaen enw, a ffigur
barddonol grymus yw rhoi'r ail ar ol yr enw, megis—

Yn iach *hárdd-gamp* na *cherddgar* ! [1]

sef ' Yn iach hardd na cherddgar gamp ! '

131. Fe wneid cyfansoddeiriau o ddau enw hefyd yn
rhwydd gynt, megis *cenedl nodded* [2] am 'nodded cenedl ',
Maelawr oleuni [3] am ' oleuni Maelor '; ond nid mynych
y ceir un mor feiddgar â hwn :

Llafar môr hwyrwar o'i *marw herwydd*, [4]

sef 'llafar (wylofus) yw'r môr gwâr araf o *herwydd* ei
marw hi '.

132. Weithiau fe wneir gair cyfansawdd o enw dyn a'i
gyfenw, naill ai mewn dirmyg, megis pan soniai Dafydd
ap Gwilym am *Rys Meigen* fel *Meigén-rys* ; [5] neu o serch
megis pan ddywedai Simwnt Fychan ym marwnad Siôn
Wynn :

Efô aeth i'r Nef weithion,
Ac yno sant yw'r *Gwynn Siôn*.

Fel y dodir *hen* o flaen enw priod ar lafar, felly y gellir
dodi'r ansoddair a fynner mewn barddoniaeth, megis " *hael*
Forfudd ", [6] " *hardd* Ifor ".[7] Ac weithiau fe geir y cyfan-
soddair a wneir felly dan un acen, megis *Uchél-grist* [8] am
" uchel Grist " gan Ddafydd ; ac *Urddedíg-rys* gan Uto'r
Glyn :

Dagrau am *Urddedíg-rys*
Yw'r môr hallt, os gwir marw Rhys.

133. Nid yw'r newid trefn sydd yn y dulliau uchod yn
cynnwys mwy na rhoi un gystrawen yn lle'r llall ; ond

[1] W.IL. F.N. 185 ; gellid cyfrif hwn yn *ellipsis*, gweler isod, § 153.
[2] B.B. 16.   [3] D.N. 119; S.R. 139.
[4] M.Cl. R.P. 1351. Lled debyg yw " *Di fyth alw* dy fath eilwaith "
W.IL. 17.
[5] D.G. 251.   [6] Eto (20).   [7] Eto (105).   [8] Eto (113).

weithiau fe ohirir dywedyd gair yn ei le, megis ansoddair
ar ol ei enw, neu destun ar ol ei ferf ; fel yn —

> *Gwin* a rout im *gwyn* o'r tau,[1]

yn lle " Gwin gwyn a rout im ".   Neu ym marwnad
Gronwy i'w unig ferch :

> *Cai*, f'enaid, deg euraid goron, — *dithau*,
> A lle yng ngolau llu angylion.[2]

Fe wêl pawb gymaint mwy effeithiol ydyw'r ymadrodd fel
yna na phe dywedasai'r bardd " Cai dithau " ; y mae rhyw
sŵn gorfoledd yn y *dithau* yn y fan y mae.   Y mae'r
ffigur yn naturiol pan fo dyn yn llefaru dan deimlad ; ond
fe all fynd yn wrthun pan wneir ef yn beiriannol, ac yn
enwedig pan fo'n eithafol fel hyn :

> Lliw ydyw gwyllt du a gwâr,[3]

yn lle " Lliw gwyllt a gwâr ydyw du."   Gelwir y ffigur
hwn *hyperbaton* (Groeg ὑπερβατόν) ' trawsfynediad ' am
fod yn rhaid myned dros eiriau eraill i gysylltu geiriau
sy'n perthyn i'w gilydd.

134. Dull arall ar y ffigur ydyw cymysgu rhannau dwy
frawddeg, megis dechreu'r gyntaf, ac yna ddechreu'r ail ;
yna gorffen y gyntaf, ac yna'r ail ; fel hyn :

> A bydd—dywed na byddaf—
> Fwynwas coeth—fyw onis caf,[4]

sef, ' A bydd fwynwas coeth ; dywed na byddaf fyw onis
caf.'   Neu, heb fod yn llawn mor dywyll :

> Pa bryd y caiff fy llygad,
> Pa bryd y caiff fy mhen,
> Ymagor ac ymorffwys
> Ym mro Caersalem wen ?[5]

Sef, ' Pa bryd y caiff fy llygad ymagor, a pha bryd y caiff
fy mhen ymorffwys ? '

[1] T.A. G. 230; *o'r tau* = o'r eiddot.   [2] Gr.O. 30.
[3] L.G.C. 446.   [4] D.G. (51).   [5] Ceiriog, C.G. 135.

Ffiguran Gramadegol.

135. Weithiau fe roir gair mewn ffurf ramadegol wahanol
i'r un a arferir yn gyffredin yn y cyfryw gysylltiad—fe
amrywir rhyw a rhif enw neu ansoddair ; a rhif ac amser
a modd berf. Gelwir yr amrywiadau hyn yn ffiguran
gramadegol. Nid oes fawr o wahaniaeth rhwng rhai
ohonynt a throadau: cymerasom uchod, § 69, *y gelyn* yn
lle " y gelynion " yn droad, sef cydgymeriad yr un am y
lliaws ; fe ellid hefyd ei ystyriaid yn ffigur gramadegol
o roi'r ffurf unigol yn lle'r ffurf luosog.

136. Prin yr arferir enw lluosog yn lle'i unigol oddieithr
ambell enw haniaethol er cyfleu helaethrwydd neu amryw-
iaeth, megis *goludoedd* neu *alluoedd*. Ond fe dybiai'r
hynafiaid fod rhagenw lluosog yn fwy urddasol nag un
unigol, ac erbyn hyn, o fod yn ffurf o foesgarwch arbennig,
y mae *chwi* yn lle *ti* wedi mynd yn ddull cyffredin o
gyfarch yng ngorllewin Ewrop. Ond nid oes neb yn awr
yn dywedyd *nyni* yn lle *myfi* ond y teyrn a golygydd papur
newydd—heblaw ambell ysgrifennydd arall na ŵyr amgen.

137. Cytuna ansoddair â'i enw mewn rhif ; ond eiddun-
odd Gronwy—

    Allu im uno â'u *llu mwynion*,[1]

a galwodd yr angylion yn *lwysion lu*.[2] Yr un modd fe geir
y do ieuainc gan L.G.C. 176, *y to iefainc* (a *to* yn wrywaidd)
gan Dudur Aled. Enw benywaidd unigol ydyw *pobl*,[3] ond
ansoddair lluosog a arferir gydag ef, megis *pobl dlodion*.
Y ffigur yw rhoi'r ansoddair i gytuno ag ystyr yr enw, ac
nid â'i ffurf; gelwir ef *synesis* (Groeg σύνεσις 'ystyr').

138. Ond y mae llawer o eithriadau eraill yn Gymraeg
i reol cytundeb rhif ansoddair ac enw. Y mae'n debyg mai

---

[1] Gr.O. 126.   [2] Eto 88.
[3] Fel y dengys y treigliad blaen yn y gair ac ar ei ol: *y bobl, pobl fawr.*
Gynt hefyd fe geid ansoddair benywaidd unigol weithiau, fel "y bobl
ddrwg *honn*" s.g. 303.

enwau, ac nid ansoddeiriau o gwbl, oedd ffurfiau lluosog yn
-*ion* fel *tlodion, cryfion,* etc., ar y dechreu ; ac mai peth
cymharol ddiweddar oedd eu defnyddio fel ansoddeiriau
i gytuno ag enwau. Felly y gystrawen gyffredin gynt oedd
dynion mwyn,[1] *meirch dof,*[2] etc. Ni all rhai o'r ffurfiau lluosog
eu hunain fod yn hen iawn : dengys sain y gair *mawrion*
(yr *aw* heb ei threiglo) ei fod yn ddiweddarach na *tlodion,*
er enghraifft ; ac yn sicr y mae *niferoedd mawr,*[3] *gweision
mawr,*[4] *pethau mawr,*[5] *gwŷr mawr* [6] yn well Cymraeg na phe
dywedid *mawrion,* er bod llawer o feirniaid anwybodus wedi
eu condemnio o dro i dro fel " unig a lluosog ynghyd ".
Ond pan fo ffurf luosog yr ansoddair wedi ei llunio drwy
newid y llafariaid, mae'n *rhaid* defnyddio honno i gytuno
ag enw lluosog : y mae *gwŷr cadarn, dynion arall,* a'r cyff-
elyb, yn wallus—*gwŷr cedyrn, dynion eraill* yn unig sy'n
iawn.[7] Fe ddywedodd Nathan Wyn " Ei phlant bychan "[8]
er mwyn odl cynghanedd lusg : dyna wir enghraifft o'r bai
unig a lluosog ynghyd yn Gymraeg.

139. Ynglŷn â rhyw neu genedl enwau, prin y ceir
ffigur heblaw troi enw haniaethol gwrywaidd yn fenywaidd
pan ddefnyddier ef am fenyw, megis—

> F' *enaid dlos,* ni ddaw nosi
> I adail haf y dêl hi.[9]

Ond diau y gwneir y cyfryw enw weithiau'n fenywaidd
wrth ei bersonoli, fel *doethineb* yn Llyfr y Diarhebion.
Eithr y rheol yw bod y personoliad yn cadw rhyw'r
haniaeth, fel pan ddywedir *angau du.*

140. Y mae ychydig eiriau'n amrywio yn eu rhyw yn

---

[1] R.M. 21. [2] Eto 31. [3] Eto 8. [4] Eto 43.
[5] 2 Sam. vii 23. [6] Diar. xxv. 6.
[7] Y gwir yw, ar wahan i ffigur fel *pobl dlodion,* y mae'r ansoddair yn
cytuno â'r enw bob amser ; nid eithriad yw *gwŷr mawr* ond mewn ymddan-
gosiad, canys y mae *mawr* yn unigol *ac* yn lluosog. Wedi colli terfyn-
iadau'r hen Frythoneg yr un ffurf oedd i unigol a lluosog y gair hwn, a
phob ansoddair *ond* rhai a newidiai eu llafariaid.
[8] *Yr Ysgol Farddol* 135. [9] D.G. 321.

yr iaith lenyddol, fel *y do* ac *y to* uchod § 137. Gwrywaidd fel yn awr oedd *clod* mewn hen ryddiaith,[1] ond benywaidd yn fynych gan y beirdd, yn enwedig pan olyga ganu clod, fel yn "doctor *y glod*" § 382. Y mae rhai geiriau wedi newid eu rhyw mewn llên ddiweddar, a rhodres fyddai ceisio edfryd yr hen arferiad, a dywedyd *y dinas hwn*, *y damwain hwn*, etc. Y mae'r tafodieithoedd hefyd yn gwahaniaethu rhywfaint; effaith cam-gasgliadau diweddar yw llawer o hyn, a throsedd llenyddol ydyw dilyn tafodiaith lle bo safon llên yn glir. Pan soniai Tudno am "y *g*wpan"[2] fe barai dramgwydd, nid yn unig i bawb y mae'r ymadrodd "y cwpan hwn" yn gysegredig iddo, ond hefyd i bawb â gronyn o barch i ddraddodiad llenyddol. Gwelwyd yn ddiweddar ddeheuwr yn dadleu dros ei dafodiaith yntau: "Pam nad yw *y tafarn* gystal â *Tair Tafarn* y Beibl?" Y mae'r ateb ym syml: am mai o'r gair Lladin benywaidd *taberna* y tardd *tafarn*, ac felly mai yn ei dafodiaith ef, ac nid yn iaith y Beibl, y bu'r dirywiad.[3] Anarchiaeth llenyddol yw dadl fel yna, cais i ddwyn anhrefn yn lle trefn. Y mae'r Beibl yn cadw'r hen ddraddodiad yn llawer cywirach na'r un o'r tafodieithoedd yng Ngogledd na Deau; ac y mae'n awdurdod uwch na'r un ohonynt yn y peth hwn.

141. Parthed cytundeb ansoddair unigol â'i enw mewn rhyw, nid oes eithriad; yr unig anhawster yw bod rhai ffurfiau benywaidd o ansoddeiriau fel *gwech* (yn lle *gwych*) yn ffugiadau, ac eraill o gywirdeb amheus; ond mater o ramadeg yw hyn, ac ni ellir ei drafod yma.

142. Nid yw'r rheol fod y ferf yn cytuno â'i thestun

---

[1] "Clot bychan" R.M. 212, W.M. 142.

[2] *Telyn Tudno*, td. 149.

[3] Cymharer "y dafarn deg" G.Il. F.N. 68, I.MSS. 289; "Dyfod yn frwysg o'r dafarn," D.G. 350 (92); "Difurn wallt o'r dafarn win" D.E. 41; "i'r dafarn pan dêl" E.R. (Ystrad Meurig) B.D. 194. Y mae *tafarndy* yn rheolaidd yn wrywaidd fel *tŷ*, a thebyg mai cymysgu'r ddau air fu achos y dirywiad.

mewn grym yn y Gymraeg. Saif y ferf yn y trydydd person unigol, oddieithr (1) pan fo'i thestun yn rhagenw personol, megis *gwelsom ni*; neu (2) mewn brawddeg berthynol negyddol, fel *rhai ni chredant*. Y mae'r beirdd yn fynych yn dilyn hen draddodiad llenyddol sy'n caniatau arfer berf luosog ar ol y rhagenw perthynol cadarnhaol *a* pan fo'n lluosog; tybiai llawer o goeg-ddysgedigion yn y ganrif ddiwaethaf mai hynny'n unig oedd yn iawn, a diau y condemnient Aneirin am roi "unig a lluosog ynghyd" pan ganodd—

> Gwŷr a *aeth* Gatraeth gan wawr.

Wrth gwrs, y mae "Gwŷr *nid* aeth" yn cynnwys y bai, fel yr awgrymwyd yn (2). Mater o ramadeg yw hyn eto, ac ni ellir manylu arno yn y fan hon.

143. Y mae llawer o amrywiadau ynglŷn ag amserau'r ferf. Yn Gymraeg fe ddefnyddir yr amser presennol yn ddyfodol hefyd, ac nid oes yma ffigur, am mai un ffurf sydd gan yr iaith ar gyfair y ddau amser. Ond y mae ganthi ddwy yn y ferf 'bod', un i bob un; ac felly yn y ferf hon fe geir yn Gymraeg, fel mewn ieithoedd eraill, y ffigur o arfer yr amser presennol wrth sôn am beth sydd i ddyfod. Fe wneir hyn pan fo'r peth yn yr arfaeth, neu wedi ei benderfynu eisoes, megis

> *Y mae* neithior yfory,
> A mwnai'n fraisg ym Môn fry.—T.P.

Fe arferir y ffigur hwn fel yna beunydd ar lafar: "yr *wyf* yn y Bala'r Sul nesaf", "y *mae* ffair yn y Borth drennydd";[1] a chynt fe'i ceid yn rymus odiaeth mewn

---

[1] "Cywiro" ffigurau fel hyn, a cheisio'u halltudio o'r iaith, oedd hoff waith crach-ramadegwyr y ganrif aeth heibio. Dyfynna Huw Tegai (td. 117) sylw "G. Peris", wedi clywed pregethwr ar ol ei bregeth yn dywedyd "Yr *wyf* yn pregethu ym Mangor nos yfory", iddo ddywedyd tri chelwydd: nid pregethu yr oedd ar y pryd; nid ym Mangor yr oedd; nid yfory oedd. Gwelai H.T. a G.P. yr anghysondeb oedd ar yr wyneb, ond ni welent un hanner modfedd dan yr wyneb. Ni chanfuant fod gwahaniaeth rhwng "mi *fyddaf* yno yfory" ac "yr *wyf* yno yfory". Rhagfynegi'n

ymadroddion fel "Marw *wyt*! nid oes ffordd it i ddianc."[1]
Felly mewn barddoniaeth: "O chair y ferch, hir *yw*
f'oes";[2] "Horatio, I *am* dead";[3] "Trugaredd imi dyro;
'r *wy*'n marw oni chaf."[4]

144. Yr un modd gall berf orffennol draethu am beth
a *fydd* yn orffennol rywbryd, megis—

Aeth i'r bedd a'th rybuddiodd.[5]

Yr oedd y rhybuddiwr yn fyw, ac yn llefaru. Ei feddwl
oedd "*Bydd* yr hwn a'th rybuddiodd *wedi mynd* i'r bedd",
ffordd arall o ddywedyd "Byddaf fi wedi fy nghladdu"—
peth a glywir yn ddigon aml gyda rhybudd.

145. Yr un peth, o ran mynegi'r meddwl, sydd yn y
ffigur a elwir *prolepsis* (Groeg πρόληψις) 'rhag-gymeriad'.
Fe'i ceir yn y Mabinogion lle sonia Custennin Heusawr
am Gulhwch fel "celein"[6]; yr oedd Culhwch yn fyw ac
yn iach, ond yng ngolwg Custennin yr oedd cystal â
marw eisoes. Y dull mwyaf cyffredin ar y ffigur yw arfer
ansoddair yn disgrifio'r effaith wrth sôn am yr achos,
megis "i fwydo'r *tewaf* eidion",[7] am fwydo eidion nes ei
fod yn dewaf. Yn gyffelyb ag enw, megis "lladd *celain*"
am "ladd *dyn*",[8] a llawer o ymadroddion cyffredin fel
"crasu *bara*"—eu crasu a'u *gwna*'n fara.

146. Weithiau yn Gymraeg fe geir yr amser amherffaith

syml beth a ddigwydd yn y dyfodol y mae'r cyntaf; ond mynegi'r trefniant
presennol y mae'r ail. Trwy'r ffigur fe rydd y llefarwr ar ddeall yn glir
i'w wrandawr beth yw'r trefniant neu'r dealltwriaeth ynglŷn â'i symud-
iadau ef—a hynny mewn dwy sillaf—*yr wyf*! Yr oedd yr ymadrodd na
welai'r rhesymegwyr arwynebol ond gwall ynddo yn esiampl o un o gampau
rhyfeddol iaith. Fe all y fam, heb yr "ychydig ddysgeidiaeth" yna y
dywedai Pope ei bod yn beth mor berigl, arfer y ffigur hwn â grym di-
wrthdro i fynegi i'w bachgen beth y mae *hi* wedi ei benderfynu a fydd:
"Yr wyt ti'n mynd!"

[1] S.G. 147.   [2] D.E. G.G. iii 50.
[3] Shakespeare, *Ham.* v, dyfynedig gan Gummere, *Hdb.* 122.
[4] Thomas Williams, Bethesda'r Fro.
[5] T.A. c. i 343.   [6] W.M. 473.   [7] M.E. ii 114.
[8] Y ddau ymadrodd yn *Ancient Laws* ii 64, fel darlleniadau amrywiol
yn yr un frawddeg.

yn lle'r amser presennol; megis " Duw gwyddiad "[1] neu
" Duw a wyddiad "[2] yn lle " Duw gŵyr " neu " Duw a ŵyr ".
Y mae'r ffigur ar arfer cyffredin eto mewn rhai berfau, megis
gweddai, dylai. Effaith yr amser amherffaith ydyw mynegi,
nid yr hyn *sydd* yn ol gwybodaeth sicr, ond yr hyn *sydd* yn ol
barn neu dybiaeth. Fe ddigwydd yn aml mewn barddon-
iaeth. Pan ddywedai Bedo Brwynllys am Hywel Dafydd—

> Iawn *oedd* 'i awenyddiaeth :
> 'I foesau ef *y sy* waeth,[3]

yr awenyddiaeth a'r moesau a gyferbyniai, nid yr amser ;
effaith y gwahaniaeth yn y berfau ydyw bod Bedo'n addef
y gellid cyfrif yr awenyddiaeth yn gywir, ond yn honni'n
ddiamwys fod y moesau'n ddrwg. Mynych yr arferir *caid*
fel hyn yn lle *cair* :

> Ymroi i'm cwymp, marw y'm *caid,*
> Ymwahanu â'm henaid.[4]

A hyd yn oed wrth sôn am y dyfodol, fel pan ddywaid
Gronwy yng Nghywydd y Farn—

> Mab Mair ar gadair a *gaid.*[5]

Nid yw'r bai " cam amser " yn yr un o'r dulliau uchod ;
ond fe'i ceir pan fo amser presennol yn y brif frawddeg, ac
amherffaith mewn brawddeg yn dibynnu arni, neu'r
gwrthwyneb i hynny, fel yn llinell Llawdden :

> Rhown y sêr i hwn os eirch.

Yn gywir " Rhof, os eirch ", neu " Rhown, os archai " neu
" pes archai ".

147. Wrth adrodd hanes fe roir y ferf yn aml yn yr
amser presennol yn lle'r gorffennol ; gelwir y ffigur hwn y
presennol hanesyddol. Fe'i harferir yn fynych ar lafar yn
Gymraeg mewn ymadroddion yn dechreu â *dyma* (byrhad
o " weli di yma ? "), etc., megis " dyma fo'n mynd " yn lle
" fe aeth " ; ac yn y berfau *mae, maen(t), eb, ebr, medd,*

[1] D.G. (86).   [2] G. 179; *gwyddiad* = gwyddai.
[3] G.G. ii 112.   [4] T.A. F.N. 154.   [5] Gr.O. 94.

meddaf. Wedi dechreu â berf orffennol fe adroddir llawer
chwedl drwyddi â'r berfau presennol hyn.   Yn y rhain ni
cheir yr ystyr ddyfodol sydd i ffurf bresennol berfau eraill;
ond yn yr iaith lenyddol fe arferir ffurf bresennol pob berf
fel presennol, ac fe'i defnyddir, pan fo galw, fel presennol
hanesyddol.   Er enghraifft, yng nghywydd " Y Niwl " y
mae Dafydd yn dechreu a diweddu â berfau gorffennol,
ond yn y canol, *gwelir . . . cudd . . . fydd . . . mae . . . oes . . . daw.*[1]
Weithiau fe gymysgir y gorffennol a'r presennol fel yng
nghywydd " Y Daran " :

> *Clywais* fry, *ciliais* o fraw,
> Carliaid utgyrn y curlaw;
> Mil fawr yn ymleferydd
> O gertweiniau'r sygnau *sydd.*
> Braw a *ddisgynnodd* i'm bron,
> Bwrw deri o'r wybr dirion;
> Gwyllt yr *af* a'm gwallt ar ŵyr
> Gan ruad gwn yr awyr.[2]

148. Y mae'r ffigur yn gyffredin iawn mewn caniadau
sy'n adrodd hanes; fe geir llawer ohono, er enghraifft, yn
awdl " Cenedl y Cymry " Cynddelw,[3] ac yng nghywyddau
hanes Gwilym Hiraethog[4] a chywyddau Dafydd Ionawr.[5]
Y mae awdlau "Calfaria"[6] a "Dinistr Jerusalem" Eben
Fardd yn y presennol hanesyddol bron yn gyfangwbl;
fel hyn :

> Fflamau angerddol yn unol *enynnant,*
> Diamau y lwyswych deml a *ysant;*
> Y dorau eurog ynghyda'r ariant,
> Y blodau addurn a'r cwbl a *doddant.*[7]

149. Yn y presennol hanesyddol y mae'r llefarwr megis
yn canfod y digwyddiadau o flaen llygad ei feddwl, ac yn
eu hadrodd fel y maent yn digwydd.   Weithiau fe â gam
ymhellach, ac y mae'n *dywedyd* ei fod yn eu gweled—neu

---

[1] D.G. 103-4.
[2] Eto (83-4).   [3] *Barddoniaeth Cynddelw* 17, 18, 21, etc.
[4] *Caniadau Hiraethog* 153, 164, 170.
[5] D.I. 181, er eng.   [6] E.F. 166-181.   [7] Eto 57.

efallai eu clywed, neu'r ddau, megis ym " Morfa Rhuddlan "
I.G.G. :

> Trwy y gwyll *gwelaf* ddull teryll y darian ;
> *Clywaf* si eirf heb ri arni yn tincian.

Gweledigaeth y gelwir y ffigur hwn. Y mae'n arwain yn
naturiol, ac yn wir o angenrheidrwydd, i'r presennol
hanesyddol :

> O'r bwâu gwyllt *mae*'n gwau saethau gan sïo, etc.[1]

150. Dechreua " Dinistr Jerusalem " Eben â dau englyn
yn y gorffennol a'r amherffaith ; yna defnyddir y ffigur
hwn i arwain i bresennol hanesyddol y rhelyw o'r awdl :

> Af yn awr i fan eirian—*golygaf*
> O glogwyn eglurlan,
> Nes gweld yr holl ddinas gann,
> Y celloedd mewn ac allan.[2]

Fe geir yma'r amryfusedd amlwg o draethu'r hyn ni *allai*
fod yn ol deddfau natur ; gall dyn yn ei ddychymyg weled
y cwbl oddimewn ac allan, ond ni all gymaint â *dychmygu*
ei fod yn gweled oddimewn i'r celloedd o ben clogwyn.
Ac y mae'r englyn yn anghyson nid yn unig ag ef ei hun
ond â'r awdl : canfyddiad agos un sydd ynghanol y cwbl a
geir ynddi hi. Nid oedd raid wrth ddychymyg croes i
natur i gynnal y presennol hanesyddol ; ond y mae'r ffigur
"gweledigaeth " yn effeithiol pan fo'n naturiol ac ar-
gyhoeddiadol.

151. Weithiau, yn lle dywedyd ei fod yn canfod y peth
ei hun, fe sieryd y llefarwr fel petai'r weledigaeth yn
sylweddol, a geilw ar ei wrandawr i weled neu glywed
hefyd :

> A llwm yw ei gotwm, *gwêl* ;
> Durfing i'w waed yw oerfel,[3]

---

[1] I.G.G. 186.

[2] E.F. 46 ; gormodd odlau : y rhagwant, sef y bumed sillaf, yn odli â'r
brifodl § 519 (2), § 535 (7).

[3] D.W. 109.

medd Dewi Wyn wrth ddisgrifio'r dyn tlawd; ac medd Eben am y deml—

> Mirain deml Morïah'n dân;—try'n ulw;
> Trwst hon *clyw* acw—y trawstiau'n clecian![1]

O'r dull hwn ar y ffigur y tardd y presennol hanesyddol a wneir â *dyma*, *dyna*, *dacw*, etc., § 147, canys nid yw "weli di yma?" ond ffordd arall o ddywedyd "Gwêl yma!"

152. Peth arall a wneir yn fynych yn Gymraeg wrth adrodd hanes ydyw dodi'r berfenw yn lle'r ferf. Wedi defnyddio berf unwaith i ddangos yr amser a'r person, fe ellir mynd ymlaen ag enwau berfol yn lle berfau: "*aethom* yn nes i'r porth", medd Ellis Wynne; ac yna "*Mynd* ymlaen i'r parlwr... *Mynd* i'r bwytty... *Mynd* i fyny i'r llofftydd... *Blino* ar y ffloreg ddiflas honno, a *myned* i gell arall."[2] Gellir galw'r ffigur hwn y *berfenw hanesyddol*.[3] Fe ddigwydd yn fynych iawn mewn barddoniaeth Gymraeg, ac yn gyffredin bydd rhes o ferfenwau'n dilyn ei gilydd fel uchod. Dyma un gyfres o amryw sydd yng "Nghalendr y Carwr" Gronwy. "Gelwais", medd ef; ond nid oedd ateb;

> *Symudaw*'n nes, a madws
> *Cyrraedd* dôl dryntol y drws;
> *Codi*'r glicied wichiedig;
> *Deffro* porthor y ddôr ddig;
> Gan ffyrnig wŷn uffernol
> Colwyn o fewn, *cilio*'n f'ol.[4]

153. Ynglŷn â chystrawen y mae eto ddau neu dri ffigur y dylid eu crybwyll. Peth cyffredin ym mhob iaith, ar lafar ac mewn llên, ydyw gadael allan air a ynganwyd unwaith, a'i gymryd yn ddealledig yr ail waith, megis pan ddywedir "swllt neu ddau" am "swllt neu

---

[1] E.F. 56.　　　　　[2] B.CW. 25–6.

[3] *Historic infinitive* yw'r enw Saesneg ar y ffigur yn yr ieithoedd clasurol; nid yw ar arfer yn Saesneg ei hun.　　　[4] Gr.O. 7.

ddau swllt", a "thridiau neu bedwar" am "dridiau neu
bedwar dïau". Neu fel yn—

>Aed ef i bob *nef* o'r naw;[1]

neu gyda thrawsfynediad, § 133 :

>A dau *ryw*, neu dri, *o win*.[2]

Weithiau nid y gair a ynganwyd, ond rhyw ffurf arall
arno, a fydd yn ddealledig, megis "yr wyt ti ac yntau'n
euog" : nid *yr wyt* sy'n ddealledig, ond *y mae*, "ac y mae
yntau". Felly, "y *bûm* i a phawb"[3] am "y *bûm* i ac y *bu*
pawb". Dywedai Guto'r Glyn wedi marw rhyw ŵr hael :

>Llawn *fu* amner pob clerwr,
>A lledr gwag oll wedi'r gŵr.

Llawn *fu*'r pwrs, ond lledr gwag *yw* ar ol y gŵr. Gelwir
y ffigur hwn *ellipsis* (Groeg ἔλλειψις) 'diffyg'.

154. Lle bai raid cael gair gwahanol, ac nid ffurf arall
o'r un gair i lenwi'r diffyg, yr enw a roir ar y ffigur yw
zeugma (Groeg ζεῦγμα) 'ieuad'. Y mae'r gair a yngenir
yn addasach i sôn am un o'r ddau beth a grybwyllir nag
am y llall ; ond ieuir hwynt, ac arferir ef am y ddau ;
fel hyn :

>Utgyrn a llugyrn yn *llewygu*.[4]

'Tywyllu' ydyw hen ystyr *llewygu*, a'r hen ystyr sydd
iddo wrth sôn am oleuadau ;[5] ond rhyw air fel *distewi* a
arferid am *utgyrn* pe treithid y meddwl yn llawn.[6]

155. O'r ochr arall ar brydiau fe roir gair i mewn fwy o
weithiau nag y bo cystrawen seml yn ei ofyn, megis "tri
chawr o *gewri*"[7] am "dri o gewri" ; neu fe arferir dau
gyfystyr, megis—

>Llai'n wir i'r sir na dwyn Siôn
>Farw chwe*gwyr* o *farchogion*.[8]

[1] H.D. G.G. ii 35.   [2] W.IL. 86.   [3] L.G.C. 426.   [4] Eto 261.
[5] Cymharer "Gan *lewyg* gwyn *haul* awyr" Gr.O. 91, a gweler ysgrif yr
Athro Gruffydd yn *Y Beirniad* v 62.
[6] Cf. "a *welsant* y taranau a'r mellt" Ex. xx 18
[7] W.M. 441.   [8] M.Ber. C.C. 443.

Y mae hyn yn gyffredin yn Gymraeg mewn ymadroddion fel "*gŵr* o *ddoethion* Môn ",[1] "dau *ŵr* o *feibion* y fall ",[2] "*dyn* o *Sais*",[3] etc. Weithiau fe gysylltir dau neu dri o gyfystyron er mwyn pwyslais, megis "dyfod yn 'i *fryd* ac yn 'i *feddwl* ",[4] "*hoedl* nac *einioes* na *bywyd* nid oedd iddaw ",[5] "ar *fôr* a *gweilgi*",[6] "*tir* a *daear* ".[7] Y mae amryw ddulliau eraill ar y ffigur, megis—

Pand gwir*air* y *gair* a gaf?[8]

am "Pand gwir y gair?" neu

Cerais fy *ngwlad*, gein*wlad* gu,[9]

am "fy ngwlad gain gu"; fe geir yr ail-adroddiad hwn yn fynych mewn cynghanedd sain, § 105. Gelwir y ffigur *pleonasm* (Groeg πλεονασμός) 'amlhad'.

156. Weithiau fe roir dau enw gwahanol, a chysylltiad fel *a*, *ac* rhyngthynt, yn lle enw ac ansoddair, pan na ddeëllir ond un peth. Pan ganodd Gronwy—

Rhown it *gawg* gemawg ac *aur*,[10]

nid cawg ac aur ar wahan a feddyliai, ond cawg euraid. Diau mai efelychu Fferyllt yr oedd ef yma;[11] ond y mae'r ffigur i'w gael yn Gymraeg hefyd, hyd yn oed wrth sôn am ddefnydd peth, megis "Cist a derw" gan Ddafydd[12] am gist dderw; "dan fur a main" gan Dudur Aled[13] am dan fur cerrig, sef 'yn ei gaer'. Ond priodoleddau a gysylltir fel hyn amlaf yn Gymraeg, fel pan soniai Gronwy am—

Ofyn *cân* a *chynghanedd*.[14]

Nid dau beth ar wahan sydd yma chwaith, eithr nodwedd i'r naill yw'r llall; ond y mae'n amlwg fod "cân a chynghanedd" yn ymadrodd llawer mwy barddonol na phe

---

[1] R.P. 1229. [2] 1 Bren. xxi 13. [3] L.G.C. 85. [4] W.M. 1.
[5] Eto 182. [6] Eto 180. [7] Eto 7. [8] Gr.O. 88.
[9] Eto 13. [10] Eto 3.
[11] "*pateris* libamus *et auro*," *Georg.* ii 192. [12] D.G. (113).
[13] F.N. 146. [14] Gr.O. 57.

dywedasid "cân gynganeddol". Gelwir y ffigur hwn
hendiadys (Groeg ἐνδιαδυοῖν ' un-trwy-ddau ').

157. Ar ol enw priod, neu ryw enw cyfyngedig o'r fath,
fe geir y rhagenw '*i* o flaen enw'r briodoledd ; megis—

Duw a'i nerth, rhaid in wrtho.[1]

Nid *wrthynt,* sylwer ; un gwrthrych sydd yma, a grym y
ffigur yw ei fod yn rhoi pwys ar y briodoledd sy'n bwysig
yn y cysylltiad—dull cryno ydyw o ddywedyd " Duw, sydd
a'r nerth gantho ". Yr un modd,

Dis a'i dwyll ydyw oes dyn.[2]

Dyma'r ffigur sydd ym mhennill Gronwy :

Pan fo *Môn a'i thirionwch*
O wres fflam yn eirias fflwch.[3]

Nid rhywbeth ar wahan yw'r tirionwch—ni ellir llosgi
tirionwch yn y fflam ; pe ceisid aralleirio'r ymadrodd
byddai " Môn, sy mor dirion " yn lled agos i'r ystyr.

158. Weithiau fe roir y cysylltiad rhwng dau enw pan
fo'r ail yn diffinio'r cyntaf, megis—

A mi mewn *man a llannerch* ;[4]

neu pan fo'n mynegi rhyw agwedd neilltuol arno, megis
" yn ol ewyllys *Duw a'n Tad* ni " Gal. i. 4. Dyna sydd yn
llinell Gronwy :

Gair *Duw a gorau dewin.*[5]

Duw ei hun yw'r " gorau dewin ". Y mae'r *a* yn yr
ymadroddion hyn yn golygu ' yr hwn hefyd yw '. Nid
gwastraff ar eiriau ydyw'r ffigur " un-trwy-ddau ", ond
ymadroddiad cynnil yn cyfleu llawer mewn ychydig. Ac
o hynny y deillia'i werth fel ffigur barddonol.

159. Ambell dro fe ddodir ansoddair gydag enw amgen
na'r un y bai naturiol iddo'i ansoddi, megis yn ymadrodd
Gronwy uchod, § 152, " porthor y ddôr ddig ". Gelwir y

[1] I.T. ieu. F. 45.   [2] L.G.C. F. 15.
[3] Gr.O. 17.   [4] H.A. R. i 676.   [5] Gr.O. 88.

ffigur hwn *hypallagē* (Groeg ὑπαλλαγή) 'newidiad'. Priodolir ansawdd un gwrthrych i'r llall, ac fe all y cymhwysiad fod yn ddychmygol fel uchod—cyfarth y ci'n awgrymu cilwg y ddôr ; [1] ond yn gyffredin y mae'r cysylltiad rhwng y gwrthrychau'n nes, a'r trosglwyddiad yn haws, megis pan ddywedai Williams " nwydau'm natur *gref* " [2] am yr hyn a alwai mewn man arall yn "nwydau cryfa' f'natur ",[3] neu pan alwai Thomas Prys y bedd yn " garchar y ddaear *ddofn* ".[4] Ffurf arall ar y ffigur yw cymysgu gwrthrychau berf ac arddodiad, megis " a'i geilw ei hun ar enw Iacob" Esa. xliv 5 ; yn yr ymadrodd hwn y mae'r ffigur yn briod-ddull Cymraeg, ond " galw enw ar " a geir amlaf yn y Beibl, e. e. Jer. xv 16 (a Jer. vii 10, lle mae'r priod-ddull " elwir ar fy enw" ar ymyl y ddalen).

160. Cyffelyb i hyn yw rhoi ansoddair gydag enw yn lle adferf gyda berf ; megis—

<blockquote>
Yn y pridd (anap yw'r hawl!)
Y trig addysg *tragwyddawl.* [5]
</blockquote>

Hen briod-ddull cyffredin yn Gymraeg yw rhoi ansoddair uchafradd felly, megis " er mwyn y gŵr mwyaf a geri " [6] yn lle " y gŵr a geri fwyaf". Y mae'r gystrawen yn digwydd yn fynych yn y cywyddau :

<blockquote>
Am y gŵr *mwya* a gerais.[7]
Mwyaf adar a garut.[8]
Blodau *gorau* a garwn.[9]
Gwae'r dyn *gorau* a'i 'dwaeniad,[10]
</blockquote>

sef y dyn a'i hadwaenai oreu.

---

[1] Benthyg oddiar D.G. yw'r geiriau, ond nid y ffigur. Tri phorthor dig sy gan Ddafydd, "A'r ail porthor yw'r ddôr ddig." Y mae'r ddôr ei hun yn ddig, ac yn un o'r tri dig, a disgrifir ei chynddaredd. Felly nid oes yma ffigur ond "personoliad" y ddôr, D.G. (94).

[2] Wms. 493.   [3] Eto 412.   [4] C.C. 123.

[5] W.IL 135.

[6] "yr mwyn y gwr mwyhaf a gery" W.M. 17 ; yr un modd "y wreic vwyaf a garaf" 186.

[7] D.IL C.C. 374 ; W.IL. F.N. 192 ; cf. D.E. C.C. 10.

[8] L.G.C. 144.   [9] D.G. (79).

[10] T.A. G. 234 ; *dynion* yno—rhy hir ; amdano'i hun y sonia.

161. Nid annhebyg chwaith o ran effaith yw rhoi enw i ddibynnu ar ansoddair yn y cyflwr "parthredol".[1] Dyma'r unig beth a elwir yn "ffigur" yng Ngramadeg y Llyfr Coch; yr enghreifftiau a roddir yno ydyw "gŵr gwyn 'i law", "gwraig wen 'i throed" a "gwraig wen 'i dwylaw"; a dywedir bod y ffigur yn "esgussaw dros" wryw a benyw ynghyd, ac unig a lluosog ynghyd.[2] Yr hyn a wneir yw priodoli ansawdd y rhan i'r cyfan, a rhoi enw'r rhan i ddibynnu ar yr ansoddair, ac i gyfyngu ei gymhwysiad. Y mae'r gystrawen yn hynafol, ond yn fyw iawn eto ar lafar gwlad yn ein hiaith ni; ac nid rhaid gormesu ar ramadeg i fanylu arni yma.

Ffigurau Brawddegol.

162. Amrywiadau yng nghorff y frawddeg yw'r ffigurau uchod; ond y mae brawddegau o wahanol fathau, ac fe ellir amrywio math y frawddeg ei hun. Cymerer y dosbarthiad hwn o'r mathau: (1) brawddeg ferfol a brawddeg enwol; (2) gosodiad, gofyniad, gorchymyn; (3) prif frawddeg a brawddeg ddibynnol.

163. Y mae i bob brawddeg (yn grybwylledig neu'n ddealledig) destun a chymhwylliad.[3] Y testun ydyw'r hyn y dywedir amdano, a'r cymhwylliad ydyw'r hyn a ddywedir. Mewn brawddeg ferfol, berf a'i geiriau cysylltiedig fydd y cymhwylliad; mewn brawddeg enwol y mae'r cymhwylliad yn enw, neu ansoddair, neu adferf. Brawddeg ferfol yw "Ni chêl ynfyd ei feddwl"—y testun yw *ynfyd*, a'r cymhwylliad yw *ni chêl ei feddwl*. Brawddeg enwol yw "Hardd pob newydd"—y testun yw *pob newydd*, a'r cymhwylliad yw *hardd*.

164. Yn y dechreuad nid oedd un math ar ferf mewn brawddeg enwol, eithr fe ddodid y testun a'r cymhwylliad ochr yn ochr fel uchod, heb ddim i'w cysylltu. Ond er

---

[1] Y cyflwr a elwir yr *accusative of respect.*
[2] A 1126.   [3] *Subject and predicate.*

mwyn eglurder, ac i ddangos amserau—canys dymunid weithiau ddywedyd " yr *oedd* hwn yn hardd "—fe ddaeth y ferf ' bod ' i arferiad. O ferfau eraill, wedi eu gwagio o'u hystyr, y lluniwyd y ferf ' bod ' ; nid oes iddi ystyr ei hun,[1] ac nid yw ond dyfais ramadegol—rhyw ddolen i gysylltu'r testun a'r cymhwylliad mewn brawddeg enwol. Ond hi roes i'r frawddeg enwol amserau a moddau'r frawddeg ferfol, a mwy o eglurder ; ac erbyn hyn prin y llunnir brawddeg enwol hebddi : " hardd yw popeth newydd ", neu, gan amlaf, " mae popeth newydd yn hardd "—dyna'r dull cyffredin o ymadroddi heddyw. Ond, heblaw mewn diarhebion (fel " Hir pob aros ", " Gwell dysg na golud ", " Goreu cannwyll pwyll "), fe glywir yr hen ddull fyth mewn llawer o ymadroddion, fel " Gwyn dy fyd di ", " Digon hawdd siarad ", " Rhaid mynd ", " Nid hwn mono ", etc. Gelwir brawddeg enwol heb y ferf ' bod ' ynddi yn " frawddeg enwol bur ".[2]

165. Y mae'r frawddeg enwol bur yn gyffredin iawn mewn barddoniaeth Gymraeg, am ei bod yn rymus, ac am fod barddoniaeth, fel y sylwyd, yn hoffi hen ddulliau. Dyma dair enghraifft mewn un llinell yn y Llyfr Du :[3]

> Llym awel ; llwm bryn ; anhawdd caffael clyd,

sef ' Llym yw('r) awel ', etc. Sylwer ar y gwahaniaeth rhwng y frawddeg *llwm bryn* ' bare is the hill ' a'r enw cyfansawdd *llwm fryn* ' a bare hill '. Ansoddair fel yna fydd y cymhwylliad fynychaf (yn yr enghreifftiau isod italeiddir y *cymhwylliad*) :

> *Rhyfedd* diwedd blodeuyn.[4]
> *Difai gennyf* 'i dyfiad.[5]

---

[1] O ferf yn golygu ' bodoli ' y daeth presennol y ferf ' bod ' yn yr ieithoedd Ariaidd ; ac o ferf arall yn golygu ' tyfu ' (megis planhigion) y daeth y *b-* yn *bydd, bu*, etc. yn Gymraeg. Erys yr ystyr ' bodoli ' weithiau yn y ferf ' bod ', megis " Y *mae* corff anianol, ac y *mae* corff ysbrydol."

[2] A. Meillet, *MSL.* xiv I.

[3] B.B. 89.   [4] L.G.C. F. 15.   [5] H.C.IL. F. 16.

Anodd rhyngu bodd y byd.[1]
Goludog ac ail Eden
Dy sut (*neu baradwys hen*).[2]

Ond fe geir enw hefyd yn aml, megis "*Cyfaill blaidd*
bugail diog* " ;[3] "*Trydydd troed i hen* 'i ffon ".[4]

Rhyfeddod yr haf heddiw
Gan bob un fy llun a'm lliw.[5]
Colled ennill popeth arall.[6]

Enw wrth gwrs yw *rhaid* a arferir fel hyn mor gyffredin.
Yn negyddol fe roir *nid* o flaen yr enw neu'r ansoddair :

Nid byd byd heb wybodaeth.[7]
Nid llawen plwyf, *nid llawn* plas,
Nid byd dim, *nad byw* Tomas.[8]

Gwelir wrth yr enghraifft olaf y gall brawddeg fel hyn fod
yn ddibynnol wrth droi *nid* yn *nad*.   Yma, mynegi'r achos
y mae'r frawddeg ddibynnol—*nad* yn golygu 'am nad'.

166. Yn Gymraeg fe ddaw'r cymhwylliad yn gyffredin
o flaen y testun, fel yn yr enghreifftiau uchod ; ond fe all
y testun ddyfod yn gyntaf.   Fe ddigwydd hynny'n wastad
pan fo'r cymhwylliad yn dechreu ag *yn, mor, fel, megis,*
yr un, etc. (italeiddir y *cymhwylliad* fel o'r blaen) :

Blodau'*n aurdeganau gant.*[9]
Lliw'r grudd *mor rhudd a'r hyddod.*[10]
Dy wyneb *fal od unnos.*[11]
Ond Siôn a'r aelod senedd
Yr un faint yn yr hen fedd.[12]

Felly hefyd pan fo'r cymhwylliad yn adferf lle, amser, etc.,
wedi ei ffurfio o arddodiad ac enw, megis—

Eieidr *yn rhych* ; ŷch *yng ngwedd.*[13]
Gwynt *ar fôr*, a haul *ar fynydd*,
Cerrig llwydion *yn lle coedydd.*[14]

[1] T.A.   [2] Gr.O. 15.   [3] R.P. 1030.   [4] R.P. 1029.
[5] I.D.B. G. 164.   [6] Wms. 462.   [7] W.IL. F. 39.   [8] T.A.
[9] Gr.O. 61.   [10] T.A. C. i 342, F.N. 151.   [11] § 60.
[12] T.M. 221, M.E. i 94.   [13] B.B. 33.   [14] P.T. 17.

Fe ddaw'r testun yn gyntaf hefyd pan fo ansoddair uchafradd ynddo, megis " Goreu arf *arf dysg* "; weithiau pan fo *pob, llawer,* etc. ynddo, megis " Pob dihareb *gwir,* pob coel *celwydd* " ; " Llawer teg *drwg ei ddefnydd* "; neu eiriau rhif :

Dwy ran ei helynt *drain a hoelion.*[1]

Ac weithiau pan fo'r cymhwylliad yn negyddol, megis yn yr ail frawddeg yn y llinell hon :

Teneu gwallt fy mhen ; fy llen *nid clyd.*[2]

167. Y cymhwylliad yw'r hysbysrwydd neu'r wybodaeth a gyfleir am y testun ; nid *rhaid* crybwyll y testun—fe all brawddeg enwol, fel un ferfol, gynnwys cymhwylliad yn unig. " Os gŵr mawr, *cawr* ; os gŵr bychan, *corr* "; brawddeg ddibynnol yw " os gŵr mawr ", y brif frawddeg yw'r cymhwylliad *cawr*—y mae'r un gair hwn yn golygu ' fe fydd yn gawr ', neu ' fe'i gelwir yn gawr ' ; yr un modd am ail hanner y ddihareb. Weithiau y peth sy'n *digwydd,* neu'r peth sydd i'w *weled* fydd y testun, ac y mae gweiddi " Tân ! " yn ddigon i roi gwybodaeth beth *sydd.* Ac weithiau, mewn adroddiad bywiog, fe geir rhes o enwau'n gymwylliadau heb na thestun na berf, fel pan ddywedai Dewi Wyn yn ei ddisgrifiad o'r rhialtwch ym Môn ar ymweliad y brenin—

Dychlamiad uchel luman,
Pylor du, pelau ar dân.[3]

Dyma un o'r penillion y dywedai " Iwan " ei fod yn cynnwys y bai anafus o fod heb " y berfi angenrheidiol ".[4] Ni wyddai Dewi druan pa sut yn y byd i'w ateb ; ond yr oedd ei reddf yn gywirach o lawer nag " ychydig ddysgeidiaeth " ei feirniad.

168. Brawddegau enwol heb destunau ydyw'r rhai a ddyfynnir uchod, § 152, fel enghreifftiau o roi berfenw yn

[1] Gr.O. 119.   [2] B.B. 62.   [3] D.W. 148.
[4] *Seren Gomer,* 1822, td. 362.

lle berf; os bydd eisiau crybwyll y testun, fe'i rhoir yn
gyntaf, ac *yn* gyda'r berfenw ar ei ol, megis—

> Tân aml a dwfr tew'*n ymladd,*
> Tân o lid, dwfr tew'*n* 'i *ladd.*[1]

Yr adar bach *yn tiwnio,* a'r coed *yn suo* 'nghyd;
Fy nghalon bach a dorrodd er gwaetha'r rhain i gyd.[2]

169. Medd Huw Tegai: "Berf.—Y gwallau mwyaf
cyffredin: Ffurfio ymadrodd *heb Ferf.* Nid oes ond
ychydig yn euog o'r bai hwn heblaw ein prif feirdd."[3]
Mewn geiriau eraill, "heblaw prif feistriaid ein hiaith".
A phe gwybuasai, gallasai ychwanegu prif feistriaid
ieithoedd eraill o ddyddiau Homer hyd heddyw. Ni bu'r
un ieithydd deallus yn gwadu cywirdeb brawddegau di-
ferf, er y tybid yn gyffredin gynt fod berfau'n *ddealledig*
ynddynt. Ond yn aml ni ellir rhoi berf i mewn heb
newid y gystrawen yn hollol, ac, ond antur, newid y
meddwl hefyd, troi'r amhenodol yn benodol, neu awgrym
yn haeriad; er enghraifft, "Gaeaf glas mynwent fras."
Nid y berthynas seml a arwyddir gan *yw* sy bob amser
rhwng y testun a'r cymhwylliad mewn brawddeg enwol;
lle bo'r berthynas honno, y mae *yw* yn hwylus ond nid yn
hanfodol. Ni ellir dywedyd bod y ferf 'bod' yn ddealledig
ond yn yr ystyr fod y berthynas a arwyddir ganthi'n
ddealledig, ac y mae honno'n ddealledig hebddi. Pan ddy-
wedo dyn ryw air fel "Gwell hwyr na hwyrach", ni
feddylia am ferf 'bod' o gwbl; wedi ystyriaeth, ac ar ol
ceisio dadansoddi ei ddywediad, y cenfydd mai "Gwell *yw*
hwyr na hwyrach" oedd y meddwl. Camgymeriad yr hen
ramadegwyr oedd tybio mai *gadael allan* y ferf 'bod' a
wnaethpwyd mewn ymadroddion fel hyn; y gwir yw bod
y dull hwn o siarad wedi dyfod i lawr o'r oesoedd *cyn
dyfeisio'*r ferf 'bod'. Y mae'r frawddeg enwol bur yn

---

[1] D.G. (83).   [2] P.T. 32.
[3] *Gram.,* 3ydd arg., td. 160. Ac y mae'r "gwall" yn y condemniad ei
hun. Testun: *Y gwallau,* etc.; cymhwylliad: *Ffurfio,* etc.; *heb* ferf!

ddull ymadrodd hynafol, ond nid anghynefin eto i ni;
a dïau bod camp ar ei grym di-wastraff pan ddefnyddier
hi'n gynnil a naturiol, ac yn ol hen draddodiadau.[1]

170. Y mae'r dosbarthiadau uchod (§162) ar frawddegau'n
torri ar draws ei gilydd. Fe all gofyniad, yn gystal a
gosodiad, fod yn frawddeg enwol, megis " Paham hynny ? "
Ar lafar fe roir berfenw yn lle berf orchmynnol weithiau,
a thrwy hynny troir y gorchymyn yn frawddeg enwol.
Gwelsom hefyd y gall brawddeg enwol fod yn ddibynnol.

171. Ystyriwn yn awr yr amrywiadau a wneir rhwng
mathau'r ail a'r trydydd dosbarth.—Ffigur nid anghyffredin
yw defnyddio gofyniad yn lle gosodiad ; gelwir y ffigur yn
" gwestiwn rhetoregol." Gan amlaf, cwestiwn yn galw am
atebiad negyddol a ofynnir, yn lle gwneuthur gosodiad
negyddol ; ac o gymaint â bod y cwestiwn megis ar ffurf
her, y mae'n fwy grymus na gosodiad syml i'r un perwyl.
Er enghraifft, nid yw—

> *Pwy sydd* mor gampus heddyw ?[2]

ond dull cryf o ddywedyd " *Nid oes neb* mor gampus
heddyw." Ac nid yw—

> *A fu* lwyn cyn felyned ?[3]

ond haeriad pendant *na bu* lwyn cyn felyned â gwallt yr
eneth honno. Yr un modd,—

> Ba ryw hael bur wehelyth,
> Ba rai beilch a bery byth ?[4]

[1] Dengys M. Meillet yn yr erthygl a grybwyllwyd uchod (*MSL.* xiv
15-18) fod y frawddeg enwol bur yn digwydd amlaf yn yr hen Roeg a'r
Sanscrit mewn chwe math o osodiad, a bod y gystrawen yn rheolaidd yn y
rhain, o leiaf, yn y famiaith Ariaidd gyntefig ; gall y darllenydd farnu pa
mor ffyddlon y cadwyd y traddodiad yn Gymraeg : 1. Mewn gosodiadau
cyffredinol fel *Hardd pob newydd*, Lladin *Omnia praeclara rara*, etc.
2. Pan fo'r cymhwylliad yn ansoddair yn mynegi barn, megis *Rhyfedd
bod . . .*, *Tebyg bod . . .*, Groeg δῆλον ὅτι . . . 3. Pan fo'n enw'n golygu
posibilrwydd neu reidrwydd, megis *Odid . . .*, *Rhaid . . .*, Groeg ἀνάγκη . . .,
χρή . . . 4. 5. Pan fo'n ansoddair berfol o fathau a nodir. 6. Pan fo'n
negyddol, fel *nid llawen plwyf*, etc.; cymharer rhestr faith y diarhebion
Cymraeg sy'n dechreu â *nid.*—Wrth gwrs nid yw'r rhain ond y gosodiadau
y ceid y dull fynychaf ynddynt.

[2] T.A. G. 230.   [3] D.E. 25, G. 125.   [4] I.F. F. 25.

Ni bydd neb, na hael na balch, fyw byth. Eto, "yn angau nid oes goffa am danat: yn y bedd pwy a'th folianna?" Ps. vi 5, lle defnyddia'r Salmydd y ddwy ffordd o draethu'r un syniad negyddol er llunio'i gyfochraeth, § 108 (3). Fe all y cwestiwn fod yn frawddeg enwol, megis—

> Heb Lewis mwy, *ba les Môn*? [1]

Peth anghyffredin yw rhoi cwestiwn fel yna yn lle brawddeg ddibynnol, fel yn—

> Dwy ydynt, pwy a'u didol? [2]

Yr ystyr yw "Dwy ydynt nas didol neb."

172. Os bydd negydd yn y gofyniad, y mae'n gyfystyr â gosodiad cadarnhaol, canys y mae—

> Pwy ni chwardd pan fo hardd haf? [3]

yr un peth â "nid oes neb ni chwardd," sef "pawb a chwardd pan fo hardd haf." Yr un modd pan fo'r cwestiwn yn frawddeg enwol:

> Ba frenin heb farw unwaith? [4]
> Ba fwyniant heb ei finiaw?
> Ba chwant heb rychwant o braw? [5]

173. Gofynnir y cwestiwn er mwyn argraffu'r atebiad iddo ar feddwl y gwrandawr. Ond nid rhaid i'r atebiad fod yn negyddol fel yn yr enghreifftiau uchod; fe ddichon mai atebiad cadarnhaol a awgrymir, neu ynteu ryw gymhwylliad sy'n hysbys i'r gwrandawr; fel hyn:

> Mae Gwen a fu yma gynt?
> Mae'r adar? ai meirw ydynt? [6]

Y mae'r cwestiwn cyntaf "Mae Gwen?" yn dwyn ar gof i ni ei bod yn ei bedd; ac y mae'r olaf, "ai meirw ydynt?" yn galw am yr atebiad "ie"—yr awgrym yw fod popeth wedi marw i'r bardd. Fe ddefnyddir cwestiwn petrus i fynegi cyffelybiaeth, megis—

> Ai dellt aur yw dy wallt di? [7]

---

[1] Gr.O. 117. [2] Eto 26. [3] D.G. (88). [4] I.F. F. 25.
[5] Gr.O. 33. [6] T.A. F.N. 153. [7] D.N. F.N. 88.

Y cwestiwn yn awgrymu'n chwareus nad yw'r bardd yn sicr, gan mor debyg i aur ydyw.

174. Ffigur "nid annymunol," fel y dywaid Quintilian (ix 2, 14), ydyw i'r llefarwr ofyn cwestiwn a'i ateb ei hun. Fel rheol, rhyw gymhwylliad—peth sydd gantho ef i'w ddywedyd—fydd yr atebiad ; megis—

> Pa radau gânt ? Pryd a gwedd.
> Digon i fenyw degwedd.[1]
>
> Beth a yrr blaen byth ar blaid ?
> Blaenor â byw 'i lonaid.[2]
>
> Pwy sy drist ? Powys drosti,
> A Deau hwnt gyda hi.[3]

Weithiau fe geir atebiad cardarnhaol, *ie, oes, ydyw*, etc., megis—

> Oes duwies ar las daear ?
> Oes, hon. Pob calon a'i câr.[4]

Yn gyffredin, fel y gwelsom, fe adewir atebiad negyddol yn ddealledig ; ond weithiau fe'i mynegir, megis—

> Fy nenu at lyfn wyneb
> Y pwll yn ol, pwy all ? Neb.[5]

175. Ffigur arall yw "*gorchymyn* rhetoregol," sef gorchymyn yn traethu neges gosodiad. Yn y ffigur hwn nid yw'r gorchymyn i'w gymryd yn llythrennol, ond i'w ddeall yn goeglyd neu'n chwerw ; er enghraifft :

> Tydi'r gwan, *taw* di â'r gwir ;
> Arian da a wrandewir.[6]

Nid oes yma archiad ond mewn ffurf ; y meddwl yw na waeth i'r gwan dewi **na** pheidio. Yn gyffelyb—

> A wado hyn, *aed* â hi,
> A *gwaded* i'r haul godi.[7]

Ni waeth beth a wado. A dyma enghraifft rymus a gwych o'r ffigur :

> Claddwyd y gŵr briglwyd brau ;
> A *chladder* gwayw a chleddau.[8]

[1] Gr.O. 18.   [2] T.A. F. 11.   [3] I.D. 97.
[4] S.T.   [5] D.H. 110.   [6] I.F. F. 42.   [7] D.W. 177
[8] T.A. ; *brau* = rhywiog, *generous*, neu'r cyffelyb.

Ni waeth eu claddu na pheidio am nad oes neb ar ei ol ef
a fedr eu trin.   Yn gyffelyb :

> O phriddwyd Gwen feinwen fau,
> *Pridder*, pan fynner, finnau.[1]

176. Fe roir gorchymyn hefyd yn lle brawddeg amodol
(sef brawddeg ddibynnol yn dechreu ag *os* neu *pe*) ; megis—

> *Nofied* ynddi ddyn afiach,
> E ddaw yn ol yn ddyn iach.[2]

> *Syfled* pob mis o'i safle,
> Ac *aed* a gŵyl gydag e,
> Wyl ddifai, di gai dy gwrr—
> Ni'm necy almanacwr.[3]

Fel rhyw frawddeg ddibynnol arall, fe all hon hefyd sefyll
fel sangiad yng nghanol y brif frawddeg ; megis—

> Daw i ben, *aed* byd yn yfflon,
> Bob rhyw air a ddwedo 'Nhad.[4]

Cyfannerch.

177. Mewn ymadroddiad cyffredin y mae'r llefarwr yn
annerch y gwrandawr neu'r gwrandawyr ; ond weithiau fe
dry i annerch rhywun neu rywbeth y sonia amdano, a
hwnnw'n absennol, neu ynteu heb glustiau i glywed.
Y gwrandawr yn unig sy'n clywed.   Gelwir y ffigur hwn
apostrophē (Groeg ἀποστροφή) ‘troi ymaith.’   Nid oes derm
boddhaol wedi ei gael amdano yn Gymraeg, ac nid hawdd
llunio un o'r syniad o ‘ droi ymaith ’ ; ond y mae agwedd
arall lawn mor amlwg ar y ffigur, sef bod y llefarwr yn troi
at y gwrthrych i'w annerch ef yng nghlyw'r gwrandawr,
ac am hynny efallai nad anaddas term am y peth fyddai
“ cyfannerch.”[5]

---

[1] T.Pr. o.o. 116.
[2] D.I. 326, i Ffynnon y Gro ; ar ol T.A. i Ffynnon Gwenfrewi, F.N.
143 ; darllener yno “ Ef â'r naill ai'n farw ai'n iach,” R. i 189.
[3] Gr.O. 40, i'r Calan.   [4] Wms. 498.
[5] *Dadymchwelyd* yw term Henri Perri (*Egl. Phr.* 3ydd arg. td. 67) ;
ond ‘ turn round ’ yw *ymchwelyd*, ac nid hapus yw'r blaenddod *dad-*.

178. Dyry Henri Perri ddarn maith o gywydd o waith Siôn Tudur yn un enghraifft; ond y mae'r ffigur i'w ganfod yn y pedair llinell hyn ohono—sôn y mae'r bardd am "Harri wythfed":

> A merch i hwn (mor wych yw!)
> Y sydd frenhines heddyw.
> A theiroes fo'ch einioes chwi,
> Aur 'i choron, ferch Harri.

Yn y cwpled cyntaf sonnir am Elsbeth yn y trydydd person, eithr yn yr ail cwpled a'r cwpledau sy'n dilyn anerchir hi fel "chwi". Yn y llinellau a ganlyn o "Galendr y Carwr" fe ddigwydd y ffigur ddwywaith:

> Nwyfus fu'r galon afiach;
> Ow, galon sâl feddal fach!
> Wyd glwyfus nid â gleifwaith;
> Gwnaeth meinwen â gwên y gwaith.
> Ow'r donn anhoywfron hyfriw!
> Ow ry-dda'i llun, hardd ei lliw!
> Teg yw dy wên, gangen gu,
> Wyneb rhy deg i wenu.[1]

Y darllenydd, wrth gwrs, a anerchir; sonnir am y galon yn y trydydd person: "*fu*'r galon"; yna anerchir hi: "*wyd* glwyfus", a sonnir am feinwen yn y trydydd person; yna anerchir honno: "Teg yw *dy* wên." Yn ei "Gywydd i annerch Huw ap Huw," annerch Huw ap Huw, wrth gwrs, a wna Gronwy; ond yn y rhan olaf fe dry i annerch yr eigion: "Gorthaw, donn"; ac yna "Clyw, Fôn," medd ef, fel rhagymadrodd i'r gyfannerch fawr sy'n dechreu—

> Henffych well, Fôn, dirion dir,
> Hyfrydwch pob rhyw frodir.[2]

Y mae'r hen air *didro*'n cyfateb yn llythrennol o ran ystyr i'r term Groeg; ond arferir *didro* am 'gyfeiliorn'.—Ee mai gwell ar ryw ystyr fyddai *go-annerch*, nid yw mor bersain, na chyfaddas ar gyfrifon eraill. Nid rhaid cymryd *cyf-* yn *cyfannerch* i olygu 'ei gilydd', gan mai dyna ystyr yr *ym-* yn y gair *ymannerch*. Y fantais o *gyfannerch* ydyw y gellir berf ohono i gyfateb i *apostrophize*; fe wna "cyfannerch yr haul" yn burion am *to apostrophize the sun*; ond digrif fyddai "dadymchwelyd yr haul!"

[1] Gr.O. 6.　　　　　　　　[2] Eto 15.

179. Cyfannerch, o angenrheidrwydd, ydyw pob cyfarch-iad i wrthrych difyw, fel haul, neu loer, neu wynt, neu fôr, neu wlad, neu i greadur direswm, neu i'r galon neu'r enaid, neu i'r marw. Am hynny y mae llawer iawn o'r ffigur mewn barddoniaeth,—mewn cywyddau "llateion", mewn caniadau serch a hiraeth, ac mewn marwnadau. A lle bo teimlad dwys nid ffigur celfyddydol mono chwaith bob amser, ond agos iawn i natur ei hun weithiau, megis yn yr hen bennill :

> Nid af ddim i'm gwely heno ;
> Nid yw'r un a garaf ynddo ;
> Mi orweddaf ar y garreg :
> Torr, os torri, 'nghalon fwyndeg.[1]

Ataliaith.

180. Yn olaf, fe adewir brawddeg heb ei gorffen. Gelwir hyn *aposiōpēsis* (Groeg ἀποσιώπησις) 'distewi'; term Salesbury a Pherri ydyw "ataliaith", ac fe wna'r tro'n burion. Y mae llawer peth a bair i ddyn ymatal ar ganol ei ymadrodd ; fe all dorri i lawr dan deimlad cryf; neu fe all ail feddwl, a phetruso gorffen yr hyn a ddechreuodd, naill ai rhag ofn, neu rhag cywilydd, neu o achos rhyw ddryswch. Neu fe all synio bod ei feddwl yn eglur, a bod digon wedi ei ddywedyd ; neu o'r ochr arall, fel wrth fwgwth, fe all ddymuno darnguddio'i feddwl er mwyn i'r gwrandawr dybio'r gwaethaf. Neu fe all gofio am rywbeth rheitiach ei ddywedyd ; neu fe ddichon rhywbeth arall dynnu ei sylw oddiar y peth a draetho. Am y rhesymau hyn a'u tebyg fe glywir y ffigur beunydd ar lafar, ac y mae ymadroddion talfyredig wedi mynd ar arfer cyffredin, megis "Well, I never— ", "Ni waeth heb— ", "Paid, rhag ofn— " ; ac mewn bygythion "os ca' i afael arnat ti— ", "neu mi— ", "Na, money down, neu, myn diawl,—." [2]

---

[1] P.T. 56.   [2] T.M. 363.

181. Yn y "llythyr bygwth" a anfonodd yr ymherawdr newydd yn Rhufain at Faxen, nid oedd ond "O deui di, ac o deui di byth i Rufain— ", ac nid oedd yn yr atebiad ond "Od af innau i Rufain, ac od af—."[1] Yn yr enghraifft enwocaf mewn barddoniaeth y mae'r bardd, Fferyllt, yn disgrifio duw'r môr yn ceryddu'r gwyntoedd, ac, ar fin eu bwgwth, yn cofio am waith rheitiach :

Quos ego—sed motos praestat componere fluctus.[2]
'*Ac mi a'ch*—eithr gwell yw llonyddu'r tonnau cynhyrfus.'

Mewn cerdd y mae'n fantais i'r toriad fod fel yna yng nghanol llinell ; y mae'r mydr felly'n ei amlygu ac yn ei gloi.[3] Pan ddyfynnai Salesbury fel enghraifft o'r ffigur—

> Arch iddaw roi benthyg march i mi
> Ac onid ef—. Lewys Môn,

ni welai fod yn rhaid cael y rhelyw o'r llinell i brofi ataliaith.[4] Ond fe all y toriad fod ar ddiwedd llinell fel gan Fferyllt yn *Æn.* ii 100, lle dechreua'r llinell nesaf ag *ond*, neu fel yn y pennill hwn i'r dylluan, lle nid oes dim yn yr hyn sy'n dilyn i fynegi beth a wnâi'r bardd pe câi afael arni :

> Wyneb budr hen abbades,
> Neu din âb. *Be deuai'n nes*—![5]

182. Wrth gwrs nid mewn bygythion yn unig y ceir y ffigur mewn llên. Dyma enghraifft o ataliaith yn codi o

---

[1] W.M. 188. [2] *Æn.* i 135.

[3] Bu amryw o'r beirdd Cymraeg yn y ganrif ddiwaethaf yn ceisio gwneuthur y ffigur heb ganfod peth mor syml â hyn. Dyry E.F. 89 llinell a darn yng ngenau Iob, a sêr i orffen y llinell a llenwi dwy eraill ; ac ar waelod y ddalen fe ddyry'n gyflawn y geiriau y bwriadai Iob eu dywedyd ! Yr oedd rhyw "gyfaill dysgedig" wedi dywedyd wrtho mai "drwg archwaeth llenyddol" oedd hynny ; y rhyfeddod i mi yw na welsai drosto'i hun ddiffyg synnwyr y peth. Cymharer I.G.G. 68, 165 ; T. ii 88, iii 91, am ffolineb tebyg.

[4] P.LL. cxvi. Nid yw enghraifft arall W.S., sef "Powys yn hai heb Siôn hir" yn enghraifft o gwbl ; eithr brawddeg enwol ydyw, gweler § 166.

[5] D.G. 322.

betruso dywedyd y gair plaen ; aralleiriad ydyw o Ioan ii
10 mewn cerdd Saesneg ddiweddar : [1]

> At other feasts they give the best at first,
> *And when the guests are* . . . well, I will not say . . .
> (He laughed) they give them any sort of stuff.
> But you have kept the good wine until now.

" Ac wedi iddynt yfed yn dda," medd y cyfieithiad
Cymraeg—ffigur arall, sef " gair teg," § 91 ; ond " a phan
fônt wedi meddwi " sydd yng Ngroeg Ioan,[2] heb ffigur yn
y byd ond y gair plaen.

183. Nid yr un peth yn hollol ydyw i'r gwrandawr dorri
ar draws y llefarwr, canys yma nid yw'r toriad yn ffigur ym
meddwl y llefarwr ei hun. Eithr y mae'n ffigur ym meddwl
yr *awdur* a ddychmygodd yr ymddiddan. Y mae dyn yn
torri ar draws arall am resymau mor amrywiol ag yr ymetyl
ei hun ; y mwyaf effeithiol i'w gyfleu ydyw ofn neu gas
clywed y gair sydd ar fin ei yngan, fel yn y darn pennill
hwn o farwnad Hiraethog i Williams o'r Wern. " Hiraeth "
sy'n holi am Williams yn Lerpwl, ac ni fyn glywed ei fod
wedi marw :

> " Aeth oddiyma'n ol i Gymru,
>   Clywsoch byn, a gwyddoch chwi
> Ei fod wedi—." " Tewch a haeru,"
>   Meddwn, yna ffwrdd a mi.[3]

IV. ARDDULL.

184. Elfennau arddull ydyw geiriau a phriod-ddulliau,
a throadau a ffigurau ymadrodd, heblaw aceniad a sain.
Wrth eu dethol, eu llunio a'u cyfaddasu y prif anghenrhaid
yw cywirdeb—nid cywirdeb rhesymeg ond cywirdeb iaith :

---

[1] *The Nazarene.* By Allan Brockington. O adolygiad ar y llyfr y
codais y llinellau.

[2] καὶ ὅταν μεθυσθῶσι, a'r elfen μεθυ- o'r un gwraidd â'r Cymr. *meddw-*.

[3] *Caniadau Hiraethog* 208.

y mae llawer o briod-ddulliau ac o droadau a ffigurau, nad ydynt yn rhesymegol gywir, eto'n cyfleu meddwl cywir a'i gyfleu'n berffaith. A meddwl cywir, sef meddwl wedi ei amgyffred yn oleu a chyson, yw'r anghenrhaid sylfaenol.

185. "Rhagoriaeth arddull," medd Aristoteles [1] (am farddoniaeth y mae'n sôn), "ydyw bod yn eglur heb fod yn ddistadl. Yr arddull egluraf yw'r un a wneir o eiriau arferedig, eithr distadl ydyw. . . . Ond urddasol a dyrchafedig uwch iaith gyffredin yw honno a ddefnyddia ymadroddion dieithr." Wrth hyn y golyga, medd ef, eiriau ansathredig a throsiadau a'r cyffelyb. "Eto os llunnir hi i gyd o'r rhain, hi fydd naill ai'n enigma ($a\check{\iota}\nu\iota\gamma\mu a$) neu'n faldordd ($\beta a\rho\beta a\rho\iota\sigma\mu\acute{o}s$) : os o drosiadau, enigma ; os o eiriau ansathredig, baldordd." Ar fyr, dyma'r pethau a ddyrchaif arddull uwchlaw cyffredinedd ; ond er hynny ynfydrwydd yw eu lluosogi dros fesur. Yn gyffelyb y dywaid Quintilian [2] am ffigurau, "er yr addurnant iaith o'u defnyddio'n addas, eu bod yn ynfyd i'r eithaf pan ymorchester amdanynt yn anghymedrol." Y mae mwy o'r dulliau hyn mewn barddoniaeth nag mewn rhyddiaith am fod addurn cyfoethog yn gweddu iddi hi ; ond rhaid i'r bardd yntau ymgadw rhag eithafion. Ac yn anad dim rhag gormod o'r un peth : nid yw'r rhes cyffelybiaethau mewn cywydd dyfalu, §§ 13, 65, ond megis ymarferiadau ar un tant, nid melodedd celfyddydwaith gorffenedig.[3]

186. Y mae troadau a ffigurau'n digwydd yn naturiol mewn iaith ; gwaith y bardd yw gwella ar natur a'u trin yn gelfydd. O natur y cad dulliau pob crefft, ond y mae'r crefftwr yn etifedd profiad oesoedd o'u dethol a'u harfer. Fe ddaw ffrwyth y profiad iddo trwy esiamplau'r campwyr a chyfarwyddyd yr athrawon. O chwilio barddoniaeth

---

[1] *Poet.* xxii 1, 2.   [2] ix 3, 100.

[3] Tebyg mai o hen "ddychymygion" (*riddles*) fel "Canu'r Gwynt" a gambriodolir i Daliesin y tarddodd "dyfalu" ; nid rhyfedd i beth a ddaeth o enigma fod yn debyg i enigma.

Gymraeg fe ellir cael hyd i'w dulliau ymadrodd, a'u trefnu a dangos eu grym a'u gwerth, fel y ceisiwyd uchod. Ac fe ellir dysgu'r pethau hyn i'r neb a fynno fod yn fardd. Ond ni ellir dysgu hanfod arddull i neb. Cymaint ag a all hyfforddiant ei wneuthur i ddyn ydyw gloywi a grymuso'i gyneddfau; ni all newid eu hansawdd na'u gallu cynhenid. Cydnabyddiaeth ag adnoddau'r iaith yw amod cyntaf arddull dda; gellir rhoi'r wybodaeth honno yng nghyrraedd dyn, ond rhaid i'w natur ef ei hun ei meddiannu. Dawn natur ydyw'r gallu i ganfod prydferthwch iaith, ac yn arbennig i dderbyn ei argraff, a'i atgynyrchu mewn meddyliau newydd. Ond y mae cyneddfau dyfnach na dawn ymadrodd yn llunio'r arddull: deall, dychymyg, teimlad; a llygad, a chlust; ac, yn llywodraethu'r cwbl, barn. "Yr arddull," medd Buffon, "ydyw'r dyn."

III. Y FFURF

187. O ran *Mater* ac *Iaith* gellir crynhoi'r gwahaniaeth sy rhwng barddoniaeth a rhyddiaith fel hyn :

(1) *Mater* barddoniaeth ydyw efelychiad delfrydol o weithredoedd a theimladau dynion; fel cyfryngau ac amodau y mae natur a'r byd yn bwysig iddi hi. Ond ar Fater rhyddiaith ni osodwyd terfynau. Ar fyr, y mae rhan o faes y meddwl yn dir cyffredin i'r ddwy, ond yr holl faes yn agored i ryddiaith.

(2) Yn yr *Iaith* y mae mwy o gyfyngiadau o boptu. Y mae rhai geiriau a dulliau ymadrodd yn perthyn yn hollol i ryddiaith, ac yn hollol anghyfaddas i farddoniaeth. Y mae geiriau a dulliau eraill yn perthyn yn arbennig i farddoniaeth, ac ni weddant mewn rhyddiaith oddieithr pan anturio'n uchel i dir ei chwaer. Y mae mwy o addurn yn iaith barddoniaeth; ond pwnc o raddau yn hytrach na sylwedd yw hyn : y mae corff yr eiriadaeth a'r dulliau'n gyffredin i'r naill a'r llall.

(3) Felly, mewn Mater ac Iaith y mae i'r ddwy gelfyddyd gryn lawer o'r un defnyddiau. Ond gwahaniaethant yn hollol yn eu *Ffurf*. Y mae barddoniaeth yn fydryddol, rhyddiaith yn ddi-fydr; yma y mae'r gwahanfur yn glir a phendant.

188. Mydr, a'r cyfatebiaethau sain a dyfodd ohono, sef odl a chynghanedd, yw'r maen praw i bob dyn a ddilyno'i reddf naturiol. Fel y dywad Whately[1] : " Gelwir pob rhyw gyfansoddiad sydd ar fesur cerdd (ac nid yr un nad

---

[1] *Rhetoric* III, iii, 3, dyfynedig gan Gummere *Beginnings* 51.

yw [1]) bob amser, pa un bynnag ai da ai drwg fo, yn Gân,
gan bawb nad oes gantho ryw hoff ddamcaniaeth i'w
hamddiffyn." Yn wir, yr oedd pawb a sgrifennai ar
farddoniaeth, medd Gummere,[2] "yn cymryd mydr yn
ganiataol nes i rywun ofyn pam yr oedd raid." Ac yna fe
geid gwŷr yr "hoff ddamcaniaethau" yn dirmygu'r farn
gyffredin, ac yn honni bod eu rhesymeg hwy'n gywirach
na greddf natur. Yn y meddyliau'n unig y mae popeth y
gellir ei alw'n farddoniaeth iddynt hwy; cloffrwym diang-
henrhaid yw pob mydr: "drylliwn eu rhwymau," meddant,
"a thaflwn eu rheffynnau oddiwrthym." Fe glywyd atsain
y dadwrdd yng Nghymru yng nghanol y ganrif aeth heibio:

> Barddoniaeth, O farddoniaeth! Pwy a roddes
> I neb awdurdod ar y fath angyles
> I bennu dy derfynau? Ymaith, Reol!
> Ffowch, ddeddfau dynol! Rhowch i hon dragwyddol heol,

medd Islwyn ieuanc, ymysg llawer o druth i'r un perwyl,
mewn rhigwm sy'n ddisgyniad gresynus ar ddiwedd cerdd
a gais fod yn aruchel fel "Yr Ystorm."[3] Yr atebiad i'w
gwestiwn ydyw mai Natur ei hun a roddes yr "awdurdod,"
ac mai trwy ufuddhau iddi y daeth barddoniaeth yn
"angyles." Y mae llusgiad anhyfryd y llinell olaf a
ddyfynnwyd, wrth dorri dros y "terfynau," yn dangos
gwrthuni'r anufudd-dod a gymeradwyir. Tipyn o wrthryfel
bachgennaidd dan gyfaredd gau-athrawiaeth oedd hyn.
Mewn tymer fwy gwâr ychydig yn ddiweddarach fe
gymerai'r ochr arall i'r ddadl yn ei fawl i'r gynghanedd:

> Athrylith, i'w rheolau
> A'u cryf ddull, câr ufuddhau.[4]

189. Bu'r ddadl ar y pwnc yn frwd, ac weithiau'n chwerw,
medd Gummere, ac ychwanega fod adolygiad amyneddgar

---

[1] "Siôn Tomos yn gloff a'i wraig hefyd," meddai Huwcyn. "O! dyn!
tydi nyna ddim yn ganu," ebe Siôn Tomos. "On' tydi o'n ganu, mae o'n
wir," ebe Huwcyn.—T. i 338.   [2] *Beginnings* 31.
[3] *Gwaith Barddonol Islwyn*, 1897, td. 143.   [4] Eto 421.

a thrwyadl ohoni mewn ysbryd gweddol amhleidiol wedi ei
arwain ef i'r casgliadau hyn :

> Yn gyntaf, nad oes maen praw heblaw mydr wedi ei
> gynnig y gellir gwneuthur gwir ddefnydd ohono hyd yn
> oed mewn damcaniaeth, heb sôn am astudiaeth hanesyddol
> a chymharol. Yn ail, fod holl amddiffynwyr barddoniaeth
> ddi-fydr yn angbyson fwy neu lai â hwy eu hunain. Yn
> drydydd, fod amddiffynwyr mydr, hyd yn oed mewn dam-
> caniaeth, yn ymddangos yn cael y goreu o'r ddadl.[1]

190. Ni ellir yma roi cymaint a chipdrem dros hanes
y ddadl ; gweler crynodeb yn yr ail bennod o lyfr mawr
Gummere ar *The Beginnings of Poetry*. Ond gellir crybwyll
un neu ddau o'r datganiadau pwysicaf. Mae rhai o'r
beirniaid Almaenaidd, medd Carlyle, yn sôn am "infinitude"
(*Unendlichkeit* ' annherfynoldeb ') fel nodwedd barddoniaeth ;
"os myfyrrir ar hyn yn dda," medd ef, " fe geir o dipyn
i beth rywfaint o ystyr ynddo. O'm rhan fy hun yr wyf
fi'n cael llawer o ystyr yn yr hen ddosbarthiad cyffredin
(*vulgar*) fod Barddoniaeth yn *fydryddol*, fod miwsig ynddi,
ei bod yn Gân."[2] Un o'r datganiadau enwocaf ydyw eiddo
Hegel ; dyma'r geiriau hyd y gallaf fi eu cyfleu yn Gymraeg :

> Rhyddiaith wedi ei mydru, mae'n wir, ni wna farddon-
> iaeth, ond mydriad yn unig, megis na ddyry ymadroddiad
> barddonol, lle bo'r ymdriniaeth ar wahan i hynny'n rhydd-
> ieithol, ddim ond rhyddiaith farddonol ; ond er hyn oll, y
> mae mydr neu odl, fel yr un a'r unig sawyr i'r synhwyrau,
> yn hollol anhepgor i farddoniaeth, ïe'n rheitiach hyd yn oed
> nag arddull ddelweddol—brydferth, fel ei gelwir.[3]

Cyn diwedd y ganrif yr oedd y syniad nad yw mydr yn
anhepgor i farddoniaeth bron wedi darfod o'r tir, medd
Watts-Dunton [4]; ac erbyn hyn y mae'n debyg nad oes neb
o bwys yn ei ddal.

---

[1] *Beginnings*, p. 31. [2] *On Heroes*, The Hero as Poet.
[3] *Aesthetik* iii 289. Dyfynnwyd cyfieithiad Saesneg heb fod yn hollol
gywir gan Watts-Dunton, nodiad 4 isod ; a bu peth dadleu ynghylch y
meddwl. Gwnaed y cyfieithiad uchod o'r gwreiddiol, wedi cymharu rhai
Saesneg Gummere *Beg.* 54 a Gayley and Scott *Literary Criticism* 322.
[4] Art. "Poetry" (gwaelod td. 7 uchod) p. 878 *b*.

191. Pan ddywedir bod mydr yn anhepgor i farddoniaeth yr ydys yn deall nad oes dim yn farddoniaeth ond y sy ar fydr o ryw fath. Nid yw'r ddau osodiad ond dwy ffordd o ddywedyd yr un peth : ac fe'i dywedir yn ddigon croyw yn yr ail ffordd hefyd gan feirniaid diweddar ; gweler, er enghraifft, Bosanquet, *History of Æsthetic*, td. 462. Ond nid yw dywedyd hyn yn golygu o angenrheidrwydd fod popeth y sy ar fydr yn farddoniaeth. Gwelsom fod Hegel yn gwadu hynny, ac y mae athrawon eraill, o Aristoteles i lawr, a'r beirdd hefyd, yn ei wadu. Yn hyn gwahaniaethant oddiwrth y farn gyffredin a fynegir mor glir yng ngeiriau Whately uchod ; y rheswm yw mai mydr yw *unig* faen praw'r dyn cyffredin, pryd yr edrych yr athrawon a'r beirdd am ryw briodoleddau rheidiol yn yr iaith a'r mater cyn cydnabod bod geiriau ar fydr yn deilwng o enw barddoniaeth. Cawn ddychwelyd at y pwynt hwn wedi ystyriaid y rhesymau dros reidrwydd mydr.

192. Yn ol fel yr wyf i'n deall y pwnc, fe ellir dosbarthu'r rhesymau dan dri phen, fel hyn : 1. Y mae mydr yn nodweddu barddoniaeth yn gyffredinol ; 2. Y mae mydr mewn barddoniaeth o'r cychwyn cyntaf ; 3. Mydr a wnaeth, ac a wna, farddoniaeth yr hyn ydyw.

1. Mydr yn ffurf Gyffredinol.

193. Ym mhob iaith, ac ym mhob oes, y mae barddoniaeth —yr hyn a edwyn pawb fel barddoniaeth—ar fydr o ryw fath. Ar fydr y mae holl farddoniaeth prifeirdd y byd o Homer i lawr—nid rhaid eu henwi. Edrycher y detholiad a fynner o farddoniaeth, y Drysorfa neu'r Flodeugerdd a fynner, onid yw pob darn ynddi ar ryw fydr mwy neu lai perffaith ? " Pa fardd mawr erioed a sgrifennodd ei ganiadau mewn rhyddiaith ?" medd Leigh Hunt.[1] "Deëllir

[1] " What is Poetry ? " 1844, *English Critical Essays* (*World's Classics* series) dan ol. E. D. Jones, td. 327.

bod barddoniaeth y Beibl ar fydr yn y gwreiddiol," medd
ef; bu rhai'n ameu hynny, ond erbyn hyn fe ddeil yr
awdurdodau uchaf fod egwyddor fydryddol barddoniaeth
Hebraeg yn amlwg: nifer rheolaidd o guriadau yn y llinell.[1]
Pa ddiben honni mai digwyddiad yw hyn oll? Y mae
dywedyd mai barddoniaeth yw barddoniaeth ac nad yw'r
ffurf o fydr ond damwain, yn union fel pe dywedid mai
aderyn yw aderyn, ac nad yw ei wisg o blu ond damwain.
Rhaid bod nodwedd a ganfyddir ym *mhob* esiampl ddiymwad
o'r peth yn rhywbeth hanfodol i'r peth.

194. Mae'n amlwg mai dyna'r unig gasgliad posibl os
seiliwn ein hymresymiad ar farddoniaeth fel y mae. Pa
fodd y bu i neb wadu peth mor amlwg? Trwy golli golwg
ar bethau fel y maent, ac ymresymu ynghylch haniaethau,
fel hyn: meddyliau ydyw hanfod barddoniaeth, nid yw
mydr ond ffurf; hanfod peth *yn unig* sy'n bwysig, nid y
ffurf; gan hynny os bydd y meddyliau'n farddonol ni waeth
am fydr; y mae meddyliau barddonol mewn *rhyw* ffurf yn
farddoniaeth.[2] Os creffir ar yr ymresymiad fe welir bod y
geiriau *yn unig* a italeiddiais yn angenrheidiol i'r ddadl;
a dyma'r cyfeiliornad sylfaenol ynddi. Dengys fod yr
ymresymwyr yn ddall i'r berthynas fyw sydd, fel y cawn
weled isod, yn bod rhwng hanfod a ffurf. Ond y mae yn
y ddadl dwyll-ymresymiad arall, o'r hyn lleiaf yn ddealledig,
sef rhoi i'r gair *barddonol* ystyr lythrennol yn lle'r ystyr
droëdig sy'n briodol iddo yn y fath gysylltiad. Y mae
rhyw swyn *cyffelyb* i swyn barddoniaeth i'w ganfod weithiau
mewn golygfa, neu ddarlun, neu ddarn o ryddiaith;
a dywedwn fod yr olygfa neu'r darlun, neu'r darn rhyddiaith

---

[1] Gweler G. Buchanan Gray, *The Forms of Hebrew Poetry.*
[2] Fe roes Leigh Hunt (eto, td. 326) y ddadl yn fyr yn y geiriau a
italeiddir isod, a'i farn ei hun yn fyr yn y geiriau sy'n eu dilyn: "It has
been contended by some, that Poetry need not be in verse at all; that
prose is as good a medium, provided poetry be conveyed through it; and
that *to think otherwise is to confound letter with spirit, or form with
essence.* But the opinion is a prosaical mistake."

yn *farddonol*. Ond yr ystyr yn amlwg yw eu bod yn *gyffelyb* i farddoniaeth yn eu swyn, fel y mae gwallt euraid yn *gyffelyb* i aur yn ei liw. Y mae taeru mai barddoniaeth *ydyw* rhyddiaith farddonol fel taeru mai aur *ydyw* gwallt aur.

195. Ond efallai mai'r praw goreu o gyfeiliorn y ddadl ydyw praw syml y *reductio ad absurdum.* Os yw pleidwyr y "dragwyddol heol" yn eu lle, yna ynfydrwydd ffolach na chware plant yw cyfrif sillafau a mesur cyhydeddau; ac os felly, yna ynfydion plentynnaidd oedd holl feirdd mawr y byd, a'r ymresymwyr eu hunain yn unig sy'n ddoeth. Dyna'r casgliad anocheladwy, ac os yw hwn yn groes i reswm y mae'r ddadl oll yn cwympo i'r llawr.

2. *Mydr yn ffurf Gyntefig.*

196. Olrheiniodd Gummere hanes barddoniaeth i'w dechreuad â chyfoeth mawr o brofion o bob math; ni allaf yma ond rhoi crynodeb byr a llwm o'i gasgliadau. Fe dardd barddoniaeth o ganu, a chanu ei hun o *gyd*-ganu, a chydganu o orllif y teimladau yn y ddawns gyntefig. Fe geir syniad am hanes cyntaf dyn yn arferion llwythau sydd eto heb esgyn grisiau cyntaf gwareiddiad. Rhyw lwyth felly yw'r Botocudos yn Neheu America, yn byw er diwallu anghenion y dydd heddyw, heb feddwl ond ychydig am yfory a llai am ddoe, heb draddodiadau na chwedlau na chof am eu hynafiaid. Ar achlysur o orfoledd fe ymgasgl y llwyth ac fe wneir cylch o gwmpas tân y gwersyll, gwryw a benyw bob eilwers, a'u breichiau 'mhleth ar yddfau'i gilydd, i ddawnsio. Try'r cylch i'r ddeheu neu i'r aswy, a phob un yn taro i lawr yn drwm y troed a symudir ymlaen, ac yn llusgo'r troed arall ar ei ol; weithiau gwasgant ynghyd, weithiau lledant y cylch. Canant weithiau ryw sillafau diystyr, yna rhyw gân ddifyfyr o frawddeg neu ddwy am ddigwyddiadau'r dydd—nid oes ganthynt ganau traddodiadol. Ambell waith fe gân un rywbeth, ac etyb y lleill mewn cytgan. *Ni chanant byth heb ddawnsio, ac ni ddawnsiant byth heb ganu; ac ni feddant ond un gair am gân a dawns.*[1] Dyma ddynoliaeth wedi aros bron iawn fel yr oedd yn y dechreu.

197. Nid yw'n ymddangos fod gan dylwythau anwar fel hyn fawr grap ar diwn—aflafar ydyw eu canu; ond y maent yn cadw amser *yn berffaith.*[2] Amlwg yw bod pob cydweithrediad yn amhosibl heb gadw amser, a bod cadw amser yn amhosibl heb symudiadau rheolaidd yn ol mesur neu fydr. Ac, wrth reswm, rhaid i'r geiriau a genir gyd-symud â'r ddawns, a chadw curiadau ei mydr hi. Ar fyr, *un peth* oedd cân a thôn a dawns ar y dechreu; ac *un* nodwedd sy'n gyffredin iddynt, sef symudiad rheolaidd, neu fydr. Ac na thybier mai rhywbeth croes i natur yw egwyddor mydr; y mae symudiadau rheolaidd mor naturiol i ddyn â bod ei fywyd wedi ei seilio arnynt yng nghuriad ei galon. A chan mai'r un natur sydd i bawb o'r llwyth, gall y lliaws *gyd*-symud fel un; ac yn hynny darganfyddant wynfyd mawr. Yn y *cyd*-fwynhad, pan ymgyll yr un yn y lliaws, y mae rhyw gyfaredd a dyrchafiad ysbryd. O'r cytgord hwnnw y ganed cân.

198. Nid gwaith neb mwy na'i gilydd oedd y geiriau a genid, ond cynnyrch y cylch oll. Yr oeddynt oll ar yr un lefel ac yn debyg iawn i'w gilydd; yr oedd eu hamgyffredion yn gyfyng, a'r un meddwl ynddynt oll. Bwrier mai ar ol diwrnod llwyddiannus o hela y cyfarfyddant: onid profiad pawb yw "Dálfa fáwr a gáwsom héddyw"? Efallai na ddaw'r ymadrodd ar unwaith i fydr perffaith fel yna, ond wedi praw neu ddau fe ddaw—y mae'r iaith newydd mor ystwyth; ac fe ail-adroddir y geiriau drosodd a throsodd. Yna, ond odid, fe gofir sut y bu: "Gwých y lláddodd Gwýn y búal"; ac yna, efallai, "Gwých y lláddodd Llẃyd yr élain"; ac felly 'mlaen, gyda llawer o "trála, lála," neu

---

[1] Gummere, *Beginnings* 95-6 (ei italeiddiad ef).   [2] Eto 101-2.

rywbeth cyffelyb. Ac weithiau fe efelychid y digwyddiadau wrth draethu amdanynt. Yng ngair y *profiad* y mae hedyn y delyneg; yn yr *adroddiad* y mae hedyn y gerdd hanes; ac yn yr *efelychiad* y mae hedyn y ddrama.

199. Ym mhen amser, gyda datblygiad y ddynoliaeth, y mae gwahaniaethau personol yn amlycach, a cheir bod ambell un yn barotach na'i gilydd â geiriau cyfaddas; ac y mae'r mydru beth yn anos erbyn hyn, am fod yr iaith yn dechreu caledu tipyn dan awdurdod traddodiad. Fe gân un ei eiriau'i hun ar fydr y ddawns, ac etyb y lleill mewn cytgan. Ond o'r diwedd y mae'r mydrydd medrus yn ymddidoli o'r llu, ac yn eu troi'n wrandawyr mud arno ef; fe ddaeth y *bardd* i fod. O ymarfer â'i ddawn y mae'n cyrraedd effeithiau rhyfedd; fe 'mgasgl o'i gylch ryw urddas a dieithrwch fel un mewn cyfathrach â'r byd anweledig. Fe gofir ei ganiadau; ac fe ddaw eraill ar ei ol o gyffelyb ddawn i efelychu ei effeithiau a chreu rhai newydd. Ac felly y cyfyd celfyddyd barddoniaeth, ac urdd neilltuedig o feirdd yn ei phroffesu; dewisant trwy reddf y ffurfiau mwyaf effeithiol; canfyddant nodweddion y ffurfiau hyn, a thrwy hynny gwelant pa fodd i'w cynyrchu; ac fe dyf cydddealltwriaeth a thraddodiad ynghylch yr egwyddorion a'r rheolau. Nid pethau i'w datguddio i bawb oedd y rhain, ond cyfrinach y grefft. Mor ddiweddar â'r unfed ganrif ar bymtheg yr oedd beirdd Cymru, medd Dr Gruffudd Robert, "yn cadw i celfyddid yn ddirgel, heb i damlewychu i neb, oddieithr i ryw ddyscybl a dyngo na ddysco moni i neb arall, ne i ymbell ŵr bonheddig a addawo ar i onestrwydd i chadw yn gyfrinachol;" [1] a huawdl y traetha Dr John Dafydd Rhys am ei helbul yntau dipyn yn ddiweddarach yn ceisio gwybodaeth gan y beirdd am eu celfyddyd.

200. Nid ymddengys bod y llwyth a ddisgrifiwyd, § 196, erioed wedi esgyn yn uwch na'r gris cyntaf yn y raddfa,

[1] G.R. 206.

sef i un o'r cylch ganu rhyw linell, ac i'r lleill ei ateb. Ond ymysg cenhedloedd y byd yn gyffredinol fe ddatblygodd celfyddyd barddoniaeth yn y modd y ceisiwyd ei olrhain yn fras uchod. Eithr yn eu mysg hwythau fe ddaliodd y cylch i ddawnsio a chanu ar ol i'r bardd awenyddol ymneilltuo, a pharhaodd dawns a chân ymysg y werin hyd yr oesoedd diweddar. Fe ganfuwyd yn fore hefyd fod canu'n ysgafnhau'r lludded pan unai llawer mewn gorchwyl o symudiadau rheolaidd ac undonog; ac fe luniwyd llawer cân ar fydrau'r gorchwylion hyn. Ond hyd yn oed ymysg y werin ni lynodd cân yn dynn wrth y ddawns a'r gorchwyl a roes fod a ffurf iddi. Deuthant i hoffi canu er ei fwyn ei hun. Ond cadwai'r gân ei dulliau cynhenid; y mae'r canu gwerinol, fel y gwelsom, § 96, yn dwyn llawer o nodau'r canu cyntefig, megis ail-adrodd parhaus, cân a chytgan, seiniau di-ystyr, a mydr rhwydd, ond yn cadw'r curiadau'n rheolaidd.

3. Mydr yn ffurf Hanfodol.

201. Am na fedr dyn roi ei feddwl ar unwaith ar fydr, hyd yn oed y symlaf, fe dyb llawer mai cloffrwym yn unig yw pob ffurf fydryddol; ni chanfyddant fod modd i beth sy'n amlwg yn rhwystr fod yn ddim cymorth i neb. Ond cymorth mawr ydyw, er hynny.[1] Fe rwystra i ddyn roi ei feddwl ar lawr yn y geiriau cyntaf a ddaw i'w ben; ond mantais i'r bardd yw hynny. Yn lle'r gair cyffredin, y gair a'i hawgryma'i hun gyntaf iddo ef fel i bawb arall, rhaid i'r prydydd gael rhyw ymadrodd amgen, rhywbeth *anghyff-redin*; ac fel y gwelsom yn helaeth, wrth ymdrin â throadau a ffigurau, y mae llawer ffordd o draethu'r un meddwl sylfaenol. Rhaid i'r mydrydd amrywio'r ffordd gyffredin; a'r gwahaniaeth rhwng rhigymwr a bardd ydyw bod y naill yn fodlon ar ymadrodd *gwaelach* na'r cyffredin er mwyn ei

---

[1] "Verse to the true poet is no clog. It is idly called a trammel and a difficulty. It is a help."—Leigh Hunt, *Eng. Crit. Essays*, td. 326.

fydr, a'r llall yn troi o gylch y meddwl nes cael hyd i'r
ffordd wych o'i draethu. Y mae'r peth sy'n faen tramgwydd
i'r naill yn esgynfaen i'r llall.

202. Fe all caethiwed ffurf fod o gyffelyb gynhorthwy
hyd yn oed i'r rhyddieithydd. Crybwylla Arglwydd Morley,
yn ei draethawd ar Macaulay, y rheolau a roes Comte iddo'i
hun i sgrifennu rhyddiaith : nid oedd yr un frawddeg i fod
yn hwy na dwy linell o'i lawysgrifen ef, neu bum llinell o
brint ; nid oedd yr un paragraff i gynnwys mwy na saith
o frawddegau ; nid oedd bwlch i fod rhwng dau baragraff ;
ac nid oedd yr un gair ond y geirynnau cynorthwyol i'w
ail-adrodd mewn dwy frawddeg nesaf at ei gilydd. Wedi
cynefino â'r iau newydd, medd Arglwydd Morley, fe gâi ei
bod yn arwain i welliannau parhaus ac annisgwyliadwy,
hyd yn oed yn y meddwl, ac fe ganfu mai'r rheswm pam y
mae mydr yn fath uwch o berffeithrwydd llenyddol na
rhyddiaith ydyw ei fod yn gaethach.

203. Nid dieithr i'r beirdd y profiad yna ; y maent hwy'n
gynefin â—

Chwilio am air, a chael mwy,

fel y dywad Islwyn yn ei fawl i'r gynghanedd.[1] I'r anfedrus
a'r di-ddawn nid yw'r caethiwed a'i gyr oddiar y drosfa
gyffredin ond rhwystr noeth, ac ni all ond bustachu mewn
corsydd a phyllau ; ond fe wyr y gwir awenydd y ffordd i
erddi iaith a dychymyg, ac yno fe gaiff eiriau a meddyliau
na freuddwydiodd amdanynt o'r blaen. Fe ddaw iddo
ymdeimlad o ddyrchafiad a brwdaniaeth enaid ; ac y mae'r
geiriau a'r meddyliau'n llithro i'w lle yn y ffurf a ddarparwyd
iddynt. Nid rhyfedd i'r hen feirdd honni mai ysbrydoliaeth
y dduwies a alwent yn awen oedd y nwyd a gymerai feddiant
fel hyn ohonynt ; ac nid rhyfedd i'w cyfoedion eu credu gan
mor odidog oedd yr ymadroddion a draethent. Ond o'r
ymdrech â chaethiwed mydr, ac o orfoledd yr oruchafiaeth

---

[1] *Gwaith Barddonol,* 421.

arno, y tarddai'r angerdd hwn ; o allu plygu'r iaith i ffurf
y mydr, a chael bod i'r geiriau a'r meddyliau wychter na
ddychmygwyd amdano cyn yr ymdrech.　Y gwychter hwn
ydyw nodwedd gwahaniaethol barddoniaeth.　Fe ellir ei
ddynwared mewn rhyddiaith ; ond pa mor llwyddiannus
bynnag y dynwarediad, dynwarediad fydd.　Galwer ef yn
"rhyddiaith farddonol" os mynnir ; ond na alwer mono'n
farddoniaeth.　Fe ellir trin cotwm i edrych fel sidan ; ond
nid sidan fydd.　Ni cheir sidan ond o we'r sidanbryf, ac ni
cheir barddoniaeth ond o roi geiriau ar fydr.　Mydr a
wnaeth ac a wna farddoniaeth yr hyn ydyw.

204. Ac megis mai gorfoledd y bardd ydyw darganfod
y modd i wisgo'i feddwl mewn geiriau gwych sydd ar yr un
pryd yn ateb holl ofynion ei fydr, felly y mae'r uniad hapus
hwnnw, wedi ei gwneler, yn ffynhonnell o fwynhad am byth
i ninnau.　Cymerer fel enghraifft un o'r penillion a
ddyfynnwyd eisoes :

> Dwyn ei geiniog dan gwynaw,
> Rhoi angen un rhwng y naw.

Onid yw'n rhyfeddod parhaus bod y geiriau hyn yn clymu
fel y maent ?　Nid eu bod yn mynegi teimlad y bardd yn
berffaith sy'n rhyfedd, ac nid eu bod mewn cynghanedd
berffaith chwaith, ond bod y ddau berffeithrwyd yn cyd-
gyfarfod ynddynt.　Yn hyn y trig eu cyfaredd, ac ni cheir
mo'r swyn arbennig hwnnw mewn rhyddiaith pa mor
"farddonol" a seinber bynnag fo.　" Y mae'n syn," medd
Taine, " fel y gall dwy sain gyffelyb ar ddiwedd dwy linell
o'r un hyd gysuro'r trallodion mwyaf."　Fe ddywedir llawer
gwir yn hanner cellweirus.

205. Y mae rhyw effaith boddhaol ac argyhoeddiadol yn
y cyfuniad o ymadrodd gwych a chytgord sain ; nid yw fel
peth wedi ei *wneuthur* yn gymaint â pheth wedi ei *ddar-
ganfod,* megis ped fai'n bod erioed ond i'r bardd gael hyd
iddo a'i ddatguddio.　Rhyw ddarn o brydferthwch wedi ei

ennill inni ydyw, ac ni ollyngir mono i golli: fe fydd byw
cyhyd â'r iaith.

206. A'r hyn sy'n hynod yw mai o angenrheidiau mydr
y tardd y cwbl: "hwy a geisiasant allan felystra cerdd," [1]
ac yn y cais hwnnw y cawsant y geiriau awenyddol. Ieuad
cymharus sydd yma; y mae perthynas organaidd rhwng yr
ymadrodd a'r ffurf. Ac felly y gwedda'r naill mor hardd
i'r llall: y mae llawer o addurniadau iaith a meddwl na
chartrefant yn hapus ond mewn mydr; ac y mae mydr heb
awen yn ddiflas.

207. Fe welir yn awr paham y deil yr athrawon a'r beirdd
y golygiad—

> Nid yw pob peth a blethir
> O'r un waed â'r awen wir. [2]

Nid mydryddiad cain na mynegiad gwych a wna farddon-
iaeth, ond *cyfuniad* y ddau yn yr un geiriau. Fe bair mydr
drwy ei gaethiwed i rai draethu diflastod ac ynfydrwydd
ynddo; ond fe all lwybreiddio'r bardd i froydd hudol, lle
caiff eiriau a meddyliau a drysorir byth.

Rhywiau Mydr.

208. Egwyddor mydr yw symudiad rheolaidd, a'i sail yw
curiadau cyfrifedig. [3] Fe drefnir y geiriau'n llinellau,
weithiau o'r un hyd oll, sef â'r un nifer o guriadau; weithiau
o ddwy gyhydedd bob eilwers; neu o fwy na dwy, mewn
rhyw drefn osodedig, yn ol patrwm y mesur. Fe rennir
pob llinell, oni bydd yn fer iawn, yn ddau hanner, neu
weithiau'n dri thraean; ac yn gyffredin y mae dau neu dri
churiad, weithiau un, ym mhob hanner neu draean llinell,
neu mewn llinell fer.

---

[1] Ecclesiasticus xliv 5. [2] *Caniadau Caledfryn* 161.
[3] Wrth "guriad" y golygir, nid pob ysgogiad, fel mewn miwsig, lle
dywedir bod nifer o guriadau yn y bar, ond yr ysgogiad a fydd a phwys
arno; nid pob sillaf, ond y sillaf dan drawiad y mydr—un ym mhob bar.

209. Y mae gwahanol fathau ar fydr yn ol gwahanol ddulliau'r ieithoedd o acennu. Yn y Saesneg hen a diweddar, ac yn y Gymraeg, fe acennir sillaf drwy roi mwy o bwys arni, neu ei swnio'n fwy grymus na'r sillafau eraill yn y gair; a lle gwneir hynny y duedd naturiol yw trefnu'r sillafau acennog i ddyfod dan guriadau'r mydr. Ond mewn iaith fel yr hen Roeg, trwy godi'r cywair yr acennid sillaf, ac nid effeithiai hynny ar y symudiad; y peth amlycaf yn y symudiad oedd amrywiaeth hydau'r sillafau, a thrwy eu trefnu'n ol eu hydau y cedwid amser y mydr.

210. Yn yr hen Saesneg yr oedd y pwys ar y sillaf acennog yn drwm iawn, ac os ceid dwy sillaf acennog yn eglur ym mhob hanner-llinell nid oedd fawr fater pa faint o sillafau diacen a geid rhyngthynt neu o'u blaen neu ar eu hol. Tybiai Coleridge, wrth ganu *Christabel* yn y dull yna, ei fod wedi darganfod egwyddor newydd mewn mydryddiaeth! Ond dyma nid yn unig y dull hynaf o fydru yn Saesneg, ond y dull y mydrwyd holl farddoniaeth Hebraeg yr Hen Destament ganrifoedd cyn Crist. Rhoi'r sillaf acennog dan y curiad ydyw egwyddor sylfaenol barddoniaeth Saesneg fyth (fel canu rhydd yn Gymraeg); ond yn y cyfnodau diweddar y mae'r sillafau ysgafn yn dyfod yn fwy rheolaidd—un yn gyson rhwng y curiadau, neu ddwy'n gyson, yn ol rhediad y mydr. Ac wedi arfer ohonom â llyfndra'r mydrau newydd fe ymddengys yr hen yn gloff.

211. Yn yr hen fydrau Groeg fe gymerid y sillaf oedd dan guriad y mydr gyda'r sillafau cyfagos i ffurfio bar (neu "droed," fel y gelwir ef—enw'n tarddu o hen gysylltiad y gerdd â'r ddawns[1]); ac fel rheol fe wneid y llinell o fariau o'r un hyd. Ond wrth fesur hydau fe gyfrifid dwy sillaf

---

[1] Dyfeisiodd Iolo Morganwg yr enw "corfan" arno; ond nid 'llinell fer' (*cor fan*) ydyw "troed." Y mae "bar" yn addasach term, ac yn syml a dealladwy. Ond nid yw'n union yr un peth â bar mewn miwsig, lle mae'r acen bob amser ar y nodyn cyntaf; mewn barddoniaeth y mae safle'r curiad yn y troed neu'r bar yn amrywio.

fer yn gyfartal i un hir, ac felly fe geid llinellau o'r un hyd
mydryddol yn amrywio yn nifer eu sillafau. Fe fenthyciwyd
y mesurau Groeg gan y beirdd Lladin ; y mae'n amlwg bod
gan y Lladinwyr well clust na ni at hyd sillafau er mai
pwys oedd sail yr acen yn eu hiaith hwythau ; ond ym-
ddengys mai mydrau acennog oedd yr *hen* fydrau Lladin.

212. Yn yr hen Gymraeg (o'r chweched i'r ddegfed
ganrif, dyweder), wrth bwys yr acennid sillafau fel yn awr ;
ond ar y sillaf olaf y disgynnai'r pwys fel rheol yn y
cyfnod hwnnw, nid ar y goben (sef yr olaf ond un) fel yn
awr. Er enghraifft fe seinid *dybryd* neu *fynydd* yn debyg
i'r modd y dywedwn ni *dy brŷd* neu *fy nŷdd* ; fe erys yr hen
aceniad mewn rhai geiriau fel *myfi̇́, tydi̇́, yrháwg.* Ond yr
oedd mwy o bwys ar y sillaf ddiacen nag y sy'n awr, neu
lai o wahaniaeth rhwng y ddiacen a'r acennog.[1] Fel mewn
ieithoedd eraill ag acen bwys, diau mai acennog oedd
mydrau'r hen Gymraeg ; ond gan fod y sillafau diacen yn
weddol drymion ynddi hi, ni ellid bod mor ddibris ohonynt
ag ym mydrau'r hen Saesneg. Felly, er mai nifer y cur-
iadau a reolai'r mydr, eto'r oedd llinellau â'r un nifer o
guriadau yn tueddu i gynnwys yr un nifer o sillafau ; ac
o'r diwedd daeth cyfrif sillafau'n rheol cyhydedd, § 224.

213. Y mae'n debyg mai'r mydr hynaf yn ieithoedd y
byd ydyw'r un a gynnwys ddau guriad yn yr hanner-
llinell, sef pedwar yn y llinell. Ym marddoniaeth hynaf
yr ieithoedd Ariaidd, sef hymnau cynnar y *Rigveda* Sanscrit,
a ganwyd rywbryd tua 1500 cyn Crist, fe geir penillion
o linellau o bedwar curiad yn gymysg â rhai o chwech ;
ond fe dybir mai amrywiadau yw'r rhain o hen fesur
o bedair llinell o bedwar curiad bob un, sydd i'w gael yn

[1] Rhaid bod digon o bwys ar y goben i gadw'r gwahaniaeth rhwng
cytsain sengl ac un ddwbl ar ei ddiwedd ; er engbraifft fe gadwyd y
gwahaniaeth rhwng *cynnŷdd* (yn awr *cŷnnydd* 'increase') a *cynŷdd* (yn
awr *cŷnydd* 'huntsman'), a phob cyfuniadau cyffelyb. Ymhellach,
rhaid bod y ddwy sillaf olaf wedi mynd yn gytbwys **at** ddiwedd y cyfnod,
cyn i'r pwys symud oddiar y naill ar y llall.

yr hymnau hynaf, ac a elwir *anustubh*.[1] Os troir i'r
Hebraeg, fe dyb y Dr. Buchanan Gray mai'r llinell o
bedwar curiad oedd y mydr hynaf, gan ei bod yn gyffredin
i'r Hebraeg a'r Assyriaeg, ac felly mai amrywiadau diwedd-
arach yw'r hydau cyffredin o chwe churiad (yn ddau dri),
neu o bump (yn dri a dau).[2] Yn yr ieithoedd Ffinn-Ugrig
ni wn fod dim hŷn na'r *Kalevala*, hen gerdd draddodiadol
y Ffinniaid ; y mae hon oll ar y mydr pedwar curiad yn
ei ffurf symlaf o wyth sillaf i'r llinell, ac ohoni hi y cymerth
Longfellow fydr *Hiawatha*. I ddychwelyd at ieithoedd
Ariaidd gwelsom, § 210, mai llinell o bedwar curiad oedd
yn hen fydr Saesneg. Y mae'r mydr hwn yn gyffredin
iawn mewn canu gwerinol, ac fe ganwyd llawer o hymnau
Lladin arno, yn lle ar y mesurau clasurol. Dyma fydr ein
hen benillion telyn ninnau :

> Dácw dálcen | tý Huw Kýffin,
> Dácw fláenau | dólydd dýffryn,
> Dácw dý | f'ewyth Róbert Púw,
> Nid áwn i ýno | ýn fy mýw.[3]

Dengys y ddwy linell olaf y gall y llinell ddiweddu'n
acennog, neu ddechreu'n ddiacen : yr elfen ddigyfnewid
yw'r pedwar curiad. Ac nid damwain yw mai pedair
llinell sydd yn y pennill : fe genir penillion difyfyr pedair
llinell ym mhob gwlad yn Ewrop, ac mewn llawer man
ar hyd y byd.[4] Er mai *esiamplau* mwy neu lai diweddar
yw'r penillion sy gennym yn Gymraeg, eto y mae'n debyg
bod y *ffurf* (4 curiad yn y llinell, 4 llinell yn y pennill) yn
draddodiad hynafol ymysg y werin.

214. Ond er mai'r llinell bedwar curiad yw'r hynaf oll

---

[1] E. V. Arnold, *The Rigveda* (Nutt's Popular Studies) td. 9-10. Yn
yr hen hymnau fe geir yn gyffredin sillaf fer a hir bob yn ail, nes bod
llinell o 4 curiad yn cynnwys 8 sillaf. Nifer sillafau'r *anustubh* yw 8, 8, 8, 8.
[2] *Forms of Hebrew Poetry*, 239.   [3] T. ii 172.
[4] " In Welsh, in Italian, French, and Spanish, in Lithuanian, in Hun-
garian, in Roumanian, Greek, Russian, Polish . . . even in Syrian, in
Malay, and such distant languages."—Gummere, *Beg.* 418.

ond odid, eto fe geid y llinell chwe churiad gyda hi'n fore iawn, fel y gwelsom. Llinell felly'n rhannu'n ddau dri neu bedwar a dau yw *hexameter* y clasuron; a mydr felly'n ddïau oedd ffurf wreiddiol paladr englyn. Fe geir hefyd linellau tri churiad, fel yng "Ngwaith Gwen Ystrad" Taliesin,[1] ac amryw o benillion y Gododdin; tebyg mai hanner llinellau chwech yw'r rhain, neu oeddynt ar y dechreu.

MYDR, CYTSEINEDD AC ODL.

215. Mewn mydrau fel yr hen rai Groeg, lle'r oedd pob bar yn fesuredig, a nifer penodol ohonynt ym mhob llinell, yr oedd pob curiad yn syrthio'n naturiol i'w le, a phob llinell yn diweddu yn ei hamser; ond mewn hen fydrau acennog fe ddefnyddir llawer o gyfatebiaethau sain i amlygu curiadau, ac i nodi diwedd symudiad neu linell. O'r cyfatebiaethau hyn y tyfodd y gynghanedd Gymraeg.

216. Y mae cyfatebiaethau sain o ddau fath : (1) cyfatebiaeth cytseiniaid, sef *cytseinedd,* yr hyn a elwir weithiau'n "glec"; (2) cyfatebiaeth sillafau, sef *odl* ; mewn odl y mae llafariad a chytsain (neu gytseiniaid) diweddol y sillafau'n cyfateb. Pan fo'r llafariaid yn amrywio, a'r gytsain (neu'r cytseiniaid) diweddol yn cyfateb, fe geir hanner odl, sef *proest.*

217. Y mae'r cyfatebiaethau hyn yn lled gyffredin mewn hen fydrau acennog, a hynny mewn ieithoedd perffaith ddieithr i'w gilydd. Y mae *Kalevala*'r Ffinniaid yn llawn o gytseinedd, ac fe geir cryn lawer o odli achlysurol ynddi, yn enwedig mewn cwpledau o linellau cyfochrog megis—

> *T*uóni *t*óisi *t*úllessansa,
> *M*ánalainen *m*átkassansa.[2]

---

[1] CY. xxviii 161 ; B.T. 56-7.

[2] C. N. E. Elliott, *Finnish Grammar,* Oxford, 1890, td. 244. Y mae yn y gerdd eiriau diystyr wedi eu llunio er mwyn cynghanedd, td. 229.

Y mae'n hysbys bod llawer o gytseinedd yn yr hen ganu
Lladin, ac fe aeth drosodd i'r canu clasurol—y mae
Lucretius er enghraifft yn frith ohono.[1]   Y mae odl yn
gyffredin yn y farddoniaeth Ladin hynaf, ac yn nodweddu
canu Lladin acennog y werin erioed ; ac o hwnnw y daeth
i'r hymnau Lladin.   Hyd yn oed yn y mydrau clasurol y
mae mwy o odli nag a dybir yn gyffredin.[2]   Mewn
barddoniaeth Hebraeg hefyd fe geir odl, ond yn achlysurol
iawn ; eithr y mae un o'r darnau cân hynaf yn yr Hen
Destament, sef cân Lamech, Gen. iv 23-4, yn nodedig am
ei odlau.[3]   Y mae barddoniaeth yr Arabiaid yn llawn
o odlau ; ac fe dybid un adeg mai oddiyno y daeth odl i
Ewrop.   Ond y mae cyfatebiaethau sain yn hynafol mewn
mydrau acennog, ac yn amlwg wedi codi'n naturiol
ynddynt mewn gwahanol barthau o'r byd.   Lle caffer
hwynt mewn ieithoedd o'r un cyff gallant fod yn hen
draddodiad.   Yr ieithoedd sy'n perthyn nesaf i'r ieithoedd
Celtaidd yw'r tylwyth Eidalaidd ; ac fe geir odl *a* chyt-
seinedd yn yr hen Lladin fel yn yr hen Gymraeg a'r hen
Wyddeleg.[4]   Y tebyg yw mai etifeddiaeth ydynt yn y
Gymraeg o'r hen Frythoneg, ac na fenthyciodd yr hen
Gymry monynt gan Arabiaid na neb arall.

218. Yn yr hen fydr Saesneg fe ddefnyddid cytseinedd
yn helaeth iawn i amlygu'r curiadau, ond achlysurol yw
odl.   O'r pedair sillaf acennog sy dan bedwar curiad y
llinell, y mae cytsain flaen y drydedd (sef y gyntaf yn yr
ail hanner-llinell) yn cyfateb bob amser i gytsain flaen un
o'r ddwy yn yr hanner cyntaf.   Weithiau y mae'r tair
cyntaf yn cyfateb, fel hyn :

Béowulf wæs bréme | bláed wide spráng.

---

[1] Yn ei *Alliteratio Latina*, 1921, fe gais y Prifathro W. J. Evans brofi
bod y curiadau'n cytseinio trwy gydol barddoniaeth Ladin glasurol.

[2] Gummere, *Hdb.* 153.

[3] *The Forms of Hebrew Poetry*, td. 236 ; nid yw cytseinedd yn gyffredin
yn Hebraeg, td. 128.

[4] Gweler, er enghraifft, Zeuss, *Gram. Celt.*, 1871, td. 962.

Fe all y gyntaf gyfateb i'r drydedd, a'r ail i'r bedwaredd ;
neu'r ail i'r drydedd, a'r gyntaf i'r bedwaredd ; ond
gwaherddir i'r drydedd gyfateb i'r bedwaredd.   Yn aml ni
chyfetyb ond yr ail a'r drydedd, megis—

> Hi híne tha atbǽron | to brímes fárothe.

Yn yr hen ganiadau Cymraeg fe geir llawer o'r un peth ;
ond yma y mae'r drydedd yn cyfateb i'r bedwaredd yn
fynych.   Dyma ddwy linell gyntaf " Gwaith Argoed
Llwyfain " Taliesin :

> Bore dúw Sadẃrn | cad fáwr a fú
> Ó'r pan ddwyre héul | hýd pan gynnú.[1]

Ond fe hoffai'r beirdd Cymraeg gael cytsain flaen y *gair*
i ateb hefyd, ac felly gario'r gyfatebiaeth yn ol i ddechreu'r
bar, fel hyn :

> Digáwn | gwofál || gofánn | 'i órdd.[2]

Nid yw cyfatebiaeth yr ail far i'r trydydd fel yna ond
" cynghanedd braidd gyffwrdd "; ond os cyfatebai'r cyntaf
i'r trydydd, a'r ail i'r pedwerydd, fel hyn :

> Neu péir | Pen Annẃfn, || pẃy | 'i fynúd.[3]

fe geid " cynghanedd groes ", a gwelir yn amlwg paham y
gelwir hi felly.[4] Ac os cyfatebai'r cyntaf i'r trydydd mewn
llinell o dri churiad, fel hyn :

> Can cád | a thorrí | can cáer,[5]

fe geid " cynghanedd draws ".

219. Yn wahanol iawn i'r hen farddoniaeth Saesneg yr
oedd yr hen farddoniaeth Gymraeg yn llawn o odlau ; hyd
y gallwn olrhain ei hanes yn ol yr oedd yn rhaid i ddiwedd
pob llinell ynddi odli â diwedd rhyw linell arall, ac yn aml

---

[1] CY. xxviii 156 ; B.T. 60.
[2] CY. eto 108 ; B.T. 7.   Darlleniad y llawysgrif ydyw "Digawn gofal y
gofan gord"; ond nid oedd *g-* yn y gair *gordd* mewn hen Gymraeg ; a
thebyg fod yr *y* wedi ei chamleoli.   [3] B.T. 55.
[4] *Crossed alliteration* yw'r term a ddyfeisiwyd i nodi'r peth mewn hen
ganu Saesneg, Kaluza, *Eng. Versification*, 1911, p. 117.   [5] R.P. 1043.

fe geid rhes o linellau'n diweddu oll â'r un odl. Nid oedd yr odl bob amser yn berffaith ; fe ganiateid, er enghraifft, i -*awg* odli ag -*awd* ; ac weithiau, er nad yn fynych, fe geid proest yn lle odl. Gelwir yr odl, a'r sillaf odledig, ar ddiwedd llinell yn *brifodl*, ac weithiau'n fyr *yr odl*.[1]

220. Ond nid nodi diwedd llinell oedd yr unig ddefnydd a wneid o odl ; fe'i harferid hefyd i nodi diwedd hanner-llinell weithiau, gweler uchod, § 102 ; neu yn lle cytseinedd i ddangos y curiad yng nghanol llinell. Galw sylw at sillaf a wna cytseinedd ac odl fel ei gilydd—cytseinedd at ei dechreu, fel *tr*wm, *tr*aeth ; ac odl at ei diwedd, fel tr*wm*, pl*wm*. Gan mai ar sillaf olaf gair y syrthiai'r acen mewn hen Gymraeg, ac mai'r sillaf olaf a odlir, fe wasanaethai odl cystal a chytseinedd i dynnu sylw at y curiadau. Yn yr enghreifftiau a ganlyn y mae'r ail a'r trydydd curiad yn y llinell yn cyfateb trwy odli :

(Ys) atebẃys Owéin, | dwyréin ffosáwd.[2]

Cyd fei dá 'i flás, | 'i gás bu hír.[3]

Heblaw cysylltu'r ail a'r trydydd curiad ag odl fel yna, ambell dro fe gysylltid y trydydd a'r pedwerydd hefyd â chytseinedd, fel hyn :

Yn ymḃẃyn | arf grýd | *gw*rýd | *gw*riáf.[4]

Ardwyéi | Waetnérth | y(n) gérth | o'r *g*ád.[5]

Mewn llinell o dri churiad fe geid odl yn aml rhwng y cyntaf a'r ail, ac weithiau fe geid cytseinedd hefyd rhwng yr ail a'r trydydd, megis—

Ef gorsâf | yng *ng*wriâf | yng *ng*wriáwr.[6]

Am giniáw | dryláw | drylénn.[7]

---

[1] Fel yn yr ymadrodd "proest i'r odl." Gynt "yr awdl" a ddywedid, ac nid yw *odl* ond ffurf wedi ei chymryd o'r lluosog *odlau*. Ond y mae'r gwahaniaeth rhwng *odl* ac *awdl* cyn hyned beth bynnag â G.R. (1567) ; ac y mae'n gyfleus, ac felly'n werth ei gadw.

[2] CY. xxviii, 156, B.T. 60. [3] B.A. 4.22.

[4] Eto 15.6. [5] Eto 33.9.

[6] Eto 3.12. [7] Eto 24.16.

Pan fai odl a chytseinedd yn clymu fel yna mewn llinell o
bedwar neu o dri churiad, fe geid y ffurf a elwir yn
" gynghanedd sain ".   Lle bai'r curiad cyntaf a'r trydydd
yn odli a'r ail a'r pedwerydd yn cytseinio, fe geid y ffurf
a elwir yn " gynghanedd sain gadwynog ".

221. Lle bai'r curiad olaf heb gyfatebiaeth (peth oedd,
fel y gwelsom, yn rheol yn Saesneg), fe geid y cyngan-
eddion a elwir yn " bengoll ". Er enghraifft lle bai cytseinedd
rhwng y cyntaf a'r trydydd, heb ddim rhwng yr ail a'r
pedwerydd, fe geid " cynghanedd draws bengoll " ; a lle
bai'r cyntaf a'r ail yn odli, a'r ail a'r trydydd yn cytseinio,
heb gyfatebiaeth yn y pedwerydd, fe geid " cynghanedd
sain bengoll " ; fel hyn :

> Blwyddýn | bu llewýn | llawér | cerddáwr.[1]

Yr oedd cynganeddion pengoll fel hyn yn gyffredin iawn
yn yr hen gyfnod, ac ym marddoniaeth y gogynfeirdd ;
ond fe ddeuthpwyd i glywed megis cam gwag lle diweddai'r
gynghanedd cyn diwedd y llinell, ac yn y mesurau caethion
nid arhoes cynghanedd bengoll ond ar ddiwedd paladr
englyn.

222. Nid yn y sillafau acennog yn unig y ceid cyt-
seinedd yn yr hen gyfnod ; byddai'r hen feirdd, fel y
gwelsom, yn estyn y gyfatebiaeth i ddechreu'r gair neu'r
bar. Yn wir, fe ddigwydd yn fynych mai yn y sillafau diacen
ar ddechreu'r bar yn unig y ceid cyfatebiaeth, megis—

> Cenéu | Cyndrẃyn | cyndyniáwg.[2]
> Wŷr | ni fegýnt | fygyliáeth.[3]
> Ni chêl grúdd | cystúdd | calónn.[4]

Weithiau fe gytseinia sillaf acennog â sillaf ddiacen yn
nechreu'r bar olaf, megis—

> Mi nid áf | anáf | ni'm gád.[5]
> A dylifád | cád | cylchẃy.[6]

Pan fo'r gyfatebiaeth yn y sillaf o flaen y curiad fel yna,
gellir ei galw'n "gyfatebiaeth *ragflaenol*". Fe'i ceir nid
yn unig mewn cytseinedd, ond mewn odl hefyd, fel hyn :

Ar rýd | Forlás | y llas Gwén.[1]
Gwr gwíw uch 'i amlíw séirch | a roddéi féirch i eirchéid.[2]

Wrth ddangos y curiadau ag odlau fel hyn, yr oedd yn
rhaid i'r olaf ddyfod *o flaen* y brifodl, i arwain iddi ; felly
mewn gair o fwy nag un sillaf yr oedd yr odl olaf yn y
goben.[3] Hon yw'r unig gynghanedd a gadwyd yn y
Llydaweg ; fe'i ceir ym mhob llinell o ganau Llydaweg
Canol gan mwyaf, ac â thair neu bedair odl mewn llinellau
hirion.[4] Yn Gymraeg, wedi i'r acen symud ar y goben, yr
oedd y gyfatebiaeth yn fwy effeithiol :

A róddei féirch i éircheid ;

ac fe barheir i'w harfer dan yr enw "cynghanedd lusg".[5]

223. Yn yr hen gyfnod fe ddefnyddid y cyfatebiaethau'n
rhydd ; fe gymerid odl neu gytseinedd yn ol fel y bai
cyfleus ; neu fe gymerid cyfuniad ohonynt, a hynny yn y
drefn a fynnid, nid trefn y gynghanedd sain yn unig.
Nid oedd yn rhaid dechreu cytseinedd yn nechreu'r llinell,
na'i chario i ddiwedd bar na llinell. Yn aml ni cheid ond
un cyffyrddiad ysgafn o gyfatebiaeth, ac y mae llawer o
linellau heb yr un heblaw'r brifodl, megis yn yr hen englyn-
ion a gopïwyd yn y nawfed a'r ddegfed ganrif i ysgriflyfr
Juvencus. Ond yng nghyfnod y Gogynfeirdd (rhwng
1100 a 1300) fe aeth y beirdd i ddefnyddio cyfatebiaethau
fwyfwy ; yr oedd yn rhaid eu cael ym mhob llinell, a'u
cael yn helaeth ; dechreuwyd dethol y cyfuniadau mwyaf

---

[1] R.P. 1037. [2] CY. xxviii 187 ; B.T. 68.
[3] Ar y sillaf olaf yr oedd yr acen, ond yr oedd honno'n cynnal y brifodl ;
ac ni ellid dyfod yn nes ati na'r goben. Felly tra saif yr odlau eraill dan
y curiadau, *arwain* (neu *lusgo*) i'r curiad olaf a wna hon.
[4] Gweler digon o esiamplau yn y Detholion ar ddiwedd *Llawlyfr
Llydaweg Canol* yr Athro Henry Lewis.
[5] Hen enw'n tarddu'n ddïau o'r hen aceniad, cf. nodyn 3 uchod.

effeithiol, a pherffeithio'r rheini; ac fel yna, o gynghanedd rydd yr hen gyfnod y tyfodd cyfundrefn y gynghanedd gaeth.

224. Er mai'r curiadau oedd yn cyfrif, yr oedd nifer y sillafau hefyd yn lled gyson yn yr un mesur yn y cyfnod hynaf, § 212. Tua diwedd y cyfnod hwnnw, pan oedd yr acen yn gwanio ar y sillaf olaf ac yn cryfhau ar y goben, rhaid bod y sillafau'n gytbwys; ac i gael y llinellau'n gyfunhyd yr oedd yn rhaid cadw cyfrif manylach o'r sillafau. Ac felly, fel yn y Ffrangeg â'i sillafau cytbwys, fe ddaeth cyfrif sillafau'n rheol cyhydedd, ac fe'i cedwir ar y cyfan gan y Gogynfeirdd. Yna, yn y gynghanedd gaeth, am nifer y sillafau a chyf-atebiaethau y gofelid yn bennaf; mewn cynghanedd groes, er enghraifft, yr oedd yn bwysig cael y ddwy brif acen i gyfateb, § 236, ond ni lwyr esgeulusid y curiadau eraill hyd y cyfnod diweddar. Mewn pennill o wawdodyn neu hir-a-thoddaid, er enghraifft, y mae pedwar curiad y mydr gwreiddiol i'w cael yn weddol reolaidd yn y llinellau. Mewn hydau byrrach y mae mwy o amrywiaeth; yn llinellau'r cywydd fe geir nifer y curiadau'n chware rhwng tri a phedwar; ond y mae'r bardd yn gynefin â phob aceniad posibl yn yr hyd, ac fe genfydd ar unwaith os bydd sillaf yn eisiau neu'n ormod yn y llinell. Y mae nifer y sillafau diacen rhwng y rhai acennog yn amrywio, ond ni wiw bod gormod ohonynt gyda'i gilydd, § 464. Fel hyn fe gad yn y gynghanedd rythm llai undonog na rhythm y mesurau rhyddion, ac yn ennill mewn grym yr hyn a gyll mewn llyfnder. Yn y mesurau rhyddion fe osgoir undonedd trwy ystumio'r mydr, megis rhoi cref a gwan mewn bar yn lle gwan a chref.[1] Y mae amrywiaeth mewn unrhywiaeth fel yna'n ddymunol yn yr aceniad, ac fe'i ceir yn y gynghanedd nid er ei gwaethaf ond o'i bodd. Yn llaw ei

---

[1] Er enghraifft, yn llinell gyntaf Coll Paradwys "Of mán's | fírst dis|obéd|ience," fe geir '˘ yn lle ˘' yn yr ail far.

meistriaid fe all symudiad naturiol y gynghanedd fod yn urddasol iawn.

225. Ond nid yw ei rhythm mor amlwg â rhygyngiad y mesurau rhyddion, ac ni fedr y cyffredin wneuthur nemor ohoni ar bapur. Er hyn, y mae'n ddiameu y gallai'r beirdd gynt swyno'u gwrandawyr â hi, ac fe'i mwynheir eto gan gynulliad o Gymry pan ddarllener hi i ddwyn allan ei miwsig. Ond ni wyddai'r lliaws gynt mwy nag yn awr pa fodd y cynyrchid ei heffeithiau. Celfyddyd oedd hi, wedi ei meithrin a'i pherffeithio gan feirdd proffesedig, ac ni fynnent i bawb wybod eu cyfrinach. Dynion dysgedig oeddynt, wedi eu hyfforddi gan eu hathrawon yn y gelfyddyd, ac yn rhoi hyfforddiant i'w disgyblion. Ac nid y gynghanedd a'r mesurau oedd unig bynciau eu dysgeidiaeth ond priodoldeb iaith ac ymadrodd, gramadeg a rhetoreg.

226. Fe ddaeth y traddodiad hwn, a'r grefft fel galwedigaeth, i ben yn yr ail ganrif ar bymtheg; ond ni bu'r diddordeb yn y gelfyddyd farw'n llwyr, fel y gwelir wrth ragymadrodd Siôn Rhydderch i'w ramadeg a gyhoeddwyd yn 1728. Ond oni bai i Lewis Morris annog Gronwy Owen i afael ynddi,[1] y mae'n amheus a wybyddai nemor un fawr amdani erbyn heddyw. Trwy athrylith Gronwy fe ddaeth bywyd newydd iddi, ac yn y bedwaredd ganrif ar bymtheg fe ddenwyd llawer i'w harfer. Dynion cyffredin oeddynt gan mwyaf, a'r cwbl yn hollol amddifad o hyfforddiant yr hen grefftwyr. Ond yr oeddynt yn deall hanfodion y gynghanedd, ac yr oedd gan rai ohonynt athrylith; ac iddynt hwy yr ydym ni yn yr oes hon i ddiolch am drosglwyddo i ni'r adnabyddiaeth *fyw* ohoni— sail ein holl wybodaeth amdani a'n hyfrydwch ynddi.

---

[1] Gr.O. 172, *Letters* 18. Cf. "The worthy deceased [L.M.] had endeavoured to revive a taste of the ancient Bards, . . . and a few persons have of late, by his encouragement and direction, become great proficients in the art, particularly the late Rev. Messrs. *William Wynne* and *Gronwy Owen*," I.B.H. ieu. 92, yn y fl. 1765.

Llyfrau'r Athrawon.

227. Ar dafod leferydd y dysgai'r hen athrawon, ond bu
rai ohonynt yn ceisio rhoi egwyddorion y gelfyddyd ar
ddu a gwyn, ac y mae eu cyfarwyddiadau ar gael mewn
llawysgrifau a llyfrau printiedig. Y gwaith hynaf a ddaeth
i lawr i ni, ac efallai'r cyntaf a sgrifennwyd, ydyw *Cerdd-
wriaeth Cerdd Dafawd*, traethawd bychan ar y llythrennau,
sillafau, elfennau gramadeg, mydryddiaeth, beiau, etc.,
gyda thrioedd cerdd. Y mae ynddo ddisgrifiad llawn o'r
mesurau, ond ni chyffyrddir â'r gynghanedd. Cysylltir ag
ef enwau Einion Offeiriad a Dafydd Ddu Athro o Hiraddug ;
y tebyg yw mai Einion a'i hysgrifennodd gyntaf, rywbryd
ar ol 1322, ac i Ddafydd Ddu ei olygu ac efallai helaethu
ychydig arno dipyn yn ddiweddarach.[1] Y mae pedwar
copi ar gael ar femrwn, fel y canlyn :

A = Llyfr Coch Hergest, col. 1117–1142, heb deitl, ond
    yn dechreu â'r testun "Pedeir llythyren arhugeint
    kymraec yssyb," etc. Oed y llsgr. : tua'r fl. 1400.

B = Llanstephan MS. 3, dal. 472–504, yn dechreu â'r teitl
    "Kerbwryaeth kerb dauawt yw hynn "—dalen neu
    ddwy ar y diwedd ar goll. Llsgr. o'r un cyfnod.

C = Peniarth MS. 20, td. 305–350, heb deitl ; y diwedd
    (trioedd) yn annarllenadwy. Tua 1440 ?

D = Bangor MS. 1 ; heb ddechreu na diwedd ; amherffaith,
    ac â'i ddalennau allan o bob trefn. Ymddengys yr
    ysgrifen yn hŷn na C.

Y mae'r ddau gopi hynaf, A a B, yn weddol gytûn, y ddau
eraill yn amrywio mwy, ac y mae llawer o amrywiaethau yn
y lliaws copïau diweddarach ar bapur. Argraffodd Ab Ithel
y gwaith yn 1856 dan y teitl anghywir *Dosparth Edeyrn
Dafod Aur* o gopi a wnaethpwyd yn 1832 o un arall a
gymerwyd yn 1821 o gopi yn llaw Iolo Morganwg ! Yr
oedd Iolo wedi coginio rhagymadrodd Dosbarth Edern yn

<hr />

[1] Gweler Ifor Williams, *Y Beirniad* v 130–3, CY. xxvi 127.

ei ddull ei hun, ac wedi ei roi o flaen gwaith Einion.[1]
" Dosbarth y llythyrennau " [2] yw Dosbarth Edern—gwaith
ffug-hynafol o'r unfed ganrif ar bymtheg.[3]   Y mae mewn
llawysgrifau ramadegau eraill, megis *Cyfrinach Beirdd Ynys
Prydain* ; y mae copi o hwn, gwaith llaw Gutun Owain yn
y fl. 1455, yn Llanstephan MS. 28, ac fe welir felly mai
lladrad yw'r teitl a roes Iolo ar ei ffug-ddosbarth ei hun.
Y traethawd sy'n cynnwys yr eglurhad hynaf a mwyaf
deallus ar y gynghanedd yw *Pump Llyfr Cerddwriaeth*
Simwnt Fychan ; fe'i hargraffwyd gan Ab Ithel, yng
nghyfrol *Dosparth Edeyrn*, o drydydd copi, er bod y copi a
sgrifennodd Simwnt â'i law ei hun cyn 1575 ar gael ymysg
llawysgrifau Coleg Iesu yn Rhydychen.[4]   Y mae mwy o
hysbysrwydd wedi ei gasglu ynghyd yng ngramadeg
Dr. John Dafydd Rhys, 1592 ; ond nid oedd y casglwr ei
hun ond yn hanner deall y pwnc, ac ni ellir ymddiried yn
ei ddiagramau na'i enghreifftiau bob amser.   Fe gyhoedd-
wyd crynodeb o'r rheolau gan y Capten Wm. Middleton
yn 1593, llyfryn prin dros ben, ond fe geir adargraffiad
ohono yn y *Flores* (F. 59–80).

228. Y mae'n amlwg yr ystyrrid ac y penderfynid
rheolau'r gynghanedd yn gystal â'r mesurau yn yr hen
eisteddfodau ; [5] yn ol yr hen nodion fe gyfyngwyd peth
arni yn Eisteddfod Caerfyrddin yn 1451 ; cytunwyd ar
" reolau Tudur Aled " yng Nghaerwys yn 1523 ; ac ym-
ddengys y bu ychydig o gyfyngiadau dibwys arni yno yn
1568.   Fe geir y rheolau yn ol deddfiadau'r Eisteddfod
honno yn llyfr Simwnt.   Y mae casgliad J.D.R. yn
cynnwys gwahanol haenau, wedi eu cael gan amryw feirdd,
a'u trefnu heb ddealltwriaeth o'u hanes na'u gwir ystyr.

---

[1] Cymharer rhagymadrodd Iolo yn *Dosp. Ed.* Ab Ithel â'r hen eiriad yn
S.R. 39, lle nid oes air o sôn am " Lywelyn " nag " Arglwydd Penrhaith
Morgannwg " na "rhaith gwlad."

[2] Pen. 157/5 ; 158/5.   [3] CY. TR., 1923-4, pp. 1 ff.

[4] R. ii 40.   [5] G.R. 272.

Y mae llawer o gynnwys y ddau lyfr yn ail-adroddiad
o ddiffiniadau a rheolau hŷn.

229. Adargraffiad go drwsgl a didrefn o brif ddef-
nyddiau J.D.R., gyda chwanegiadau o W.Mn. a rhyw fân
loffion eraill, ydyw rheolau mydryddol gramadeg S.R. 1728.
Tua diwedd y ganrif honno fe wnaeth Dafydd Ddu Eryri
grynodeb trefnus o'r prif reolau; y mae copi ohono yn ei
ffurf gyntaf yn y Llyfrgell Genedlaethol, ac ymddengys
wrth nodyn yn hwnnw i'r awdur anfon copïau sgrifenedig
i feirdd i gael eu barn arno cyn ei gyhoeddi.[1] Ar glawr
Y Greal, Meh. 21, 1807, y mae "Hysbysiad" yn addo
gramadeg o waith R.D., "gyda Rheolau Barddoniaeth gan
D. Thomas"; ond pan ymddangosodd y llyfr yn 1808,
gyda'r rheolau, nid oedd ynddo air o sôn am D.T. Yr
oedd R.D. wedi amrywio'r geiriad[2] a newid y rhan fwyaf
o'r enghreifftiau, ac yna, yn ol ei syniad ef o anrhydedd,
nid oedd dim yn galw am iddo gydnabod y cynlluniwr.[3]
Ond y cynllun, sef y detholiad a'r trefniant, oedd yr unig
elfen o wreiddioldeb yn y gwaith, ac ni wnaeth R.D. ond
cymryd hwnnw bron fel yr oedd. Fe newidiodd fanylion,
ac y mae cyfnewidiadau "gwreiddiol" yn yr ail a'r trydydd

---

[1] J. H. Davies, *N.L.W. Catalogue of MSS.* i, td. 71-2. Yr ysgrif yw
22-B, copi David Saunders, Merthyr (wedyn); y teitl "CYFRINACH Y
BEIRDD wedi ei ddwyn i'r amlwg: neu Reolau Prydyddiaeth Gymraeg ...
Gan D. Thomas." Y nodyn y cyfeirir ato yw cais y "cyfansoddwr" am
ddarlleniad manwl a nodi beiau: "nid oes disgwyliad iddo fod yn agos i
berffaith, oblegyd dyma'r tro cyntaf yr ysgrifennwyd ef."
[2] Dechreua D.T. â dyfyniad o ragymadrodd R.J. i'r G. (3ydd **td.**, ail
bar., hyd "achos"), ond nid oes dyfynnodau ond ar ddiwedd y dyfyniad,
ac ni welodd R.D. mai dyfyniad oedd. Dechreua'r dyfyniad: "Y Gymraeg
yn ol adeilad ei Barddoniaeth sy'n rhagori ... ar bob iaith arall ..."
Dechreua R.D. "Adeilad barddoniaeth Gymraeg sydd yn rhagori ... ar
bob iaith ... arall." Trwy newid er mwyn newid fe wnaeth i *adeilad*
ragori ar *iaith*. Y mae'r ymgais i aralleirio'r rhelyw o'r dyfyniad yn
ddigrifol o drwstan, R.D., 1808, td. 128. Ymysg cyfnewidiadau eraill yn
y llyfr fe droes bob *sillaf* yn *sill*.
[3] Gweler sylwadau D.T. ar ei ymddygiad yn BR. v 335, mewn llythyr
at John Jones, Ramoth, Meh. 25, 1808; dyma ddau ddyfyniad: "er na
arferodd ef hwynt [y rheolau] air yn air, tebygol eu bod yn rhyw râdd o
gynnorthwy iddo"; "—rhoddi gwth i'r cwch ... ar ol croesi'r borthfa."

argraffiad, a'r rheini'n gyfeiliornus.[1]   Yn y ddau argraffiad
o eiriadur T. Richards a gyhoeddwyd yn 1815, yn Nhrefriw
a Dolgellau, fe geir yr un detholiad wedi ei adlunio, o ran
trefniant a geiriad, ar sail crynodeb W.Mn., ac yn y ffurf
hon y mae'n fwy grymus a diwastraff; nid enwir mo'r
awdur, ond tebyg mai cynnyrch aeddfed D.T. ei hun
ydyw hwn.[2]   Beth bynnag, ei waith ef, wedi ei newid gan
R.D. a'i ddiwygio yng ngeiriadur Richards, oedd prif
sail yr hyn a sgrifennwyd ar y gynghanedd yn y ganrif
ddiwaethaf.

230. Nid hawdd fyddai *deall* yr hen lyfrau, chwaethach
dysgu'r gelfyddyd ohonynt, heb gryn gydnabyddiaeth â'r
hen farddoniaeth gaeth ei hun.   Ynddi hi y ceir yr
egwyddorion mewn gweithrediad ; ac o'i chwilio fe enillir
gwybodaeth gliriach a llawnach amdanynt nag a allai'r
hen athrawon ei chyfleu yn eu cyfarwyddyd.   Yn y
dadansoddiad a ganlyn o'r gynghanedd fe ddefnyddir rhai
termau newyddion, yn bennaf er mwyn dangos gofynion
yr aceniad yn gliriach.   Fe ddilynir y dosbarthiad a
wneuthum o'r ffurfiau yn yr erthygl *Welsh Versification* yn
y *Zeitschrift für celt. Phil.* yn 1902, a'r daflen a argraffwyd
ar gyfair darlithiau i Gymdeithas Lengar Lerpwl yn
1904.

---

[1] Gweler isod §§ 322, 451 (2), 545 Nodiad 1.

[2] Yn y llythyr uchod at J.J., beia D.T. ar R.D. am arfer *pa un, pa rai*, etc., yn lle *yr hwn, y rhai*, etc. ond fe wnaeth hynny ei hun yn y copi cyntaf o'i reolau.   Yn rheolau 1815 y mae'r bai wedi ei gywiro.   Glynir hefyd wrth hen ffurfiau fel *sillaf*.   Ni wn i pwy oedd yn fyw ar y pryd a allai wneuthur y gwaith hwn ond D.T.

IV. Y GYNGHANEDD GAETH

231. Gellir rhannu'r cynganeddion yn dri dosbarth, fel y canlyn:

1. *Cynghanedd Gytsain,*[1] yn cynnwys cytseinedd yn unig ;
2. *Cynghanedd Sain,* yn cynnwys odl a chytseinedd ;
3. *Cynghanedd Lusg* yn cynnwys odl yn unig.

I. Cynghanedd Gytsain.

232. Cynghanedd gytsain yw cyfatebiaeth cytseiniaid yn nau ben y llinell. Y mae tri amrywiaeth ohoni yn ol y graddau y bo'r cytseiniaid cyfatebol yn ymestyn dros y llinell, sef y *Groes,* y *Draws,* a'r *Groes o Gyswllt.*

Y Gynghanedd Groes.

233. Yn y Gynghanedd Groes fe rennir y llinell yn ddwy ran, ac y mae cytseiniaid y rhan gyntaf yn dilyn yn yr un drefn yn yr ail ran, fel hyn:

Teg edrych | tuag adref[2] :   *t g dr* | *t g dr*

Gelwir diwedd y rhan gyntaf " yr orffwysfa," a diwedd yr ail ran " y brifodl," gweler § 219. Y mae'r ddwy ran yn terfynu'n wahanol—y rhan gyntaf yn yr esiampl uchod ag *-ch,* a'r ail ran ag *-f.* Gweler ymhellach ar y pwynt hwn yn §§ 445–452 isod.

234. Nid digon bod dwy gyfres o gytseiniaid yn dilyn ei gilydd yn yr un drefn : rhaid eu trefnu hefyd fel y bo diwedd y ddwy gyfres yn cytseinio'n gyffelyb o gylch y

---

[1] *Cynghânedd gytseiniânawc* yw term J.D.R. 254, 256.
[2] IL., fel y tybir.

sillaf acennog olaf yn nwy ran y llinell; gellir galw'r ddwy sillaf hyn yn ddwy "*brif acen*" y gynghanedd. Y rheol gyffredinol yw hon: rhaid i'r gytsain a ddêl *o flaen y brif acen* gyfateb bob amser; ac os bydd y llinell yn diweddu'n ddiacen, rhaid i'r cytseiniaid ar ol yr acen gyfateb hefyd. Fe ddaw'r egwyddor yn gliriach wrth gymryd esiamplau o'r gwahanol aceniadau a ddigwydd. Gan y gall yr orffwysfa a'r brifodl fod yn acennog *neu*'n ddiacen, y mae pedair ffurf o gynghanedd groes yn bosibl yn ol yr aceniad, ac o'r pedair y mae tair yn arferedig.

☞ Yn yr enghreifftiau isod dangosir yr orffwysfa â llinell unionseth |, a rhoir ´ uwchben llafariad y brif acen, ac ˘ uwchben llafariad sillaf ddiacen a'i dilyno. Yn y dadansoddiadau dangosir y cytseiniaid cyfatebol â llythrennau italig; dodir – i gynrychioli llafariad pob sillaf; gadewir allan y lled-lafariaid, ond dynodir bwlch neu wegni â dotyn, fel hyn –·–

235.—i. Y ffurf *gytbwys acennog*,[1] lle mae dwy ran y llinell yn terfynu yn y ddwy brif acen. Yn y ffurf hon rhaid i'r holl gytseiniaid cyfatebol ddyfod o flaen y brif acen yn yr orffwysfa a'r brifodl; fel hyn:

Gwelant óll ǀ galon eu tád [2]	*g–l–nt*´ll|*g–l–n–t*´d
Rhoi angen ún ǀ rhwng y náw [3]	*rh*–·–*ɷ–n*´n|*rh–ɷ–n*´
Yr ydwyf í ǀ ar dy fédd [4]	–*r–d–f*´|–*rd–f*´ᵹ
Oed i'r gwr hẃn ǀ drugarháu [5]	–*d–rg–rh*´n|*dr–g–rh*´
Ewyllys Dúw ǀ yw lles dýn [6]	–·–*ll–sd*´|–*ll–sd*´n
Treulio'r óes ǀ trwy wylo'r ẃyf [7]	*tr–l–r*´s|*tr*–·–*l–r*´f
Y llwybrau gýnt ǀ lle bu'r gẃn [8]	–*ll–br–g*´nt|*ll–b–rg*´n

236. Weithiau y mae'r cytseiniaid yn cyfateb yn y sillafau acennog trwy'r llinell nes atgynyrchu effaith y groes wreiddiol o bedwar curiad (§ 218), fel hyn:

Bréuddwyd ǀ ýw ‖ ebrẃydded ǀ óes.[9]
Dúgiaid ǀ béilch ‖ dýgwyd ǀ i'w bédd.[10]

---

[1] Defnyddir *cytbwys* gan J.D.R., 260, mewn *disgrifiad* o gyfatebiaeth acen, ond nid wrth *enwi*'r ffurfiau.
[2] T.A. c. ii 77. [3] D.W. 109. [4] W.Ll. 233. [5] T.A.
[6] S.T. [7] I.D 35. [8] I.B.H. ieu. 51. [9] D.G. 203.
[10] D.I.D. G. 183.

Ond nid yw hyn yn angenrheidiol; yn hytrach fe gâr y
beirdd amrywiaeth trefn i'r llafariaid o fewn unrhywiaeth
trefn y cytseiniaid, megis—

Heb gael 'i wáed | a heb gláis [1] $h-bg-l-\cdot\acute{\leq}d|-h-byl\acute{\leq}s$
Byw ar drí | brodyr o Iál [2] $b-\cdot-rdr\acute{\leq}|br-d-r-\cdot\acute{\leq}l$

Fe welir nad oes raid i'r gytsain olaf yn y gyfres ddyfod
yn union o flaen llafariad y brif acen yn yr un o'r ddau
hanner-llinell, eithr gall llafariad arall ddyfod rhyngthi
a'r acen. Geilw Simwnt Fychan y gynghanedd hon yn
" groes anhydyn " P.IL. lxxvii, a'r enghraifft a rydd ef yw—

Mae pláid | y mab hael o'i wín: $m-pl\acute{\leq}d|-m-p-l-\cdot\acute{\leq}n$

Ond er y gellir amrywio'r cyfryngau llafarog fel hyn
rhwng y cytseiniaid, rhaid gofalu bod y gytsain olaf o'r
gyfres gyfatebol yn dyfod *o flaen* y llafariad acennog yn
yr orffwysfa a'r brifodl. Yn y brif acen y mae'r gynghan-
edd yn dyfod i bwynt—y gyfres oll yn arwain iddi, a'r
anghytgord yn toddi o'r diwedd mewn cytgord ynddi.

237. Yr oedd cyfatebiaeth cytseiniaid blaen sillafau
acennog yn ffynnu yn y cyfnod bore, fel y gwelwyd uchod;
parhad o'r gyfatebiaeth honno sydd yma, a rhes o gyfateb-
iaethau rhagflaenol (§ 222) yn arwain iddi, a chrynhoi'r
effaith ar ddwy sillaf bwysig y llinell. Pan dorrer y rheol
fe geir y bai a elwir " crych a llyfn ": yr enghraifft a ddyry
Simwnt [3] o'r bai yw—

Huw Conwy frý, | hy cawn fárn: $h-c-n-fr\acute{\leq}|h-c-nf\acute{\leq}rn$

Yma y mae r o flaen y brif acen gyntaf, ac f o flaen yr ail.
Ni cheir mo'r bai hwn yng ngwaith y beirdd awdurol; neu
os ceir, y mae dilysrwydd y llinell yn amheus, megis yn
D.G. (22):

Os cas óedd | eſgus y ddŷn: $-sc-s\acute{\leq}b|-sg-s-\delta\acute{\leq}n$

238.—ii. Y ffurf *gytbwys ddiacen*, lle mae sillaf ddiacen ar
ddiwedd *dwy* ran y llinell. Yn y ffurf hon y mae'r brif acen

---

[1] I.B.H. F. 8.   [2] T.A. G. 233.   [3] P.IL. xcvii.

yn y goben ; rhaid i'r holl gytseiniaid o'i blaen gyfateb fel
uchod, a hefyd y gytsain neu'r cytseiniaid a fo rhwng
llafariad y goben acennog a'r llafariad ddiacen ar y diwedd ;
fel hyn :

Os d'éiriäu | a ystýriäf[1] $-sd\acute{-}r\grave{-}|-.-sd\acute{-}r\grave{-}f$
Ni chrédîr | nychu'r ýdŵyf[2] $n-chr\acute{-}d\grave{-}r|n-ch-r\acute{-}d\grave{-}f$
Eithr ángäu | a aeth rhýngŏm[3] $-thr\acute{-}n\grave{-}|---thr\acute{-}n\grave{-}m$
Wedi tráwstĕr | daw trístŵch[4] $-d-tr\acute{-}sd\grave{-}r|d-tr\acute{-}sd\grave{-}ch$
Einioes échnŏs | yn Sýchnänt[5] $-n-s\acute{-}chn\grave{-}s|-ns\acute{-}chn\grave{-}nt$
Ag i hénglĕirch | gwahángläf[5] $-g-h\acute{-}ngl\grave{-}rch|g-h\acute{-}ngl\grave{-}f$
Mynýddfläidd | manẅéiddflĕŵ[6] $m-n\acute{-}\delta fl\grave{-}\delta|m-n--\acute{-}\delta fl\grave{-}$

239. Lle diweddo'r sillaf acennog â llafariad neu ddeusain
yn y naill hanner i'r llinell, rhaid iddi ddiweddu â llafariad
neu ddeusain yn y llall.   Cyfatebiaeth *ddi*-gytsain yw hon,
a gall yr holl ddeuseiniaid ateb i'w gilydd, neu i lafariad
seml.   Fel hyn :

Ag aur éŏs | garúäidd[7] $-g-r\acute{-}.\grave{-}s|g-r\acute{-}.\grave{-}\delta$
Fod díĕithr | na fwytäŏ[8] $f-t\acute{-}.\grave{-}thr|n-f-t\acute{-}.\grave{-}$
Bardd áwĕn | bur a ddéäll[9] $b-r\delta\acute{-}.\grave{-}n|b-r-\delta\acute{-}.\grave{-}ll$
Ar 'i ddíwĕdd | i'r ddáeăr[10] $-r-\delta\acute{-}.\grave{-}\delta|-r\delta\acute{-}.\grave{-}r$
Llawn béiäu | oll yw'n býwỳd[11] $ll-nb\acute{-}.\grave{-}|-ll-nb\acute{-}.\grave{-}d$
Dant háeărn | dan y týwĕirch[12] $d-nt\acute{-}.\grave{-}rn|d-n-t\acute{-}.\grave{-}rch$

Gellir galw symudiad di-gytsain o sillaf i sillaf fel uchod
yn "fwlch."[13]

240. Lle ni bo'r cytseiniaid yn cyfateb o flaen ac ar ol
y goben acennog fel uchod, fe geir y bai "crych a llyfn."
Y mae'r bai i'w weled yn y llinell hon yn narlleniad G. 138
ac I.D. 78 :

Ydyw'r áchŏs | a'i dýrchăif $-d-r\acute{-}ch\grave{-}s|-d\acute{-}rch\grave{-}f$

---

[1] D.G. (39).   [2] I.B.H. F. 17.   [3] T.A. F.N. 154.
[4] I.T. ieu. F. 45.   [5] T.A. F.N. 143.
[6] Eto G. 248 ; gweler D.N. 189, II.A. 8.17.
[7] D.G. (109).   [8] I D. 74.   [9] I.T. ieu. F. 44.   [10] W.IL. 214.
[11] S.T. F. 35.   [12] T.A., i'r aradr.
[13] Yn Saesneg *hiatus.* Dynwarediad o sain hwn yw *dyhead* Iolo. Symud-
iad o lafariad seml i un arall, fel yn *ëos, dïeithr*, yw *hiatus.* Ond rhag
amlhau termau, gellir arfer "bwlch" i gynnwys y symudiad yn *diwedd*,
beiau, am nad yw lled-lafariaid fel *w*, *i* yn cyfrif mewn cytseinedd.

Buasai *drychaif* yn gywir ; y mae hon yn ffurf ddifai, ac yn digwydd (*drycheif* R.B.B. 144), ond ni ellir bod yn sicr i I.D. ei harfer os ef yw gwir awdur y llinell wallus—

Y márchŏg | sy mor úchěl [1] $-m\acute{-}rch\overset{\smile}{-}g|\varepsilon-(m-r\acute{-}ch\overset{\smile}{-}l$

Y mae llawer o'r bai hwn yng ngwaith L.G.C., megis—

A chaer églŭr | iwch, árglẃydd [2] $-ch-r\acute{-}gl\overset{\smile}{-}r|-ch\acute{-}rgl\overset{\smile}{-}\eth$

Ag i Rýdděrch | yn gérddăwr [3] $-g-r\acute{-}\delta\overset{\smile}{-}rch|-ng\acute{-}r\delta\overset{\smile}{-}r$

Fe all y camleoliad fod yn y sillaf olaf, fel hyn :

O frástěr | ef a rẃystrŏdd : [4] $-fr\acute{-}sd\overset{\smile}{-}r|-f-r\acute{-}sdr\overset{\smile}{-}\eth$

Mawr ddísgẃyl | Morfudd ddísglăir : [5] $m-r\delta\acute{-}sg\overset{\smile}{-}l|m-r-\delta\acute{-}sgl\overset{\smile}{-}r$

241. "Croes rywiog" ydyw'r hen enw ar y ddwy ffurf gytbwys, ac anfynych y gwahaniaethid hwynt fel y "ddyrchafedig" a'r "ddisgynedig." Gellir canu croes rywiog "wyneb a gwrthwyneb," fel y dywedid, hynny yw, pan newidir trefn dau hanner y llinell y mae'r gynghanedd yr un mor gywir. Er enghraifft :

Wyneb.	Gwrthwyneb.
Yr ydwyf í | ar dy fédd.[6]	Ar dy fédd | yr ydwyf í,
Wedi tráwstěr | daw trístẃch.[7]	Daw trístẃch | wedi tráwstěr.

242—iii. Y ffurf *anghytbwys ddisgynedig*, sef â gorffwysfa acennog a phrifodl ddiacen (ddisgynedig). Yr un rheol sydd i drefnu'r cytseiniaid yn hon ag yn yr ail ffurf : rhaid iddynt gyfateb *o flaen* y brif acen yn nwy ran y llinell, a rhaid i'r gytsain (neu'r cytseiniaid) sydd *ar ol* y llafariad acennog yn yr orffwysfa sefyll *rhwng* yr acennog yn y goben a'r ddiacen ar y diwedd. Fel hyn :

Gwanhau'r ẃyf | gan hir ófăl [8] $g-nh-r\acute{-}f|g-nh-r\acute{-}f\overset{\smile}{-}l$

Ymgel, Wén, | o'm galánăs [9] $-mg-l\acute{-}n|-mg-l\acute{-}n\overset{\smile}{-}s$

Mud a rýdd | ymadróddiŏn [10] $m-d-r\acute{-}\delta|-m-dr\acute{-}\delta\overset{\smile}{-}n$

Gwen dlós | ag anadl ísěl [11] $g-ndl\acute{-}s|-g-n-dl\acute{-}s\overset{\smile}{-}l$

Eryr gwýllt | ar war gélltỹdd [12] $-r-rg\acute{-}lld|-r-rg\acute{-}lld\overset{\smile}{-}\eth$

Canu'n áml, | cẃn yn ýmlïd [13] $c-n-n\acute{-}ml|c-n-n\acute{-}ml\overset{\smile}{-}d$

Afal Áwst | o felýstěr [14] $-f-l\acute{-}sd|-f-l\acute{-}sd\overset{\smile}{-}r$

[1] I.D. 54.   [2] L.G.C. 143.   [3] Eto 315.
[4] Eng. SV. o'r bai, P.IL. xcvii.   [5] D.G. 120.   [6] § 235.   [7] § 238.
[8] T.A. F.N. 150.   [9] D.G. (33).   [10] T.A. F.N. 144.
[11] B.Br. R. ii 77, 250, 589.   [12] W.IL. G. 294.   [13] D.G. (65).   [14] D.G. 321.

243. Lle bo'r orffwysfa acennog yn diweddu mewn llafariad neu ddeusain, rhaid i'r sillaf acennog yn niwedd y llinell ddiweddu'n ddi-gytsain hefyd, cymharer § 239; fel hyn:

Dy ras, Dúw, | dros y díăl [1]	$d–r–sd\overset{\cup}{-}\|dr–s–d\overset{\cup}{-}\overset{\cup}{\cdot}l$
A rhoi dá | i'r rhai díwăel [2]	$–rh–d\overset{\cup}{-}\|–rh–d\overset{\cup}{-}\overset{\cup}{\cdot}l$
Gwell i mí | golli 'mýwў̆d [3]	$g–ll–m\overset{\cup}{-}\|g–ll–m\overset{\cup}{-}\overset{\cup}{\cdot}d$
Gawr hái | ag orohíăn [4]	$g–rh\overset{\cup}{-}\|–g–r–h\overset{\cup}{-}\overset{\cup}{\cdot}n$

244. Ond lle bo'r orffwysfa'n terfynu â dwy gytsain nid rhaid bob amser ateb y ddwy yn y goben—fe ellir cario'r ail ymlaen i ail ran y llinell, fel hyn:

Na yrr d'óf̆n ar y dífĕilch [5]	$n–\cdot–rd\overset{\cup}{-}f\|n–r–d\overset{\cup}{-}f\overset{\cup}{-}lch$
Oreu mýd|r o ramádĕg [6]	$–r–m\overset{\cup}{-}d\|r–r–m\overset{\cup}{-}d\overset{\cup}{-}g$
A'r dyn crúp|l er doe'n crópiăn [7]	$–rd–ncr\overset{\cup}{-}p\|l–rd–ncr\overset{\cup}{-}p\overset{\cup}{-}n$
Er tál|m erioed dy wélĕd [8]	$–rt\overset{\cup}{-}l\|m–r–t–\cdot\overset{\cup}{-}l\overset{\cup}{-}d$
O Gaer Wén|t i gwrr Ánwīg [9]	$–g–r\overset{\cup}{-}n\|t–g–r\overset{\cup}{-}n\overset{\cup}{-}g$
Am y tán|t im i'w týnnŭ [10]	$–m–t\overset{\cup}{-}n\|t–m–t\overset{\cup}{-}n\overset{\cup}{-}$

Ni holltir mo'r cyfuniadau tynn *rdd, rth, rch, rff, lch, llt, st, sb, sg, nc, mp,* ac eithriadau prin sydd o hollti *nt.*

245. Fe gytunir yn awr nad oes doriad rhwng geiriau wrth siarad; [11] ac y mae'r *liaison*, sef rhediad geiriau i'w gilydd, yn amlwg yn y Gymraeg fel yn y Ffrangeg. Ac nid oes doriad yn yr orffwysfa; eithr *gorffwys* a wna'r llais ar y brif acen, fel hyn: "Na yrr d'*óf*- "; yna, heb doriad o gwbl, fe eir ymlaen: " -n͜ar y *díf*-eilch." Y mae'r gair yn yr orffwysfa'n unsillafog hollol, fel *ofn* hyd heddyw yn y Gogledd, a *Gwent, tant* trwy Gymru oll. I'w cadw'n unsillafog rhaid bod pwys mawr ar y llafariad; yna y mae'r gytsain olaf yn cydio'n naturiol â'r llafariad sy'n ei dilyn. Ac yn gyffredin y *mae* llafariad yn ei dilyn, fel yn yr enghreifftiau uchod; ond er bod hynny'n rhwyddhau'r

---

[1] T.A. G. 236.   [2] G.Gl. I.MSS. 316.   [3] T.A. F.N. 152.
[4] Gr.O. 41.   [5] T.A. C. i 338.   [6] D.G. (33).
[7] T.A. F.N. 144.   [8] Eto 151.   [9] L.G.C. 95.   [10] E.P. 205.
[11] Gweler, er enghraifft, Sweet, *Primer of Phonetics,* § 94.

ynganiad nid ystyrrir mono'n amod gaeth, canys fe geir
amryw eithriadau, fel—

Duw drachéf|u, da dyrcháfŏdd [1]   *d–dr–ch–́f|ud–d–rch–́f–̈b*

Dan gôr gwŷd|r dwyn gŵr gwáwd- *d–ng–rg–́d|rd–ng–rg–́d–̈r*
   äir [2]

Dawns o Bówl|s, doe'n ysbéiliẅyd [3] *d–ns–b–́l|sd–n–sb–́l–̈d*

Gan nad oes yn gyffredin ddim yn nechreu'r llinell i gyfateb
i'r gytsain a gerrir drosodd i ddechreu'r ail ran yn y llinellau
hyn, fe ddylid, i fod yn fanwl, restru'r gynghanedd yn
"draws" yn hytrach na "chroes"; ond efallai mai glynu'n
rhy dynn wrth ddiffiniad peiriannol o'r draws fyddai hynny;
ac fe geir gweled bod yr un trosglwyddiad i'w gael mewn
traws amlwg, § 265.

246. Y mae peth gwahaniaeth barn ynghylch tros-
glwyddo cytsain a safo ar ol llafariad. Ysgrifennodd Gutun
Owain—

Oes yr ú|n is yr áẅyr [4]   *–s–r–́|n–s–r–́.–̈r*

Condemnir hon gan Simwnt; [5] ac er bod gan Dudur Aled
un neu ddwy debyg iddi, megis—

Uwch uwch fó|ch o chewch fýwẏd *–ch–chf–́|ch–ch–chf–́.–̈d*

y mae'n ddiameu bod dedfryd Simwnt yn cynrychioli barn
a greddf y beirdd yn gyffredinol. [6]

247. Yng ngwrthwyneb i'r trosglwyddiad uchod fe ellir
cydio â'r orffwysfa acennog gytsain gyntaf y gair a fo'n
dilyn, megis—

Aros máen' S|yr Rhys Máwnsĕl [7] *–r–sm–́ns|–r–sm–́ns–̈l*

O dda mẃy n|i ddymúnẅn [8] *–δ–m–́n|–δ–m–́n–̈n*

Os daw hí, n|os da i'w hẃyneb [9] *–sd–h–́n|–sd–h–́n–̈b*

Fe'i cydir wrth lafariad neu ddeusain cyn amled neu'n

---

[1] T.A.   [2] G.Gr. D.G.G. 156.   [3] G.Gl. C. i 192.   [4] F.N. 130.
[5] Fel "kamgyfansoddiad mewn kynghanedd," P.IL. xcviii.
[6] Y mae enghraifft yn D.G. (7): "Â'u 'pwy óedd?' ym mhob héól."
Ond gall mai " Pwy yw " yw'r darlleniad i fod; cf. (22) ll. 14. Eithr yn
"A bóllt | benfras a bẅä" (63) y mae cyngh. bengoll, fel a geir mewn sain,
§ 338, os cywir y darlleniad.
[7] I.F.   [8] T.A.   [9] D.G. (59), cf. W.IL. 62.

amlach nag wrth gytsain arall; gweler chwaneg o enghreifftiau isod §§ 266, 274. Cynghanedd "gysylltben" y gelwir hon.[1]

248. Y mae "crych a llyfn" i'w ochel yn y ffurf hon fel yn y lleill. Enghraifft Simwnt[2] o'r bai yw—

Yn y dẃrn | yn dirýnnŭ   −n−d−́rn|−nd−r−́n−̆

Ac enghraifft o gamleoliad arall yw—

Beth yw grádd | byth i gérddŏr[3] b−th−gr−́δ|b−th−g−́rδ−̆r

249. Yr enw cyffredin ar y ffurf anghytbwys ddisgynedig yw "croes ddisgynedig" yn syml. Y mae hwn yn derm cyfleus, ac nid oes berigl ei gamgymryd am "groes *rywiog* ddisgynedig" (yr ail ffurf).

250.—iv. Y ffurf *anghytbwys ddyrchafedig*, sef â gorffwysfa ddiacen a phrifodl acennog. Er bod hon yn ffurf gyffredin iawn o'r gynghanedd sain, ni chydnabyddir moni mewn cynghanedd groes. A phan dybio neb ei fod yn canfod esiampl, megis—

Fwyn a diwair | f'enaid yw,[4]

fe all ameu'r darlleniad, neu ei ynganiad ei hun. Fe ddywedid *di-wáir* yn gystal â *díwair* gynt[5]; a chynghanedd groes o'r ffurf gyntaf (gytbwys acennòg) yw hon:

Fwyn a di-wáir | f'enaid ýw   f−n−d−·−́r|f−n−d−́

251. Ond fe geir ychydig bach o linellau lle rhoir yn y brifodl sillaf "gadarnleddf," sef un yn diweddu mewn *l* neu *r* ar ol cytsain arall, i gyfateb i ddwy sillaf yn yr orffwysfa, fel hyn:

Bwrw adámĕg | ewybr déml[6]   b−r−d−́m−̆g|−·−brd−́ml
A'u cyd-gýdiŏ, | coed a gwýdr[7] −c−dg−́d−̆|c−d−g−́dr

[1] J.D.R. 262.   [2] P.IL. xcvii.   [3] An.   [4] D.G. 321.
[5] Er enghraifft, "Mair, em *ddi-wáir*, mam Dduw Iôn," D.E. 117, cf. D.G. 306; "An-*ni-wáir* fu yn 'i oes," I.G. 384, F.N. 19; "Getid Mair *ddi-wáir* arab" § 291.
[6] ·D.E. 34, G. 116.   Er bod y dull cyn hyned â hyn nid ymddengys i D.N. ei arfer; rhywun yn newid ei waith yn ddiweddarach a wnaeth "Da osodiad hyd ei sawdl" G. 158, i odli â gair nad yw air—"gwasgawdl." Pennill D.N. oedd "Dwy did lle y dodid awdl, Dau dasel hyd 'i dwysawdl," D N. 83.   [7] W.IL. 30; cf. Gr.H. G. 101 (traws).

Ymddengys bod y dull hwn wedi ei seilio ar y gosodiad cyfeiliornus y gall sillaf gadarnleddf gyfateb i ddwy sillaf dalgron.[1] Ffrwyth twyll-ymresymiad ydyw. Y mae digon o ddiweddiadau fel "ddidwyll ddadl" gan Ddafydd ap Gwilym,[2] ond mewn cynghanedd sain bob tro; ac y mae'r aceniad yn rheolaidd mewn cynghanedd sain, § 296. Y mae'n ddealledig mai unsillafog yw geiriau fel *dadl* yn y gynghanedd a'i mesurau; ac y mae'n amlwg bod y llinellau uchod yn torri'r rheol na ellir canu croes ddisgynedig "wyneb a gwrthwyneb."[3] Ac yr oedd greddf y beirdd yn erbyn y ffurf hon hyd yn oed yn y cyfnod yr ystyrrid hi'n gyfreithlon.[4] Nid cof gennyf weled *un* ym miloedd llinellau Tudur Aled.

252. *Coll* n.—Ym mhob ffurf o'r gynghanedd groes rhaid i'r gyfatebiaeth gychwyn â'r gytsain gyntaf yn y llinell. Ond trwy hen oddefiad fe ganiateir i *n* sefyll yn y dechreu heb ddim i'w hateb; er enghraifft:

*N*i bydd gwír | heb addaw gwérth[5]	n–*b*–δ*g*–r|–*b*–δ–*g*–rth
A*n*llywódrặeth | a lládrặd[6]	–n*ll*–·–dr–th|–*ll*–dr–d
*N*a chwsg áwr | â chas gwíriặwn[7]	n–*ch*–*sg*–r|–*ch*–*sg*–r–n

253. Hefyd, pan na bo ond *n* yn unig ar ddechreu'r ail ran heb ei hateb ar ddechreu'r llinell, gellir cyfrif y gynghanedd yn groes, ac nid yn draws, am y rheswm y bydd y ddwy ffurf gytbwys yn gywir pan ganer hwynt

[1] P.LL. lxxix, C.B.Y.P. 193; yr enghraifft a roddir yw "Ag iaith hágr 'i gwaethýgù" [G.I.LL.F. 9], sef croes ddisgynedig a hollt yn yr orffwysfa. Nid ateb i ddwy sillaf a wna sillaf acennog yng ngorffwysfa'r groes ddisgynedig, ond ateb i'r goben acennog yn unig. Os seinir y sillaf gadarnleddf fel *un* sillaf, nid etyb i ddwy ond yn yr ystyr yr etyb *wyf* i *ófal*, etc. mewn cynghanedd ddisgynedig.

[2] Er enghraifft D.G.G. 8, 43, a phedair yn 73–4; gweler § 296 isod.

[3] Wm. Middleton, F. 65. Croes ddisgynedig yw "Coed a gwydr, a'u cyd-gydio"; a gwrthwyneb hon yw llinell W.LL. uchod.

[4] Prin y ceir hi cyn 1451. Y mae'r enghraifft a briodolir i Fadog Benfras yn D.G.G. 129 yn ddarlleniad amheus: y mae *grydoedd* yn debycach o fod yn *gryd oedd*; ac y mae *gryd* : *grwydr* yn iawn.

[5] I.F. F. 42.

[6] W.LL. 208.

[7] T.A. F. 19.

yn "wrthwyneb," canys hyn yw maen praw croes rywiog
(§ 241); er enghraifft:

Llwyth o'r cálch | yn llethu'r cóed [1]   ll–th–rc⁻lch|–nll–th–rc⁻d
Hardd léuăd | ni rydd léwўch [2]   –rδl⁻·⁻d|n–r–δl⁻·⁻ch
Bwy ni ŵyr | na bai'n órău [3]   b–n–·⁻r|n–b–n⁻r⁻
Drwy bóen | y newidia'r bу́d [4]   dr–b⁻n|–n–·–d–rb⁻d

254. Gelwir n ar ddechreu'r llinell fel uchod yn " n coll
y gyntaf," [5] neu " n wreiddgoll " [6]; a'r n goll ar ddechreu'r
ail ran yn " n ganolgoll." [7]

Y Gynghanedd Draws.

255. Mewn cynghanedd gytsain ni oddefir i'r un o'r
cytseiniaid ond n sefyll ar ddechreu'r llinell heb ei hateb;
ond fe all y gytsain a fynner, neu'r nifer a fynner, sefyll
felly ar ddechreu'r ail ran, sef *ar ol* yr orffwysfa, a *rhwng* y
ddwy gyfres gyfatebol. Pan ddigwyddo hynny fe geir
"cynghanedd draws." Y mae rheolau'r aceniad yn union
yr un fath ag yn y groes; yn wir, nid yw cynghanedd draws
ond cynghanedd groes a chyfwng rhwng ei dwy ran.

☞ Yn yr enghreifftiau a ganlyn fe roir llinell seth | fel o'r
blaen i ddangos yr orffwysfa, a llinell grom (i ddangos dechreu'r
ail gyfres o gytseiniaid cyfatebol. Yr hyn sydd rhwng y ddau
nod yna ydyw'r cyfwng y cyrchir y gynghanedd ar ei *draws*. [8]
Fel y gwelir wrth yr enghreifftiau, y mae'r ail gyfres yn
dechreu'n aml yng nghanol gair.

256.—i. Y ffurf *gytbwys acennog*:

Dagrau gwáed | ar (deg eiry gwу́n [9]   d–gr–g⁻d|–r(d–g–rg⁻n
A braich hír | fal (wybr uwch hául [10]   –br–ch⁻r|f–l(–br–ch⁻l
Hawdd i'r lláw | gy(huddo'r lláll [11]   h–δ–rll⁻|g–(h–δ–rll⁻ll
Gwae fi na báwn | dan (gefn bédd [12]   g–f–n–b⁻n|d–n(g–fnb⁻δ
Gan Ddúw | mae di(gon i ddу́n [13]   g–nδ⁻|m–d–(g–n–δ⁻n
Oreu gwáith | a Chym(raeg wén [14]   –r–g⁻th|–ch–m(r–g⁻n
Llaw Ddúw | a'n dyco (lle'dd ŵyt [15]   ll–δ⁻|–nd–c–(ll–δ⁻t

[1] D G. (72).   [2] Gr.O. 91.   [3] D.E. F. 23.   [4] W.IL 130.
[5] F. 65; J.D.R. 258t9.   [6] Eto 259 ll. 1.   [7] Eto 259
[8] "A *thrawsi* drostynt i gyrchu Cynghânedd," J.D.R. 259.
[9] D.G. (43); *eiry* yn un sillaf.   [10] Eto (49).   [11] T.A. F. 4.
[12] Eto F.N. 150.   [13] W.IL. 18.   [14] Gr.O. 51.   [15] Eto 53.

257. Lle bo'r orffwysfa ar y sillaf gyntaf o'r llinell, fel na bo dim yn cynganeddu rhwng honno â'r olaf, gelwir y gynghanedd yn " draws fantach "; er enghraifft :

Drúd | yr adwaenwn dy (dró[1] $dr\overset{\frown}{-}d|-r-d-n-nd-(dr\overset{\frown}{-}$
Dúg | fy nau lygad o (dẃyll[2] $d\overset{\frown}{-}g|f-n-l-g-d-(d\overset{\frown}{-}ll$
Pén | ar yr haelion a'u (párch[3] $p\overset{\frown}{-}n|-r-rh-l-n-(p\overset{\frown}{-}rch$

A hyd yn oed pan fo'r orffwysfa ar yr ail sillaf, oni bydd " ond un clo cyngan, a'r canol yn adwy wag," [3] megis—

I'w lýs | yn cael gwin o'i (law[4] $-l\overset{\frown}{-}s|-nc-lg-n-(l\overset{\frown}{-}$

Ond nid yw'r draws fantach i'w dirmygu er ei henw; y mae'n effeithiol pan fo'r aceniad yn cyfleu ergyd y meddwl, megis—

Dúw | a ddaeth ato'n rhith (dŷn[5] $d\overset{\frown}{-}|-ծ-th-t-nrh-th(d\overset{\frown}{-}n$
Y dóeth | ni ddywai(d a ẃyr[6] $-d\overset{\frown}{-}th|n-ծ-\cdot-(d-\overset{\cdot\frown}{-}r$

258.—ii. Y ffurf gytbwys ddiacen :

Fal gwénnăwl | ar (fol gwánĕg[7] $f-lg\overset{\frown}{-}n\overset{\smile}{-}l|-r(f-lg\overset{\frown}{-}n\overset{\smile}{-}g$
Dy ẃynĕb | fal (od únnŏs[8] $d-\cdot\overset{\frown}{-}n\overset{\smile}{-}b|f-l(-d\overset{\frown}{-}n\overset{\smile}{-}s$
I'r sírỹf | a'r c(wrsériăid[9] $-rs\overset{\frown}{-}r\overset{\smile}{-}f|-rc(-rs\overset{\frown}{-}r\overset{\smile}{-}d$
Críniŏn | yw cein(ciau'r éiniŏes[10] $cr\overset{\frown}{-}n\overset{\smile}{-}n|-c-n(c-r\overset{\frown}{-}n\overset{\smile}{-}s$
Ych téilẃng | ar fr(aich tálăr[11] $-cht\overset{\frown}{-}l\overset{\smile}{-}ng|-rfr(-cht\overset{\frown}{-}l\overset{\smile}{-}r$
Er dá-ĕd | fo'r g(air díwĕrth[12] $-rd\overset{\frown}{-}\cdot\overset{\smile}{-}d|f-rg(-rd\overset{\frown}{-}\cdot\overset{\smile}{-}rth$
A dáwŏ | a ẉrau(déwỉr[13] $-d\overset{\frown}{-}\cdot\overset{\smile}{-}|-r-n(d\overset{\frown}{-}\cdot\overset{\smile}{-}r$

259. Pan fo'r ddwy sillaf gyntaf yn y llinell yn cyfateb i'r ddwy olaf, gelwir y gynghanedd yn " draws gyferbyn " ; fel hyn :

Éisiău | am gymwyn(ásẃr[14] $\overset{\frown}{-}s\overset{\smile}{-}|-mg-m-n(\overset{\frown}{-}s\overset{\smile}{-}r$
Blásŭs | fydd para(bl ísĕl[15] $bl\overset{\frown}{-}s\overset{\smile}{-}s|f-ծp-r-(bl\overset{\frown}{-}s\overset{\smile}{-}l$

---

[1] D.G. 144.   [2] D.G. (43).   [3] P.IL lxxv.   [4] D.G. 6.
[5] L.G.C. 409.   [6] G.I.H. G. 144.   [7] D.G. (43).
[8] D.E. G. 112.   [9] D.N. G. 159.   [10] T.A. F. 26.
[11] W.IL. G. 287.   [12] I.F. F. 42.   [13] L.G.C. 31.
[14] P.IL. lxxv. Yn ol Simwnt, pan fo darn o air yn unig ar y diwedd yn cynganeddu, fel yn y llinell hon, yr arferir y term; ond yn ol enghraifft J.D.R. 260, nid oes gyfyngiad felly arno. A rhesymol yw cymryd mai'r cyferbyniad, nid y toriad, sy'n cyfrif.
[15] L.G C F. 41.

Fe ddigwydd hyn fynychaf pan fo dau air o ddwy sillaf yn
cyfateb yn neupen y llinell, fel hyn :

Llýsgŏn, | oedd well eu (llósgï¹   ll⌣sg⌣n|–Ꮟ–ll–(ll⌣sg⌣
Trýmăf | hyd y mae (trémўnt²   tr⌣m⌣f|–d–m–(tr⌣m⌣nt
Górwĕdd | yr wyd mewn (gwérŷd³   g⌣r⌣Ꮟ|–r–dm–n(g⌣r⌣d
Érglŷw | a chymorth, (Árglŵydd⁴   ⌣rgl⌣|–ch–m–rth(⌣rgl⌣Ꮟ
Cófiĕr | ar ol pob (cýfărch⁴   c⌣f⌣r|–r–lp–b(c⌣f⌣rch
Mýnĕd | sydd raid i (mínnău⁵   m⌣n⌣d|s–Ꮟr–d–(m⌣n⌣
Ánnŏeth | ni rëol (énău⁶   ⌣n⌣th|n–r–·–l(⌣n⌣

260. Fe welir wrth dri o'r esiamplau uchod y gall traws
gyferbyn ddechreu â llafariad acennog heb gytsain o'i
blaen (*Éisiau ; Érglyw ; Ánnoeth*) ; yma y mae'r dechreuad
llafarog yn cyfrif, er y gall llafariad yng nghanol gair ei
ateb yn yr ail ran ; ac wrth gwrs y mae'r gytsain neu'r
cytseiniaid *rhwng* y ddwy sillaf (*s ; rgl ; n*) yn ateb yn y
ddwy ran. Ond fe all y fan honno hefyd fod heb gytsain,
§ 239 ; fel hyn :

Iéuănc | a hael yw (Ówăin⁷   ⌣.⌣nc|–h–l–(⌣.⌣n

Felly dyna "gynghanedd gytsain" heb un gytsain gyfat-
ebol ynddi. Ond y gyfatebiaeth yw bod dechreu a diwedd
y goben acennog yn *ddi*-gytsain yn *nau* ben y llinell.
Geilw Simwnt hon yn "gynghanedd gyfnewid".⁷

261. Y mae "crych a llyfn" yn fai i'w ochel mewn
traws, wrth gwrs, fel mewn croes. Un o enghreifftiau
Simwnt⁸ yw—

Am Rólănd | Aber(márlăis   –mr⌣l⌣nd|–b–r(m⌣rl⌣s

Ymddengys y llinell wedi ei chywiro fel hyn yn L.G.C.
145:

Am Órlănt | Aber (Márlăis   –m⌣rl⌣nt|–b–r(m⌣rl⌣s

Ond y mae'n debyg mai fel y dyfynnir hi gan Simwnt⁹ yr

---

¹ D.G. (18).   ² D.N. G. 148.   ³ W.IL. 214.
⁴ Gr.O. 12.   ⁵ R.G.D. 151.   ⁶ G.I.H. G. 144.
⁷ P.IL. lxxviii.   ⁸ Eto xcvii.
⁹ Cymharer R. i 453, "Am rolant aber marlais" yn llaw S.V. Nid
Orlant ond *Rholant* y gelwid yr arwr yn y rhamantau Cymraeg a chan y
beirdd, a Lewis yn eu plith, gweler e.e. L.G.C. 63, 81, 196, 303, 352.

ysgrifennwyd hi, gan fod, fel y sylwyd, lawer o'r bai hwn
yng ngwaith Lewis ; megis—

Brénïn | Cil y Sant (bárnĕd [1]	br-́n-̈n|c–l–s–nt(b-́rn-̈d
Dárllăin | ys(torja wéllwĕll [2]	d-́rll-̈n|–s(d–r–·-́ll-̈ll
O férchĕd | oedd i (Frýchăn [3]	–f-́rch-̈d|–b–(fr-́ch-̈n

262. Nid oes hen enw ar ddwy ffurf gytbwys y draws ;
nid arferir " rhywiog " ond am groes.

263.—iii. Y ffurf *anghytbwys ddisgynedig* :

Gwŷs ym Môn | mai (gwas mýn- ăich [4]	g–s–m-́n|m–(g–sm-́n-̈ch
Dail sábl | fal (dwyael Síblï [5]	d–ls-́bl|f–l(d–·–ls-́bl-̈
A fo gwán | gen(figénnẅr [6]	–f–g-́n|g–n(f–g-́n-̈r
Mae'r háf | wedi (marẉ héfẏd [7]	m–rh-́f|–d–(m–rh-́f-̈d
Pwy sýdd | mor gam(pus héddẏw [8]	p–s-́δ|m–rg–m(p–s-́δ-̈
Dau ddá | a wnaeth (Duw ddíĕll [9]	d–δ-́|–n–th(d–δ-́·-̈ll

264. Pan fo'r orffwysfa ar y sillaf gyntaf, fe'i gelwir yn
J.D.R. 260 yn "draws drwsgl fantach, fal hynn

Máwr \| yw caniad gwŷr (Méiriŏn"   m-́r\|–c–n–dg–r(m-́r-̈n

Ond fe ellir ei chanu'n ddigon persain, megis—

Gwýn \| yw dy gorff (ag úniăwn [10]   g-́n\|–d–g–rff(–g-́n-̈n

lle mae aceniad y gynghanedd yn cytuno'n hapus â'r
pwyslais naturiol.

265. Y mae lliaws mawr o enghreifftiau mewn traws
ddisgynedig o hollti cyfuniad cytseiniol yn yr orffwysfa fel
a welsom yn y groes, § 244 ; megis—

A dẅf|n yw tonnau (Dýfï [11]	–d-́f|n–t–n–(d-́f-̈
I'm llédd|f wylan (a'm lláddăwdd [12]	–mll-́δ|f–l–n(–mll-̈δ–b
Un ffúr|f â gwer(in Phárŏ [13]	–nff-́r|f–g–r(–nff-̈r-̈
Yn 'i dád|l echdoe('n dwédẏd [14]	–n–d-́d|l–chd–(nd-́d-̈d
Lliw gwýd|r a blew (llygódĕn [15]	ll–g-́d|r–bl–(ll–g-́d-̈n
Heb ẅyst|l it er neb (bóstiẅr [16]	–b–sd|l–t–rn–b(b-̈sd-̈r

[1] L.G.C. 294.   [2] Eto 315.   [3] Eto 318.   [4] D.G. (8).
[5] Eto (42).   [6] L.G.C. 487.   [7] T.A. F.N. 154.
[8] Eto G. 230.   [9] G.Gl. c. i 198.   [10] D.G. (39).   [11] D.G. 62.
[12] Eto 63.   [13] G.Gl. c. i 201.   [14] L.G.C. 232.   [15] Gu.O. G. 224.
[16] T.Pr. F. 9.

Ag aeth hŵn|t er (gwaith ánwÿr[1] −g−th−n|t−r(g−th-́n-̆r
Cau am y pŵd|r gorff (cwym-   c−·−m−p−d|rg−rff(c−mp-́d-̆g
pédĭg[2]

266. Fe geir hefyd enghreifftiau o gydio â'r orffwysfa
gytsain flaen y gair a ddilyno, sef o draws " gysylltben ",
gweler uchod, § 247 :

Y férch n|i ddaw i'r (fárchnăd[3]   −f-́rchn|−ᵊ−·−ı(f-́rchn-̆d
Llew déwr Dd|afydd (Llwyd   ll−d-́rᵟ|−f−ᵊ(ll−d-́rᵟ-̆l
úrddŏl[4]
O dói r|yw gwestiwn (dÿrÿs[5]   −d-́r|−g−st−n(d-́r-̆s
Tÿ f|al Ysby(ty Ìfăn[6]   t-́f|−l−sb−(t−·-́f-̆n

267. Dyma enghreifftiau o'r bai " crych a llyfn " mewn
traws ddisgynedig :

Gair a ddáw | i'th (gyrháeddÿd[7] g−r−ᵟ-́|−th(g−r-́ᵟ-̆d
Yr óedd | y dorf ang(érddŏl[8]   −r-́ᵟ|−d−rf−ng(-́rᵟ-̆l

268. *Coll* n.—" Ac o bydd hi traws goll y gyntaf, kam
vydd," medd Simwnt[9]; mae'n debyg mai rheol newydd
oedd gosod i lawr y gwahaniaeth mympwyol hwn rhwng
y groes a'r draws, oblegid nid ymddengys y gofalai S.T.
am ei chadw cyn 1567 pan brintiwyd ei gywydd i'r Beirdd
yn G.R. 370:

Nid yw bóen | eisiau (da bÿd.[10]

Ni ŵyr D.G. ddim am y fath reol: gweler pum enghraifft
o draws goll y gyntaf mewn dau dudalen nesaf at ei
gilydd, D.G.G. 11−12. Nid yw D.E. na D.N. a'u cyfoedion
yn ei chadw, na hyd yn oed Dudur Aled, y prif awdurdod

[1] S.T. G.R. 373.   [2] D.T. 28 (8 sillaf).
[3] B.Br.   [4] T.A.   [5] W.Ll. C.Ll. 53.
[6] D.N. 3.—Felly yn Card. 7 ac yn Cwrt Mawr 27; *Ieuan* yn G. 148, a
dilynwyd hwnnw yn hytrach na'r llawysgrif (Card. 7) yn F.N. 94. " Ysbyty
Ifan " a ddywedid, fel yn awr; cymharer "Tafod Ysbyty Ifan," E.P. 199.
[7] R.G.D. 97.   [8] *Cofn. Eist. Nedd*, 1918, td. 23.   [9] P.Ll. lxxvii.
[10] Ymddengys iddo ef neu rywun arall ei "chywiro" heb wneuthur
cystal synnwyr, fel hyn: "*Nis* doe ben eisiau **da** byd," C. ii 205. Cadwai
W.Ll. y rheol: tebyg mai hen linell iddo heb ei "chywiro" yw "*Nag*
urddas | well i (gerddwyr" W.Ll. 211, C.Ll. 75.

ar y gynghanedd oes neu ddwy o flaen Simwnt.[1] Dyma
ychydig esiamplau o lawer a gesglais :

*N*a bai'n áur | uwch (ben y wérn.—D.I.D. G. 178.
Wy*n*eb Rhŷs | myn y Ma(b Rhád.—D.N. 33.
Y*n* Sir Iórc | nid (oes erw wéll.—I.D. 84 ; G. 134.
*N*i thýstiă | breg(eth Áwstĭn.—D.E. 51.
*N*as gwélŏ | 'i di(sgwýliŵr.—D.E. 56.
*N*i chair ím | o'r (ochr ýmă.—T.A. F.N. 157.
*N*i chai'r ýnŷs, | mer(ch Rónŵy.—T.A. G. 238.
*N*ag â phén | heb 'i (goffáu.—T.A. c. ii 76.

Ac nid yw Gronwy a'r beirdd diweddar yn cymryd dim
sylw o'r rheol.

Y Gynghanedd Groes o Gyswllt.

269. Yn y Groes y mae'r ail gyfres o gytseiniaid cyfat-
ebol yn dechreu'n union ar ol yr orffwysfa ; yn y Draws y
mae cytseiniaid eraill rhyngthi â'r orffwysfa ; ond yn y
Groes o Gyswllt y mae hi'n dechreu *yn* neu *cyn* yr orffwysfa,
nes ei bod ynghyswllt â'r gyfres gyntaf, neu hyd yn oed
yn gorllifo drosti.

270. Y mae'n debyg mai o'r *liaison*, sef yr arferiad o
gysylltu cytsain olaf gair â llafariad flaen y gair a'i dilyno,
y tarddodd y groes o gyswllt ; canys y mae i linell fel—

Gosod y drwg is dy draed [2]

yr un sŵn yn union â phes ysgrifennid hi—

Gosod y drŵ | gis dy dráed,

ac fel yna y mae hi'n groes rywiog reolaidd. Ond fe
welwyd yn fuan y gellid estyn y gyfatebiaeth yn ol dros
ddwy gytsain, a hyd yn oed dros sillaf, ac yna ni ellir
rhannu'r llinell fel uchod. Ac nid yw'r rhaniad yn dangos
y gynghanedd yn deg hyd yn oed mewn esiampl seml fel

---

[1] Ymddengys bod y cwestiwn yn fater dadl cyn Eisteddfod Caerwys
1568, canys sylwa G.R. 264 arno, a dyfynna'r llinell uchod gan S.T.
ymysg enghreifftiau eraill i brofi nad bai traws wreiddgoll. Efallai mai
Gr. H. oedd tad y syniad ; os felly, 1568 oedd y cyfle cyntaf i'w basio'n
rheol.

[2] T.A c. i 338.

hon, canys nid oes doriad yn y llinell, ac y mae'r gytsain yn perthyn i'r rhan gyntaf hefyd, fel y ceir gweled yn amlwg yn y ffurf ddisgynedig, § 273.

☞ Am hynny yn yr enghreifftiau isod fe roir nod yr orffwysfa, sef |, ar ddiwedd y gair, ac felly fe ddaw'r nod (o'i flaen ynddynt oll. Ac megis mai'r hyn sy rhwng | a (yw'r *cyfwng* yn y draws, felly'r hyn sy rhwng (a | yw'r *cyswllt* yn y groes o gyswllt.

271 —i. Y ffurf *gytbwys acennog* :

A gwyrdd wís(g | a urddai wéll [1] —g—rδ—́s(g|—·—rδ—·—́ll
Dwbled ý(d | o blu y dón [2] d—bl—d—́(d|—bl—·—d—́n
Y gŵr a ddú(g | arwydd iách [3] —g—r—δ—́(g|—r—δ—́ch
Rufain dwg éi(rf | yn dy gýlch [4] r—f—nd—g—́(rf|—nd—g—́lch
Llawer yn wé(ll | a rhai'n wáeth [5] ll—·—r—n—́(ll|—r—n—́th
Yr oedd iwch ffó(rdd | i'w choffáu [6] —r—δ—chff—́(rδ|—ch—ff—́
Gwragedd a (gwŷr | i gudd gánt [7] gr—g—δ—́(g—́r|—g—δg—́nt
E droes Duw'n (drísd | awen dráw [8] —dr—sd—n(dr—́sd|—·—ndr—́

Yn y ddwy enghraifft olaf y mae'r ail gyfres yn dechreu ar ddechreu sillaf yr orffwysfa, nes bod y sillaf hon yn gyfan yn ffurfio'r ddwy gyfres ; yn yr enghraifft olaf fe geir y gyfres gyntaf yn y geiriau "E droes Duw'n drísd," a'r ail yn " drisd awen dráw." Fe welir mai effaith cario'r cyswllt i eithafion yw gwthio'r cytseiniaid bron i gyd i ran gyntaf y llinell, fel na adewir ond ychydig ar ol yr orffwysfa—y carn yn llyncu'r llafn.

272.—ii. Y ffurf *gytbwys ddiacen* :

Dug 'i énăi(d | i gánŭ [9] d—g—·—́n—̆(d|—g—́n—̆
Am ddwyn Wíliă(m | ddoe'n ẃylăw [10] —mδ—n—́l—̆(m|δ—n—́l—̆
Ar y Crḗ—áwd(r | y crí—ắf [11] —r—cr—́·—̆d(r|—cr—́·—̆f
Gloyw ar fẃnŵ(gl | ir féinwẙn [12] gl—·—rf—́n—̆(gl|—rf—́n—̆n
Am loer ddísĕ(ml | urddásŏl [13] —ml—rδ—́s—̆(ml|—rδ—́s—̆l
Nid adwáe(niăd | odínĕb [14] n—d—d—́(n—̆d|—d—́n—̆b
A wnai gró(nĭg | i'r ýnẙs [15] —n—gr—́(n—̆g|—r—́n—̆s
Ardreth é(rẙdr | a thírŏedd [16] —rdr—th—́(r—̆dr|—th—́r—̆δ

[1] D.G. (10).   [2] Eto (58); *yd = it*; ni chaledai D.G. mo'r *d*.
[3] I.G. 212; F.N. 13.   [4] Eto 211; 12.   [5] E.P. 217.
[6] Eto 225.   [7] T.A. c. ii 79.   [8] J.D.R. 263.
[9] T.A.   [10] G.Gl. c. i 201.   [11] G.Gl.   [12] D.G. (43).
[13] T.A. c. ii 80.   [14] D.G. (32).   [15] T.A. c. i 348.   [16] J.D.R. 263.

273.—iii. Y ffurf *anghytbwys ddisgynedig* :

Serch a rói(s | ar chwaer Ésÿllt [1]	s–rch–r–́(s|–rch–r–́s–̮llt
Be caid né(b | i'w cydnábŏd [2]	b–c–dn–́(b|–c–dn–́b–̮d
Disarhá(d | yw Syr Édwărt [3]	d–s–r–́(d|–s–r–́d–rt
O'r frŵyd(r | ef a'i wŷr ádrĕf [4]	–rfr–́d(r|–f–·–r–́dr–̮f
Dêl im (dál | am y dólŭr [5]	d–l–m(d–́l|–m–d–́l–̮r
Coll di'r (cŵlldr | y ci hÿlldrĕm [6]	c–lld–r(c–́lldr|–c–·́–lldr–̮m

Fe welir yn glir yn y ffurf hon fod yr hyn sy rhwng y nodau (a | yn perthyn i ddwy ran y llinell ; yn yr enghraifft gyntaf, y mae'r *s* nid yn unig yn perthyn i'r ail ran, ac yn cyfateb i'r *s* yn *Serch* ar y dechreu, ond hefyd yn perthyn i'r rhan gyntaf, ac yn cyfateb yno i'r *s* yn *Esyllt* ar y diwedd.

274. Gwelsom y gellir llunio cynghanedd ddisgynedig yn "gysylltben," sef trwy gydio cytsain â'r orffwysfa, § 247 ; mewn ychydig enghreifftiau y mae'r gynghanedd a wneir felly yn groes o gyswllt, am fod y gytsain honno'n perthyn fel uchod i ddwy ran y llinell ; fel hyn :

Nid cael dá (n|id clod Ýnÿs [7]	n–dc–ld–́(n|–dcl–d–́n–̮s
Yno'r Glýw (N|êr y glóywnĕf [8]	–n–rgl–́(n|–r–gl–́n–̮f
Y ferch ÿw (f|awr 'i chÿfŏeth [9]	–f–rch–́(f|–r–ch–́f–̮th
A maen pérl (m|ewn y párlmĕnt [10]	–m–np–́rl(m|–n–p–́rlm–̮nt

275. Am y dulliau a elwir yn "groes o gyswllt ewinog" a "chroes o hanner cyswllt" gweler isod, §§ 389, 393. Yn yr ewinog nid yw cytsain olaf yr orffwysfa'n cynganeddu heb ei seinio *gyda*'r gytsain a'i dilyno—praw arall eglur nad oes doriad o angeurheidrwydd yng ngorffwysfa'r gynghanedd.

[1] T.A. R. i 149, 646, 663, etc.
[2] T.A F.N. 160.   [3] E P. 273.
[4] G.Gl. c. i 192.   [5] J.D.R. 262.   [6] Eto 263.
[7] W.IL. ; a *da* (a gefais i yng nghopi Myrddin Fardd yn 1899) wedi ei newid i *dawn* yn ei lyfr C.IL. 53.
[8] Gr.O. 88.   [9] I.D. 9.
[10] Gr.H. C.B.Y.P. 195, P.IL. xci.

276. *Coll* n.—Fe geir *n* wreiddgoll weithiau mewn croes o gyswllt, fel mewn croes neu draws ; megis—

Ni thynnir bá(th | hwn o'r býd [1]　　n–*th–n–rb*⌣(*th*|–*n–rb*⌣d
Ni chawn ni bár(ch | yn y býd [2]　　n–*ch–n–b*⌣r(*ch*|–*n–b*⌣d
Nid llawen bý(d | lle ni bóch [3]　　n–*dll*–·–*nb*⌣(*d*|*ll–n–b*⌣ch
Na mynnu cá(m | enwog hýdd [4]　　n–*m–n–c*⌣(*m*|–*n–c*⌣dd
Un Duw Géidwă(d | i'w gádăel [5]　　–nd–*g*⌣*d*⌣(*d*|–*g*⌣*d*⌣l

277. Y mae'r groes o gyswllt i'w chael yn fynych yn yr hen gywyddau, fel y dengys yr enghreifftiau uchod ; fe'i cenid pan fai hynny'n gyfleus, ond ystyriai'r hen feirdd fod y groes rywiog yn well cynghanedd.[6] Ond ar ol dyddiau Dewi Wyn at glymiad "cywrain" y groes o gyswllt yr amcenir fwyaf. Y mae'n wir bod croes o gyswllt seml yn swynol iawn i'r glust ; ond nid swynol iddi ddryswch na all hi'n hawdd ei ddatrys. Os boddio'r glust yw diben cynghanedd, y mae'r cywreindeb a wna linellau na ellir bod yn siŵr ohonynt heb eu chwilio yn methu yn ei amcan ; hyd yn oed wedi eu "harchwilio a'u cael yn gywir," ni roddant inni'r boddhad a rydd llinellau sy'n eu canu eu hunain.

278. Ac nid cywrain ond trwstan yw gwaith y neb a ofala am ei gytseiniaid heb ofalu, na deall, am ofynion pwysicach y mydr. Yn yr ysfa am groes o gyswllt fe roir yr orffwysfa'n fynych ar y bumed mewn llinell o saith sillaf, neu ar y chweched mewn llinell o wyth ; megis—

Yw murmur y môr | i mi.[7]
Yr haul o'i orwel | eirian.[8]
Yn nhy ei rhïeni | 'r hunodd.[9]

Nid oes gynghanedd yn y byd yn y llinellau hyn. Aceniad cynghanedd sain sydd iddynt, ond yr odl ar goll ; doder *goror*, er enghraifft, yn y llinell gyntaf yn lle *murmur*, ac fe welir. Fe ellid cyfrif y drydedd yn sain â thwyll odl

[1] T.A. G. 237.　　[2] S.T. G.R. 371.　　[3] W.IL. 9.　　[4] Eto 203.
[5] Eto 58.　　[6] J.D.R. 256 ; P.IL. lxxvii.
[7] M.E. i 93.　　[8] Eto ii 76.　　[9] Eto i 57.

ynddi: *nhŷ* a *rhïeni*. Ni cheir croes, nac o gyswllt na
rhywiog, o'r aceniad yna. Weithiau fe geir traws (anfwr-
iadol) ynddo os symudir yr orffwysfa ymlaen i'r canol fel hyn:

> A gwelai | Gwalia (golofn.[1]
> Ac anadl | cenedl (Cynan.[1]

Geiriau diystyr yn eu cysylltiadau yw'r rhain—er mwyn y
gynghanedd y clymwyd hwynt; a dyna orymestyn am
groes o gyswllt, a syrthio ar gynghanedd draws!

279. Y mae'r groes o gyswllt yn hapus pan ddêl ohoni ei
hun, ond nid pan lusger hi gerfydd ei chlust. Pan fo
ymadrodd yn dechreu *a* diweddu â'r un gytsain, y mae'n
haws ei orffen yn groes o gyswllt nag yn groes rywiog, am
fod felly un gytsain yn llai i'w hateb. Pan fo llinell o groes
yn rhy fer, y mae'n aml yn *haws* rhoi gair yn ei dechreu
i ateb yr orffwysfa na rhoi gair yn ei chanol a'i throi'n
draws. Â thipyn o fedr peiriannol i gytseinio'r dechreu
â'r orffwysfa fe ellir cordeddu'r llinellau mwyaf cymhleth.
Ond po symlaf fo'r groes o gyswllt goreu fydd; ni chenid
hi gynt ond pan ddelai'n naturiol, ac nid ymyrrid ar ei
chymhlethu ond i lunio ofer gywreinion i'w rhoi mewn
gramadegau. Hyd yn oed yn Newi Wyn nid oes ond
ychydig ohoni, a hynny'n ddi-gymhleth; ac yn y darnau
gwychaf fel "Aml y mae yn teimlo min," td. 109, nid oes
dim. Camgymeriad yw'r ymorchestu diweddar am ledu'r
cyswllt nes bod y llinell yn mynd â'i phen iddi; arwydd
dirywiad ym mhob celfyddyd ydyw amlhau addurn
rhodresgar a dianghenrhaid a cholli golwg ar gyfartaledd.
Mewn cynghanedd, cyfatebiaeth sillafau'r orffwysfa a'r
brifodl sy'n bwysig; ac wrth amharu ar honno er mwyn
cywreinio cyfatebiaeth gymharol ddibwys cytseiniaid cyntaf
y gyfres fe aberthir ysbryd y gynghanedd i'r llythyren sy'n
lladd. Trwy ofalu am osodiad a chytgord y diweddiadau y
ceir allan fiwsig y gynghanedd gytsain; ac y mae gwell

---

[1] *Y Geninen Eist.* 1892, td. 1; *ac yn anghywir fel ak.*

camp ar brydferthwch symlder ynddi nag ar gywreinrwydd drysni.

II. Cynghanedd Sain.

280. Y mae dau fath ar gynghanedd sain, y *sain lefn* a'r *sain gadwynog*.[1] Nid arferir ond y gyntaf yn y cyfnod diweddar, a gelwir hi braidd bob amser yn *gynghanedd sain* heb ansoddair; ac weithiau fe elwir yr ail yn *gynghanedd gadwynog* yn syml.

281. Y mae odl a chytseinedd yn y naill a'r llall. Sillaf olaf gair yn unig sy'n odli, ac y mae'r odl yn annibynnol ar yr acen, hynny yw, gall sillaf acennog a sillaf ddiacen odli, yn gystal a dwy sillaf acennog, neu ddwy ddiacen. I lunio cynghanedd, fe odlir gair ag ef ei hun yn fynych, neu â chyfansoddair ohono'i hun fel *llôer* â *gwénlloer*; gweler uchod, §§ 105, 155.

Y Gynghanedd Sain (*Lefn*).

282. Yn y gynghanedd sain fe rennir y llinell yn dair rhan; y mae diwedd y rhan gyntaf a diwedd yr ail yn odli; ac y mae'r ail ran yn cytseinio â'r drydedd yn ol egwyddor y groes neu'r draws, gan ochel "crych a llyfn" fel ynddynt hwythau.

283. Y mae iddi bedair ffurf, a ddosberthir yn ol aceniad diwedd yr ail a'r drydedd ran, sef aceniad yr ail odl a'r brifodl. Ni chymerir cyfrif o aceniad diwedd y rhan gyntaf; a chan fod yr odl yn annibynnol ar yr acen, gall y rhan gyntaf fod yn acennog neu ddiacen ym mhob un o'r pedair ffurf.

284—i. Y ffurf *gytbwys acennog*: yr ail odl a'r brifodl yn acennog. Rhaid i'r gytsain o flaen yr acen gyfateb yn y ddwy; fe all y nifer a fynner o gytseiniaid sefyll o'i blaen

---

[1] Nid yw'r trydydd math a enwa Simwnt, P.ɪʟ. lxxviii, sef y "Sain o gyswllt," ond sain lefn a rhyw gyswllt mewn odl neu gytseinedd ynddi.

yn y naill far neu'r llall, ond fel rheol fe atebir cyfuniadau fel *br*, *cl*, etc., yn llawn. Enghreifftiau:

Nid gwahodd glw̄th | i *fẃth* | *fýdd*.[1]
Ni bydd cytûn | *hū́n* | a *háint*.[2]
A minnau | ar y *gáu* | *gýnt*[3]
Y bwa hwn | *gẃn* | mai *gwír*.[4]
Plethiad | ar *yr* ia̋d | a *rýdd*.[5]
Pob llais diwael | *yn* áel | *nánt*.[6]
Mewn peth teg | fod *brḗg* | na *brád*.[7]
Ni chyrch hon | goed y *frón* | *frý*.[8]
Uwch eigion | a'r *frón* | yn *frẃ̄d*.[9]
Fal pren onn | mewn *brón* | heb *wráidd*.[10]

285. Weithiau fe estynnir y gytseinedd yn ol i ddechreu'r bar canol, megis yn—

Mae'n chwannog | i'*m clṓg* | a'*m clédd*.[11]
A llun | *fy mū́n* | uwch *fy médd*.[12]
Llŷr | i *gadw gwȳ́r* | *gydag éf*.[13]
Cŵyn | *am* 'i *ddẃ̄yn* | *im* oe*dd* wáeth.[14]
Hoffter | *Duw* Nḗr | a *dyn* ẃyd.[15]
Gwrēs | *mynych lḗs* | *Môn* a*chlā́n*.[16]

286. Ond fe ellir cael y gynghanedd hon heb un gytsain gyfatebol ynddi, ond dechreuad llafarog (neu ddi-gytsain) yr ail odl a'r brifodl yn cyfateb, megis—

Ni wrafun | *ū́n* | o'ch dau *ẃ̄r*.[17]
Heb gellwair | â'i *áir* | a'i *ẃ̄yl*.[18]

287.—ii. Y ffurf *gytbwys ddiacen*; yr ail odl a'r brifodl yn ddiacen. Fel o'r blaen nid oes raid ateb ond *un* gytsain *o flaen* yr acen, ond rhaid gofalu am ateb y gytsain neu'r cytseiniaid neu'r bwlch (pa un bynnag fo) ar ol llafariad acennog y goben, yn union fel yn ail ffurf y groes, gweler uchod §§ 238–9. Fel hyn:

Hual | *gófăl* | a *géfăis*.[19]
Gwell bedd | a *górwĕdd* | *gwíriŏn*.[20]

[1] D.G. (40). [2] T.A. C. i 342. [3] G.Gr. D.G.G. 155.
[4] D.G. (29). [5] Eto (9). [6] Eto (60). [7] Eto (29).
[8] Eto (32). [9] Gr.O. 15. [10] W.Ll. F. 32. [11] G.Gl. C. i 200.
[12] D.G. 100. [13] P.Ll. lxxv. [14] T.A. C. i 339. [15] Gr.O. 15.
[16] D.E. G. 102. [17] L.G.C. 128; cywydd i ddwy wraig.
[18] Gr.O. 12. [19] D.G. (20). [20] Eto (39).

Byddaf, | addéƒăf, | ddífălch.[1]
Gwac fi, | gwn bóenï | béunўdd.[2]
Cas | a chymẃynăs | Ménăi.[3]
Rhys | ymlaen ýnỹs | Nánnău.[4]
Dcfyrn | méddgỹrn | gormóddgăs.[5]
Tomas | fréichfrăs | far áwchfrїw.[6]
I ochcl | áwĕl | áeăf.[7]

288. Cynghanedd ddi-gytsain yw'r olaf, gweler uchod,
§ 260. Ond fe ellid cydio'r *l* wrth yr *a* yn y ddau far, a
chymryd mai'r gyfatebiaeth yw -*l*⌣áwĕl⌣áeăf. Ond hyd
yn oed pe na bai gyffelyb gytsain i'w chydio wrth y geiriau,
fe wna'r dechreuad llafarog ei hun gyfatebiaeth; fel hyn :

Mae Gwalchmai | érfăi | éurfăwr ?[8]
A'i ras, | gyẃéithăs | *i*éithỹdd.[9]
Llawen, | os *á*dwĕn, | ỹdỹm.[10]
Rhisiart | aer *É*dwărt | ỹdŏedd.[11]

O'r pedair enghraifft y gyntaf yw'r oreu, am fod y dechreuad
llafarog yn glir yn y ddwy sillaf acennog ynddi. Y mae'r
ail yn ddifai, am fod dechreuad llafarog clir i'r sillaf sydd
i'w hateb, er ei bod yng nghanol gair. Y mae'r drydedd
a'r bedwaredd yn oddefol am fod y dechreuad llafarog ar
ddechreu gair. Ond go brin y mae'n oddefol rhoi llafariad
i ateb cytsain, hyd yn oed *n*, ar ddechreu gair, fel hyn :

Canaf | lle *n*ódăf | ádăil.[12]

Ond fel mewn traws gyferbyn, fe ellir cymryd *rhan* o air
yn y bar olaf i lunio cyfatebiaeth, fel hyn :

Gruffudd, | *i*éithỹdd | Hir(*á*ethăwg.[13]

289.—iii. Y ffurf *anghytbwys ddisgynedig* : yr ail odl yn
acennog a'r brifodl yn ddiacen. Y mae hon yn dilyn yr un

[1] T.A.   [2] D.G. (39).   [3] D.G. 61.   [4] G.Gl. c. i 201.
[5] D.G. (17).   [6] T.A.   [7] D.G. (63).
[8] Gr.O. 14.   [9] D.G. (111).   [10] L.G.C. 398.   [11] W.IL. 202.
[12] J.D.R. 266 : " sain goll y gyntaf" medd ef ; ond ni ellir bod yn sicr o'i
enghreifftiau, fel y sylwyd ; ni ŵyr ef ei hun yn aml pa un ai bai ai
rhinwedd a ddangosir ynddynt. Ceir yr enghraifft hon mewn lle arall
ymysg beiau, td. 260, lle mae'r ymdriniaeth hefyd yn gymysg o ddiffyg
deall.
[13] W.C. E.P. 221.

rheol, fel trydedd ffurf y groes neu'r draws, gweler § 242,
ond nad oes *raid* ateb ond un gytsain *o flaen* yr acen. Er
enghraifft :

> Pob glân | i *lán* | a *lún*iẅyd.[1]
> Truan | mor. wá*n* | yw'*r* éi*n*iŏe*.*[2]
> Gwlad Fael | *há*el | 'i *he*ólỹdd.[3]
> Angall | mal *dáll* | a *dẃyll*ir.[4]
> Tadmaeth beirdd | *hé*irdd | a'm *húrdd*ăi.[5]
> Ni'th gêl | pa*n dd*él | poe*n dd*ólĕf.[6]
> Mae'r geiriau, | *dd*áu, | un *dd*éall.[7]

290. Anfynych yr holltir diwedd yr orffwysfa, fel y
gwneir yn ddigon aml mewn croes, gweler § 244 ; dyma
dair enghraifft :

> Trwyadl | yw ar *dd*ád|l) *dd*íd*ẅ*yll.[8]
> A'i deml | fal *tém*|l) Sain *T*óm*ă*s.[9]
> Y mae'n hydr | mewn *gwýd*|r) *g*ád*ẅ*yn.[10]

Yma y mae'r odl a'r gytseinedd yn croesdynnu yn yr
orffwysfa, ac ni hoffodd odid neb y dull hwn mewn sain.

291. Fe geir y drydedd ffurf, fel y lleill, weithiau â
dechreuad llafarog i'r sillaf acennog ; megis—

> Chwilio'r celloedd | *ó*edd | *éi*ddï.[11]
> A phwy bynnag, | *wá*g | *ó*găn.[12]
> Getid Mair | ddi-*wá*ir | *á*răb.[13]

Gan amlaf fe ellir cario diwedd yr odl ymlaen i gael
cytseinedd, fel hyn : -*dd*⌣*ó*e*dd*⌣*éi*ddẅ ; ond yn yr enghraifft
olaf y dechreuad llafarog yw'r unig gyfatebiaeth o flaen yr
acen.

292. Y mae'r sain anghytbwys ddisgynedig yn digwydd
yn anamlach na'r ffurfiau eraill am na ddaw mor rhwydd,
gan ei bod cyn gaethed â'r ail ffurf, a llawer llai o ddewis
o eiriau unsillafog i odli *a* chynganeddu yn y canol nag o
eiriau o ddwy sillaf neu dair. Ac am nad hawdd ei chael

[1] G.I.Ll.F. 2.   [2] T.A. R. ii 71.   [3] I.D. 72.
[4] An. M.A. 839; G.M.D. R.P. 1320.
[5] D.G. (87).   [6] Eto (35).   [7] L.G.C. 8.
[8] I.G. 366; cf. 410, ll. 8.   [9] D.N. 16.   [10] J.D.R. 266.
[11] R.G.D. 96.   [12] W.C. E.P. 220.   [13] D.N. 23.

yn berffaith fe'i ceir yn aml yn bengoll yn y cywyddau hynaf, gweler § 338.

293.—iv. Y ffurf *anghytbwys ddyrchafedig* : yr ail odl yn ddiacen, a'r brifodl yn acennog. Yn hon nid oes eisiau ateb ond y gytsain *o flaen* yr acen yn unig, ond fe atebir cyfuniad fel *dr, gl, gr, bl,* etc. ; fel hyn :

> Gwneuthur brad | y*n* án*ăd* | *n*éb.[1]
> Aeth dy wedd, | *G*w̑ýn*ĕ*dd | a'i *g*w̑yr.[1]
> Cyd-chwerthin | *f*ínf*ı̆*n | a *f*ú.[2]
> Dwy fron | mo*r* wýni*ŏ*n | â'*r* ód.[3]
> Bronnydd | a brig *m*ánwŷdd | *M*ái.[4]
> Cyfreithiwr, | *d*ýddiw̑r | *d*a iáwn.[5]
> Arfer | o *d*ráwst*ĕ*r | sy *d*rẃch.[6]
> Aderyn | *g*láswŷn | 'i *g*lóg.[7]

294. Weithiau fe estynnir y gyfatebiaeth yn ol dros sillaf, neu i ddechreu'r bar, fel hyn :

> Trwsio | fal *g*oléu*ŏ* | *g*láin.[8]
> Cledd | *d*aear W̑yn*ĕ*dd | a'i *d*rých.[9]
> Dafydd | a *ph*ār ónwŷdd | *Ff*ráinc.[10]
> Gan fyd | *g*wenw̑ynllŷd | *g*wae *n*í.[11]
> Holl bysg | a*ml* cýmŷsg | *m*il cánt.[12]

295. I'r gwrthwyneb fe ellir cael y ffurf hon hefyd heb ond dechreuad llafarog yn y ddwy sillaf acennog yn cyfateb, megis—

> Ni'm gwelid | yn *ý*mlid | ól.[13]
> A difalch | wrth *á*nfalch | *w̑*yd.[14]

296. Fe welir wrth yr enghreifftiau uchod nad oes angen yn y ffurf hon ateb y gytsain neu'r cytseiniaid a fo *ar ol* yr acen ; ond y mae'n gyfreithlon eu hateb, ac fe wneir hynny pan fo cyfleus ; fel hyn :

> Saith gywydd | *b*éunŷdd | o'i *b*én.[15]
> Brodorion | *d*éwri*ŏ*n | â *d*úr.[16]

---

[1] D.G. (39).   [2] Eto (26).   [3] Eto (49).   [4] Eto (87).
[5] W.Ll. 85.   [6] I.T. ieu. F. 45.   [7] T.A. G. 248.   [8] Eto 242.
[9] Eto 245.   [10] G.Gl. c. i 201.   [11] I.T. ieu. F. 44.   [12] D.W. 245.
[13] L.G.C. 427 ; weithiau fe gymer Lew's lafariad ar ol cytsain yng nghanol gair i'w hateb, a cham-rannu'r gair hefyd, fel hyn " Fach-*g*ullaith | *w*én," ar yr un td. *Ma-chynllaith* yw'r rhaniad cywir.
[14] W.Ll. 13.   [15] D.G. (19).   [16] T.A. G. 227.

I chwi, Siôn, | er*gŷdi*ŏn | *gwáwd*.[1]
Post Maelor | *rhá*gŏr | *yrháwg*.[2]
A bronfraith | ddi*grífi*ăith | *gréf*.[3]
Siprys | *dyn gíprŷ*s | *dan gópr*.[4]
Rhuad | *blin dóri*ăd | *blae*n *dár*.[5]
Seren | *oléuwĕn* | o *líw*.[6]

Yn y llinell olaf y mae cyfatebiaeth ddi-gytsain ar ddiwedd
y sillafau acennog. Weithiau fe geir cytsain dros ben yn
y diwedd, megis pan safo " sillaf gadarnleddf " yno, fel hyn :

Yn gweini claer | *ddídă*er | *ddádl*.[7]
Bydafau | a *héidi*ău | *hŷdr*.[8]
Dysg deg, | ra*mádĕg* | a *mŷdr*.[9]

Ac weithiau bydd cytsain ar ddiwedd y sillaf acennog
gyntaf heb ei hateb, megis mewn gair cyfansawdd, fel hyn :

Teml daearlwyth, | *gárddl*w̆yth | *gwŷrdd*.[10]

297. Ond nid yw'r cyfatebiaethau hyn o boptu'r sillaf
acennog yn rheidiol yn y ffurf hon fel yn y drydedd ffurf,
ac am hynny gellir llunio llinell gywir o'r ffurf hon yn
rhwyddach na llinell o'r drydedd. Yn wir, hon yw'r ffurf
rwyddaf ar y gynghanedd sain, ac os edrychir y cywyddau fe
welir ei bod yn digwydd yn llawer amlach na'r un o'r lleill.

298. *Sain o Gyswllt*.—Gan nad oes doriad rhwng geiriau
yn y gorffwysfaoedd fe ellir ystyriaid bod y gytsain olaf
mewn bar yn perthyn i'r bar nesaf, fel y gwelsom wrth
ymdrin â dechreuadau llafarog, §§ 288, 291. Am hynny
fe geir ambell dro yn ail a thrydydd bar y gynghanedd sain
yr un gytseinedd ag a geir mewn croes o gyswllt : rhaid
cyfrif cytsain olaf yr ail far *yn* y bar hwnnw i gael odl, a'i
chario i'r bar olaf i gael cytseinedd ; fel hyn :

Arglwyddes | a *sántĕ*(*s* | óedd.[11]
Pendefig | dys*gédi*(*g* | óedd.[12]
Parch a nod | cerdd *dáfŏ*(*d* | w̆yd.[13]

---

[1] W.IL. 7. [2] Eto 9. [3] D.G. (40). [4] Eto (51). [5] Eto (53).
[6] D.G. 144. [7] D.G. (43). [8] Eto (74). [9] I.R. R. i 539.
[10] D.G. (74). [11] L.G.C. 2. [12] W.IL. 60. [13] Eto 7.

Dysged, | neu ddad*léu*č(*d* | *l*ái.[1]
Penaethiaid | yw dy *d*ái(*d* | óll.[2]
Merch fedydd | *ddéd*wŷ(*dd* | *ý*d*w̌*yd.[3]
Y gwaed | o'i *d*ráe(*d* | a *r*éd*ă*wdd.[4]

299. (1) Fe ellir hefyd gario cytsain olaf yr odl gyntaf
i'r ail far er mwyn cytseinedd, er na ddigwydd hynny mor
aml ; fel hyn :

Nid oes ar ddïof(*n* | ófn | *n*éb.[5]
Oni'th ga(*f,* | *á*r*ǎ*f | *f*ór*w̌*yn.[6]

(2) Ac fe ellir cydio cytsain o ddechreu bar â diwedd y
gair o'i flaen er mwyn cael odl, fel hyn :

Dafydd ap Rhys | y *s*ý⌣*s*)ánt.[7]
Tristyd bryd brwyn | *m*ẃy⌣|n)o *m*áint.[8]
Tegan⌣|*t*)*r*wy *f*ó*li*ǎnt | lle *t*ra*f*ǎe*li*ŏn.[9]
A cherdd | am y *dd*ág*ĕ*r⌣|*dd*)ú.[10]
Pibell⌣|*t*)ân a *m*éll(*t* | i'*n* *m*ýsg.[11]

Yn yr enghraifft gyntaf yr ail odl yw *s*y⌣*s* (i ateb i Rh*ys*) ;
ond y mae'r *s* yn y trydydd bar hefyd, am fod *s*ánt yn
cytseinio â *s*ý. Gelwir odl fel yna'n " odl gudd." Y mae'r
enghraifft olaf yn cynnwys odl gudd *a* chytseinedd gyswllt
hefyd.

(3) Fe all y cyswllt fod yn ewinog, gweler § 390 ; a'r odl
yn ewinog, gweler § 439.

300. *Sain deirodl.*—Weithiau fe geir tair odl mewn
cynghanedd sain, yr olaf yn cytseinio â diwedd y llinell,
fel hyn :

Eithr yn gynt | no hynt | *g*wýnt | *g*wýllt.[12]
Oni ddaw | draw | *g*er*ll*áw | 'r *ll*ẃyn.[13]
Ll*w̑*ỳbr | e*w̑*ỳbr | *g*lás*l*w̑ỳbr | *g*l*ẃ*ys*l*îw.[14]
Rhoi rhodd | o rodd, | *g*órm*ŏ*dd | *g*wést.[15]

[1] T.A.　　　　[2] G.I.H.　　　　[3] S.Ph. F.N. 203.
[4] I.B.H. G.G. i 81 ; enw'r awdur yngholl, ond cf. F. 8.
[5] I.F.　　[6] W.IL. 83.　　[7] L.G.C. 234.　　[8] G.M.D. M.A 304
[9] W.IL. G. 261.　　[10] J.D.R. 255, 267.　　[11] Eto 255.
[12] D.G. 307.　　[13] Eto 321.　　[14] Eto (75).　　[15] W.C. E.P. 200.

Y mae llawer o hon yng ngwaith Casnodyn,—er enghraifft, pob llinell bum sillaf o'r darn "Hedd wledd senedd saint." [1] Mewn llinell o naw neu ddeg sillaf y mae'r pedwar bar yn atsain o bedwar curiad y mesur gwreiddiol; megis—

Góreu | oedd fáddeu, | órneu | óernyf,
Gorwácter | y glér | ófer | a ýf.[2]

Fe geir gan Gasnodyn hyd yn oed *bedair* odl yn y sain bengoll sydd yn y llinell adnabyddus—

Main | firain | rïain | gain | Gymräeg.[3]

301. *Sain wreiddgroes.*—Dull arall yn tarddu o hen gyfatebiaeth mewn pedwar bar ydyw rhoi'r gair odledig cyntaf i gytseinio â'r gair o'i flaen, fel y mae'r ail yn cytseinio â'r gair ar ei ol. Fe geir felly ddwy gytseinedd, ac odl yn eu cysylltu; fel hyn :

Éuth*ŭ*m | *w*́y*th*w*ă*ith || *gl*́wyfi*ă*ith | *gl*áu.[4]
Éur*ă*wdd | Iór*w*ĕrth || *g*éinf́ĕrth | *g*án.[5]
*T*aw, *f*ós(*t* | *f*éistr*ă*wl || *h*úd*ă*wl | *h*ýdr.[6]

302. *Sain ddwbl.*—Fe wneir rhyw orchest weithiau o roi dwy gynghanedd sain mewn un llinell o gywydd neu englyn, fel hyn :

Bid mawl, gwawl, gwyrth, ebyrth iawn,[7]

lle gwna "bid mawl, gwawl, gwyrth" un gynghanedd, a "gwyrth, ebyrth iawn" un arall. Pan ddêl y plethiad yn naturiol ac yn syml, fe all fod yn brydferth, megis yn y llinell—

Dan gaen maen mur, Dudur deg.[8]

Ond anfynych iawn y digwydd hynny. Y mae gwahanol ddulliau o glymu geiriau unsillafog i ffurfio cynganeddion sain dwbl, gan eu gwneuthur yn wreiddgroes a theirodl,

---

[1] R.P. 1243.
[2] Ca., eto 1236, M.A. 289 ; *maddeu* yn yr hen ystyr o 'ymadael â'.
[3] "Mein, virein," etc. R.P. 1239, M.A. 283.   [4] G.A.D. D.G.G. 119.
[5] S. R.P. 1262.   [6] D.G. (74).   [7] E.P. 210.
[8] G.M.D. R.P. 1210; claddwyd Tudur Fychan ap Gronwy ym mur Mynachlog Fangor 19 Medi 1369.—I.G. 277.

ond yn gyffredin heb fwy o synnwyr na gwell gramadeg
nag a geir yn yr enghreifftiau a ganlyn :

> Bydd, bu, cu, cun, un uniawn.[1]
> Llew llwyd, bwyd bydd rhydd, rhodd rhad.[2]
> Gwyllt byllt hyllt hoen, garw troen trai.[3]

Y mae'r dull yn un addas ddigon i glymu 'nghyd ryw
ebychiadau dynwaredol, fel pan watwarai Siôn Tudur
ddadwrdd Rhys Grythor yn y sain deirodl ddwbl—

> Hwff haff bwff baff rwff raff Rys.[4]

Fe geir cryn lawer o'r sain ddwbl yn awdlau'r bedwaredd
ganrif ar ddeg,[5] ond y mae eu ffurfiad yn ddigon amlwg—
yn llawer amlycach gan amlaf na dim synnwyr, heb sôn
am farddoniaeth, a all fod ynddynt.

Y Gynghanedd Sain Gadwynog.

303. Mewn cynghanedd sain lefn y mae un gair yn y
canol yn odli â gair o'i flaen ac yn cytseinio â gair ar ei ol ;
haws na threfnu hynny yw dodi dau air, un i odli a'r llall
i gytseinio—dyna a wneir yn y gynghanedd sain gadwynog.
Fe rennir y llinell yn bedwar bar, y cyntaf yn odli â'r
trydydd, a'r ail yn cytseinio â'r pedwerydd, fel hyn :

> Hael Forf**udd**, | *m*erch | fed**ydd** | *M*ai.[6]
> Yng ngh**ôr** | *Dd*einioel | Bang**or** | *dd*oe.[7]
> Myg*r*l**as**, | *m*awr | yw urdd**as** | *M*ai.[8]
> Gan d**ant** | *gl*ywed | moli**ant** | *gl*ân.[9]
> Derf**el** | a *ll*in | Ith**el** | *Ll*wyd.[10]
> Nod**au** | *gl*oyw | fodrw**yau** | *gl*ân.[11]
> A Deudd**wr**, | *br*aisg | fil**wr** | *br*au.[12]
> Nid âi **ef**, | *m*ygrwas | l**ef** | *m*wyn.[13]
> Cytg**am**, | o *b*ai | g**am** | o *b*eth.[14]

Fe welir bod aceniad yr ail far, fel aceniad y bar cyntaf, yn
amrywio ; y mae aceniad y ddau far olaf bron bob amser yr
un ag ym mhedwaredd ffurf y sain, ond weithiau, fel yn y

[1] E.P. 210.   [2] J.D.R. 273.   [3] D.G. 454.   [4] R. ii 88, GR. 314.
[5] Er eng. G.M.D. R.P. 1203-4, 1315.   [6] D.G. (20).   [7] Eto (37).
[8] Eto (87).   [9] Eto (113).   [10] Gu.O. G. 214.   [11] I.D. 10.
[12] W.IL. 19.   [13] D.G. 85, G.G. i 38.   [14] I.T. hen G.G. i 92.

ddwy enghraifft olaf, yr un ag yn ffurf gyntaf y sain. Gellir edrych ar y gynghanedd hon fel dull rhwydd ar y ffurfiau hynny o'r sain. Fe'i ceir yn ddigon cyffredin yn Nafydd ap Gwilym, ond nid mor gyffredin yn ddiweddarach. Ac eto nid ymddengys i'r un eisteddfod ei chondemnio; fe'i ceir, fel y gwelir, ar ol 1451 ; ac fe rydd J.D.R. yr enghraifft a ganlyn :

Daf**ydd** | *ll*ed**w**ag | b**r**yd**ydd** | *ll*wyd.[1]

Y mae Simwnt hefyd yn ei chydnabod ; [2] ond yr enghraifft a rydd ef yw—

Pab Rhufain | *br*o Éurgain | *br*áff.

Eithr y mae hon yn sain lefn gywir fel—

Gwrid gwyn | gor*ll*iw éwyn | *ll*áeth.[3]
Ithel, | *f*u úchĕl, | *F*ýchăn,[4]

am mai'r *br*, yr *ll*, a'r *f* yw'r cytseiniaid nesaf i'r acen, cymharer § 346. Y mae llawer o esiamplau o ddull amwys enghraifft Simwnt, megis—

Dyma ras | *dr*wy úrddas | *dr*áw.[5]
Ysbryd Glân, | *cl*au órgan | *cl*ód.[6]

304. *Sain Drosgl.*—Yn lle dau air yn y canol, un i gytseinio a'r llall i odli, fel uchod, fe geir weithiau *un* gair o fwy na dwy sillaf, a'i ddechreuad yn cytseinio a'i ddiwedd yn odli ; fel hyn :

A seithwawd | cymhéndawd | *c*áwdd.[7]
Gwybodau | *s*ynh**w**yrau | *s*érch.[8]
Mamaeth | *t*ywysógaeth. | *t*ŵyll.[9]
Rhag bod, | nid *c*ydnábod | *c*áin.[10]
Meibion | *s*aethýddion | y *s*érch.[11]

---

[1] J.D.R. 267; chwanegir yno enghraifft arall nad yw'n enghraifft o gwbl; nid oedd J.D.R., fel y crybwyllwyd, yn deall nemawr ar y grefft ei hun.

[2] "Sain gadwynoc a vydd pan fo un o'r geiriau kyntaf o'r bann yn kyd odli â'r trydydd gair, a'r ail yn kydateb i'r pedwerydd," P.IL. lxxviii.

[3] G.I.IL.F. 48.   [4] D.E. G. 108.   [5] W.IL. 167.   [6] E.P. 201.
[7] D.G. (38).   [8] Eto (111).   [9] Eto (15).
[10] Eto (35); tebyg mai camddarlleniad am "Pan ddeuthum, gwybúum, ged" yw "A phan ddeuthum, gwybum ged" yn (92); gweler *gwybúum* D.G. 38,—tebycach na *gwybâm*. Gwall diweddar yw *gwýbum*.
[11] I.D. 11.

Nid yw Simwnt na J.D.R. yn sôn am hon; ac yn niffyg
hen enw arni gallwn ei galw'n "sain drosgl." Nid
ymddengys i'r un eisteddfod ei chondemnio, canys fe'i ceir
yng ngwaith prifeirdd cyfnod Elsbeth:

> Am na bydd, | *d*ragýwydd | *d*ro.[1]
> Nid llawen | *g*oráwen | *g*wŷr.[2]
> Cyd bo caeth | *p*uróriaeth | *p*én.[3]

Wrth gwrs, lle *ni* bo cytsain rhwng y dechreuad a'r acen,
y mae'r gynghanedd yn gywir fel sain lefn; fel hyn:

> Chwaer ydiw, | *t*ywýnlliw | *t*és.[4]
> Cyd bwyf was | cywéit*h*as | cóet*h*.[5]
> Syrthiais, | *ll*ewýgais | i'r *ll*áwr.[6]

305. Nid yw'r sain drosgl ond parhad o'r hen sain dri
churiad a chyfatebiaeth ragflaenol ynddi, § 222. Ac y mae
llawer llinell sy mewn ffurf yn sain gadwynog yn darllain
yn fwy naturiol â'r un aceniad megis—

> Hael Fórf**udd**, | *m*erch féd**ydd** | *M*ái,[7]

gan gymryd "*m*erch" yn gyfatebiaeth ragflaenol, neu
ddiacen. Ond y mae eraill, megis—

> Nód**au** | *g*lóyw | fodr**wýau** | *g*lán.[7]
> Hýrddw**r** | *b*réiniawl, | chwárddw**r** | *b*rýn.[8]

yn gofyn fel yna am bedair acen. Felly fe all y gadwynog
fod o darddiad cymysg—mewn rhan yn un â'r drosgl, ond
yn ei dull arbennig ei hun yn tarddu o hen linellau pedwar
curiad, § 220.

306. Ychydig mewn cymhariaeth sydd o'r sain gadwynog
a'r sain drosgl ar ol 1451, ac yn y cyfnod diweddar ni
ddefnyddir monynt ond pan wnelont sain lefn gywir.

---

[1] W.Ll. G. 286.   [2] W.Ll. 56.
[3] E.P. 213; y llinell yn wallus iawn yno.
[4] D.G. (7).   [5] Eto (35).   [6] T.A. G. 234.   [7] § 303.
[8] D.G. (53).

III. Cynghanedd Lusg.

307. Y mae pob llinell o gynghanedd lusg yn terfynu mewn gair lluos-sillafog o aceniad rheolaidd, sef â'r acen ar y goben ; ac felly'n diweddu bob amser mewn sillaf ddiacen. Fe rennir y llinell yn ddwy ran ; ac y mae sillaf olaf y rhan gyntaf yn odli â'r goben acennog. Gall yr odl gyntaf fod yn acennog neu ddiacen. Enghreifftiau :

Y ferch dáwel | wallt-félen.[1]
Pan ddél | yr haf hir-félyn.[2]
A mwyn ádar | a'm cárai.[3]
Os mi a'i cár | i árall.[4]
Ni thau y góg | â'i chógor.[5]
Yn ddyn gláerwen | ysblénnydd.[6]
Cásbeth | gan Eiddig féthiant.[7]
Banhádlwyn | uwch yr wyneb.[8]
Amlwg fydd trwyn | ar wyneb.[9]
Yr árglwydd | a'r arglwyddes.[10]
Gweniaith brýdferth | a chwérthin.[11]
Gwárant | modrwy a mántell.[12]
Tydi, drwy sgórn | a chórnio.[13]
Haf a ddáw | ni bo gláwog.[14]
Prydydd wyf í | a ddíail.[15]
Ceisiaw yn léw | heb déwi.[16]
Ymladd a fú | ar lûoedd.[17]

308. Fe all yr odl gyntaf fod yn y sillaf a fynner, o'r gyntaf yn y llinell hyd y nesaf at y goben. Braidd yn drwsgl yw ei rhoi yn y dechreu, fel hyn :

Hí | yw'r benna 'Nghaerllíon.[18]
Míl | sy i Harri o fílwyr.[19]

[1] D.G. (39).   [2] I.B.H. R. i 408.   [3] D.G. (93).
[4] Eto (10).   [5] Eto (8).   [6] Eto (9).
[7] Eto (12).   [8] Eto (9).   [9] E.P. 212.
[10] L.G.C. 369.   [11] D.G. (39).   [12] Eto (10).
[13] W.C. E.P. 221. [14] D.G. 198.   [15] Eto 162.
[16] D.G. (14).   [17] H.D. G.G. ii 33.   [18] L.G.C. 104.
[19] Eto 156.

Ond nid anhyfryd mewn llinell 7 sillaf ei rhoi'n ddiacen ar
y bumed, fel hyn :

>Asgell archángel | mélyn.[1]
>Ac uwch 'i déurudd | rúddaur.[1]
>Myned mywn árgel | wély.[2]
>Mae ar dy wéfus | gúsan.[3]

309. Rhaid ateb yr odl gyntaf i ddiwedd y gair, ac yn
aml, i'w hateb yn gyflawn, fe lunnir yr ail odl o seiniau
a ddaw ynghyd yn nwy elfen gair cyfansawdd, fel hyn :

>Pan ddêl y Pásg | a'r glás-goed.[4]
>Llefain yw bérf | ofér-fardd.[5]
>Y márch | a wŷl o'i wár-chae.[6]
>Nid oes un méisdr | dyféis-drefn [7]
>Talwn fférm | porth Abér-maw [8]
>Gŵr di-léddf | mewn eistédd-fod.[9]
>Dewisodd Dúw | deulú-was.[10]
>A'm tafod ffáls | gwamál-syth.[11]

310. Lle diweddo'r odl gyntaf ag *w* gytseiniol, rhaid cael
honno yn yr ail :

>Yn lluniwr bérw | oférwaith.[12]
>Bûm yn cýnnelw | ar gélwydd.[13]
>Dyn márw | a allai f'árwain.[14]
>Cyd blannu bédw, | gwaith dédwydd.[15]
>A chlustog fásw | o láswellt [16]

311. Rhaid i'r odl gyntaf fod bob amser yn niwedd gair,
ond fe ellir ei gwneuthur yn "gysylltben" (cf. § 247) trwy
gydio â'r orffwysfa gytsain flaen y gair a ddilyno, a llunio
odl gudd (fel mewn cynghanedd sain § 299 (2)):

>Dialwr tré⌣|L)ywélyn.[17]
>Dýma⌣|b)en ar bob áberth.[18]
>Pāun asgéll-las⌣|d)inásdai.[19]
>Angelýstor⌣|g)wlad Fórgan.[20]

[1] D.G. (9).   [2] G.M.D. r.p. 1319.   [3] I.D. 12   [4] D.G. 199.
[5] Eto 465.   [6] D.G. (14).   [7] E.P. 213.   [8] D.G. 62.
[9] E.P. 208.   [10] G.Gr. d.g.g. 156.   [11] Gr.O. 59.   [12] D.G. (114).
[13] G.Gr. d.g.g. 155 ; *cýnnelw* = 'cyfansoddi, canu.'
[14] D.I.D. g. 182.   [15] D.G. (26).   [16] M.B. d.g.g. 126.
[17] I.R.   [18] R.G.D. 55 ; llinell gloff.   [19] D.G. (87).
[20] G.Gl. g.g. i 79 ; *angelýstor* = 'efengylydd.'   Dengys J.D.R. 270 nad
yw'n deall y pwynt, wrth adael yr *g* allan yn '*wlad*.

Geilw Simwnt, P.IL. lxxviii, y gynghanedd hon yn "llusg o gyswllt."

312. Er bod yn rhaid ateb yn y goben holl seiniau'r odl gyntaf hyd ddiwedd y gair, nid oedd angen yn yr hen gyfnod i'r odl gyntaf gynnwys yr holl gytseiniaid a ddilynai lafariad acennog y goben ; ac fe geir lliaws o linellau fel hyn :

> Mawr fu ámorth | y pórthmon.[1]
> Poni ŵyr béirdd | pencéirddryw [2]
> Pôr a ládd | mewn ymláddgors.[3]
> I'r lle mae'r éang | dángnef.[4]

Ond pan "ddeholwyd" cynghanedd bengoll (yn amser Dafydd ab Edmwnd, medd Simwnt,[5] sef yn 1451), fe gondemniwyd hon hefyd fel "llusg bengoll." Fe ellid "cywiro" 'r enghraifft gyntaf uchod trwy lunio odl gudd, fel hyn :

> Amorth◡|mawr fu i'r porthmon.

Ond y mae'n sicr yr ystyriai'r rhan fwyaf fod y llinell yn llawer mwy persain fel yr ysgrifennwyd hi gan Ddafydd ap Gwilym. Camgymeriad deddfwyr 1451 oedd rhoi'r gynghanedd lusg ar yr un tir â chynghanedd gytsain yn hyn o beth : diameu y boddheir y glust, mewn cynghanedd gytsain, gan atsain yr un cytseiniaid o gylch y goben acennog ; ond *odl* yn unig sy mewn cynghanedd lusg ; ni chyrraedd odl ond i ddiwedd sillaf, a ffôl fyddai daeru bod yr *m* yn *porthmon* yn perthyn i'r sillaf gyntaf. Gan nad oes doriad rhwng sillafau ni ddylid gwarafun cyfrif cymaint ag a fynner o'r cytseiniaid a fo ynghlwm rhyngthynt i lunio odl ; ond nid yw rheol beiriannol fod yn *rhaid* eu cyfrif oll yn y sillaf gyntaf yn peri eu *bod* yn y sillaf gyntaf ;[6] ac yr oedd greddf Gronwy'n gywir pan aeth yn ol heibio i'r

---

[1] D.G. 159.   [2] Eto (9).   [3] An. (diweddarach nag I.G.) F.N. 23.
[4] I.G. eto 17.   [5] P IL. lxxvi.
[6] Cyn belled ag y gellir gwahanu sillafau, y mae grym yr ysgogiad cyntaf yn *porthmon* wedi darfod cyn cyrraedd yr *m*, a'r *m* yn dechreu ysgogiad gwannach y sillaf ddiacen.

rheol beiriannol hon at ryddid rheol naturiol yr hen feirdd, megis yn y llinellau :

> Awn yn nóeth | i'r cylch póethlosg.[1]
> Ni bu, dref sórth | dan órthrech.[2]
> Llun y llóng | a'i ddehónglyd.[3]

313. Un peth a ddengys mai cymhwyso egwyddor cynghanedd gytsain at gynghanedd lusg a wnâi deddfwyr 1451 ydyw na chynwysasant ẉ yn eu gwaharddiad i sain fod yn y diwedd heb ei hateb. Er na cheir ẉ ar ddiwedd yr odl gyntaf heb ẉ i'w hateb yn yr ail, fe geir digon o ẉ ar ol y goben heb ẉ yn ei rhagflaenu yn yr orffwysfa, fel hyn :

> Ymliw ag ẃyrion | Rhónwen.[4]
> Dy gánmol, | ferch urddólwaed.[5]
> Dau well wyt Rhóser, | dau sybérwach.[6]
> Ond o hírbell | ymgéllwair.[7]
> Gwraig, a'i hésgus | drefnúswag.[8]
> Na'r gólled | drwy hocédwaith.[9]
> Ni chawsant rádd | ar náddwawd.[10]

Ni waharddwyd hyn erioed;[11] yn wir y mae Simwnt yn addef bod y llinell a ganlyn yn rheolaidd :

> Ni'th gâr **eithr** | rhyw ddiffeithẉraig ;

y mae'r " pennill," medd ef, " yn anhardd yn y glust, er bod y rheolaeth yn i gadw ef."[12] Ond pam yr oedd y rheolaeth yn ei gadw? Am nad oedd y rheolaeth yn meddwl am ddim ond cytseiniaid, ac nid yw ẉ yn gytsain y mae'n rhaid ei hateb. Ond nid cytseinedd sydd yma, eithr *odl*, ac y mae lled-lafariaid yn bwysig mewn odl, § 341. Os daw ẉ i ganol y seiniau sy'n odli, y mae'n amlwg na cheir odl berffaith heb ẉ i ateb iddi : yr oedd clust Simwnt

---

[1] Gr.O. 31.   [2] Eto 59.   [3] Eto 38.
[4] T.A.   [5] Eto R. i 167.   [6] H.S. 19; cf. § 322.
[7] I.D. 23.   [8] E.P. 201.   [9] Eto 234.   [10] Eto 267.
[11] Nid oes sail i osodiad *Yr Ysgol Farddol*, td. 22, bod llinell fel "Llwyd ẏw gw*edd* gwraig y m*edd*wyn" yn torri rheol, ac ni fedrais gael gan yr awdur, yn 1903, ei awdurdod dros yr haeriad.
[12] P.ᴸ. xci.

yn gywirach na'i reol. Ond yn y llinellau eraill a ddy-
fynnwyd y mae'r *w̦* tu allan i'r odl—yn perthyn o ran
ynganiad i'r sillaf olaf. Ni feddyliodd neb erioed am ateb
i̦ ar ddechreu'r sillaf olaf, mewn gair fel *urddoli̦on* dyweder;
ac nid oes fwy o reswm dros haeru bod yn rhaid ateb *w̦*
mewn gair fel *urddolw̦aed*. Ac os gellir cyfrif bod yr *i̦* a'r
w̦ yn perthyn i'r sillaf olaf, ac felly tu allan i'r odl, yr oedd
yr hen feirdd yn eu lle pan wnaent yn gyffelyb â chyt-
seiniaid eraill.[1]

314. *Llusg Wyrdro.*—Nid yw odl y gynghanedd lusg bob
amser yn berffaith, am fod seiniau'n amrywio, mewn an-
sawdd a hyd, yn ol eu safle yn y gair.

315. Cymerer yn gyntaf amrywiaeth ansawdd. Nid ei
sain ei hun, ond sain dywyll, sydd i'r *e* yn y deuseiniaid *ei*
ac *eu*; a hyd yn oed yn y canoloesoedd yr oedd y sain
honno'n amrywio'n ol ei safle—yn nes i sain *a* mewn gair
unsillafog, neu yn y sillaf olaf, nag yn y goben. Eto fe'i
cyfrifid yn unsain, ac fe'i hysgrifennid yn *e*, ym mhob man,
fel hyn:

> Kanhorthwy, Veir, | vy eirŷawl.[2]
> Lle bu **eur** | am ŷ deuruб.[3]

Yn ddiweddarach fe aeth y gwahaniaeth yn fwy; ac mewn
copïau diweddar fe geir *Fair* ac *aur*.[4] Fel yna, er mai *rïain*
a *haul* sydd yn y copïau sy gennym, y mae'n sicr mai fel
isod yr ysgrifennwyd y llinellau yma:

> O buost, rïein | feinir.[5]
> Brenin heul | a goleuloer.[6]

---

[1] Fe ellid yn wir ddadleu bod y llinell "Rhag cledd*eu* y Deheubarth"
(I.B.H. R. i 408) yn gywir, am fod -*heu*- yn sillaf *gaedig*, ac felly fod y
-*b*- tu allan iddi. Yr un modd, ffr*iw* | w*iw*goeth, D.G. (47). Ond gwell
yw cael *cytsain* yn y sillaf yn ei ch*a*u, fel y bo o'r hyn lleiaf ddwy gytsain
rhwng y ddwy sillaf, megis yn "Gwraig ddigym*a*r oedd M*a*rged," Gr.O.
50.—Mewn Llydaweg Canol fe wnai *Ies*u a *b*u-*gel* y tro (*Llawlyfr* td. 46),
ond ni cheir llusgiaid fel yna yn Gymraeg.

[2] G.M.D. R.P. 1325. [3] Eto 1319.

[4] "Canhorthwy *Fair* fy eiriawl," M.A. 296*b*; "Lle bu *aur* am ei
deurudd," eto 304*a*. [5] D.G. 172. [6] G.Gr. D.G.G. 155.

Yr oedd y seiniau'n ddigon agos i'w gilydd yr adeg honno i'w hysgrifennu'r un modd; ond fe barhawyd i'w hodli mewn cynghanedd lusg wedi iddynt bellhau. Dyma enghreifftiau diweddarach, yn orgraff y llyfrau, i ddangos y gwahanol ddulliau oedd gan gopïwyr diweddar o'u hysgrifennu:

> Nid llai seigieu | ei neuadd.[1]
> Vy nadsain | am ŵyr Einion.[2]
> Pum canwaith | y gobaithiwn.[3]

Yr olaf yw'r sillafiad gwaethaf, oblegid ni bu'r sain erioed yn *a* yn y goben (gob*ei*thiwn). Yr ail, sef y sillafiad rheolaidd diweddar, a arferir yn gyffredin, ac ystyrrir bod yn iawn ateb *ai* neu *au* yn yr orffwysfa ag *ei* neu *eu* yn y goben. Nid oes gan yr hen ysgrifenwyr enw, hyd y gwelaf, ar y gynghanedd hon; ond yn ail argraffiad gramadeg R.D. fe'i gelwir yn "llusg wyrdro."[4] Gan mai o wyriad y sain y tardd, nid yw'r enw'n anaddas, beth bynnag oedd ei ystyr gan yr hen athrawon.[5]

316. Gwyriad arall ydyw sain dywyll y llythyren *y*: y mae'r sain eglur a geir mewn gair unsillafog neu yn y sillaf olaf, fel yn *dyn* a *melyn*, yn gwyro i'r sain dywyll yn y goben: *dynion*, *melynion*. Felly llusg wyrdro a geir pan odler *y*; fel hyn:

> I'm bun wŷch | y chwenŷchwn.[6]
> Fy ngwas gwŷch, | ni'th fradŷchir.[7]
> Cýnnŷdd | Mordaf a Rhŷdderch.[8]
> Artaith ddírŷm | ar Gŷmro.[9]
> Pan fo'r ha'n rhéwlŷd | i'r rhai ynfŷdion.[10]

Ond nid oes yma odl i glust neb—y mae'r sain wedi gwyro

---

[1] Gu.O. G. 198.   [2] L.G.C. 175.   [3] T.A. C i 350.
[4] Td. 185, trydydd arg. 145.
[5] Enghraifft J.D.R. 268 o "lusg wyrdro" yw "Corf, llorf, llu, deutu, dottawnt"; ond sain ddwbl yw hon. Yn fy nghopi i y mae sgrifen ledddiflan, bron cyn hyned â'r llyfr, ar ymyl y ddalen: "Cy . . . sain wyrdro yw hi Gwel 272 lin 3." Ac yn sicr y mae yno sain "wyrdro" led gyffelyb. Ni welais hen ddiffiniad o "lusg wyrdro."
[6] D.G. (19).   [7] D.G. 30.   [8] Eto 224.   [9] G.Gr. D.G. 237.
[10] T.Pr. C.C. 224.

gormod. **Ac** ar ol D.G. ymddengys bod y beirdd yn gyffredin yn osgoi hon, nid yn gymaint, efallai, am fod y " rheolaeth " yn ei herbyn,[1] ag am ei bod yn " anhardd yn y glust."

317. Eithr yn yr hen ffurfiau *ymy* neu *ymi* am *imi*, a'r cyffelyb, y mae'r sain eglur i'r *y* yn y goben, ac fe geir llusg foddhaol â'r rhain, megis—

> Dafydd ap Gwílym, | ỳmy.[2]
> Arglwydd gwúnn, | nid oes únni.[3]

Ac fe eill *y* ddiacen odli ag *u*, gweler § 428 ; ac felly fe geir llusgiaid difai lle bo *u* yn y goben, fel hyn :

> Mélus | ydyw dy gúsan.[4]
> Nid édiych | ar fy nhúchan.[5]
> Ef a wŷr Dáfydd | â'r gwayw rhúddon.[6]

Eithr pan fai'r acen ar y ddwy yr oedd yr hen wahaniaeth yn aros, a chondemnid llusg fel hon (J.D.R. 289) :

> Bob dúdd | y mae'n ymgúddio.

318. Ni cheir llusg gywir â dwy sain dywyll *y*, canys ni ellir rhoi'r unsillafion *y, yr, fy,* etc., yn yr orffwysfa, am mai gogwyddeiriau ydynt (§ 460).   Ni cheir hyd yn oed *yn* fel arddodiad llawn yng ngorffwysfa llusg gan yr hen feirdd.

319. Y mae hefyd amrywiaeth *hyd* yn odlau'r gynghanedd lusg ; bydd yn fwy cyfleus ymdrin â'r mater hwn dan y pen "Odlau," § 417.

320. *Llusg deirodl.*   Fe geir tair odl mewn llusg weithiau,[7] fel mewn sain :

> Lléddfgein | rïein | llun meinwar.[8]
> A'i chlaerwin | fin | chwerthinog.[9]
> Dwbled | harddgled | mewn rhedyn.[10]

---

[1] " Nid gwarantedig," medd R.D. mewn nodiad newydd ar waelod td. 146 yn ei *drydydd* arg. ; ond ni welaf fod dim i brofi ei gwahardd erioed.
[2] G.Gr. D.G.G. 154.   [3] M.R.
[4] I.D. 31.   [5] Eto 21.   [6] L.G.C. 115 ; *rhúddon* = onn rhudd.
[7] Y mae'n gyffredin iawn yn y Llydaweg, § 222.
[8] A11 33.   [9] D.G. 48 (9).   [10] Eto (47).

Llysiant Llusg.

321. Nid yw cynghanedd lusg "weddus na chymwys ond yn y bann kyntaf o bennill mewn kywydd," medd Simwnt;[1] hynny yw, ni thâl ei rhoi yn yr *ail* linell. Rheol y cywydd yn unig yw hon; fe rydd W.Mn. y rheol gyffredinol: "Ni wedd cynghanedd lusg ar y fraich *olaf* i'r un o'r mesureu."[2]

322. Ni chrybwylla R.D. mo'r rheol yn ei argraffiad cyntaf, 1808; ond fe'i rhydd yn yr ail, 1818, gan chwanegu'r geiriau hyn: "na dwywaith nesaf i'w gilydd."[3] Nid oes, hyd y gwelaf, ddim sail i'r cyfyngiad hwn. Fe ellir yn hawdd gael dwy lusg yn nesaf i'w gilydd; fe'u ceir yn aml, mewn gwawdodyn neu hir-a-thoddaid yn enwedig. Ac nid anhapus mewn gosodiadau cyfochrog yw cael yr un fath syniad yn yr unrhyw gynghanedd, megis—

> Ni bu'n ysgwïer neb syberwach,
> Ag ni bu'n farchog neb rywiogach,
> Ag ni bu'n arglwydd un dyn rwyddach.[4]

Dyna dair llusg ynghyd, ac y mae dwy ynghyd yn y pennill nesaf ato. Gweler tair ynghyd gan D.N. isod § 499, a dwy ynghyd bum waith yn L.G.C. 56, 90, 106 (ddwywaith), 192. Yn ddiweddarach:

> Ple'r aeth ail Derfel pan ryfeloch?
> Ple'r aeth ail Dewi pan weddïoch?[5]

Ac i ddangos na waharddwyd mo'r peth yn y deddfiad awdurdodedig olaf dyma enghraifft o waith Huw Llŷn, a

---

[1] P.IL. lxxv.

[2] F. 66. Nid oedd hyn wedi ei wahardd pan ysgrifennwyd Dosbarth Einion; y mae un neu ddau bennill ynddo yn diweddu â llusg, e.e. *A* 1129. Yn yr hen farddoniaeth fe geir digon o enghreifftiau, ac ambell un yn D.G., megis (65), ll. 26, a 53, ll. 4, os cywir y darlleniad.

[3] R.D. ail arg. 185, trydydd 146; ail-adroddir (heb gydnabyddiaeth) gan Galedfryn *Gram.* 148, ac yn yr *Ysgol Farddol* 31.

[4] H.S. 19; un llinell ar goll yn y pennill, ond *ar ol* y 3edd linell, a barnu wrth y penillion eraill.

[5] L.Mg.

raddiwyd yn ddisgybl pencerddaidd gyda S.T., S.Ph. a W.C.
yn 1568:

A gwnawn yn ddifri ỹn gweddïau
I'n Harglwydd Frenin ar ỹn gliniau.[1]

Ac fe geir dwy ynghyd a thair ynghyd gan T.Pr. yn 1596,
C.C. 223, ll. 22-4; 224, ll. 9, 10. Yn 1728 fe gasglodd S.R.
118 yr hyn a ddywedasid am lysiant llusg, ac nid oes air
am y gwaharddiad hwn. Nid oes air chwaith yn rheolau
1815.[2] Nid oes gennym ond haeriad R.D. yn ei ail arg.,
1818, ar y mater; [3] ond fe'i derbyniwyd gan ramadegwyr
y ganrif o'r blaen heb holi na chwilio dim.[4]

Cynganeddion Cymysgedig.

323. Fe ddaw cynghanedd weithiau heb ei cheisio; y
mae cynganeddion anfwriadol i'w gweled mewn rhyddiaith,[5]
ac i'w clywed mewn ymddiddan. Profiad digon cyffredin
i'r prydydd yw canfod, ar ol gweu llinell ar un gynghanedd,
fod ynddi un arall na feddyliasai ef amdani. Dyna'n
ddiameu y modd y daeth cynganeddion cymysgedig i fod.
Y mae'n sicr, er enghraifft, mai cynghanedd sain y bwriadai
Dafydd i'r llinell hon fod, canys ei reol ef oedd ateb *h* mewn
cytseinedd:

Hud | yw gólŭd | a gélỹn;[6]

---

[1] C.IL. 151; cf. 159, ll. 23-4, gwaith M. Dwyfech.   [2] Richards 70.
[3] Nid oedd y rheol newydd wedi cyrraedd clust na llygad I.G.G. yn
1821; gweler I.G.G. 87.
[4] Mi welais feirniad yn ddiweddar yn condemnio llusg yn ail linell
pennill hir-a-thoddaid—cam-gymhwysiad o reol cywydd. Gall llusg fod
yn yr un a fynner o'r pedair cyntaf mewn hir-a-th. neu wawdodyn hir,
ac y mae'r ail yn lle yr hoffid ei rhoi :
Ni bu un gyfarch March ap Meirchion,
Na Lawnslod Lâg nac Uthr Bendragon.—D.N. 59;
cymharer D.N. 64; W.IL. 37, 38 (dwy eng.), etc. Gweler llusg yn y
bedwaredd gan W.IL. yn C.IL. 15, 23, 24, 30, 34 (dwy eng.).
[5] Bu rhai'n ceisio casglu cynganeddion y Beibl, a hyd yn oed eu llinynnu,
fel yn yr englyn perffaith ddisynnwyr yn M.E. ii 24.
[6] D.G (105).

ond os diystyrrir yr *h* a'r odl fe ellir ei darllain fel croes o gyswllt, er nad yw mor llithrig felly. O'r ochr arall rhaid mai fel cynghanedd groes y canwyd hon :

Yr un fûn | orau yn fŷw,[1]

canys y mae'n fwy trosgl o lawer fel sain.

324. Y mae chwe chyfuniad o ddwy gynghanedd yn bosibl, sef 1. *seingroes*, 2. *trawsgroes*, 3. *seindraws*, 4. *croeslusg*, 5. *seinlusg*, 6. *trawslusg*, heblaw amrywiaethau fel seingroes gadwynog, seingroes o gyswllt, etc. Am gyfuniadau o dair, gwastraff ar bapur fyddai ceisio'u henwi.

325. "Seingroes" fel yr enghraifft olaf a ddyfynnwyd yw'r gynghanedd gymysgedig a ddigwydd fynychaf o lawer : croes yw hi, ond bod gair yn ei rhan gyntaf yn odli â'r orffwysfa, fel y *gellir* ei darllain fel sain ; er enghraifft :

Aed y trâed | hyd ato'r ŵyl.[2]
Llawen dy wên | yn Llan Dâf.[3]
Gwent yn Wént | ag wyntau'n wŷr.[4]
O lŷs a gwŷs | Lewis Gwŷn.[5]

Dyna, fel y gwelir, yr aceniad naturiol ; ond hawdd credu nad yw'r odl yn anfwriadol bob amser, gan yr ystyrrid y peth yn dipyn o orchest. Ac yn wir y mae rhyw swyn ynddo mewn llinell fel yr olaf, er enghraifft ; gellir edrych arni fel cynghanedd wedi ei dechreu'n sain, a'i diweddu'n groes drwy beri i'r gytseinedd ymestyn yn ol dros ddau far cyntaf y sain.

326. Weithiau fe ddaw'r ail odl *ar ol* gorffwysfa'r groes, ac yna fe geir sain gadwynog gyda chroes neu groes o gyswllt, fel hyn :

Had **Ar**on, | goed | aer**on** | gwin.[6]

Tebyg mai fel sain gadwynog y canwyd hon ; ond os darllenir hi heb sylwi ar yr odl fe wna groes o gyswllt gywir. Ond yn y rhan fwyaf o'r enghreifftiau a rydd

---

[1] D.G. (21)   [2] G.Gl. c. i 196.   [3] Eto G.G i 80.   [4] T.A.
[5] S.Ph. cy. ix 35.   [6] W.IL 19.

Simwnt [1] o "seingroes gadwynog" (o gyswllt ac amgen) y
mae'n sicr na feddyliodd eu hawduriaid am sain o gwbl.
Cymerer y rhain, gwaith Tudur Aled :

> Ni thyf rhŵd | i'th fyw ar hôn.[2]
> Ni'm gyr bûn | i'm gwir bóeuï.[3]

Yn y gyntaf y mae'r orffwysfa ar *rhwd* ; ond ped fai'n sain
byddai'n rhaid i bwys yr orffwysfa fod ar y sillaf ddiacen
i'th, i odli â *Ni_th-* ! A'r un modd ag *i'm* yn yr ail. Nid
yw hyn ond ffolineb. Ac ni thybiaf y diolchasai Dudur
i awdur y P.IL. am ddangos bod y llinell esmwyth,

> Trist fydd llif | tros Dafydd Llwyd,[4]

yn sain gadwynog glogyrnaidd os sylwir ar yr odl ddam-
weiniol sydd ynddi. Mae synnwyr yn gofyn gwahaniaethu
rhwng yr hanfodol a'r damweiniol mewn cynghanedd fel
rhywbeth arall : wrth ail-adrodd cytseiniaid mewn croes fe
ail-adroddir llafariad weithiau, ac fe geir odl, nid o fodd ond
o raid ; a pha beth ond diffyg barn yw gwneuthur rhinwedd
o'r rhaid, a dychmygu cywreindeb mewn damwain ?

327. Peth hollol ddi-alw-amdano, lle bo cynghanedd
amlwg a da mewn llinell, yw chwilio ynddi am un arall
anamlwg a gwael. Dyna a wneir bob tro y sonnir am
"drawsgroes." Cynghanedd groes rywiog amlwg sydd yn
y llinell—

> Ag aur a gwîn | a gwŷr gánt ;[5]

pa rinwedd arni ydyw y *gellid* ei chymryd yn draws fantach ?
Yr un modd am "seindraws" : cynghanedd sain amlwg
sydd yn y llinell—

> Fynawg rïain | fáin | fúnŭd ;[6]

ac nid yw bod ynddi draws gyferbyn, a roir yn y cysgod
gan y sain, yn chwanegu dim at ei gogoniant. Felly hefyd,

---

[1] P.IL. lxxx a'r td. nesaf a gam-rifir xci.
[2] T.A. i Syr Rhys.   [3] Eto, o'r cywydd "Serch a rois."
[4] Eto G. 237.   [5] W.IL. 30.   [6] P.IL. xci.

rhaid ac nid rhinwedd yw llusg mewn croes neu sain, fel yn
y " groeslusg "—

    Nid oes dýn | un destúniŏn,[1]

neu'r " seinlusg "—

    A chefn a chalon | y dýniŏn | dóuiŏg.[2]

  328. Ond fe all y naill gynghanedd fod cyn amlyced a
chystal â'r llall mewn " trawslusg " fel—

    Na'n hôl dirgel na'n helynt.[3]

Os rhoir *hôl* yn yr orffwysfa fe geir traws ddisgynedig, os
dirgel fe geir llusg.   Yn yr enghraifft hon y mâe'r ddau air
mor bwysig â'i gilydd, ac os rhoir pwys ar y ddau fe gyfleir
effaith y ddwy gynghanedd.

  329. Ond yn gyffredin, lle bo dwy, fe saif un allan fel
ffurf naturiol y llinell, tra nad yw'r llall ond cyffyrddiad
ychwanegol, neu ddamwain.   Weithiau y mae'r cyfuniad
yn ddigon hapus, ond anurddo'r brif gynghanedd a wna un
waelach a fyn ymwthio iddi.   Nid " gorchestol " yw pob
cynghanedd gymysgedig fel yr awgryma W.Mn. F. 66 ; hi
all fod yn druan ddigon.   Bu ychydig o ymgeisio gynt am
gynghanedd ddwbl neu gymysg (fel am gysyllt-groes
ddyrys yn awr) gan rai a rôi fwy pris ar gywreindeb nag ar
brydferthwch ac eglurder ; ond goreu po symlaf fo cynghan-
edd, rhag tynnu sylw'n ormod oddiar y mater at y ffurf.

Cynganeddion Deoledig.

Cynghanedd Braidd Gyffwrdd.

  330. Lle bai dau air yn cytseinio yng nghanol llinell, a'i
dau ben heb gyfatebiaeth, fe geid cynghanedd " braidd
gyffwrdd " neu " fraidd gyfwrdd " ; fel hyn :

    Arddwyreaf *hael* | o *hil* Gruffudd.[4]
    Arddwyreaf *hael* | *hwyl* gyfrgain.[5]

---

[1] P.IL. xci ; gwaith T.A. ; " *heb* destunion" yn c. i 344.
[2] W.IL. 38.   [3] P.IL. xci.   [4] G. M.A. 145*a*.   [5] C. M.A. 149*a*.

Yn ail awen *ddofn* | o *ddwfn* gofiain.[1]
Gwelais o a*rf*od | ae*rf*ab Gruffudd.[2]

331. Fe dardd hon, fel y sylwyd uchod § 218, o hen gyfatebiaeth diwedd yr hanner-llinell cyntaf a dechreu'r ail. Fe'i ceir ambell waith yn y cywyddau cynnar, yn y llinell gyntaf o'r cwpled, megis—

O dra *disg*wyl, | *dysg*iad certh.[3]
Hyd y *gŵl* | *golw*g ddigust.[4]
Nid wyf yn *ll*ei*d*r | *llwd*n carnawl.[5]

332. "Hon a wrthodwyd yn gwbl," medd J.D.R. 255, "yn yr Eisteddfod Fawr yn amser ... D.E.," sef yn 1451; ychwanega Simwnt "neu gynt."[6] Egwyddor newydd cynghanedd gytsain oedd fod y gytseinedd i ddechreu â'r gytsain gyntaf yn y llinell, ac i ddiweddu â'r olaf o flaen y brifodl; ac yr oedd y fraidd gyffwrdd yn troseddu'n ddwbl yn erbyn y rheol.

Croes a Thraws Wreiddgoll.

333. Weithiau yn y Gogynfeirdd y mae'r gytseinedd yn colli yn y bar cyntaf, ond nid yn y diwedd; fe geir felly groes a thraws wreiddgoll; fel hyn:

Gadel] *p*en a*rn*af | he*b* ben a*rn*aw.[7]
Llawen] y ca*r*wn | cyn ni'm (ce*r*ynt.[8]

Ond yn y cywyddau cynnar prin y ceir mwy nag un gytsain ar y dechreu heb ei hateb, gan amlaf *m* neu *n*, ond ar ddamwain un arall, megis:

*M*i gela', Gwén, | gael a gâd.[9]
*M*érchĕd | a fydd yn (érchĭ.[10]
A'*m* gwégĭl | at Dduw (gwíwgŏeth.[11]
*M*or ing y dáw | 'r angau dú.[12]
*D*ull ángĕl | a ollýngăf.[13]

---

[1] Eto 149*b*. [2] G. M.A. 143*a*. [3] D.G. (28). [4] Eto (104).
[5] G.A.D.; y darlleniad cywir yn ansicr: "Nid wyf leidr un llwdn carnawl," D.G.G. 120. [6] P.LL. lxxvi.
[7] G.Y.C. R.P. 1418. [8] C. eto 1425. [9] G.Gr. D.G.G. 136.
[10] D.G. 7. [11] Eto (27). [12] I.G. 618. [13] D.G. (47).

Ond y mae *m* ac *n* ill dwy yn y llinell hon gan Ddafydd, os cywir y darlleniad :

*M*enig Ífŏr | a géfăis.[1]

Oherwydd bod *n* yn digwydd yn wreiddgoll mor fynych, a bod ei sain mor ysgafn, fe'i goddefwyd dan y rheolau caethion ; §§ 252–4, 268, 276.

334. Ond os gwelir cytsain yn wreiddgoll heblaw *n* (neu *h* neu *f*, gweler §§ 371, 361) yng ngwaith un bardd awdurol ar ol 1451, gellir ameu'r darlleniad. Er enghraifft, fe ddarllenir yn F. 45,

Y*m*ogelwn 'i gilwg,

yng nghywydd I.T. ieu. Ond fe gollasid yr *y-* yn *ymogel* yn fore, a hebddi yr arferid y gair gan y beirdd gant a deucan mlynedd cyn oes I.T.[2] Tebyg felly mai'r hyn a sgrifennodd ef oedd a ganlyn, a welais yn un o gopïau Myrddin Fardd :

Mogelwn | yma'i gilwg.

Croes a Thraws Bengoll.

335. Pan fo'r gytseinedd yn colli yn niwedd y llinell fe geir croes neu draws bengoll, fel hyn :

Peu milwr | peu moliant [rhag llaw,
Pen dragon, | peu draig [oedd arnaw.[3]

A Dafydd | defawd [Ulkessar, . . .
Difwlch | udd, (difalch ['i esgar.[4]

Y mae'r cynganeddion hyn yn ddigon cyffredin yn yr hen awdlau, ac fe'u ceir weithiau yn y cywyddau cynnar, yn y llinell gyntaf o'r cwpled, megis :

Yn rhódiăw, | rhýdăer [ddisgwyl.[5]
Máwr | yw mírăgl ['i gwynbryd.[6]
Lle téw | lletýău [mwyeilch.[6]

[1] J.D.R. 259 ; wedi ei throi'n llusg : "Menig o'i dref a gefais" yn D.G. 8, ac yn llai synhwyrol "o'm tref" yn G. 42.
[2] Megis *mogeled* B.Br. R. i 534 ; *mogel* G.Gr. D.G. 248, D.G.G. 135, 136 ; I.G. 463. [3] G.Y.C. R.P. 1418.
[4] P.M. eto 1419. [5] D.G. (21). [6] Eto (41).

Gwáe | fi (gwéwỹr [a'm hirbair.[1]
Dílǎes | y déil [heb ystryw.[2]
Rhagor máw(r | ger múr [gwyngalch.[3]

336. Croes neu draws bengoll fel hyn a geid bron bob
amser yng nghyrch ac ail linell englyn unodl union; fe'i
"goddefwyd" yno pan waharddwyd hi ym mhobman arall
yn 1451, a hyd heddyw ni wêl neb ddim o'i le arni yn y
fan honno. Rhyfedd fel y doir i ddygymod â phopeth wrth
ymarfer ag ef.

Sain Bengoll.

337. Y mae'r sain bengoll yn gyffredin iawn yn awdlau'r
gogynfeirdd; dyma ychydig enghreifftiau o "Rieingerdd
Efa" gan Gynddelw:[4]

Cymräeg | *laesd*eg | o *l*ys *d*[yffrynt.
Llif drag*on*, | *vanon* | *v*alch [ỹ thynged.
Gofal*on* | *eil*ion | *ael*wyd [Rheged.
Gorne | gwaw*r fore* | ar *fôr* [diffeith.

Fe'i ceir hefyd yn awdlau Dafydd ap Gwilym a'i gyfoedion
—gan amlaf o flaen gair cyrch mewn englyn neu doddaid.[5]
Ond anfynych y ceir hi yn y dulliau uchod yn eu cywyddau.
Fe welir ambell enghraifft, fel—

Heirdd | *feirdd* | *fyrdd*iwn [dilédfeirw.[6]
Dwg drachefn | *trefn* | *tr*i [chanrhwyd[7]

338. Ond fe geir llawer iawn o enghreifftiau, nid o
sillafau dros ben fel uchod, ond o gytseiniaid dros ben yn y
gyfatebiaeth. Y mae'r sain bob amser o'r drydedd ffurf
(anghytbwys ddisgynedig),[8] a'r aceniad yn rheolaidd, fel
hyn :

---

[1] Eto (38).
[2] Eto (30); *deily* yno hen sillafiad; gan nad oedd yr -*y* yn sillaf y
mae *deil* yn nes at y sain na'r hyn a awgrymir yn *deily*.   [3] Eto (108).
[4] R.P. 1425-7; M.A. 157-8.
[5] Gweler, e.e., D.G. 10, ll. 5; 11, ll. 13; 12, ll. 5, 9, 13, 17; 451, ll. 1,
3, 6, 9, 13, etc. Gweler efelychiadau gan Oronwy, Gr.O. 30, ll. 15, 17.
[6] D.G. 405; gweler gwaelod td. 249 isod.   [7] D.G. (76).
[8] Yn nhaflen Lerpwl dyfynnais "Gwaeth na gwynt | helynt | hydref"
D.G. 51, fel enghraifft o'r ail ffurf yn bengoll. Ond nid ymddengys bod y

Duw a'th gatwo, | tró | trásĕrch.[1]
Ni wŷs na lliw, | gwíw | gwáwdrădd.[2]
A gweiddi o hwn, | gŵn, | gánllĕf.[3]
Tybiaswn fod, | clód | clýdrĕg.[3]
Ŵyr Cuhelyn | wýn | winglăer.[4]
Bylchdon bryd | rhýd | rhaeádrflăen.[5]

Fe welir bod cytsain neu ddwy yn rhagor ar ddiwedd y goben
nag yn yr orffwysfa. Weithiau y mae cytsain neu gyt-
seiniaid diweddol yr orffwysfa heb eu hateb o gwbl yn y
goben, megis :

Nid amgen, | Gwén | a'm gwéhĕirdd.[6]
Ai rhaid i'r haul, | drául | drámŵy.[7]
Bob wythnos gynt, | hýnt | hírŏed.[8]
Nis diffydd gwynt | hýnt | hýdrĕf.[9]

339. Yr hyn a wneir yn yr holl enghreifftiau hyn yw
cymryd yr un rhyddid yn y drydedd ffurf o'r sain ag
a gymerir yn gyffredin yn y bedwaredd. Ond yn y bed-
waredd ffurf nid oes eisiau ond ail-adrodd y cytseiniaid o
flaen yr acen i gael cyfatebiaeth hyd at lafariad y brifodl ;
dyna'r egwyddor a gydnabyddid eisoes yn y groes a'r draws
a ffurfiau eraill y sain, ac am fod cynghanedd yr enghreifftiau
uchod yn troseddu drwy roi cytseiniaid amherthnasol o
flaen y brifodl fe'i gwaharddwyd yn 1451. Fe geir ambell
enghraifft o'r cyfnod hwnnw, megis—

Heb adrodd gair, | gráir | gróywfŭn.[10]

Ond fe gydsyniwyd yn gyffredinol â'r gwaharddiad er i
Oronwy gymryd yr hen ryddid unwaith neu ddwy :

Yn lle malais, | tráis̆, | tráhă.[11]
Er yn faban | gwán | gwécrŷ.[12]

340. Egwyddor *cytseinedd* ydyw'r uchod, ac anffodus
oedd ei chymhwyso at *odl*, a dyfeisio trosedd newydd y
" llusg bengoll " ; gweler § 312 uchod.

---

llinell yn perthyn i'r cywydd, gweler G.G. i 5–6, iii 29–30, G. 56–7 ; a
thebyg mai llinell o rywle arall wedi ei hystumio a'i rhoi i mewn gan
rywun oddiar gof amherffaith ydyw.
[1] D.G. (48).   [2] Eto (38).   [3] Eto 352 (93).   [4] Eto 25.
[5] M.B. D.G.G. 123.   [6] D.G. (30).   [7] Eto (29).   [8] Eto 261.
[9] Eto (85) 98.   [10] I.D. 30.   [11] Gr O. 16.   [12] Eto 63.

Cyfatebiaeth Cytseiniaid.

Llafariaid a Lled-lafariaid.

341. Nid oes ond un wir lafariad mewn un sillaf; er enghraifft, mewn sillaf fel *iawn* yr unig lafariad yw *a*; lled-lafariaid,[1] neu lafariaid cytseiniol, yw'r *i* a'r *w* ynddi; a chytsain yw'r *n*. Sylwer yn awr ar swyddau'r tri rhyw hyn o seiniau mewn cerdd :

1. Mewn *odl* y mae'r tri'n cyfrif; i odli â *iawn* rhaid cael gair fel *llawn*, yn cynnwys y llafariad *a*, y lled-lafariad *w*, a'r gytsain *n*.

2. Yn y *mesur* y llafariaid yn unig sy'n cyfrif, canys nifer y llafariaid yw nifer y sillafau. Nid yw'r lled-lafariaid a'r cytseiniaid yn cyfrif dim.

3. Mewn *cytseinedd* y cytseiniaid sy'n cyfrif, ac nid yw'r llafariaid na'r lled-lafariaid, fel y cyfryw, yn cyfrif dim.

342. Nid oes eithriad o gwbl i'r un o'r tri gosodiad yna[2]; ond y mae'r trydydd yn galw am chwaneg o eglurhad. Y *mae*'r fath beth â chyfatebiaeth ddi-gytsain ; ond nid cyfatebiaeth llafariaid yw hynny. I ddangos hyn cymerer yn gyntaf gyfatebiaeth ddechreuol : y mae *cán* yn cyfateb i *cerdd* ; yr un modd y mae *áf* yn cyfateb i *erch* ; nid yr *a* sy'n cyfateb i'r *e* yn y pâr hwn mwy nag yn y llall, ond *dechreuad* yr *a* i *ddechreuad* yr *e*. Y dechreuad hwn ydyw agoriad y glottis[3] i seinio'r llafariad ; gellir ei alw, fel yn y gramadeg Groeg, yn "anadliad meddal," o'i gyferbynnu â'r "anadliad caled," sef *h*. Yn awr, mewn

---

[1] *Semi-vowels.*

[2] Pe gwelsai Simwnt y cyntaf yn gliriach ni buasai mewn penbleth rhwng ei "glust" a'i "reolaeth," uchod § 313. Gwelir wrth yr ail a'r trydydd fod lled-lafariaid yn seiniau rhwng llafariaid a chytseiniaid, yn debyg ac yn annhebyg i'r naill a'r llall ; a gwelir paham y gelwir hwynt weithiau yn "llafariaid cytseiniol" ac yn "llafariaid ansillafog."

[3] Y glottis yw genau'r bibell wynt. Os seinir *ă* yn sydyn, fe ellir clywed agoriad y glottis fel rhyw besychiad gwan. Ond yn gyffredin yn Gymraeg y mae'r symudiad yn rhy esmwyth i fod yn hyglyw.

cyfatebiaeth ddechreuol y mae'r anadliad meddal a'r lled-
lafariaid i ac w oll ar yr un tir, yn cyfateb iddynt eu
hunain neu i'w gilydd; dyma gyfatebiaeth y dechreuadau
llafarog.

343. Wrth ddywedyd nad yw lled-lafariaid, *fel y cyfryw*,
yn cyfrif mewn cytseinedd, y meddwl yw mai fel un o'r
dosbarth uchod y cyfrifant, os cyfrifant o gwbl. Nid rhaid
ateb yr un ohonynt â'i chyfryw. Y mae'n wir bod i neu w
weithiau yn ateb iddi ei hun, fel yn—

> A llyfr cyfraith | y $i$áith | $i$áwn.[1]
> O'm lleddir | am $w$ír, | ba $w$áeth ?[2]

Ond cyfatebiaeth y dechreuadau llafarog sydd yma ; trwy
roi'r un lled-lafariad i ddechreu'r ddwy sillaf gyfatebol fe
wneir y gyfatebiaeth yn eglurach, ond nid yw'r rheol yn
gofyn hynny.

344. Nid yw dechreuad llafarog yn cyfrif o gwbl mewn
cytseinedd OND *yn union o flaen y brif acen*. Fe'i ceir yno,
fel y gwelsom, ym mhob ffurf o'r gynghanedd sain.
Goddefir i ddechreuad llafarog gyfrif ar ddechreu gair er
i'r gair o'i flaen ddiweddu mewn cytsain ; ond ar ol
llafariad y ceir y dechreuad llafarog tecaf; gweler § 288.
Mewn traws neu sain gytbwys ddiacen fe ellir ateb dech-
reuad llafarog yn rhan gyntaf y gytseinedd â llafariad ar ol
cytsain yng nghanol gair yn yr ail ran, §§ 260, 288. A'r
un modd mewn traws drwsgl fantach, § 264, megis :

> Áed | y rhai melltig(édĭg.[3]

345. Ni soniwyd uchod[4] am gyfatebiaeth dechreuadau
llafarog yn y groes nac ond ail ffurf y draws. Hi all
ddigwydd yn yr holl ffurfiau, yn enwedig mewn llinellau
byrion, fel " A'i áur | a'i $w$ín," neu " Áwr | i árŏs." Ond go

---

[1] D.G. (112); *yr iaith* yno, ond tebycach *y*, a arferid hefyd; cymharer
" I Siôn wyf, rosyn *y* iaith " L.G.C. 351.   [2] I.T. ieu. F. 43.
[3] S.C. R. ii 374.   [4] §§ 235–268.

wan yw cynghanedd fel hyn mewn llinell o gywydd, er
cael dechreuad llafarog clir i ateb, fel yn—

Éf | a dâl dros a (ýfynt.[1]

346. Nid yw dechreuad llafarog yn cyfrif hyd yn oed
o flaen y brif acen os bydd cytsain mewn cyfatebiaeth yn
rhywle o'i flaen. Yn y "groes anhydyn"—

Byw ar drí | brodyr o Ịál,[2]

nid yw dechreuad llafarog Ịál yn cyfrif o gwbl ; y mae'r r
o'i flaen yn ei orchfygu, ac yn ateb i'r r yn dri. Am hynny
ni cheir cyfatebiaeth dechreuadau llafarog mewn croes
gytbwys acennog oddieithr lle ni bo cytsain i'w hateb,
fel yng ngwag "orchest" yr "englyn bogalog" i'r pryf
copyn :

O'i wiw ŵy | i weu e á̈[3] —.-.-||-.-.-.-

347. Heblaw yn *nechreuad* llafarog y brif acen, fe geir
cyfatebiaethau di-gytsain ar ei *diwedd* hefyd yn yr ail a'r
drydedd ffurf o bob cynghanedd gytsain a sain, fel y
dangoswyd yn helaeth uchod. Yma eto nid rhaid i led-
lafariad gyfateb iddi ei hun : gall *béịău* ateb *lýwỹd*, a gall
-dd áwĕn ateb *ddéăll* § 239 ; y symudiad di-gytsain sy'n
cyfrif, nid llafariad na lled-lafariad *fel y cyfryw.*

Yr w *ansillafog.*

348. Gall *w* fod yn llafariad, fel yn *hŵn, bŵyd* ; ond gall
fod yn lled-lafariad, fel yn *gwịn, ịáwn*, a hyd yn oed rhwng
cytseiniaid, fel yn *gwlẽdd, gwrá̈ịg*, lle nid yw'n ffurfio sillaf.
Y mae pawb yn ddigon cynefin â'r *w* ansillafog yna.

349. Ond yn yr hen ynganiad, lled-lafariad fel yna oedd
pob *w* ar ol cytsain seml, neu ar ol deusain, ar ddiwedd
gair ; ac ni ffurfiai sillaf mewn cynghanedd. Fel hyn,
unsillafog hollol oedd *marw, delw, enw, gweddw, cadw, gloyw,*
a'r cyffelyb ; a rhaid dysgu'r ynganiad unsillafog cyn y

[1] L.G.C. 384.   [2] § 236.   [3] S.R. 141.

gellir darllain cynghanedd yr oes aur yn iawn. Ynfydrwydd yw meddwl bod yr hen feirdd yn seinio'r geiriau hyn yn ddwy sillaf, ac yn cyfrif y ddwy'n un.

350. I ddysgu'r hen sain sylwer yn gyntaf fod gwahaniaeth ym mhwys yr acen mewn gair o ddwy sillaf ac mewn gair o un. Cymerer y gair *bára* : y mae'r acen ar yr *a* gyntaf, ond nid yw'r pwys i gyd arni—y mae rhywfaint ar yr ail *a* ; fe rennir yr holl bwys rhwng y ddwy, ond bod y rhan fwyaf ar y gyntaf. Cymerer drachefn y gair *bárdd* : yma y mae'r holl bwys ar yr *a*, ac y mae'n amlwg ei fod yn drymach na'r pwys sydd ar yr *a* gyntaf yn *bára*. Yn awr, seinier *gárdd* ; ac yna seinier *gárw̯*, gan roi'r un pwys ar yr *á*, a heb adael mwy o amser i'r *w* nag oedd i'r *dd*. Braidd na ddaw'r *w* yn gytseiniol ohoni ei hun os rhoir y pwys priodol ar yr *á* ;[1] ac ag ychydig ymarferiad fe ddoir i seinio'r holl eiriau uchod, a'u tebyg, yn hollol *un*sillafog fel y mae rheolau'r gynghanedd a mydriad y beirdd awdurol yn gofyn eu seinio.

351. Nid oes, er enghraifft, gynghanedd lusg o fath yn y byd yn y llinell a ganlyn oni seinir *márw̯* yn unsillafog hollol :

Dyn *márw̯* a allai f' *árw̯*äin.[2]

Petai'r *w* yn sillaf yn *marw* byddai'n rhaid cael rhyw air fel *ymhẅedd* neu *yrẅan* i ateb iddo ar y diwedd ; ond ni cheir dim o'r fath beth. Y mae cynghanedd y llinell uchod yr un yn union â chynghanedd y llinell hon :

Y *bárdd* a edwyn *hárddẅch*.

Lle bo llafariad yn dilyn yr *w̯*, fel uchod, y mae'r ynganiad cytseiniol yn haws, gan y gellir cydio'r gytsain â'r llafariad, a dywedyd *már w̯a*, ond wrth gwrs heb doriad rhwng y ddwy

---

[1] Yr un modd er mwyn cael geiriau fel *dádl, cábl, mẏdr, gwẏdr,* etc., yn hollol unsillafog, fel y gofyn y gynghanedd, rhaid rhoi ar y llafariad y pwys trwm sydd i'r llafariad mewn geiriau unsillafog fel *bárdd, gárdd, pérl,* etc.   [2] § 310.

sillaf. Ond gofaler am roi ei llawn bwys i'r sillaf *már*: y mae'r pwys ar yr *ár* yn drymach yn *márw̭ a* nag yn y gair deusillafog *márw̭ol*, megis y mae'r pwys ar yr *ár* yn drymach yn *bárdd a* nag yn y gair *bárddol*. Ar fyr, os yngenir *márw̭ a* yn y gyntaf o'r llinellau uchod â'r un aceniad yn union ag a roir i *bárdd a* yn yr ail, fe atgynyrchir parabliad D.I.D. ei hunan pan luniai ei gynghanedd lusg.

352. Yr un modd yng ngorffwysfa croes neu draws gytbwys acennog: nid oes gynghanedd yn y byd yn y llinellau a ganlyn heb seinio *marw̭* a *hoyw̭* yn unsillafog hollol:

Nid *márw̭* | un gwr(da ym Mốn[1] n–*dm*–́r|–ng–r(*d*–·–*m*–́n
A dail *hóyw̭* | fal (adail háf[2] –*d*–*lh*–́|f–l(–*d*–*lh*–́f

353. Gan mai unsillafog oedd y geiriau hyn ni cheir yn y gair ond dwy sillaf pan chwaneger terfyniad, fel y gwelir yn *márw̭ol*, *délw̭au*, *énw̭au*, *gw̭éddw̭on*, etc. Y mae'r *w̭* yn cymryd ei sain gytseiniol yn esmwyth o flaen llafariad, fel yna; ond nid mor hawdd ei seinio felly rhwng dwy gytsain, ac mewn geiriau fel *méddw̭dod*, *gwéddw̭dod*, *chw̭érw̭der*, *dérw̭goed*, *márw̭ddwr*, fe gollwyd yr *w̭* ar lafar tua'r bedwaredd ganrif ar ddeg, ac fe sgrifennid rhai ohonynt hebddi'r adeg honno. Yn y gair *márw̭nad* y mae'n haws seinio'r *w̭n* heb eu gwneuthur yn sillaf, am fod *w̭n* ar arfer eto, megis yn *gw̭neuthuriad*, etc.; ond fe droes *márw̭nad* hefyd yn *marnad* neu *mawrnad* ar lafar. Mewn geiriau fel *glóyw̭ddu* yr *y* a gollwyd, ac fe aethpwyd i ddywedyd *du lówddu*. Lle mae'r *w̭* gytseiniol yn anodd iawn ei hyngan, gwell fyddai i ni sgrifennu'r gair hebddi fel y gwneid gynt[3]: y mae *médd-dod* yn llawer iawn nes i sain gywir y gair na *médd-w-dod* yn dair sillaf—nid oes yr *un* gair

[1] I.G. 304 [2] D.G. (78); cf. (107), ll. 15.

[3] *meðdawt*, etc., yn y Llyfr Coch, gweler *W.G.* 51. Nid ysgrifennai Wms. mo'r *w* yn *chwerwder*: "Tro fy *chwer'der* yn felusdra," 657. Y mae *marnad* yn gyffredin mewn llawysgrifen, gweler, e.e. I.G. 406, gwaelod y ddalen.

Cymraeg â'r acen ar y sillaf olaf ond dwy.   Fe acennir y
geiriau hyn yn gywir gan y beirdd, ac ni chyfrifir yr ẉ yn
sillaf; er mwyn gweled y gynghanedd yn glir darllener y
llinellau heb seinio'r ẉ :

> Fy nghariad, | dy *fárẉnăd* | fýdd.—Ⅱ.G. ᴅ.ɢ.ɢ. 169.
> I fúrniŏ | iddi (*fárẉnăd*.—I.G. 406.
> Mae had | 'i *fárẉnăd* | efó.—D.I.D. ɢ. 184.
> Wedi górfŏ(d | y *gárẉfŏr*.—I.D. ɢ. 139.
> *Dérẉgŏed* | plwyf a gwla(d Éurgăin.—Gu.O. ɢ. 214.
> Ei fáwrnỹch | ef (a'i *fárẉnăd*.—L.M. ᴅ.ᴛ. 176.
> Ormod, | ni fu *wéddẉdŏd̂* | wáeth.—Gr.O. 50.
> Gŷr *chwérẉdĕr* | o garchárdăi.—D.W. 112.

Petai'r ẉ yn llafariad, arni hi wrth gwrs y disgynnai'r
acen; ond ni welais neb ond Tudno, â beiddgarwch
anwybodaeth, yn ei chynganeddu, *a'i hysgrifennu* (rhag i
neb gamddeall), â'r acen arni :

> Y genhedlaeth gun odla—*farẉnad*
> I ferwinol draha.[1]

354. Fe ddigwydd weithiau fod yr ẉ gytseiniol ar
ddiwedd gair o ddwy sillaf, fel *árddelẉ*, *sýberẉ*, *górllanẉ*,
gwárchadẉ, neu o dair fel *ymóralẉ* ; yr oedd ac y mae'r
acen ar y goben, ond erbyn hyn y mae'r ẉ naill ai wedi
colli, fel yn y tri cyntaf, *árddel*, *sýber*, *górllan*, neu ynteu
wedi troi *a* yn *aw* ac yna'n *o*, fel yn *gwárchod* ac *ymórol*.[2]
Pan fo gair fel y rhai hyn wedi colli oddiar lafar, a'i ddysgu
o lyfr, fe'i camacennir yn gyffredin yn awr, megis pan roir
yr acen ar yr *e* yn lle ar yr *y* yn *cýfenẉ*, *Cýnddelẉ* ; fe welir
yr aceniad cywir mewn llinellau fel hon, lle cyfetyb
Cýnddĕlẉ i *céinddăwn* :

> Da árddĕlw cýnnĕlẉ *Cýnddĕlẉ* céinddăwn.[3]

---

[1] *Y Geninen Eist.* 1892, td. 3.   Sylwer hefyd ar lacrwydd nodweddiadol
y meddwl : "odli marwnad i," hynny yw *galaru ar ol*—"traha"!

[2] Fe ddigwyddodd yr un peth i gytseiniaid eraill yn yr un safle : ar
lafar troes *périgl* yn *périg*, lle collir yr *l* ; troes *éwythr* yn *éwyrth*, lle'r
ymwthia'r *r* i gorff y sillaf.

[3] G.D.A. ᴍ.ᴀ. 277*b*, ʀ.ᴘ. 1229.

Ac fe gedwid yr un aceniad mewn geiriau cyfansawdd
newydd, fel ym mhennill Dafydd i'r delyn:

'I llórf | a'm pair yn (*llwyrfărw*
O hud gwír | ac (o hoed gárw.[1]

Gan mlynedd yn ddiweddarach yr oedd *tarw* mor hollol
unsillafog i glust B.Ph.B. nes bod *déudarw* yn dyfod mor
naturiol iddo â *déuswllt*:

Werth *déudărw* | wrth eu dódï.

355. *Un* llafariad, fel y sylwyd, sydd mewn un sillaf, ac
wrth odli rhaid i honno a phob cytsain a lled-lafariad a'i
dilyno gyfateb: fel hyn, i odli â *gardd* rhaid cael *bardd,
hardd, tardd, chwardd*; a'r un modd, i odli â *garw* rhaid
cael *marw, tarw, carw*, neu, wrth gwrs, gyfansoddeiriau
ohonynt fel *llwyrfărw* uchod. Nid oedd beirdd y ganrif
ddiwaethaf yn deall dim o hyn. Ni welent fod modd i air
fel *garw* fod yn un sillaf mewn gwirionedd, mwy nag y
gall Sais ddirnad pa fodd y mae seinio *gwlad* yn llawn heb
i'r *w* fod yn sillafog ynddo. Eu tyb hwy, mae'n ymddangos,
oedd mai rhyw dric i basio dwy fel un oedd yr hen reol;
ysgrifenna Eben Fardd, er enghraifft, mewn cywydd:

Wrth yr un enw! | garw | y gwedd![2]
   o

Yma, un sillaf bob un yw *enw* a *garw* yn y mesur; ond os
unsillafog ydynt nid odlant mwy na phe baent yn *ent* a *gart*.
Yn odl cynghanedd sain Eben rhaid i'r *w* fod yn sillaf,
canys cyfatebiaeth *sillafau* yw odl. Pa fodd y gall yr *w* ar
yr *un pryd* fod yn sillaf i gynganeddu a *pheidio* â bod yn
sillaf i fydru? Ni thybiaf i'r cwestiwn ymgynnig i Eben;
meddwl yr oedd ef mai dwy sillaf *oedd* y geiriau hyn erioed,
ond bod yr hen feirdd am ryw reswm anchwiliadwy yn eu
cyfrif yn un. Eithr eu cyfrif yn un yr oeddynt am eu bod
yn eu seinio'n un: yr oedd y cyfrif yn gywir. A chan eu
bod yn *seinio*'r *w* yn ansillafog nid oedd modd iddynt

[1] D.G. 208.   [2] E.F. 185.

syrthio i'r anghysondeb o'i hodli fel sillaf : yn yr hen odlau
fe gynwysir *llafariad* y sillaf yn gystal â'r gytsain a'r *w̯*
gytseiniol ar ei diwedd, fel yn *árddelw̯*, *cýnnelw̯*, *Cýnddelw̯*,
ac yn *llẃyrfarw̯*, *garw̯* uchod.   Fel hyn y mae geiriau fel
enw a *garw* yn odli ac yn mydru yn y cywyddau awdurol :

> **Enw̯** | heb senw̯ ¦ wrth 'i henw̯ | hi.[1]
> Hwn a fu farw̯, | garw̯ | gyffro.[2]
> Clo du derw̯, | galar | chwerw̯ | gael.[3]
> Cymhennaidd groyw̯ | loyw̯ | Leucu.[4]
> Offeiriad meddw̯ | gweddw̯, | Gwyddel.[5]
> Ni bu farw̯ | tarw̯ | anturiaeth.[6]
> Buost sýberw̯, | caud ferw̯ | fawl.[7]

Lle gweler eithriad mewn hen gywydd dilys, fel yn y llinell
hon yn un o gywyddau Dafydd :

> Na fynny fedw hoywdw haf,[8]

gellir bod yn sicr mai camddarlleniad ydyw.   Tebyg mai'r
gynghanedd yma oedd—

> Na fynny fedw̯, | hóyw̯fedw̯ | háf ;

cymharer llinell arall Dafydd â'r un trawiad :

> Gwallt ar ben | hoyw fedwen | haf.[9]

356. Fel yn y gynghanedd felly yn y brifodl : nid odla
Dafydd *hoyw̯* ond â *béfrgrŏyw̯* D.G. (27), *púrlŏyw̯* (28),
éurlŏyw̯ (29), etc.   Dyma ychydig o brifodlau Iolo Goch :
erw̯ ac *ansýberw̯* I.G. 108 ; *hírerw̯* a *derw̯* 288 ; *arw̯* a *frywýs-
garw̯* ib. ; *héndeirw̯* a *meirw̯* 415.

357. Yr oedd yr ynganiad sillafog presennol o'r *w* yn
dyfod i arferiad ar lafar mewn rhai parthau yn y bymthegfed
ganrif, fel y dengys gwallau copïwyr anhyddysg ac ambell
rigwm o waith pastynfardd.[10]   Ond fe barhaodd y sain

---

[1] I.G. 407.   [2] Eto 304.   [3] Ỻ.G. D.G.G. 170.   [4] Eto 169.
[5] D.G. 291.   [6] T.A.   [7] E.P. 203.   [8] D.G. (10).   [9] Eto (88).
[10] Er enghraifft, G.G. iii 41, ll. 8.   Mewn un englyn a welir mewn awdl
a sgrifennwyd tua 1470 gan L.G.C. fe gymerir yr -*w*'n sillaf i wneuthur y
brifodl *lan-w*, *gad-w*, *lw*, *Caerloy-w*, 55 ; fe geir gan Lewis ychydig ffurfiau
tafodieithol eraill, gweler gwaelod td. 243 isod.

draddodiadol yn rheol barddoniaeth, megis y gwnaeth llawer
hen ynganiad mewn ieithoedd eraill.[1]   Ni bu fwlch yn y
traddodiad; yr oedd y sain yn fyw iawn yn ynganiad y
beirdd yn yr unfed ganrif ar bymtheg: er enghraifft,
fe ddywedai Simwnt fod tri bai yn y pennill hwn:

> Gwr-ab oedd yn gyrru bw,
> Gwreigan gul greg yn galw,[2]

sef, yn gyntaf, tin ab : y ddwy linell yn terfynu mewn sillaf
acennog; yn ail, tor mesur: chwe sillaf yn yr ail linell, am
mai un yw _galw_; yn drydydd, twyll odl: nid yw _bw_ yn
odli â _galw_ unsillafog. Ni thybiaf y gwelsai Simwnt mor
glir â hyn holl ganlyniadau defnyddio'r gair fel dwy sillaf
yn lle fel un, oni bai mai fel un sillaf yr oedd ef ei hun yn
ei yngan, o'r hyn lleiaf wrth ddarllain a chyfansoddi
barddoniaeth. Er bod crachfeirdd yr oes honno, a gwell
beirdd yn ddiweddarach, wedi arfer y sain dafodieithol, y
sain draddodiadol a wedda i farddoniaeth gaeth, canys wedi
i ddyn ymarfer â chynghanedd glasurol fe gaiff gaff gwag
pan ddêl ar draws cytsain (boed _w_, boed _l_, neu _r_) yn cyfrif
sillaf, ac fe ddaw iddo ryw ymdeimlad o lacrwydd dirywiad
yn y canu.

358. Er nad llafariad mo'r _w_ uchod, eto yr oedd hi'n
lled-lafariad; ac fe ellir defnyddio '_r_ neu '_n_ neu '_ch_ ar ol lled-
lafariad; gellir dywedyd _lláw'r dýn_ yn gystal â _lláw y dýn_.
Nid yw _énw'r dýn_ cyn hawsed, ac odid nad _énw y dýn_ a
ddywedid yn gyffredin; ond yr oedd yn hawdd gwasgu
énw yr áil i _énw'r áil_, gan nad oes yma ond yr un cyfuniad
cytseiniol ag a geir yn _hén wráig_. Tebyg mai o flaen

---

[1] Yn Saesneg fe odlir ac fe seinir _wind_ yn _weind_ mewn barddoniaeth;
un-sillafog hollol yw gair fel _hear_, a chenir ef fel y gair Cymraeg _hir_, etc.
Yn Ffrangeg fe seinir yr -_e_ fud o flaen cytsain mewn barddoniaeth, etc.
[2] P.ɪʟ. xcii. Y mae'r pennill i'w weld mewn cywydd a briodolir i
Ddafydd—D.G. 322. Priodolir y cywydd (rhif clix) i eraill yn y llaw-
ysgrifau, D.G.G. td. lxxxiv. Y mae'n debyg, pwy bynnag a'i gwnaeth, fod
uifer o chwanegiadau diweddarach ynddo.

llafariad fel yna y dechreuodd y talfyriad ; ond fe'i ceir o
flaen cytsain hefyd yn y cywyddau hynaf ; megis —

> Cadw'r gwledydd oll, cadw'r glewdwr,
> A chadw'r gaer—iechyd i'r gŵr.[1]

Yn ddiweddarach :

> Y ceidw'r gŵr, | cadr yw y gamp.[2]
> Mae'r henwyr ? | ai meirw'r rheini ?[3]
> Llawer | a'th eilw'n dy(llüan.[4]
> Bwrw'ch dysg, | braich dëau ysgol.[5]

Ond efallai mai o flaen llafariad y digwydd hyn amlaf, ac
felly y mae'n llithricaf :

> Noethi bedw | 'n eitha bydoedd.[6]
> Ofer i neb | 'i fwrw'n ol.[7]
> Murnio da | marw'n y diwedd.[8]
> Gwaed yr oen | i gadw'r enaid.[9]
> Bwrw'ch ynys | heb wreichionen.[10]

Ond llyfnach a dewisach yn ddïau yw rhoi'r llafariad y
i mewn ar ol w gytseiniol, ac felly y gwneir gan amlaf yn
llinellau dilys D.G. :

> Henw y ferch | a anerchir.[11]
> Bwyd o frig | coed (bedw y fron.[12]
> A'r galon fradw | yn cadw | cof.[13]
> Forwyn fwyn | o farw yn fyw.[14]
> Mwy no dim | am enw y dyn.[15]

Ac yn ddiweddarach :

> Urddol Grist | ar ddelw y grog.[16]
> Carw yn ennill | cyrn uniawn.[17]
> Bwrw y bardd | heb air o'i ben.[18]
> A geidw ÿch clod | gyda'ch cledd.[19]

---

[1] I.G. 111 ; tua 1360 ; ymddengys y darlleniad yn sicr ; y mae amryw
esiamplau yn y llinellau o flaen y rhain, ond y darlleniad yn wahanol yn
y gwahanol gopïau.

[2] G.IL. ? G.G. iii 7.   [3] G.Gl. F.N. 81.   [4] Eto D.E. 147.

[5] T.A. G. 231.   [6] D.G. 109.   [7] I.D. G. 138.   [8] D.IL. F. 31.

[9] S.T. F. 8.   [10] T.A. G. 231.

[11] D.G. (45) ; henw'r yno ; tebycach gennyf mai darlleniad cywir y llinell
ar ei hol yw " Hyn yn wawd yw'r henw yn wir " nag " yw ei henw'n wir "
fel yno, ac heb yw yn D.G. 378. Y mae lliaws o'r llinellau hyn yn
anghywir yn y llawysgrifau, gweler gwaelod td. 305 isod.

[12] Eto (58).   [13] Eto (80).   [14] Eto (77).   [15] D.G. 337.

[16] D.E. 41.   [17] I.D. 71.   [18] H.D.   [19] D I.D. G. 180.

O flaen berf fe ddaw *y* bob amser (neu *yr*, neu *ydd*, o flaen llafariad) lle bo'r gystrawen yn gofyn amdani :

> Y mae'r bai, | poed marw̯ *y* bwyf.[1]
> Yn gwcw̯allt salw̯ | *y*'m galw̯ant.[2]
> Am aur o ddyn | marw̯ *ydd* wyf.[3]
> Byr yw'r oed, | bwrw̯ *yr* ydwyf.[4]
> Ar ol | y marw̯ (*yr* w̑yli.[5]
> Maredudd | marw̯ *yr* ydwyt.[6]

359. Ni ellir cael *'i* yn ansillafog ar ol -*w̯* gytseiniol ; ni ellir er enghraifft seinio *llaw̯ 'i frawd* yn ddwy sillaf. Rhaid i'r *'i* fod yn sillaf lawn (y ffurf a sgrifennir yn awr yn *ei*) fel hyn :

> A bwrw̯ *i* weilch i'r wybr wynt.[7]
> Dawn fad lon dan fedw̯ *i* lais.[8]
> Ai byw ai marw̯, garw̯ *i* gân.[9]

Y sain gywir yma yw *w̯i* fel yn *gw̯in*, nid *w̯i̯* fel yn *hw̯i̯au*.

360. Yn *hwnnw*, ac yn *acw* a *dacw*, y mae'r *w*'n llafariad. Dwy sillaf yw *hwnnw* (fel *honno* a *hynny*) ; a cheir ef yn odli â *bw* D.G. (105), I.G. 340 ; â *llw* I.G. 389, D.G. 380 ; ac ag enw'r llythyren *w* I.D. 101, D.E. 28. Llygriad yw *acw* o *racw* ; a'r ffurf fwyaf cyffredin arno yn y canol-oesoedd oedd *racko*. Fe geir y ffurf hon, ac *aco*, *acw* yn y cywyddau :

> *Rhaco* eraill er cariad.[10]
> *A co*'n lláw-wag, Gwenllïan.[11]
> Fwa cryf *acw* erióed.[12]
> Gwae *acw* fyth, gwcw fydd.[13]

Gwelir fod *gwcw* hefyd, yn naturiol iawn, yn ddwy sillaf— "deunod" y gog ; fe odla â *llw* yn D.G. (8).

f *led-lafarog*.

361. Y mae *w̯* gytseiniol yn cyfnewid weithiau ag *f*, fel yn *twrf*, *twrw̯* ; *gwddf*, *gwddw̯* ; *gorwedd*, *gorfedd* ; *dwyw̯ol*,

[1] D.G. 446 (99), y ddau'n anghywir.   [2] D.G. (18).   [3] Eto (100).
[4] I.D. 10.   [5] D.E. 54.   [6] LL. R. i 171, 511.
[7] D.G. 4.   [8] Eto (60).   [9] D.G. 477.   [10] L.G.C. 32.
[11] Eto 232.   [12] W.C. E.P. 200.
[13] Eto 204 ; cymharer 254, lle ceir *acw yr* yn lle *acw'r* (y gwrthwyneb i'r gwall copïo cyffredin o roi *enw'r* yn lle *enw y*, etc.).

dwyfol. Y rheswm am hyn yw bod *f* ac *w̬* gynt yn debyg
iawn i'w gilydd ; rhwng y ddwy wefus y seinid *f*, ac nid
rhwng y wefus isaf a'r dannedd uchaf, fel yn awr. Yr oedd
ei sain yn feddal iawn hefyd, nes tueddu ohoni i ddiflannu
ar ddiwedd gair. Ac am ei bod mor feddal, ac mor debyg
i *w̬*, fe ystyrrid y gellid ei chyfri hithau'n lled-lafariad, a'i
phasio heibio yn y gynghanedd. Yn yr enghreifftiau a
ganlyn nid oes dim i ateb yr *f* a italeiddir ; ac eto rhaid ei
seinio—nid diflannu a wna, ond toddi i rym lled-lafariad :

> Poen ddolur | pan *f*eddylier.[1]
> Peintiaw a chalch | pwynt *f*y chwaer.[2]
> Heb *f*y llyf|r, hoywbwyll Ofydd.[3]
> Mae cel*f*yddyd | i'm claddu.[4]
> Canys aeth | cwyno*f*us iawn.[5]
> Fy nhrigfan, | fy nhiriogaeth.[6]
> A lwnc hi | fa(l a*f*anc hen.[7]
> Coler wen | cy*f*liw â'r aur.[8]
> Dy *f*odd, dos, | a dyddiau daed.[9]
> Bedd | i holl *f*ysedd | y llaw.[10]
> Gyrru nag, | gwara*f*un wnâi.[11]
> Ni phrofais | da(n ffur*f*afen.[12]
> O *f*eirw i fyw | y mae ('r ferch.[13]
> I *F*atholwch | a'i thalu.[14]

Nid yw'r ddwy linell olaf yn wreiddgoll, am fod yr *f* yn
" toddi " ynddynt.[15] Ond gan amlaf o lawer y mae *f* yn
cyfri'n gytsain, ac *f* arall yn ei hateb ; y mae pedair esiampl
yn y llinellau uchod. Hynny wrth gwrs sydd oreu :
goddefiad oedd pasio'r *f*, ac y mae'r rheol yn well na'r
goddefiad, yn enwedig yn awr wedi i'r *f* fynd yn gytsain
amlycach.[16]

[1] G.M.D. R.P. 1209–10.   [2] I.G. eto 1408.   [3] D.G. 124.
[4] Eto 100.   [5] I.G. 311.   [6] G.Gl. c. i 193.   [7] G.Gl. F. 24.
[8] D.E. 42.   [9] T.A. R. i 167.   [10] T.A.   [11] E.P. 203.
[12] Eto 217.   [13] D.E. 60.   [14] T.A.
[15] Y mae E.P. yn ei lythyr at W.C. yn amddiffyn " y gair *ffurfafen* [yn
yr eng. uchod] lle'r oedd un o'r ddwy *f* yn *toddi*." Dyfynna ddwy eng. o
lawer, medd ef, lle " mae *f* yn colli bod yn gytsain," GR. 13, E.P. 59.
[16] Lle collwyd *f* gynt, fel yn *cynta, ola, co, go, tre*, etc. fe seinir y geiriau
hebddi ar lafar ; ond lle cadwyd hi am ryw reswm, fel yn *llef* (am fod *lle*

y ansillafog.

362. Yn y geiriau *daly, gwaly, hely, boly, llary, eiry, gwyry,*
yr oedd sain dywyll i'r -*y*, a honno'n ansillafog—peth anodd
i ni ei ddirnad yn awr. Dau beth a ddigwyddodd i'r -*y* :
diflannu fel yn *dăl,* neu ddyfod yn -*a* sillafog fel yn *dala,*
eira. Pan welir un o'r geiriau hyn yn un sillaf mewn hen
gynghanedd, gwell eu darllain yn *dăl, gwăl, eir, gwy̆rr,* etc. ;
y mae hynny'n llawer nes i'r hen ynganiad na rhoi'r sain
eglur i'r *y*, a'i gwneuthur yn sillaf ; [1] er enghraifft :

> *Daly* i'm cylch dwylaw a'm câr.[2]
> Mi a *ddeily* swrn meddyliau.[3]
> Angel a'i rhif yng *ngwaly* rhad.[4]
> Arch afraid cyn *eiry* Chwefrawr.[5]
> Yr em *wyry* roi ymwared.[6]

Fe geir y ffurfiau deusillafog *eira, hela, gwala* hefyd :

> Ar air merch i'r *eira* mân.[7]
> *Hela* ewigod brodir.[8]
> Gael fyth un *gwala* o fwyd.[9]

Ond yn lle *dala, gwyra* [10] fe ddewisid yn hytrach *dal* a *gwyrf,*
neu *gwerydd* o'r lluosog *gweryddon.*[11] Pan chwaneger sillaf,
y mae'r *y* ansillafog yn troi'n *į* o flaen llafariad, fel yn
dalįaf, helįaf, llarįaidd, eirįawl ' snowdrop,' *eirįog* 'snowy';[12]
ac yn diflannu o flaen cytsain, fel yn *dalfa, dalbren, helgi,*
eirlaw, eirwynt.

> Castell cudd meirw̨ rhag *eirw̨ynt.*[13]

---

arall), yn *dof, rhwyf,* etc., fe'i cedwir yn glir, a rhaid bod ei sain yn fwy
grymus yn awr.
[1] Gweler uchod, gwaelod td. 187, nodyn 2.
[2] D.G. (24). [3] Eto (30). [4] L.G.C. medd Pughe d.g.
[5] I.G. 405. [6] D.G. 156. [7] Eto (71).
[8] Gu.O. G. 207 (*hely* yngham yno). [9] W.C.
[10] Y mae gan G.T. "Onnen *wyra*" am Fair, wedi ei gam-ysgrifennu yn
"Onnen wyry" yn J.D.R. 238.
[11] D.E. 30. Camgymeriad yw *gwyryf* deusillafog, a ffurf wneuthur yw'r
lluosog *gwyryfon*, gweler W.G. 178.
[12] Camgymeriad hefyd yw *eirįawg* ; yn yr hen ffurf *eiryawc* nid yw'r *y*
ond y symbol cyffredin am *į* gytseiniol.
[13] G.Gr. D.G.G. 157.

Cywasgiad.[1]

363. Mewn deusain y mae llafariad a lled-lafariad ; pan ddêl y llafariad yn gyntaf, fel yn *ae, ai, oe, aw,* deusain ddisgynedig fydd ; pan ddêl y lled-lafariad yn gyntaf, fel yn *ịa, ịo, ẉa, ẉe,* deusain esgynedig. Fe luniwyd rhai deuseiniaid trwy gywasgiad cymharol ddiweddar, sef trwy i lafariad ddiacen droi'n lled-lafariad yn ymyl llafariad arall. O'r tair sillaf *Cym-rá-eg* y daeth y ddwy *Cym̯-ráeg,* ac o *pa-ra-tó-i, tró-es* y daeth *pa-ra-tói, tróes,* ac felly liaws o'r fath. Fe'u ceir yn fynych heb eu cywasgu yn yr hen gywyddau, megis—

Gymróặịdd | wlad (Gymráĕg[2] *g–mr–́.–̱b*|l–d(*g–mr–́.–̱g.*

Yn ddiweddarach â chywasgiad :

Da'ị Gymráẹg, | di-gymar óẹdd[3] *d–g–mr–́g*|*d–g–m–r–́b.*

364. Fe ddigwydd y cywasgiadau hyn yn aml pan fo'r ddwy lafariad mewn dau air gwahanol ; yn yr enghraifft olaf y mae *Da'i* wedi eu gwasgu'n un sillaf, *Dáị.* Ond nid y rhagenw *'i* yn unig a gywesgir fel yna i lunio deusain ddisgynedig gyda llafariad, ond yr arddodiad *i* ' to ' hefyd, megis—

Nos *da‿i* wálch | onest y Wáun.[4]
Lládrŏn | a fyn (lle‿i édrỹch.[5]

Rhaid cyfrif *da i* a *lle i* yma'n un sillaf bob un: *dáị, lléị.*

365. Pan ddêl y llafariad ddiacen yn gyntaf fe geir deusain esgynedig ; try *bu-ás-ai* yn ddwy sillaf, *bụ́ás-ai* :

E fụasai'n hẃy | f'oes na hýn.[6]

Un sillaf yn yr hen gywyddau yw'r ebychiad *dịoer,* hen gywasgiad, fel yr tybir, o *Duw a ŵyr* :

Morfudd | deg 'i deurudd, | *dịóer!*[7]

Ond ni chywesgir *di-* yn gyffredin o flaen llafariad mewn

---

hen gynghanedd; cam-ddarlleniad, er enghraifft, yw
diogel D.G. 330 am di-gel (75).[1] Ac ni wneir y cywasgiad
hwn yn gyffredin rhwng dau air; mewn llinell fel—

Taradr yw yn torri o drais,[2]

yw'n yw'r talfyriad i fod yn ddiau, nid torri o. Ac er bod
ambell eithriad, fel—

Oeri ag ŵylŏ | mae'r gálŏn,[3]

lle mae'n rhaid darllain oeri ag, eto fel rheol y mae -i ac -u
derfynol ar ol cytsain yn sillaf, ac ni throir moni'n lled-
lafariad gan yr hen feirdd.

366. Fe geir llafariad seml hefyd o gywasgiad; try a-a
yn a, ac o-a yn o, fel yn gwna-af, gwnaf; tro-af, trof. Fe
geir y cywasgiad hwn rhwng dau air weithiau: seinir bara
a chaws yn dair sillaf, bara 'chaws. Y mae'r byrhad hwn
i'w gael yn y cywyddau:

Am y gŵr | mwya a gerid.[4]
I beri mwy | bara a medd.[5]
Oes o'm hoed | iso a'm hedwyn ? [6]
Yno ar hynt | awn ar eu hôl.[7]

367. Tuedda'r y dywyll ddiacen i ddiflannu (1) yn fy, dy
o flaen llafariad, megis f'enaid, d'ofn, etc., (2) ar ddechreu
gair, yn enwedig yr neu yn ar ol llafariad neu ddeusain.[8]
Anhyfryd, hyd yn oed mewn rhyddiaith, yw bwlch fel
-o y-, -a y-: taro yr hoel yn lle taro'r hoel, etc.[9] Gall e- ac

---

[1] Gwall tebyg yn ddiau yw diangol (87); yn G. 27 diongl yw'r dar-
lleniad, ac ni rydd hwn synnwyr chwaith. Ni ddywedasai D.G. byth Ar
ddiwrnod (80) yn dri sillaf; dengys y "cymeriad" mai Ddiwárnawd yw'r
darlleniad cywir.   [2] I.D. 16.   [3] D.E.
[4] I.G. 283.   [5] I.D. G. 138.   [6] T.A. F.N. 150.   [7] W.Ll. 218.
[8] Os gwelir 'r ar ol cytsain y mae yno rywbeth yngham: "Euraid
dymor 'r aut ymaith" D.G. (74); nid aut ond aud a ddywedai D.G., felly
nid oes dwy d i'w hateb; darllener "Aur dymor yr aud ymaith." Ond
y mae ny i'w gael am yn y hyd yn oed ar ol cytsain er yn fore.
[9] Ond y mae yn o flaen enw lle neu amser yn acennog, ac ni ddylid ei
dalfyrru mewn rhyddiaith, er y gwneir mewn cerdd: eithr ysgrifenner
"tario yn Llundain; canu yn y nos," etc.

a- ddiacen ddiflannu hefyd ar ddechreu gair ar ol llafariad, fel yn *'rioed,' 'wyllys,' 'dnabod*, ond nid ar ol cytsain ; cymharer, o'r un cywydd, gwaith T.A. :

> Diwallodd | Duw 'i *'wyllys.*
> Ymhellach | o'm *hewyllys.*

Yr Anadliad Caled.

368. Yn yr hen gywyddau fe atebir *h* yn rheolaidd mewn cytseinedd ; cymerer er enghraifft y cywydd " Hoywdeg riain a'm hudai " D.G. (20), sydd ag *h* yn dechreu pob llinell iddo : fe'i hatebir ym mhob croes a thraws trwy'r cywydd, fel hyn :

> *H*onno | a gaiff 'i (*h*annerch,
> *H*einus wyf | *h*eno o'i serch.

Mewn cywydd cyffelyb yn D.E. 13–15 y mae croes neu draws ym mhob llinell, ac nid oes un o'r 56 nad yw'r *h* wedi ei hateb ynddi. Fe gedwid y rheol oddieithr lle ni wnai'r anadliad wahaniaeth i'r glust. Gyda'r cytseiniaid caled *p, t, c, ff, th, ch, ll, s* y mae anadliad na chwanega *h* fawr os dim ato ; felly, ar ol y rhain nid oedd raid ei hateb :

> Am y *t*âl | im he*t h*elig.[1]
> Ag yn *c*ael | canu'r (gain*c h*o*n*.[2]
> Se*th h*oywgorff, | a sai*th* ugain.[3]
> Mewn tai *ll*wyn | ond (menty*ll* haf.[4]
> A gaf fi*s h*af, | gofwy *s*erch.[5]
> A *ch*refydd | meny*ch R*hufain.[6]

Gallai'r *h* ddilyn y gytsain galed heb fod ynghyswllt â hi :

> Pun*t*ur serch, | pond *t*ra*h*aus ym ?[7]
> *Ll*ai a dâl | *ll*iw *h*udoliaeth.[8]

Yn ddiweddarach fe geir hyn yn union o flaen y brif acen :

> *P*a *h*érw*ŷ*dd | y'th ddar*p*ár*ŵ*yd.[9]
> Y*n*tau, *H*ówĕl | sy'n *t*éwï.[10]

---

[1] D.G. (18).　　[2] Eto G.G. iii 1.　　[3] D.G. 234 (37).　　[4] Eto (89).
[5] Eto (34).　　[6] Eto (10).　　[7] I.G. R.P. 1408.　　[8] D.G. (39).
[9] M.R. F.N. 59.　　　[10] T.A. c. ii 76.

Lle ni bai anadliad cytsain galed i'w chynrychioli fel yna, fe'i hatebid o flaen y brif acen :

> Fon*h*éddĭg | fy ny*h*úddŏ.[1]
> 'I diwedd *h*í | fydd dydd*h*áu.[2]

369. Ond *ar ol* yr acen y mae *h* yn colli'n gyffredin ;[3] ac os seinir hi er mwyn eglurder, y mae'r sain yn wan, ac nid rhaid ei hateb :

> Minnau | a'r géiriău | górhŏyw.[4]

Rhwng llafariaid y mae'n wan hefyd, os seinir, ar ol yr acen ; ac etyb yno i fwlch, megis :

> Na wnaed rhíăin | un tr*áh*ă.[5]
> Tréiŏ | aur y bu'r (trí*h*ăel.[6]
> Na rhy iéuănc | na rhý*h*ĕn.[7]

370. Gyda'r anadliad nid oedd y drefn yn bwysig— gallai *h n* ateb *nh* er enghraifft ; a gallai dwy ateb un. Ond os gwelir *h* heb ei hateb oddieithr mewn rhyw gysylltiadau fel yr uchod yn y cywyddau hynaf, gellir ameu'r darlleniad. Er enghraifft :

> A llawer *rh*wym i'm llaw *r*oed.[8]

Ni ddywedid *r*oed yn lle *a roed* yr adeg honno, ac y mae'n amlwg mai fel hyn y dylai'r llinell fod :

> A llawer *rh*wym i'm llaw *rh*oed.[9]

371. Yn y bymthegfed ganrif fe barheid i roi ei le i'r anadliad caled mewn cytseinedd yn yr un modd, nid trwy reol gaeth yn wir, ond wrth y glust.[10] Ond yn yr unfed ar bymtheg y mae'r arferiad yn llacio :

> Gruffudd | y gŵr a *h*offym.[11]
> Ym *mh*ob urddas | *m*ae beirddion.[12]

---

[1] D.E. 37 ; hefyd L.G.C. 188, lle *mynnodd* Tegid brintio *Voneddig*, er gwaethaf cynghanedd a thraddodiad a sain naturiol y gair drwy Gymru hyd heddyw.
[2] B.A. ; *hi* = nos. [3] *E.W.G.* 22. [4] D.G. (35). [5] I.D. 9.
[6] W.Ll. G. 285. [7] L.G.C. 300. [8] G.Gr. D.G.G. 135.
[9] Cymharer " Dewrder *rh*oed i wrda '*rh*awg," T.A. B. i 181.
[10] Ymddengys bod yr *h-* yn *heb* yn wan yr adeg honno, ac fe'i ceir mewn cynghanedd ac ysgrifen hebddi. Erbyn hyn y mae'n gref eto, ond wedi colli yn y ferf *eb*. [11] Gr.H. G. 98. [12] Eto B. i 551.

*H*on sy ffrwd | o naws a ffrwyth.[1]
A *h*yd mesur | oed Moesen.[2]
*H*aul dedwydd | y wlad ydwyd.[3]

A cheir llacrwydd cyffelyb yn y beirdd diweddar :

*H*ardd leuad | ni rydd lewych.[4]
*Rh*yw ddilyw | maw(*r* o'i ddeiliaid.[5]

Calediad Cytseiniaid.

372. Lle dêl *h* ar ol un o'r cytseiniaid meddal *b*, *d*, neu *g*, fe'i caleda i *p*, *t*, neu *c* ; fe aeth *eb-hil*, *ad-heb*, *dryg-hin* yn *epil*, *ateb*, *drycin* ; ac yn yr ynganiad Cymraeg naturiol, sain " ei thad hi" yw *i-thá-ti.* Nid effeithid ar yr hen gynganeddwyr gan ynganiad Seisnigaidd na chrach-ath-rawiaeth ynghylch gwahanu geiriau, ac ni fethai ganthynt roi cytsain galed i gyfateb i un a galedid gan anadliad caled ar ei hol :

He*b h*iraeth, | hi a'i *p*eris.[6]
*T*aer fyddut, | ni*d h*wyr f'eddyl.[7]
Gair *t*e*g* | a wna garia*d h*ir.[8]
*C*enais | i'r ddyn de(*g h*ynod.[9]
Llais y *c*orn | lluoso*g h*ir.[10]

373. Fe'u caledid hefyd yn gyffredin gan *rh*-, neu mewn cyfuniadau fel *-br*, *-bl* pan ddilynai *h*-, fel hyn :

Be'i *p*rofid, | yn ba*b* R*h*ufain.[11]
Ni*d* r*h*ydd im | an*t*urio'i ddwyn.[12]
Ag yno *t*rig | enai*d* R*h*ys.[13]
Bwrw *p*lyg | ar bara*bl h*ygar.[14]
Fy llew *c*ryf, | a Lloe*gr h*efyd.[15]
Mwnw*gl h*ir | fel maen *c*laerwyn.[16]

Ond pan ddelai *r* neu *l* fel yna rhwng y gytsain a'r *h*, ni

[1] W.IL. 8.   [2] Eto 14.   [3] Eto 19.
[4] Gr.O. 91.   [5] D.W. 147.   [6] I.D. 20.
[7] D.G. (57).   [8] Gu.O. G. 213.   [9] S.T. c. ii 101.
[10] T.A.   [11] T.A. F.N. 146.   [12] D.G. (78).
[13] H.D. G.G. ii 63.   [14] P.IL. lxxix.   [15] G.Gl.
[16] D.E. 29.

chaledid moni o angenrheidrwydd, ac yr oedd y prydydd at
ei ddewis i roi cytsain feddal i ateb iddi, megis—

> Im ni*d* rhydd | amnai*d* ar hon.[1]
> Orfo*d* yr haint | oerfu*d*r hwn.[2]
> Mwnw*g*l hir | mewn *g*oleu haf.[3]

374. Wrth ddal ar gytsain gaeedig fel *b*, *d*, *g*, i gyfleu
effaith dwy, arferiad yr hen Gymry[4] oedd gadael i'r anadl
grynhoi, ac wrth ei gollwng yn ebrwydd ar y diwedd yr
oedd iddi effaith anadliad caled. Am hynny y mae dwy *b*,
fel *b* ac *h*, yn cyfateb i *p*; a'r un modd am y lleill :

> Po*b* *b*ron | fal y (pa*p*ur yw.[5]
> *P*arched | po(*b* *b*yw ei orchwyl.[6]
> Dal *t*ŷ | ag (adeila*d* *d*a.[7]
> I Fôn y *t*ry | f'enai*d* *d*raw.[8]
> Gwyliaw *t*ân | nes (gwele*d* *d*ydd.[9]
> Llety *c*lyd | a lle te*g* *g*lân.[10]
> I'r ddrai*g* *g*och, | wrdd aerwy cad.[11]
> Y ddrai*g* *g*och | ddyry *c*ychwyn.[12]

375. Wrth reswm, fe all cytseiniaid wedi eu caledu un
o'r ddwy ffordd ateb iddynt eu hunain neu i'w gilydd :

> Barru*g* *h*af | ydiw (brig *h*wn.[13]
> Ae*d* *D*uw, | i gynnal (oe*d* *d*ydd.[14]
> Gael oe*d* *d*ydd | a gwele*d* hon.[15]
> Y ddrai*g* *g*och | gyn(ddeirio*g* *h*en.[16]
> Y ddrai*g* *g*och, | nawdd Dduw rha*g* *h*yn.[17]

376. Nid yw *h* yn caledu'r un o'r cytseiniaid eraill mewn
cynghanedd ; ond y mae pob cytsain feddal yn colli ei
grym yng nghesail y galed gyfunrhyw, pa un bynnag ai

---

[1] D.E. 56.   [2] G.Gl. G.G. iii 15.   [3] I.D. 22.
[4] Yn Saesneg gadael y gyntaf allan a wneir, ac ni chaledir ; er eng.,
"*Cut an' dry* mewn cetyn *drwg*" H. Llwyd Cynfal (?), *Gweithiau Gethin*
394. Effaith yr ynganiad Saesneg yw'r arferiad diweddar o esgeuluso'r
rheol Gymraeg.
[5] I.D. 23.   [6] Gr.O. 12.   [7] D.G. (79).   [8] G.Gl. c. i 200.
[9] L.G.C. 430.   [10] Eto 280.   [11] R.G.E.   [12] D.I.D. G. 177.
[13] D.G. (79).   [14] Eto (34).   [15] Eto (78).   [16] H.S. 17.
[17] G.I.Ll.F. 28.

ar ei hol ai o'i blaen y dêl ; fel hyn, cyfetyb -*t d*- a -*d t*- i *t*;
-*th dd*- i *th* ; -*ll l*- i *ll*, etc.

> Ym mho*b p*en | y mae *p*iniwn.[1]
> Amran*t d*u | ar í(emrwn *teg*.[2]
> Breuddwy*d t*ost | oedd (briddo'u *t*ad.[3]
> On*d t*ywod | gan (wyn*t d*eau.[4]
> Tai*th* henain(t | a'*th dd*ihoena.[5]
> Pra*ff f*onedd | pur a *ff*yniant.[6]
> Cawn 'i *ll*iw | fel (cannwy*ll l*as.[7]
> Dê*l ll*íwiad | i'r (dy*ll*úan![8]

Ond y mae peth gwahaniaeth heblaw mewn caledwch
rhwng *l* ac *ll*, a gellir clywed y ddwy ar wahan, yn enwedig
pan ddêl yr *l* yn gyntaf :

> Fa*l ll*ong | foe*l* a o*ll*yngir.[9]
> Gae*l ll*ewych | go*l*au *ll*awen.[10]

Pan na bônt gyfunrhyw ni bydd y cytseiniaid tawdd caled
ff, *th*, *ch*, *ll*, *s* yn caledu'r ddwy feddal *f*, *dd* mwy nag *l*, er
bod Simwnt yn dyfynnu dwy enghraifft o hynny—heb eu
cymeradwyo.[11]

377. Ar ol tawdd galed mewn gair y mae cytsain fud yn
feddal : ysgrifennir yn gyffredin *st*, *llt*, *fft*, *cht*, *thd*, *sg*, *sb*,
a gwelir weithiau *sc*, *sp* ; ond pan fo'r cytseiniaid a'u hetyb
mewn cynghanedd yn sefyll ar wahan, y fud feddal, *d*, *b*, *g*,
a geir yn wastad yn yr hen gywyddau :

> Trw*s*iadau drud | tro*s*di draw.[12]
> Tri*sd* yw'r cwyn | tro*s* aw*d*ur cerdd.[13]
> Dy wa*lld* aur | i dwy*ll*o *d*yn.[14]
> Ge*ll*id moli | gwa*lld* melyn.[15]
> A *p*hader serch, | ho*ff*der sôn.[16]

[1] S.B. R. i 86.   [2] D.G. (43).   [3] W.IL. 126.   [4] D.N. 16.
[5] S.Ph. CY. ix 25.   [6] P.IL. lxxix.   [7] E.P. 256.   [8] D.G. 322.
[9] T.A. D.G. 296.   [10] D.E. 124.
[11] "Gair o'*th f*ron, gwawr dd*yff*rynnoedd," D.E. (twyll rhwng caled a
meddal sy yma) ; "O'*th* actiau'r praff *Dd*octor Prys," Gr.H. ; P.IL. lxxx.
Ni feddyliodd neb ond D.W. am y fath beth â " Rhyw hesgach *ll*wyd,
wrysg a ch*l*ai " 268.   Lle ni throes *s*dd yn *s*d, § 412, ni chaledir mo'r *dd* i
th : "Bais *dd*ur a byse*dd* eryr " D.N. 21.
[12] T.A.   [13] G.ILL.F. 16.   [14] D.G. (39).   [15] D.E. 28.
[16] I.D. G. 129.

Tair *ysb*ónc, | *torres* y *bý*s.[1]
El*sb*eth hae(l, | o*seb* o'i thai.[2]
O chais a *gâr*, | ni chw*sg* ef.[3]
Ag *ysg*rín | i *geisio grá*s.[4]
Gwi*sg* yw | rha(g ia*s* y *g*aeaf.[5]

378. Pan ddêl y ddwy gytsain gyda'i gilydd mewn dau
air gwahanol y mae'n amlwg ein bod yn gwahaniaethu
beunydd, â genau ac â chlust, rhwng y fud feddal a'r fud
galed; er enghraifft, o*s gŵr* ac o*s cawr*—nid yw'r *s* yn
caledu'r *g* nac yn meddalu'r *c*. Ac yn yr hen gynghanedd
fe gedwir y gwahaniaeth : cyfetyb -*s g*- i *s*...*g* ar wahan
neu i *sg* ynghyd yn yr un gair, fel uchod; a'r un modd
yr holl gyfuniadau eraill, fel y gwelir **yn yr** enghreifftiau
isod :

Bly*s g*win | â bla*s* 'i *g*enau.[6]
Cerai*s g*oed | Cor*s* y *G*edol.[7]
A no*s g*udd | yn wi*sg* iddi.[8]
Hirae*th g*wŷr | Hirae*thog* wen.[9]
Sai*th* o *g*aeau, | sai*th g*ywydd.[10]
Y*s*dafell | Eo*s D*yfed.[11]
Neu fla*s d*ŵr | fal o*s*ai *d*a.[12]
E gy*sd* aur it, | gwa*s d*ewr wyf.[13]
Ai gwe*ll d*awn | ga*ll*u *d*ynion ? [14]
Ag y*s*bónc | 'i gwefu*s b*ách.[15]
A bwy*s*ai *b*en | 'i by*s b*ach.[16]
O*s b*rwd gwlith | yr Y*s*bryd Glân.[17]

Ond lle bo *c*- yn dilyn -*s* neu -*sg* fe geir *c* (neu *g h*) i
gyfateb iddi; ac felly am y cyfuniadau eraill :

Gori*s* clust | goreuwa*s* clod.[18]
Tomas, cyrch | tua mae*s K*ent.[19]
Am a*s*io calch | ymy*sg* coed.[20]
Ne*s c*ael | y ddyn eurwi*sg* hon.[21]
Ni *ch*eid *h*oed|l. Yn ia*ch*, *T*udur ! [22]

[1] D.G. (15).   [2] W.IL. 76.   [3] D.G. (14).   [4] Eto (33).   [5] IL.
[6] D.G. (23).   [7] W.IL. 15.   [8] D.E. 54.   [9] W.IL. 63.
[10] D.G. (37).   [11] D.E. 20.   [12] D.N. 2.   [13] I.T. hen G.G. i 93.
[14] W.IL. 5.   [15] IL. F.N. 124.   [16] G.Gr. D.G.G. 145.   [17] T.A. F.N. 143.
[18] D.G. (24).   [19] D.N. 21.   [20] W.IL. 30.   [21] D.N. 88.
[22] T.A. G. 236.

> Lliw uw*ch* y *t*âl | llewy*ch* t*e*g.[1]
> Ddewi*s p*awb | adda*s p*ybyr.[2]

Sylwer ar y gwahaniaeth rhwng y ddwy linell hyn o'r un cywydd :

> Trw*sd* arfau | wybr (tro*s d*erfyn.[3]
> Trw*sd t*aran | tro*s t*iroedd.[3]

Ond nid yw dwy feddal yn caledu os dilynant yr *s* yn uniongyrchol am na seinir cytsain yn ddwbl pan fo ynghyswllt â chytsain arall ; felly fe geir llawer o linellau fel hyn :

> Mae*s g*winwydd | ymy*s*(g) *g*wenith.[4]
> O ga*s, d*ôr | a ga*e*ai*s*(d) *d*i.[5]
> Ai de*ll*d aur | yw dy wa*ll*(d) *d*i ?[6]

Ac nid yw hyd yn oed *h* yn caledu'r gytsain yng nghanol gair : *tris*d*áu*, nid *tristáu* :

> Dri*s*d*áu* gŵr | dro*s d*y garu.[7]

Mewn cyfuniadau fel *stl*, *str*, y mae'r gytsain gan amlaf yn feddal, ond weithiau'n galed, megis—

> E*s*d*r*onol | megi*s d*raenen.[8]
> O*s t*alu da, | wy*s*t*lo*'i dir.[9]

379. Y mae'n syn mor gyson y ceidw'r hen gywyddwyr y rheolau uchod ; rhaid mai fel yna y seinid y cyfuniadau hyn yr adeg honno fel yn awr, a'u bod hwythau'n cynganeddu'n ffyddlon wrth y glust. Ond fe dyfodd rhyw syniad y *gallai* tawdd galed fel *s*, *ll*, galedu cytsain ar ei hol, ac fe geir weithiau eithriadau cyn diwedd cyfnod y cywyddau, ac yn aml mewn cynghanedd ddiweddar, fel hyn :

> Oni*s t*âl, | anone*st* yw.[10]
> Y*sp*onc | ar lawe*s p*encerdd.[11]
> U*st* ! tewch oll, | arwe*st* a chân.[12]

[1] D.N. 89. [2] W.IL. 45. [3] D.G. (83).
[4] W.IL. 33, cf. 55, 64, 75. [5] D.E. 23. [6] D.N. 82.
[7] D.G. (39). [8] B.A. [9] I.D. 77. [10] S.T. D.E. 64.
[11] E.P. 199. [12] Gr.O. 41.

Prin y ceir hyn cyn y to olaf o'r cywyddwyr.[1] Fe ganodd
T.A.—

> E*to* caiff ffeils(*t* | eu coffáu.
> Draw *os* cweryl | dro*s* carwr ;

ond gall *lst* fod yn eithriad fel *stl* ; ac yn yr ail, defnyddio'r
galed ar ol *dros* yr oedd ef, fel yn dros *g*waliau L.G.C. 15,
tros *m*wyalchliw M.A. 304*a*. Cwestiwn o ramadeg, nid o
gynghanedd, yw ai cam ai cymwys hyn.

380. Ond y mae'n ddigon sicr y gall tawdd galed galedu
cytsain fud *o'i blaen*, ac y gwna hynny'n fynych. Y mae'r
rheswm am y gwahaniaeth yn ei heffaith ar fud ar ei hol
ac o'i blaen yn syml : y rhan fwyaf clywadwy o gytsain
fud yw'r ffrwydrad ar ei diwedd ; yn awr, yn *st* y mae
ffrwydrad y *t* yn lleisiol neu feddal i baratoi ar gyfair y
llafariad ar ei ol ; ond yn *ts* y mae'r ffrwydrad yn ddi-lais
neu galed i baratoi ar gyfair yr *s*, ac fe seinir *ts*. Prin y
digwydd y cyfuniadau olaf hyn yn Gymraeg ond mewn
cyfansoddeiriau ; pan fo'r cyfansoddiad yn dynn y mae'r
gytsain yn galed fel yn *datsain, cytsain*, a chan Ddafydd
yn—

> Canwyllau cec*s* | ddeuddec*s*ygn.[2]

Ond pan fo'n llac, meddal yw hi, fel yn cy*d*-*s*ynio :

> Neu ga*d*w o *s*ynnwyr | iawn gy*d*-*s*yniad.[3]

381. Meddal fel yna fydd y gyt*s*ain yn aml ar ddiwedd
gair o flaen y dawdd :

> Gwnae*d* y *s*aint | ag enai*d* *S*iôn.[4]
> Tu*d* *ll*wydrew, | ta*d* y *ll*adron.[5]

---

[1] Gwelsom fod "O*s* cas oedd e*s*gus y ddyn" D.G. (22) yn anghywir,
§ 237. Nid yw'r un o'r copïau a ddyfynnir o'r cywydd yn hŷn na 1700.
[2] D.G. (69). Fe rydd D.E. a T.A. *g . . . s* i gyfateb i'r *x* Ladin : "Ba*x*
wyneb i'w *g*usanu" D.E. 48; "Me*g*is y naill, Ma*x*en wyd" T.A. Y mae
hyn yn groes iawn i'r ynganiad cyffredin : i'r gwrthwyneb try *clogs*
Saesneg yn *glocs* yn Gymraeg : " Boed silk so*cks* yn lle clo*cs*en " T. ii 182
Diau bod hyn yn hen arferiad. Cyn amser D.E. dyry I.R. *x* i ateb *x*:
" Pâr im ba*x* o dir Ma*x*en " R. ii 308.
[3] M.D. R.P. 1310.   [4] I.D. 97.   [5] D.G. (67)

Rha*g ll*éidr | yn rhy*gall* edrych.[1]
Os dru*d* 'i *ph*lwm, | Ysdra*d Ff*lur.[2]

Ond nid hwyrach mai caled fydd hi fynychaf :

Hurtiwy(d)*t s*erch, | hort i*ti s*ydd.[3]
Os rhoe(d)*t ll*aw | ar Risiar*t Ll*wyd.[4]
Po(b)*p ll*uniaeth, | pei *pell* hynny.[5]
He(b)*p s*wydd, | mor ha*pus* â hwn.[6]
Bri(g)*c ff*ydd | a bair *coff*a hwn.[7]

382. Y mae dwy *d* neu *b* neu *g*, fel y gwelsom, yn caledu
i *t* neu *p* neu *c* ; yn yr ynganiad Cymraeg y mae cyffelyb
galediad yn digwydd pan ddêl dwy fud wahanol ynghyd
yng nghanol gair. Yn lle *dg* fe sgrifennid gynt *tc*, *dc* neu
tg, ac atgas i "glust gwir Gymro" ydyw llythreniad
"gwreiddeiriol" *adgas* Pughe. Y mae *g* efallai'n tueddu'n
fwy na'r lleill i feddalu o flaen y llafariad, ond y mae'r *t*
neu'r *p* o flaen yr *g* yn galed : *datgan, datguddiad, hepgor* :

Deu*t*u *g*enau | da*t*geiniad.[8]

Ond fe all *tg* gyfateb i *dc*—y ddau gyfuniad yn cyfrif fel *tc* ;
a'r un modd *pg* i *pc* :

Da*t*gladdwn | da*d c*elwyddau.[9]
Llaw Ho*p*cyn | oll a'i he*p*gyr.[10]

Eithr yn gyffredin yn *un* o'r ddwy gytsain y mae'r caledwch
yn amlwg, ac fe all fod yn y naill neu'r llall yn ol yr ennyd
y di-leisir yr anadl ; ac felly fe geir *g . . . t* ac *c . . . d* i
gyfateb i *ct*, a *b . . . t* a *p . . . d* i ateb *pt* :

g . . . t : *G*u*t*o'r Glyn, | doc*t*or y glod.[11]
　　　　Doc*t*or Siôn, | dy*g*e*d d*air sêl.[12]
c . . . d : E*c*tor â nerth | *c*a*d*arn oedd.[13]
　　　　E*c*tor ieuan(*c* | o *D*roea.[14]

[1] D.G. (14).　　　[2] I.D. 58.　　　[3] D.G. (34).　　　[4] W.Ll. 60.
[5] G.Gr. G.G. i 147 (anghywir yn D.G.G. 142).
[6] T.A. G. 239.　　　[7] P.Ll. lxxix.　　　[8] G.I.Ll.F. 17, F.N. 173.
[9] Gr.H. F.N. 164.　　　[10] L.G.C. 122 ; *hebgyr* gan Degid, wrth gwrs.
[11] H.D.　　　[12] I.D. 51.　　　[13] W.Ll. 64.
[14] T.A. ; eithriadol a mympwyol yw rhoi dwy feddal, fel yn " A gwayw
*d*raw llas | Hec*t*or llwyd " T.A. G. 235.

b . . . t :   Y *b*u *t*ano | ga*pt*einiaid.[1]
            Be'i *t*ynnid | o'i ga*pt*einiaeth.[2]
p . . . d :   Croes naid | ar gap*d*éiniai(*d* | ẃyd.[3]
            Ci*p*iwy*d* i nef, | ca*pt*en oedd.[4]
p . . . t :   Ci*p*iwy*d* *d*yn rhwydd, | ca*pt*en Rhos.[5]

Geiriau benthyg yw *doctor* a *capten* (yn gynharach *captaen*
I.G. 138); mewn Cymraeg pur ni ddaw dwy fud ynghyd
ond mewn geiriau cyfansawdd, ac os bydd y cyfansoddiad
yn llac ni chaleda dwy feddal :

> Cy*d*-*g*erdded | coed â *g*ordderch.[6]
> A cha*d*w *g*wŷr | a chy*d*-*g*eraint.[7]

383. Pan ddêl dwy feddal ynghyd mewn dau air gwahanol
ni chaleda'r un ohonynt, ond cyfatebant i ddwy feddal ar
wahan :

> Dugiai*d* *b*eilch | dygwy*d* i'w *b*edd.[8]
> Ar ia*d* *b*un | erioe*d* y *b*u.[9]
> Ni*d* *b*aich | oni*d* o *b*echod.[10]
> Bi*d* *g*waeth | gwybo*d*au a *g*air.[11]
> A *d*a*g*rau miloed*d* | hy*d* *g*wrr Maelawr.[12]

> A bid o rodd gan Bedr ym,
> *B*yw a *g*weled | Ma*b* *G*wilym.[13]

Ni chaledir mud feddal ar ddechreu gair gan un galed ar
ddiwedd gair o'i flaen : cyfetyb -*t* *g*- i *t . . . g*, etc. :

> A rou*t* *g*wymp | i Ri*t*a *g*awr.[14]
> I Ffli*nt* *g*aeth | a'i phlant i *g*yd.[15]
> Pum*p*, *g*annoes, | pwm*p*a *G*wynedd.[16]

[1] L.G.C. 484.   [2] G.Gl.
[3] L.G.C. 70; *gadbeniaid* (!) a briintiwyd gan Degid yno, er gwaethaf
cynghanedd ; ond *pd* a brintiwyd yn "Tair plaid yn gap*d*éiniai*d* ýnn"
G.Gl. c. i 192.   [4] L.Men. R. ii 632.   [5] T.A.
[6] D.G. (26), cf. F. 10.   [7] W.Ll. 200, cf. 90.
[8] D.I.D. F.N. 77.   [9] D.N. 83.   [10] I.G. F. 35.
[11] Gu.O. D.E. 141.   [12] D.N. 24.
[13] H.C.Ll. G.G. i 184; deisyfiad y bardd yn Rhufain yn 1475. Nid
arferid y talfyriad *ab* neu *ap* ond ar ol yr enw bedydd, "Dafydd ap
Gwilym," ond hebddo, "Mab Gwilym," cf. F.N. 139, 137, D.G. (69), etc.
[14] D.N. 22.   [15] L.G.C. 391, cf. W.Ll. 62.   [16] W.Ll. 116, cf. 132.

384. Yn aml hefyd fe erys un feddal ar ddiwedd gair yn feddal o flaen un galed:

> Ysgwy*d* y corff | esgu*d c*ain.[1]
> Y*d*iw cyff | o wae*d K*yffin.[2]
> Dw*g* wayw *t*wym | y Du*g T*omas.[3]

Ond hi galeda'n fynych o flaen mud galed fel o flaen tawdd galed, ac am yr un rheswm:

Ymho(b)*p t*ir	mae ha*p i*t oll [4]	$-mh-pt\text{-}r\|m-h-p-t\text{-}ll$
By(d)*t p*erigl	bo*d heb H*arri [5]	$b-tp\text{-}r\text{-}gl\|b-t-p\text{-}r\text{-}$
Bri(g)*c T*egeingl	bar*c*, wae*d* digoll [6]	$br-ct\text{-}g\text{-}ngl\|b-rc-t\text{-}g\text{-}ll$
Ha*p* cefaist	ymho(b)*p c*yfoeth [7]	$h-pc\text{-}f\text{-}st\|-m(h-pc\text{-}f\text{-}th$

385. ☞Ar fyr, pan ddêl cytseiniaid gwahanol ynghyd wrth gyd-osod geiriau ni cheir y gyntaf yn caledu nac yn meddalu'r ail,[8] ond fe *all* yr ail, os caled, galedu'r gyntaf.

386. Gynt fe sgrifennid yn galed lawer cytsain a seinid yn feddal—hen lythreniad yn aros wedi i'r ynganiad newid; ond er mor gyffredin mewn ysgrifen oedd *sc*, *sp*, *st*, er hynny wrth y sain, *sg*, *sb*, *sd*, fel y gwelsom, y cynganeddid hwynt. Yr un modd fe sgrifennid *tec*, *bric*, *gwraic*, etc., hyd i'r ail ganrif ar bymtheg; ond nid effeithiai'r orgraff yna ddim ar y gynghanedd: ni waeth un esiampl na chant:

> Gwr *g*wrdd | a gwr*a*ic o urddas.[9]

Yr ydym yn dal i sgrifennu *st* lle bynnag y dêl y cyfuniad,[10]

---

[1] D.G. (46). [2] W.IL. 8. [3] T.A.
[4] P.IL. lxxix. [5] G.Gl. [6] S.T. [7] W.IL. 50.
[8] Ni ellir cyfrif llinell fel "Nid teg ydyw, | nid cadarn" L.G.C. 217 yn gywir; fe all yr *c*- galedu'r -*d* o'i blaen, ond ni ddaw'n feddal ei hun. Y mae'n hawdd iawn twyllo'r glust â chyfatebiath fel *t g* | *d c* ; ond twyll-gynghanedd ydyw—twyll caled a meddal.
[9] W.IL. 105; lle bai eisiau dangos -*c* galed ar ol llafariad, yr oedd yn rhaid ysgrifennu -*cc* neu -*k*, megis *lwk* 11, 17, *ystok* 101, etc.
[10] Cymeradwyodd Pwyllgor Orgraff Cymdeithas yr Iaith Gymraeg yn 1893 gysondeb yn hyn; nid oedd reswm dros *st* mewn rhai geiriau ac *sd* mewn eraill. Addefid nad oedd y *t* yn galed, ond fe dybid bod mwy o galedrwydd i'w glywed [yn ei dechreuad] nag yn *g* a *b* ar ol *s*; a thybid bod hynny'n ddigon o reswm dros y cyfnewidiad lleiaf posibl yn yr arferiad cyffredin, sef cadw'r *t*. Ond fe ddengys y gynghanedd mai fel *d* y clywai'r hen feirdd y sain ganrifoedd yn ol.

ond nid erys yr hen -*c* am -*g* ond yn *ac* a *nac.* Wrth gwrs *aur* a**g** *arian, pin* a**g** *inc* a ddywedir gan bawb heddyw, ac a ddywedwyd er cyn dechreu'r gynghanedd gaeth, ac felly y cynganeddir hwynt gan yr hen gywyddwyr bob amser:

> Arian a*g* aur, | hyn a *g*af.[1]
> *G*au dduwiau | a*g* Iddewon.[2]
> Ni thorrais un llythyren
> O bin a*g* inc | heb enw *G*wen.[3]

Ond oherwydd dygn anwybodaeth y ganrif ddiwaethaf am hanes yr orgraff, a'r syniad a ffynnai fod pob llythyren i'w seinio yn Gymraeg fel yr ysgrifennid hi, fe dybid mai -*k* oedd yr -*c* yn *ac* a *nac* i fod, ac mai *goddefiad* oedd ei hateb ag *g* mewn cynghanedd. Y gwir, wrth gwrs, yw mai'r hen symbol am -*g* derfynol oedd yr -*c* ;[4] mai *g* sydd i *fod* i'w hateb ; ac mai bai dybryd yw ei hateb ag *c* galed, sef *k*. Nid oedd yn fai posibl i'r hen feirdd, a fyddai'n arfer darllain pob -*c* ar ol llafariad yn *g* ; ac yr oedd Lewis Morris a Gronwy'n rhy hyddysg yn y traddodiad i syrthio i'r fath amryfusedd.[5] Goroesiad yr hen -*c* yn y ddau air hyn *yn unig*, dyna a barodd i'r beirdd diweddar dripio ; a'r rheswm am y goroesiad oedd i'r Dr. Morgan wahaniaethu'n fwriadol rhwng *ac* ac *ag*, a rhwng *nac* a *nag*. Gwahaniaeth i'r llygad er mwyn eglurder a fwriadai ef, nid i'r glust, canys pa reswm sy dros synio'i fod yn disgwyl i neb ddarllain *ak* mwy na *rhak* pan ysgrifennai " ac ni ofni rhac dinistr pan ddelo," Job v 21 ? Y mae'n fantais mewn ysgrifen gael gwahaniaethau a ddengys yr ystyr i'r llygad ;[6] ac am na cheir goslef y llais ar bapur, rhaid gofalu am y meddwl : ni thâl ysgrifennu *caria tir* yn lle *cariad hir* (§ 372)

---

[1] L.G.C. 430.   [2] T.A. c. i 344.   [3] D.N. 78.
[4] Ni welir byth *ak* na *nak* mewn hen lawysgrifen.
[5] Gweler enghreifftiau o *ac = ag* gan Oronwy yn *E. W. G.* td. 192.
[6] Yr un sain sydd yn Saesneg i *heir* ac *air*, i *there* a *their*; i *maid* a *made*, a llu cyffelyb ; ond y mae'r gwahaniaeth ystyr yn llamu i'r llygad. Dyma un rheswm pam na cheir diwygiad yn yr orgraff Saesneg.

er enghraifft, er mai *t* yw'r -*d h*- yn y gynghanedd. At yr anghyfleusterau angenrheidiol hyn nid oes raid, wrth ddangos cynghanedd, chwanegu'r anghyfleuster dianghenrhaid o sgrifennu *ac* a *nac*; ac yn yr holl enghreifftiau o gynganeddion yn y llyfr hwn, fe'u hysgrifennir yn *ag* a *nag* fel y maent i'w seinio.

387. Ac felly y *maent* i'w seinio yng nghynghanedd y beirdd awdurol; *g* yw'r sain bob amser, ac ni cheir moni mewn man y buasid yn ei chaledu, am na roid hi byth o flaen *h*- nac *g*- na chytsain galed. Medd Dafydd am lygaid rhyw eneth:

> Gwreichion aur grechwen araul
> Gwedi'i rhoi mewn gwydr *a* haul.[1]

Arferiad yn tarddu o feddalu neu golli *h* ydyw ysgrifennu *ac* o'i blaen. Ond fe seinir yr *h* yn gywir drwy Gymru ond mewn un parth; a pha le bynnag y seinir hi, ni ddywaid neb "dŵr *ac* halen," "hwn *ac* hwn," "byth *ac* hefyd," ond "dŵr *a* halen," "hwn *a* hwn," "byth *a* hefyd."

Cyswllt Ewinog a Hanner Cyswllt.

388. "Cynghanedd ewinog", medd Simwnt,[2] y gelwir pob un y bo ynddi fud galed yn cyfateb i fud feddal wedi ei chaledu gan anadliad caled neu trwy ddyblu. Fe ddigwydd hyn nid yn unig yn y groes a'r draws, fel yn yr enghreifftiau uchod, ond wrth reswm yn y sain hefyd, megis—

> Crist Arglwydd, | boe*d rh*ŵydd | y *tr*ái.[3]
> Wrth weled | *pr*úddĕd | po*b br*áint.[4]

389. Pan ddêl y calediad yng ngorffwysfa croes, fe geir "croes o gyswllt ewinog"; fel hyn:

> *T*udur Llŵy(*d* | *h*yder y lléw.[5]
> *T*raeth yw gwlá(*d* | *H*iraethog lán.[6]
> *T*ras mawr há(*d* | *Rh*ys Amhrédŭdd.[7]

[1] D.G. (43). [2] P.Ll. lxxviii–ix. [3] D.G. 61.
[4] W.Ll. 58, 63. [5] T.A. G. 232 [6] S.T. [7] W.Ll. 2.

*T*orri'r gré(*d*, | *d*y roi ar gró̆g.[1]
*T*ruan 'i fó(*d* | *d*raw'n 'i fédd.[2]
*C*aer Gai énwŏ(*g* | *h*ir gýnnўdd.[3]
*C*aiff éiddï(*g* | *g*offau íddăw.[4]
*P*arch yw i bắw(*b* | *b*erchi'i bén.[5]

390. Fe ddigwydd yr un peth weithiau mewn cynghanedd sain, a cheir "sain o gyswllt ewinog," megis :

Telais it wawd | *t*áfăw(*d* | *h*óyw̨.[6]
Ag ar dyfiad | y *t*á(*d* | *h*áel.[7]
A gwawd | y *t*áfăw(*d* | *h*ýfĕdr.[8]

391. Wrth y ddwy enghraifft olaf fe welir y gall cytsain fud ddwbl ddechreu'n feddal a diweddu'n galed : y mae'r *d* yn *t*ad yn dechreu'n feddal, a'r gair yn odli â *dyfiad* ; ond yr *h* yn caledu ei diwedd, sef y ffrwydrad, nes rhoi *t*ael i gytseinio â *t*ad. Fe ddigwydd hyn yn aml mewn cynghanedd ddisgynedig fel y drydedd groes uchod, lle mae "mawr ha*d*" yn cytseinio ag " Amhre*d*udd," ond diwedd y *d* yn *h*ad yn cysylltu â'r *Rh* i gyfateb i'r *Tr* ar y dechreu. Yn wir, fe ellir dywedyd mai dyna'r ynganiad ym mhob cyswllt ewinog ; yn y groes gyntaf uchod, er enghraifft, y mae'r *d* yn Llwy*d* yn cau'n feddal, yna daw anadliad caled a bair iddi agor (neu ffrwydro) 'n galed. A'r un modd, lle bo dwy *d*, y mae'r gytsain yn cau fel *d* ac yn agor fel *t*.

392. Eithr nid yw dwy feddal yn caledu *o angenrheidrwydd* yn yr orffwysfa. Er enghraifft :

*D*eled i oed, | *d*euliw dydd.[9]
*D*own y ddwywlad | *d*an ddolef.[10]
*D*y frawd, tad | *d*y frut ydoedd.[11]

Ac mewn cynghanedd sain :

O'r byd, | *d*iówryd | ar *d*'ol.[12]

Nid rhaid i ni yma chwaith gymryd bod toriad rhwng y geiriau ; nid gorffen y *d* gyntaf a dechreu un arall a wnâi'r

---

[1] D.N. 93.   [2] T.A.   [3] P.IL. lxxviii.
[4] D.E. 18.   [5] T.A.   [6] D.G. (104).   [7] W.IL. 58.
[8] G.Gl. G.G. iii 23.   [9] D.G. (59).   [10] D.I.D. F.N. 77.
[11] T.A. F.N. 139.   [12] D.I.D. F.N. 75.

datgeiniad, eithr parhad o'r gyntaf yw'r ail, ond bod
hamdden yn yr orffwysfa i'w gorffen fel *d*, ac nid fel *t*. Fe
geir yr un peth ar ddechreu'r ail gyfres gyfatebol mewn
traws, fel hyn:

> *D*ydd yn nos, | pand (*d*iddawn wyd ? [1]
> *D*raean nos | hynt (*d*ruan iawn. [2]
> *D*i dríst | y rhoid (*d*a dróstăw. [3]

Ac o flaen y gytsain gyfatebol gyntaf mewn sain, megis:

> Er nas gwelych, | nid (*d*rych | *d*rwg. [4]
> Adar | a chnwd (*d*aear | *d*eg. [5]
> Addaf | a'i wraig (*g*yntaf | *g*ynt. [6]

393. Gan fod dwy fud feddal yn gyffredin yn cyfateb
i un galed, fe dybiwyd yn ddiweddar yn y bymthegfed
ganrif [7] y gellid gwneuthur yr un peth yn yr orffwysfa â'r
galed ag â dwy feddal, sef rhoi un feddal i ateb iddi yn
nechreu'r llinell, fel hyn:

> *D*oe bwriodd hain*t* | y bardd hen. [8]
> *G*winllannau Ffrain*c* | yn llawn ffrwyth. [9]
> Y *g*ŵys didol*c* | os dodir. [10]
> *B*u wir roi'r ha*p* | ar y rhyw. [11]
> *D*eunaw can*t* | i un cyntedd. [11]

" Croes hanner cyswllt " y geilw Simwnt hon ; [11] ac y mae'n
amlwg wrth ei eglurhad mai ar dwyll-ymresymiad, ac nid
ar ynganiad, y seiliwyd hi. Am fod dwy fud feddal yn
caledu, fe dybid y gellid hollti mud galed yn ddwy feddal,
" a chymryd yr hanner olaf o rym [12] y gytsain drom i ateb "
i'r feddal ar ddechreu'r llinell. Yn anffodus y mae " hanner

---

[1] D.G. (67).   [2] Eto (68).   [3] W.Ll. 45.
[4] D.G. (13).   [5] Eto (73).   [6] G.A.D. D.G.G. 118.
[7] Ni thybiaf fod enghraifft i'w chael cyn T.A.
[8] T.A. F.N. 139.   [9] T.A. P.Ll. lxxvii.   [10] W.Ll. 84, cf. 75.
[11] P.Ll. lxxvii.
[12] Y mae i gytsain fud ddechreuad, sef cau mynedfa'r anadl, a diweddiad,
sef ei agor nes peri i'r anadl ddianc yn sydyn gyda ffrwydrad bychan;
rhwng y ddau y mae eiliadigyn o ddistawrwydd a barodd i'r hen bobl ei
galw'n *fud*. Gellir, os mynnir, alw'r ffrwydrad yn hanner olaf y *gytsain*;
ond ffiloreg noeth yw sôn am hanner olaf ei *grym*. Amser a ddynodir gan
" olaf," ac nid " grym."

olaf," sef ffrwydrad, y "gytsain drom" yn galed, ac nid
etyb yn gywir i'r fud feddal. Nid oes dim a ddengys y
twyll-ymresymiad yn gliriach na gwaith W.Ll. yn ei
gymhwyso at gytseiniaid tawdd:

<blockquote>
O Dduw byth | a obeithir? [1]
</blockquote>

Nid clust a fu'n llunio hon, ond rhifyddiaeth: $th = \delta\delta$,
a chymryd yr δ olaf i ateb i'r Dd yn Dduw! Ond fe
ddywaid clust pawb wrtho nad oes dim δ ar gyfyl th.

394. Y mae'r un twyll-ymresymiad i'w weled mewn
ffurf arall yng nghynghanedd dau neu dri o feirdd canol y
ganrif. Fe dybid y gellid hollti'r fud galed yn yr orffwysfa,
a chymryd yr hanner cyntaf yn unig i'w ateb mewn croes
ddisgynedig, fel hyn:

<blockquote>
Braich i Wént | a Brychándïr.[2]
Mawr o gẃymp | ym mro Gámbẅr.[3]
</blockquote>

Fe ffurfir llusgiaid fel yna gan G.Gl. a H.D.:

<blockquote>
Er treulio punt | yn Llundain [4]
Er meddiant | Alexander.[5]
Nid âi ddẃy-Went | yn fendith.[6]
</blockquote>

Rhyw fympwy a fu ac a ddarfu oedd hyn; ond fe fu ryw
fath ar fywyd i'r groes o hanner cyswllt [7] am nad yw'r
twyll mor amlwg ynddi wrth fod y gam-gyfatebiaeth
mewn lle cymharol ddibwys.[8] Ni cheir yr un o'r ddau
beth yn y cywyddau cynnar, ac ar yr un cyfeiliornad y
gorffwys y ddau.

---

[1] W.Ll. 125. [2] L.G.C. 2.

[3] G.Gl. (Mos. 146/169; gamper yn Pen. 80, gwymb yn Pen. 99!).

[4] Eto R. ii 540. [5] G.Gl.

[6] H.D. G.G. ii 65; weithiau fe wnâi'r ddau yr un peth allan o'r orffwysfa:
"Mawrth yn dwyn | fy mhorthiant i" G.Gl. F.N. 84; "Dwywent a
lŷn | dan dy law" H.D. G.G. ii 83.

[7] Fe aeth y disgrifiad ohoni o'r P.Ll. i'r llyfrau diweddar, e.e. Yr Ysgol
Farddol, lle sonnir am "hollti" t " er ffurfio dau d," td. 58, yn union fel
petai t yn flocyn o bren.

[8] Yn yr "hanner cyswllt" y mae'r gau-gyfatebiaeth ar ddechreu'r
gyfres, ond yn y ddisgynedig a'r llusg fe'i ceir dan bwys yr acen, yn y lle
amlycaf.

Cytseiniaid Dwbl.

395. Mewn cytseinedd nid yw cytsain ddwbl yn cyfrif ond fel un sengl—dyma wahaniaeth arall rhwng cytseinedd ac odl (§§ 341, 413).   Hyd yn oed yn y lle pwysicaf mewn cyfres gyfatebol, sef ar ol y brif acen, fe all cytsain sengl ateb i un ddwbl; fel hyn:

A'r wénnăwl | ar y wánĕg.[1]
Ag ẃynĕb | wedi'i gánnŭ.[1]
Gorffwyll | am gánnẃyll | Gẃynĕdd.[2]
Ar ganghénnău | 'r gynghánĕdd.[3]
Cónẃy | mewn dyffryn (cýnnĕs.[4]
Am Fón | yr (ymofýnnăf.[5]
Ni thórrăis | à nith Éurŏn.[6]
Sérĕn | bren er 'i (sórrï.[7]
Y gál·lŏn | er nas (gwélaf.[8]
A droe'r gólẃg | drwy'r gál·lŏn.[9]
Ceir prófï | cwrẉ y príf·fărdd.[10]

Ni cheir y gwahaniaeth yna rhwng sengl a dwbl mewn geiriau Cymraeg ond yn y seiniau *n, r, l,* ac, mewn cyfansoddair neu ddau, *f* ac *dd*; y mae'r cytseiniaid eraill yn ddwbl neu sengl wrth natur.[11]   Ac oherwydd diffyg yr arwyddion ni ellir dyblu *l, f, dd,* ac fe sgrifennir *calon, prifardd,* er bod y gytsain yn ddwbl.

396. Nid oes angen profi bod peth a ganiateir ar ol yr acen yn gyfreithlon o'i blaen.   Hyd yn oed pan ddêl dwy o'r un gytsain ynghyd mewn dau air gwahanol, gall y ddwy gyfateb pan fynner i un (oddieithr, wrth gwrs, na chyfetyb dwy *b, d,* neu *g* ond i *p, t,* neu *c,* § 374); er enghraifft:

Ag *n*i chred | na gwa*n na* chryf.[12]
Blodau'*r* haf | ar belyd*r r*hos.[13]

---

[1] D.G. (49).   [2] Eto (38).   [3] T.A. G. 251.   [4] Eto 240.
[5] L.G.C. F.N. 101.   [6] D.G. 321.   [7] G.Gr. D.G. 243.
[8] D.G. (50).   [9] D.E. 38.   [10] Gr.O. 61.
[11] Er enghraifft nid oes *d* ddwbl am fod *d-d* wedi troi'n *t-t,* ac nid oes *t* sengl, am mai o *d-d* neu *d-h* y tardd *t* rhwng llafariaid.
[12] D.G. (50).   [13] Eto 321.

A phri*f* afon | ffer*f f*wyfwy.[1]
Dy *dd*ethol | di oe*dd dd*oethaf.[2]
Iar*ll* Rheged, | iar*ll ll*urugog.[3]

397. Hyd yn oed pan ddelai llafariad rhwng y ddwy fe roid un i ateb iddynt yn fynych; a gallai dwy fud feddal felly gyfateb i un, am fod y llafariad rhyngthynt yn eu cadw rhag caled**u**: er enghraifft:

Is tŷ *G*wen | ys te*g* 'i *g*wallt.[4]
Dy *dad* a wnaeth | dy *dai*'n wych.[5]
Casa' *p*ŵnc, | ceisio *p*o(b) *p*éth.[6]
Gwi*n* y*n* rhad | ag a*n*rhydedd.[7]
Gwe*n*wy*n* yw ffrwyth | gwi*n* o Ffrainc.[8]
Trech a*n*ia*n*, glew | trycha*n*' gwlad.[9]
O ger*dd* dda | wrth ga*r*u'*r* ddyn.[10]
Ag i'*r* ddyn | o gae*r*au'*r* ddôl.[11]
Ty*rr*u'*r* wyt | ti a*r* 'i ol.[12]
Ma*r*edudd | ma*r*w y*r* ydwyd.[13]
O di*r* marl | dei*r*e*r*w am un.[14]
Y d*r*ef | ar do*r* y*r* afon.[15]
Y gŵr a'*r* w*r*ai(g | oreu '*r*ioed.[16]
Cosba'*r* dig | i sba*r*io'*r* dyn.[17]
O*s* ystáer, | i*s* yw déwrion.[18]

398. Wrth gwrs rhaid i'r ddwy gytsain a atebir fel hyn fod o flaen y brif acen; fe 'sgrifennai G.Gl. er enghraifft—

Pe*r*erí*n*dŏd | pob *r*hándir;

ond—

Perérí*n* | p**ï**au'*r* áwrŏn.[19]

Yn yr ail yr oedd yn rhaid ateb y ddwy, am fod un o flaen a'r llall ar ol yr acen, a bod yn rhaid i'r cytseiniaid *o boptu*'r acen gyfateb mewn croes yn diweddu'n ddiacen, § 238.

399. Ystyrrir yn awr fod y gyfatebiaeth uchod yn wallus. Fe ddywaid rheolau 1815 y goddefir rhoi un gytsain i ateb

[1] Eto (59).   [2] W.Ll. c.Ll. 63.   [3] T.A.
[4] D.G. (64).   [5] T.A.
[6] I.G. 409.   [7] L.G.C. 380.   [8] T.A.   [9] W.Ll. 27.
[10] D.G. (17).   [11] I.D. 13.   [12] Gu.O. G. 215.   [13] Ll., uchod § 358.
[14] D.N. 16.   [15] T.A. R. i 227, 636, 663, etc.   [16] W.Ll. 195.
[17] S.T.   [18] W.Ll. 158.   [19] G.Gl. R. i 8.

i ddwy "pan fyddont ynghyd,"[1] yr hyn sy cystal a chon-
demnio hynny pan fônt ar wahan ; ond nis condemnir yn
yr hen lyfrau. "Twyll gynghanedd," medd Simwnt, "a
fydd pan fo cytsain ... heb a'i hatepo,"[2] ond nid yw ef, na
J.D.R. yn ei liaws enghreifftiau,[3] yn rhoi'r gyfatebiaeth
gyffredin hon fel esiampl o hynny. Eto y mae'n debyg
iddi fod dan sylw, ac nid hwyrach dan gondemniad, yn
1568 ; y mae dwy enghraifft[4] mewn cywydd a sgrifennodd
W.Ll. yn 1564, ond ymddengys ei fod yn ei hosgoi mewn
cywyddau diweddarach. Bu rhyw gopïwr ar ol 1575[5] yn
"cywiro" "ar dor yr afon" yn llinell T.A. uchod i "ar hyd
yr afon," gan wneuthur ffiloreg ohoni—nid yw Caernarfon
"ar hyd yr afon" mewn ystyr yn y byd. Ac y mae'n debyg
mai ar ddwy gytsain yn ateb i un y beiai W.C. yn llinell
Edmwnd Prys :

$$\text{Ni phro}f\text{ais} \mid \text{dan ffur}fa f\text{en,}$$

er y buasai yma fai arall (§ 398) pe na bai rym yn atebiad
Edmwnd fod yr f gyntaf yn ffurfafen yn "toddi."[6]   Ond
y mae'n ddigon amlwg na feddyliodd T.A. na'r un o feirdd
y bymthegfed ganrif fod cyfatebiaeth dwy ac un yn feius
o flaen yr acen. Iddynt hwy nid oedd waeth am y cyfryngau
rhwng y cytseiniaid o flaen yr acen ; a chan y gallai dwy
gyfateb i un nid oedd bod cyfrwng rhyngthynt yn amharu
ar y gyfatebiaeth mwy na phe baent yn dyfod ynghyd.
Cymerer y seithfed enghraifft uchod :

$$\text{O gerdd dd\'a} \mid \text{wrth (garu'r dd\'yn : } gr\delta\delta\text{-}|rth(grr\delta\text{-}n.$$

Pa waeth bod dwy r yn yr ail ran na bod dwy δ, neu δ
ddwbl, yn y gyntaf? Os edrychir ar y cytseiniaid fel rhes
o nodau'n arwain i'r brif acen, nid oedd waeth taro nodyn
ddwywaith na dyblu nodyn drwy ddal arno. Dyna, mae'n

---

[1] Richards 68.   [2] P.Ll. xciv.   [3] J.D.R., 289, 290.
[4] W.Ll. 156, ll. 9 (darllener vra*n*), 158 dyfynedig uchod.
[5] Gweler R. i 444 ; mewn rhan ddiweddarach na 1575 o'r llawysgrif.
[6] Uchod gwaelod td. 200, nodyn 15.

debyg, oedd syniad yr hen feirdd, ac y mae llawer i'w
ddywedyd drosto. Os ceid yr un seiniau'n dilyn ei gilydd
yn yr un drefn, gorfanylwch oedd mynnu cadw cyfrif
ohonynt.

Y Trwynolion.

400. Y mae cytsain fud yn nechreu gair yn cymryd ei
threiglad trwynol ar ol *fy* a'r negydd *an-*, ac ar ol *yn* pan
fo'n arddodiad lle neu amser, llythrennol neu drosiadol.
Effaith *n* ar y gytsain fud yw'r treiglad hwn (yr oedd *n* ar
ddiwedd ffurf wreiddiol *fy* hefyd) ; ond yr oedd yn rhaid i'r
n ei hun newid i *m* o flaen *p*, *b*, ac i *ng* (sef *ŋ*) o flaen *c*, *g*,
cyn y *gallai* effeithio arnynt. Gwrthuni perffaith, croes i
bosibilrwydd ac i hanes, yw sgrifennu'r *n* yn ddigyfnewid
yn y mannau hyn, megis an*m*harch, an*ng*hall, *y*n *m*hob, *y*n
*m*laen, *y*n *ng*lŷn, etc., yn null Pughe.[1] Nid oes dim oll o
hyn yng nghlymiadau'r beirdd, eithr *amarch*, *angall*, *ym
mhob*, *ymlaen*, *ynglŷn*, etc., fel hyn :

> *Amarch* | oedd hynny (y*m*y.[2]
> Ni bu y*m*a | neb *amarch*.[3]
> *Amwyll* | a'm peris (y*m*a.[4]
> Lle dôi *angall* | â dengair.[5]
> Marw ma*b* mam, | mawr *ym mhob* modd.[6]
> Rhys *ymlaen*, | rhesymol iaith.[7]
> Nid ei *ynglŷn*, | dio*ng*l wyd.[8]
> Yfory '*mwrdd* | Ifor *M*ôn.[9]
> Draw '*Mhowys* | ar dru*m* heol.[10]
> Dri '*mh*érodr | draw *ym Mharis*.[11]
> A lle *yng ngolau* | llu a*ng*ylion.[12]

Fe dry *yn* i *ym* hefyd o flaen *m* wreiddiol yn y gystrawen
hon, megis *ym Môn*, *ymysg*, etc. :

> Gwŷs *ym Môn* | mai gwas *m*ynaich.[13]
> Mwy a*m* ŵr | yma *ym Môn*.[14]

---

[1] " Dull ffiaidd Mr. Owen Pughe," medd Iolo, c.b.y.p. 237. Ni allai
yntau *ddioddef* ffug-bethau o ddyfais pobl *eraill*.
[2] D.G. 42.   [3] G.Il. f. 14.   [4] D.G. (17).   [5] An. f. 38, cf. 9.
[6] T.A. g. 232.   [7] Eto c. i 341.   [8] D.G. (52); i'r gwynt.
[9] T.A. c. i 344.   [10] Eto 345.   [11] D.N. 44.   [12] Gr O. 30.
[13] D.G. (8).   [14] L.G.C. 441.

Ffridd yw *ymysg* | priffyrdd *m*awr.[1]
Lle maen' o(ll | *ym min* allawr.[2]
Cri a*m* wr enwog | ceir *ym Meirionydd*.[3]

Gwelir yn yr enghreifftiau nad oes le i'r *n* yng nghyfateb-
iaeth y gynghanedd; ac nid oes byth. Er hyn fe fynnai
Tegid ei gwthio i mewn i waith L.G.C. bron ym mhobman,
a phrintio *yn mysg*, *yn min* yn y llinellau uchod er gwaethaf
Lewis a'i gynghanedd.[4]

401. Ond pan ddilyner *yn* gan y sain wreiddiol (mewn
berfenw), neu'r feddal (mewn enw neu ansoddair), fe erys yr
n yn ddigyfnewid :

Siô*n* ap Rhys | sy *yn parhau*.[5]
Bo'**n** *cael* swydd, | mab *N*iclas hên.[6]
Duw sy'**n** *ben*, | nid oes *n*eb uwch.[7]
Mew*n* y gul áis | y mae'**n** *gláf*.[8]
A fo'**n** *gam*, | ni fy*n* y gwir.[9]
Dwy*n* egi*n*yn | da '**n** *gynnar*.[10]
Siô*n* a garwn | sy'**n** *gorwedd*.[11]

O flaen berfenw'n dechreu ag *m*- fe gedwir yr -*n* bob amser,
ac fe geir *n* i'w hateb os daw hi yn y gytseinedd :

Ag *yn malu* | ga*n*' melin.[12]
Duw'**n** *myne*(*d* | â'*n* ymwanwr.[13]

Felly o flaen *m*- fe ddengys yr arddodiad pa un ai enw ai
berfenw fydd y gair : *ym meddwl* 'in the mind of' (e. e.
§ 183) ; *yn meddwl* 'thinking', neu ' meaning'.[14]

402. Er bod tuedd ar lafar bob amser i wyro *n* at y fud

---

[1] L.G.C. 224.   [2] Eto 15.   [3] W.IL. 221.
[4] Felly *yn mhob* 71, *yn mysg* 263, '*n mysg* 401, '*n Mlaen* 222 ; weithiau
fe anghofia newid, a cheir *ym Mon* 441, *ym mysg* 121, *ymlaen* 128. Os
gwelir yn rhywle gynghanedd yn gofyn yr *n*, gellir bod yn sicr mai cam-
ddarlleniad ydyw ; e. e. "Mae *ym* Môn ym mhen maenawr" F.N. 101 ; y
darlleniad cywir yw "Mae'n ym Môn" = Mae in ym Môn. Fel hyn y
mae'r cwpled yn llsgr. Mostyn 146/140 : " Y maen y mon ym hen
maynawr, Oes, lawer vawt seler vawr."
[5] I.D. 77.   [6] L.G.C. 336.   [7] S.V. cy. ix 4.   [8] D.G. (50).
[9] H.A. F. 19.   [10] T.A. F. 38.   [11] W.IL. 58.   [12] D.N. 2.
[13] T.A. G. 231.
[14] Gellir nodi hefyd *yn marw* ' dying', *ym marw* ' in the death of', *yn
farw* ' dead.'

a'i dilyno, fe gedwir y gwahaniaeth mewn cynghanedd
rhwng *nb* ac *mb*, neu *np* ac *mp*, hyd yn oed yng nghanol
gair, ac ni roir *enbyd* neu *unben* i ateb i *ambell*.   Nid
ymddengys bod eithriadau ond ar antur mewn gair benthyg
fel *cwmpas, siambr* :

> Yn gw*m*pas | drain, (yn ga*n*pig.[1]
> Gwely arras goleurym
> A sia*m*br deg | sy'*n* barod ym.[2]

Ond y mae llawer o gymysgu ar *n* ac *w*, nid yn unig lle
gallant fod yn unsain (*w*), megis—

> Ag y*n* cael | canu'r (gai*w*c hon.[3]
> Sy'*n* canu gwawd | Sia*w*kyn Gwyn,[4]

ond hefyd lle maent yn amlwg yn wahanol, megis—

> Ga*n*u cywydd, | gai*w*c ëos.[5]

403. Dyna gymaint o ryddid ag a gymerid yn y cy-
wyddau hynaf; eithr yn rhan olaf y cyfnod yr oedd
" goddefiad " i *n-g* ateb i *w* ; fel hyn :

> Llaw*n* *g*waed oedd | llo*ng*aid o wŷr.[6]

Nid oes yma gyfatebiaeth heb ddywedyd *llon-gaid*, peth
sydd, ac oedd, yn gamynganiad dybryd.   Dyfynna Simwnt[7]
ddwy enghraifft wrthun :

> *N*aw o'i *g*enedl | y*ng* *N*gwynedd.
> Ag i ostw*ng* | o ystyr.

Y maent yn " anhardd yn y glust," medd ef, er bod y
goddefiad yn eu caniatau ; ac ni welodd ef mai'r goddefiad
oedd o'i le.   Ni cheir dim o'r fath beth yn yr hen gy-
wyddau.   Mi euthum trwy D.G.G., ac mi gefais 17 o linellau
ag *n-g* yn clymu ynddynt, a 14 ag *w*, yng ngwaith Dafydd
(td. 7–114) ; ac 8 ag *n-g*, a 6 ag *w*, yng ngwaith ei gyfoedion
(td. 117–170).   Yn yr holl 45 llinell nid oes gymaint ag un

---

[1] G.Gr. D.G.G. 146.   Gwna D.G. lusg o " grw*n* gw*m*pas " yn (41), ond o
" trw*m*p . . . gw*m*pas " yn (84).
[2] G.Gl.   [3] D.G., uchod § 368.   [4] W.IL. 169.
[5] G.Gl. c. i 195.   [6] T.Pr. c.c. 63.   [7] P.IL. xci.

ag ynddi *n-g* yn ateb i *ŵ*. Dyma rai o'r llinellau gyda rhif
y td.; cymerer *ŵ* gyntaf:

> Nid ei ynglŷn, | diongl wyd.—52.
> Yng nglwysgoed | angel esgyll.—61.
> Efengyl | yn ddifyngus.—62.
> Englyn aur | angel o nef.—100.
> 'I mwng | a fwrw am angor.—137.
> O angau | ni ddiengir.—145.
> O arall | angall | yngod.—155.

Yna cymerer *n-g*:

> Ben-gamu | heb un gymar.—28.
> Grawn gwín-goed | ar groen gwýn-galch.—43.
> Miréin-gorff | uwch marián-goed.—45.
> Fflam | fo'r drych mín-gam | méin-gas.—99.
> Parod o'i ben | awén-gerdd.—112.
> Pand oedd ddoeth | wín-goeth | iáwn-gainc.—153.

Gwelir wrth yr enghreifftiau mai mewn geiriau cyfansawdd,
lle dilynir *n* gan dreiglad meddal *c*, y digwydd *n-g*: "gwin-
goed" o *gwin* a *coed*, etc.; a'r un modd *ún-glust, ún-gorn,*
hén-gall, Bán-gor, Llán-gwm, a degau eraill. Yr un ffurfiad,
yn ol pob tebyg, sydd i *dan-gos, an-gerdd* a *cyn-gyd* 'pwrpas,
bryd,' canys *n-g* sydd ynddynt hwythau, ac ni chyfetyb yr
un ohonynt yn yr hen gywyddau ond i'w gilydd neu i eiriau
eraill ag *n-g* (neu -*n* mewn llusg); fel hyn:

> Dán-gos | o'th radau dáwn-goeth.[1]
> Syberw fuan | ymddán-gos.[2]
> Seren gron | gýson | a 'mddan-góses.[3]

> Perais | o iáwn-gais | án-gerdd.[4]
> O dro iáwn-gof | drwy án-gerdd.[5]
> Ún-gwr | di-eiddil án-gerdd.[6]
> Ymlýn-gof | aml 'i án-gerdd.[7]
> Ni chair ún-gair | chwerw án-gerdd.[8]

> Gýn-gyd | llawen ag án-gerdd.[9]
> Byd | o gýn-gyd | gogán-gwbl.[10]
> Na chýn-gyd | iawnwych án-gerdd.[11]

[1] D.G. 156.   [2] Eto (70).   [3] I.G. 558; cf. F.N. 11.   [4] D.G. (18).
[5] Eto (61).   [6] Eto G.G. iii 2.   [7] G.Gr. F.N. 3.   [8] I.G. 380, F.N. 16.
[9] D.G. (114).   [10] G.Gr. D.G.G. 143.   [11] Eto 154.

Fe gadwyd y gwahaniaeth rhwng *n-g* ac *w* yn glir ar lafar oddieithr mewn nifer bychan o eiriau; seinir *dan-gos* yn gywir fyth yn y Deheudir, ond tebyg iddo droi'n *dawnos* yn y Gogledd yn y bymthegfed ganrif. Ac wrth weled mewn ambell hen linell *n-g* yn cyfateb i'r *w* newydd fe aethpwyd i dybio bod hyn yn oddefol—dyma un o'r ychydig doriadau yn y traddodiad am sain geiriau. Ac yna fe welid rhai beirdd yn defnyddio'r "goddefiad" i lunio llinellau gwrthun fel a ddyfynnwyd ar ddechreu'r adran hon, megis I.T. ieu.:

> *G*weddi deilw*ng* | oedd dalu.[1]

Yr un peth (*w* yn ateb *n-g*) sy gantho'n is i lawr:

> Aml dyngu | mal y dengys,

canys tebyg mai *den-gys* a ddywedai ef. Ni wneir hyn gan y beirdd diweddar: pan ganai Dewi Wyn—

> Ond angen, | hi a'i dengys,[2]

yr oedd y gyfatebiaeth yn gywir i'w glust ef, canys *dewwys* a ddywedai. Hyd yn oed os goddefir cymryd *den-gys* îel *dewwys*, gwrthuni yw estyn y goddefiad i seinio *teilww* yn *teilwn-g*.

Treiglad Cytseiniaid Blaen.

404. Cyn diwedd cyfnod y cywyddau yr oedd y rheolau i dreiglo'r cytseiniaid ar lafar ac mewn rhyddiaith bron yn hollol y peth oeddynt mewn llên ddiweddarach, ac yn agos i'r peth ydynt heddyw. Ond fe barhâi'r beirdd i arfer hen dreigladau'n fynych, nid yn unig o ran hwylustod ond hefyd am fod hen ddulliau'n gydnaws â barddoniaeth. Ni ellir yma ond nodi'n fyr y prif wahaniaethau rhwng yr hen reolau a'r rhai a gedwir yn gyffredin yn awr.

---

[1] cy. ix 2.   [2] D.W. 112.

405. Fe ddilynid berf yn y trydydd person unigol gan gytsain wreiddiol y gwrthrych, fel hyn :

> Duw a ran | da i'r enaid.[1]
> Hiraeth, myn Mair, | a bair | bedd.[2]
> Gŵr di fai | o grud i fedd
> A yrr twf | ar 'i 'tifedd.[3]
> A yrr gŵr hael | i frig rhod.[4]
> Y ddraig goch | ddyry cychwyn.[5]
> Cariad | a wnaeth brad | i'm bron.[6]
> Llaw'r bardd | a wnaeth llawer bai.[7]

Ond fe geir y feddal hefyd yn y cywyddau :

> Gair teg | a wna gariad hir.[8]
> A yrr ddinistr | ar ddynion[9]

406. Meddalheir cytsain flaen y testun (1) ar ol berf yn -ai, -âi, -ôi (3 pers. unigol amherffaith neu or-berffaith), ac yn -ed (3 unigol gorchmynnol) :

> 'I liw | a welai luoedd.[10]
> Fe ddôi gof | am Ddafydd Gam.[11]
> Cariad a dyf, | creded Wen.[12]
> Pryned ddyn, | prin oed 'i ddydd.[13]

Ni sylwais ar eithriad i'r rheol hon ; ac fe'i cedwir yn fynych mewn rhyddiaith ddiweddarach, e.e. Marc iv 26, B.CW. 17, Gr.O. 163. Camgymeriad a wneir (ond yn anfynych iawn) yn niwedd y cyfnod yw meddalu ar ol y presennol ; dynwaredir yr amryfusedd gan Ronwy :

> Mynaig ddyn | mwy nag a ddaw.[14]
> E rydd Grist | arwydd ei grog.[15]

(2) Ar ol bu, oes, oedd :

> E fu ddeg | o feddygon.[16]
> Nid oes gerdd | ond i was gwych.[17]
> Maint oedd bwys | minteioedd byd.[18]

[1] G.Gl. F. 12.   [2] D.G. 354.   [3] W.Ll. F. 33 (heb enw'r awdur).
[4] Eto F. 32.   [5] § 374.   [6] D.G. 40, 447.   [7] S.T. G.R. 371.
[8] Gu.O. G. 213.   [9] W.Ll. F. 32.   [10] D.G. 14.
[11] D.N. 57, 60.   [12] D.G. 100.   [13] M.R. F. 6.   [14] E.P. 271.
[15] Gr.O. 88.   [16] G.I.H. D.G. 443.   [17] W.Ll. 169.
[18] T.A. F.N. 145.

Eithr ar ol *oes* fe geir *d*, nid *dd*, yn ol rheol § 412 (1) ; er eng. "Nid oes *d*yn" § 327 ; ond heblaw hyn fe welir y wreiddiol weithiau ar ol *bu* ac *oes* (prin ar ol *oedd*) :

> Bu *c*lod mawr | cael bwcled min.[1]
> A oes *g*wlad | is gwiail on.[2]

407. Pan ddilyner y ferf 'bod' gan ddibeniad heb *yn* o'i flaen, bydd ei gytsain flaen yn feddal fel yn awr, ond weithiau'n galed ar ol *bo*, *bydd* (cf. "a fydd *m*awr" Luc ix 48, etc.) :

> A fo *g*wan | genfigennwr.[3]
> A fo *d*oeth, | efo a dau.[4]
> Ni bydd *g*wir | heb addaw gwerth.[5]

408. (1) Y mae "ni *b*ydd," "ni *b*u," "oni *b*ai," etc., yn gyffredin eto, ond yn y cywyddau fe geir *b-* ac *m-* yn wreiddiol ar ol *ni, oni,* a *na* (cymar *n*ad) mewn berfau eraill hefyd :

> Na *b*aidd | fy wyneb iddaw.[6]
> Mae'n onest, | ni *m*yn weniaith.[7]

Ond fe geir y feddal weithiau :

> Ni *f*u hawdd | nofio heddiw.[8]
> Ni *f*ynnai 'n*ŷ*n | fi na neb.[9]

A sylwer mai'r feddal (*f*) sydd *i fod* ar ol *na* mewn gorchymyn neu atebiad (sef *na*, cymar *n*ac): *na fydd* Preg. vii 9, 16, 17 'be not'; *Na fyddant* Hag. ii 12 'No!' "Na *f*u, ddim ; i nef ydd aeth " T.A.

(2) Y feddal a geir bob amser mewn berf ar ol *tra*, fel ar ol *pan* (cf. "tra *f*yddai" Matt. xiv 22) :

> Tro ag urddas | tra *g*erddych.[10]

409. Meddalheir blaensain ansoddair o'r radd gymharol ar ol enw mewn brawddeg negyddol neu ofynnol :

> A Duw ni wnaeth | dynion *w*ell.[11]
> Syr Rhys, | ni welais ŵr *w*ell.[12]

---

[1] (IL. ?) F.N. 125. [2] D.N. 61. [3] L.G.C. 487. [4] G.I.H. F. 41.
[5] I.F. F. 42. [6] I.D. G. 134. [7] E.P. 296. [8] T.A. F. 22.
[9] D.G. (32). [10] W.IL. 6. [11] L.G.C. 416. [12] G.Gl.

>Oedd o'r gred ar ddaear gron
>Ŵr gywirach | i'r goron ? [1]

410. Peth cyffredin gynt oedd meddalu blaensain enw priod yn y cyflwr perthnasol, fel y gwelir yn Llan *F*ihangel, Ty *Dd*ewi ; fe geir hyn yn fynych mewn cynghanedd :

>Llaw *F*air | rhag colli f'eryr,
>A llaw *Dd*uw | rhag lladd 'i wŷr. [2]
>Rhan *Dd*uw | a rhan y ddaear. [3]
>Calon *F*eurig, | glân farwn. [4]
>Loyw 'i dawn, | leuad *W*ynedd. [5]
>Gŵn *F*aredudd, | gann frodiad. [6]
>Ŵyr *Dd*afydd | o radd ddwyfol. [7]
>Ni ddof | oddiwrth nai *Dd*afydd. [8]

Ond nid bob amser y ceir y feddal chwaith : fe'i ceir yn gyson ar ol *wyr* a *nai*, ond nid byth ar ol *mab*.

411. Pan ddêl ymadrodd adferfol neu sangiad rhwng dau air cysylltiedig yn y gystrawen, fe feddalheir blaensain yr ail yn gyffredin mewn rhyddiaith ; megis "gweled yno *dd*yn," lle dywedir heb yr adferf "gweled *d*yn." Ond yn yr hen gynghanedd fe geir y galed yn fynych, yn enwedig mewn gorffwysfa :

>A thrawaf, | heb athrywyn,
>Â min fy nghledd, | *d*annedd | dyn. [9]
>Canai i Dduw | cân oedd well. [10]
>Tramwyaf (lwyraf loywryw)
>*T*refi, fy aur, tra fwyf fyw. [11]

412. (1) Gynt fe galedid *dd* yn ol i *d* ar ol *s*, ac erys y calediad yn " nos *d*u " Diar. vii 9, ac ar lafar yn "nos *d*a," " ewyllys *d*a," " yr wythnos *d*iwethaf." Fe geir llawer o enghreifftiau yn yr hen gynghanedd, megis "tros *D*afydd " § 326 ;

>Dros *D*úw | y dirwesd a ẃn. [12]
>Ym glwys *D*uw | ni'm gweles dyn. [13]
>Da yw rhwym | y bais *d*ur hon. [14]

---

[1] W.Ll. 73.　　[2] D.N. 72.　　[3] T.A. G. 231.　　[4] Eto 227.
[5] D.G. (54).　　[6] L.G.C. 14.　　[7] Gu.O. G. 204.　　[8] L.G.C. 210.
[9] G.Gr. D.G. 248.　　[10] E.P. 50.　　[11] D.G. (15).　　[12] I.D. 2.
[13] D.G. 22 ; *myn* yno yn lle *ym* (cyfystyr).　　[14] L.G.C. 158.

Ond fe geir *dd* hefyd (oddieithr, wrth gwrs, mewn ymad-
roddion cyffredin fel " nos *d*a ") ; megis—

>   Bais *dd*ur | a bysedd eryr.[1]

Fe geir yr un calediad fel rheol ar ol *t, d, ll*, ac weithiau
ar ol *n* ; fel hyn :

>   At *D*uw a'r sain(t | drwy y sêr.[2]
>   Tuedd 'i fedd | hyd *d*ydd farn.[3]
>   Lle duodd | yr holl *d*aear.[4]
>   A'r lleian *d*u | i'r llwyn dail.[5]

Yn ddiweddarach y caledodd *dd* i *d* ar ddiwedd ambell air
fel *machlud, gormod* ; yn y cywyddau *ymachludd* a *gormodd*
ydyw'r ffurfiau.

(2) Fe galedid *l* i *ll* ar ol *n* neu *r*, ac fe erys y calediad yn
" yn *ll*awn," " mor *ll*awn," etc., heblaw cyfansoddeiriau fel
gwin-llan, per-llan, etc.   Fe welir y calediad mewn llawer
ymadrodd yn y cywyddau, megis—

>   A rhawn llaes | fal yr hen *ll*ew.[6]
>   Ag ar *ll*u Môn | ger llaw môr.[7]
>   O'r lluwch | a'm deufraich ar *ll*ed.[8]
>   Nog iarlles | mewn gwisg éur-*ll*iw.[9]
>   Eos géfnllwyd | ysgáfn-*ll*ef.[10]

Y mae digon o eithriadau mewn cyfuniadau a wneir ar y
pryd, megis—

>   Yr wylan dég | ar *l*anw, dióer.[11]

Ychydig o eithriadau sy mewn geiriau cyfansawdd : éur-*l*ais
D.G. (80), ir-*l*wyn (81), R.G.E. G. 90.   Ond wrth gwrs ni
chaledir byth *l-* yn treiglo o *gl-* ; felly púr-*l*oyw D.G. (28),
púr-*l*as (76), cúr-*l*aw (*gl*aw) (37, 83), etc.

---

[1] D.N. 21.   [2] L.G.C. 38.   [3] T.A. G. 253.   [4] L.G.C. 446.
[5] D.G. 20.   [6] IL., i darw.   [7] D.G. G.G. i 14.   [8] D.E. 7.
[9] D.G. (29), cf. (75, 78), a 13.   [10] Eto (40).   [11] Eto (50).

ODLAU.

Trwm ac Ysgafn.

413. Mewn unsillafion yn diweddu yn -*n*, -*r*, neu -*l*, rhaid i'r llafariaid fod o'r un hyd i odli ; nid odla *tán* a *llan*—rhaid cael *tán* a *glán*, neu ynteu *rhan* a *llan* i odli'n gywir. Gelwir sillaf fel *tán* yn ysgafn, a sillaf fel *llan* yn drom ; "trwm ac ysgafn"[1] y gelwir y bai o'u hodli. Enghraifft Simwnt o'r bai yw—

Ar *dorr* | merch y *côr* | y caid.[2]

Mewn sain fel yna y mae'r glust yn canfod y bai ar unwaith ; haws syrthio iddo yn y brifodl mewn pennill o fwy na dwy linell, megis englyn (cf. § 524 (2)), fel y gwelir yn *syn* a *dŷn* R.G.D. 58, neu fel—

Mae'r hedydd bob dydd yn *dal*—i ganu
Heb geiniog na medal ;
Mae dyn yn canu am *dâl*,
Am enw a thestimonial.[3]

Nid yw *dal* yn odli â *dâl*, ac felly nid yw'r englyn yn *unodl*, fel y dylai fod. Fe ddylid nodi yma mai *tâl* yw'r gair am 'dalcen' hefyd, ac fe'i hargreffid felly mor ddiweddar â'r G. (1773), gweler G. 68. Am ei fod yn ddiacen mewn enwau fel *Tal-y-bónt* y camgymerwyd hyd yr *a* ; hir yw hi yn odlau'r beirdd :

A'r *tâl* | fal yr aur *mâl* | mân.[4]

414. Cytsain o darddiad dwbl a wna sillaf yn drom : *llann* a *rhann* oedd hen ffurfiau'r geiriau hyn.[5] Y mae'r un gwahaniaeth rhwng trwm ac ysgafn yn y goben : y mae'r -*an*- yn *gwlanog, glanach* yn ysgafn, yr -*ann*- yn *rhannau*,

---

[1] "Trwm ac ysgawn" *A* 1136 ; "trwm ac ysgafn" S.V.
[2] P.IL. xcvi ; eglurir "merch y côr" fel "yr allor."
[3] Aled o Vôn, M.E. i 148.   [4] D.G. 330 ; cf. B.B. 74.10.
[5] "Sillaf drom a vyb pan vo dwy o'r kytseinanyeit un ryw yn y diweb, val y mae *gwenn, llenn*" *A* 1118.

llannau yn drom. Am hynny, pan fo odl gyntaf cynghanedd
lusg yn unsillafog, rhaid gofalu am ochel trwm ac ysgafn
ynddi: enghraifft Simwnt o'r bai yw—

I wlad Fôn nid â h*onno*.[1]

Y mae llawer o'r bai hwn mewn cynghanedd ddiweddar:

Ac i'r ffŏn yr ymfoddl*onwyf*.[2]
Mae'n werth cael gl*â*n gyf*an*nedd.[3]
'R un stori f*ĕr* yw'th lef*er*ydd.[4]

Y mae pob clymiad fel "d*ă*l gofa*l*on," "*ô*l ei g*ŏ*lyn," yn
enghraifft o'r bai.[5] Eithr os bydd yr odl gyntaf yn ddiacen
ni chyfyd cwestiwn trwm ac ysgafn ; gweler isod.

415. Mewn Hen Gymraeg, pan oedd yr acen ar y sillaf
olaf (§ 212), fe wahaniaethid rhwng trwm ac ysgafn yn
honno hefyd. Nid oes wahaniaeth yn awr rhwng yr -*an*
yn *taran* a *Calan* ; ond yr *oedd* pan seinid hwy'n *tarán*
a *Calánn*. Nid oedd neb yn debyg o odli pâr fel hyn yr
adeg honno, ac ni wnâi'r gogynfeirdd yn ddiweddarach.
Yn wir, bu'r traddodiad hwn fyw ymhell ar ol i'r gwahan-
iaeth ddiflannu, canys fe geir y rheol yn nosbarth Einion,
gyda chyfarwyddyd i "adnabod trwm ac ysgawn" :
chwaneger sillaf, meddir, ac fe ddengys *calonn-au* mai trom
yw'r -*on* yn *calon*.[6] Ni buasai angen praw o'r fath oni bai
nad oedd erbyn hynny, mwy nag yn awr, ddim gwahaniaeth
i'r glust rhwng yr hen -*on* drom yn *calon*, a'r hen -*on* ysgafn
yn *afon*. Y mae lle i gredu mai drwy braw fel yna a dilyn
traddodiad, ac nid wrth y glust, y cadwai'r gogynfeirdd y
rheol. Ond o ddechreu cyfnod y gynghanedd gaeth ni
cheisiodd y beirdd odli wrth reol y cynoesoedd, a chadw

---

[1] P.IL. xcvi, C.B.Y.P. 200.   [2] R.G.D. 150.   [3] T.M. 149.
[4] Glan Llyfnwy M.E. ii 58 ; beiau eraill : '*R*, ac *yw'th* (am *yw dy*).
[5] Fe ddangosir y gwahaniaeth rhwng trom ac ysgafn yn y goben drwy
ddyblu *n* neu *r* yn y drom, ond ni ellir dyblu *l*. Y mae'r sillaf yn ysgafn
yn gyffredin pan ddiweddo ag *l*, ond yn drom mewn amryw eiriau, sef
c*ă*lon, c*ŏ*lyn, b*ŏ*lwst, c*ă*lyn (y ffurf gyffredin yn y cywyddau am *canlyn*) ;
t*ă*lach, rh*ŏ*lyn (yr hen *ll* Saesneg) ; enwau anwes fel I*ŏ*lo, Ll*ĕ*lo (Llywelyn),
D*ŏ*li, etc.   [6] A 1136.

peth oedd iddynt hwy'n wahaniaeth di-wahaniaeth ; gall *calon* odli ag *afon*, a gall y naill a'r llall odli pan fynner â *llŏn* neu â *Môn*.   Ac mewn cynghanedd lusg, os bydd yr odl gyntaf yn ddiacen, gall ateb yn ddifai i drom neu ysgafn yn y goben : gall cal*on* " lonni " neu " dirioni," yr un a fynner.

416. Nid yw'r cytseiniaid eraill yn amrywio fel *n*, *r* ac *l*, eithr y mae pob un yn ddwbl neu sengl wrth natur, § 395 : dwbl er enghraifft yw *m*, a sillafau trymion a wna, megis *măm, gĕm, llŷm* ; sengl yw *dd* a sillafau ysgafn a wna, megis *llādd, gwēdd, bȳdd*.   Felly ni cheir trwm ac ysgafn wrth odli unsillafion yn diweddu â'r rhain, er bod ambell sillaf ysgafn yn awr wedi ei byrhau ar lafar, fel *heb* yn y Gogledd. Ond lle bo cywasgiad wedi rhoi llafariad hir o flaen cytsain ddwbl neu ddwy gytsain, fel yn *bŭm* am *bu-um* a *gwnánt* am *gwna-ant*, ni ellir odli'r rhain â sillafau byrion : y mae *gwnánt* a *nant* yn dwyll-odl amlwg.

417. Fe dyfodd rhai gwahaniaethau yn hydau'r llafariaid o flaen yr un gytsain mewn unsillafion ac yn y goben, yn enwedig o flaen *s*, fel hyn :

> F'enaid dl*ŏs* | ni ddaw n*ŏ*si.[1]

Ond ni chyfrifir hyn yn drwm ac ysgafn, am nad oes yma wahaniaeth gwreiddiol—y mae'r odl yn hen draddodiad. Yn wir, mewn llusg o'r aceniad yna nid yw dwy sillaf ysgafn yn ogyhyd ; er enghraifft :

> Pan fo M*ô*n | a'i thiri*ó*nwch.[2]
> Poed yt h*édd* | pan orw*éddd*wyf.[2]

Y mae'r llafariad yn yr odl gyntaf yn hir, yn yr ail yn hanner-hir neu ganolig, ond efallai'n nes i hir nag i fer. Os chwanegir cytsain arall, hyd yn oed *i̯* neu *w̯*, at y goben, fe â'r llafariad yn fer, fel hyn :

> Pôr a l*ădd* | mewn yml*ădd*gors.[3]
> Pan fo'r s*ŏn* | am ddig*ŏn*i̯ant.[4]

[1] D.G. 321.   [2] Gr.O. 17.   [3] § 312.   [4] T.P. F.N. 132.

Treuliais fy nghlôd | wrth rôdio.[1]
Ffloringod brîg | ni'm dîgiai.[2]
Ni chawsant râdd | ar nâddwawd.[3]

Y mae cryn nifer o linellau fel y rhain, ac nid oes awgrym
y gwaharddwyd ond y gytsain yn y gyntaf, § 312 ; byrhad
damweiniol o sillafau ysgafn sydd yma, ac fe oddefid yr
amrywiaeth ar yr un tir ag y goddefid odl â gwyriad sain,
§§ 314–5. Felly yr hyn a waherddir fel "trwm ac ysgafn"
mewn llusg ydyw odli trom ac ysgafn gynhenid, sef dwbl
a sengl y cytseiniaid petrus *n*, *r*, *l*.

Lleddf a Thalgron.

418. "Pedeir dipton leddf yssydd, nyd amgen, *ae*, *oe*, *ei*,
wy," medd dosbarth Einion Offeiriad, *A* 1119 ; mae *ei* wedi
ymrannu'n awr i *ei* ac *ai*, § 315. Gelwir sillaf yn cynnwys
un o'r rhain yn "sillaf leddf," megis *saer, coed, brain, glwys*.
Lle ni bo'r un o'r deuseiniaid hyn yn y sillaf, ond ei llaf-
ariad yn dyfod yn union o flaen ei chytsain ddiweddol,
gelwir hi'n "sillaf dalgron," megis *gwâr, bod, brân, tlws*.
Gwelir ar unwaith mai sillafau talgrynion yw *bys, llys,
crys, chwŷs*. Ped odlid y sillaf leddf *glŵys* â'r sillaf dalgron
chwŷs, fe geid y bai a elwir "lleddf a thalgron." Y sain
leddf *ŵy* yw'r ddeusain ddisgynedig—y llafariad ynddi yw
ŵ ; y dalgron *wŷ* yw'r ddeusain esgynedig—y llafariad
ynddi yw *ŷ*, § 363. Mewn unsillafion y mae'r gwahaniaeth
rhwng y ddwy'n ddigon amlwg, ac wedi ei gadw'n weddol
gywir ar lafar mewn geiriau byw ; ond mewn lluosillafion
y mae cryn gymysgedd ac ansicrwydd yn y tafodieithoedd,
ac o hynny y cyfyd y bai lleddf a thalgron.

☞ Y mae'r acen grom yn gyfleus (ac yn angenrheidiol ar ol *g*
neu *ch*, neu ar ddechreu'r gair) i wahaniaethu rhwng *ŵy* a *wŷ*
mewn unsillafion, megis *gŵydd* 'presence', *gwŷdd* 'trees'; *gŵyr*
'knows', *gwŷr* 'men'. Ond nid priodol yr acen ^ oni bydd y
llafariad yn hir. Lle bo'r llafariad yn ddiacen, neu'n fer acennog,

arferir yma ⌐ i ddangos y ddeusain leddf, megis *églŵys*, *swŷno*, *ŵyneb*; a *ẉy* (gan nodi'r *w*'n gytsain) i ddangos y dalgron, megis *gwyn* ' white ', *claerẉyn*, etc.

419. Pan fo *ŵy* mewn sillaf hi erys yn lleddf ym mhob treiglad a chyfansoddiad ohoni ; megis *pŵyll*, *pŵyllog*, *amŵyll*, *gorffŵyll* ; *mŵyn*, *mŵynach*, *mŵynháu*, *addfŵyn*, *mŵynder*, etc. Yn gyffelyb, erys *ẉy* yn dalgron, megis *gwyn*, *gwynnach*, *penẉyn* ; *gwŷdd*, *tanẉydd*, *ffaẉydd*, *onẉydd*, *cedrẉydd*, *palmẉydd*, etc.

420. Hyd yn oed lle bo'r ffurfiad yn amlwg fel yna, fe roir y naill sain yn lle'r llall weithiau yn y tafodieithoedd. Yn y Gogledd fe roir *ẉy* yn lle *ŵy* yn y goben ar ol *c*, *g*, *ch*, megis *cẉyno*, *chẉyddo* ; wrth gwrs, *cŵyno* sy'n gywir o *cŵyn*, a *chẉyddo* o *chŵydd*. Ym Mhowys fe droir *ŵy* i *ẉy* yn y sillaf olaf, ac mewn canu gwerinol yno fe odlir *ceiliagwydd* â *llawenydd* T. ii 176 ; nid yw hon odl yn y byd i glust Gwyneddwr sy'n arfer seinio'r gair yn gywir : *ceiliagŵydd*, o *gŵydd*. Y mae'r diriwiad hwn yn ddigon hen i gyfrif am dwyll odl fel *Llŷr* a *synnŵyr* a ry Simwnt yn enghraifft o leddf a thalgron.[1]

421. Fe gedwir y gwahaniaeth rhwng *ŵy* a *ẉy* yn gyson yn odlau'r beirdd awdurol ; heb gyfri geiriau petrus fel a nodir yn (4) isod, fe odlir yr un gair bob amser yr un fath,[2] ac y mae'r sain yn gywir yn ol y tarddiad lle bynnag y gellir ei olrhain yng ngoleuni ieitheg ddiweddar. Yn wir, buasai'r cysondeb hwn yn amhosibl oni bai mai cysondeb

---

[1] P.IL. xcvi. Fe droes Dr Davies bob *annwyl*, *cannwyll* a *synnwyr* ym Meibl Dr Morgan i *anwyl*, *canwyll* a *synwyr* ym Meibl 1620, am ei fod ef ei hun yn camseinio'r *w* fel cytsain, ac nad oes eisiau *n* ddwbl o flaen cytsain. O Feibl 1620 y daeth camsillafiad diweddar y geiriau hyn. Ar wahan i'r cyfuniad hwn y mae'r Beibl hwnnw'n un o'r awdurdodau goreu ar ddyblu.

[2] Y mae eithriadau yn awdlau L.G.C. Yn ei gywyddau y mae'n odli'n gywir yn gyffredin ; ond lle bo eisiau rhes o odlau, gwell gantho roi ambell dalgron ymysg lleddfon na bod heb odl ! Ond am waith D.G., er eng., y mae pob lleddf a thalgron a welir yn yr argraffiadau naill ai'n gamddarlleniad neu'n digwydd mewn chwanegiadau diweddar. A hyd yn oed felly nid oes lawer.

yn yr iaith ei hun ydoedd; yn hyn y mae uchafiaeth awdurdod yr hen odlau, mai cyfleu *tystiolaeth* ac nid *tyb* a wnânt—tystiolaeth am yr hyn oedd yn *bod* cyn y cymysgedd, ac nid tyb am ba beth a *ddylai* fod. Wrth gynefino â'r hen farddoniaeth fe argreffir seiniau geiriau cyffredin ar feddwl dyn nes eu dyfod yn ail natur iddo; a lle bo amheuaeth am ryw air fe ŵyr mai edrych y dystiolaeth yw'r ffordd i'w benderfynu. Nid ymddengys bod neb yn y ganrif ddiwethaf yn dirnad hyn ond Silvan Evans; geirdarddiad Pughe oedd maen praw Caledfryn a Chynddelw,[1] ac os oedd odlau'r hen feirdd yn anghyson â hwnnw, druain o'r hen feirdd! Eithr bu Silvan yn ddigon craff i ganfod gwerth y traddodiad, ac fe noda'r sain yn gywir mewn geiriau cyffredin yn ei *Lythyraeth* a'i eiriadur, er y gedy lawer heb eu nodi. Ni ellir yma ond rhoi detholiad o eiriau, gyda chyfeiriadau at odl neu ddwy i bob un, heb ymgais i nodi'r lliaws a geir i amryw o'r geiriau. Dodir yn gyntaf nodau cyffredinol i wahaniaethu *ŵy* a *ẅy*, a chyfeirir atynt yn y rhestri wrth y llythrennau sydd o'u blaen, fel hyn: *annwyl* cd; yma y mae dau o nodau *ŵy*, a welir isod dan c. a d.

(1) Nodau Lleddf a Thalgron

a.—**ŵy** sy bob amser mewn gair unsillafog, oddieithr nifer o eiriau'n dechreu ag *g-* neu *ch-*. Nid oes eisiau cynnwys geiriau fel *llwyd, rhwyd, swyn,* na'u cyfansoddeiriau, yn y rhestr; ond dodir geiriau fel *gŵydd* a *gwŷdd* yn eu lleoedd, er mwyn eu gwahaniaethu.

b.—**ŵy** sy bob amser ar ddechreu gair heb *g* wreiddiol o'i flaen, fel *ŵyth* 'eight'; hefyd ar ddiwedd gair, fel *adŵy* (oddieithr yn unig hen ferfau ail berson, fel *gelwy* am *gelẅi* 'thou callest'). Ni chynwysir ond yr *ŵy* ddechreuol yn y rhestr.

---

[1] Odla Caledfryn *gwanwyn* â *hyn*, etc., *Caniadau* 208, 210, 213, am, mae'n debyg, fod Pughe'n ei darddu o *gwan* a *gwyn*; dyry Cynddelw'r gair dan *-yn* (yn lle *-ŵyn*), yng *Ngeiriadur y Bardd*, a dyry *cannwyll* dan *-yll*, ar sail y tarddiad anfarwol o *can* a *gwyll* yn ddiameu! Noda Silvan y ddau air yn lleddf; hyn wrth gwrs sy gywir.

c.—ŵy a geir ar ol *a* mewn hen eiriau, fel *arŵydd* (oddieithr cyfansoddeiriau, fel *tanwydd*); canys o flaen yr *y* lafarog sydd yn *wy* fe dry *a* yn *e*, fel yn *edwyn, gelwy*.

d.—ŵy a geir pan lunnir berfenw ag -*o* (gynt -*aw*), fel *llŵydo, sŵyno, anŵylo*; ᴡy pan lunnir ef ag -*u*, fel *chwysu, tywynnu*, am mai -*u* a roid ar ol *y* lafarog, fel yn *llysu, tynnu*. (Nid yw -*io* yn profi dim; gall ddyfod ar ol y ddau.)

e.—ŵy yw'r sain pan geir *yr* o flaen enw benywaidd yn dechreu ag *g*- yn wreiddiol, fel *yr ŵyl* (o *gŵyl*); ᴡy yw'r sain pan geir *y*, fel yn *y wyrth* (o *gwyrth*).

f.—ŵy sydd yn y terfyniadau -*rwydd*, fel *sicrŵydd*; -*wys* fel yn *Lloegrŵys*; a berfau yn -*wyf, -wys, -wyd*. Ond ᴡy sydd yn -*wyr*, lluosog o -*wr*, fel yn *milwyr*.

(2) LLEDDFON : ŵy

abŵyd c M.A. 170

adŵyth c M.A. 294, D.G. (45)

addŵyn c D.G. (78), 355

aelŵyd c D.G. (30), I.D. 49

afŵyn[1] c 'rein' G.G. i 98, ii 45

agŵyddor D.G. (113)

allŵydd[2] c I.D. 55

Amŵythig c I.G. 179, G. 78

annŵyd c 'cold' M.A. 149, D.G. (16)

annŵyd[3] c 'nature' M.A. 149, D.G. (8), G. 144, 207

annŵyl cd D.G. (17, 31, 32), etc., G.Gr. D.G.G. 148

arŵydd cd M.A. 219, D.G. (92), D.N. 102

arŵyl c T.A. G. 239 (o *gŵyl*)

awŷr c § 147, M.A. 142, D.G. (70), M.R. F.N. 60–1

breuddŵyd M.A. 149, D.I.D. G. 184

cadŵyn c D.E. 42, T.A. F.N. 138; d -*aw* D.E. 11

cannŵyll c § 82, D.G. (38)

cerŵyn D.G. 346–7, G.Gl. G.G. ii 16

colŵyn R.P. 1030

cornŵyd R.P. 1048, G.I. 37

cynnŵys G.IL. F.N. 67

diffŵys M.A. 217

digŵydd D.E. 73; d -*aw* D.G. (26)

dirrŵyn M.A. 172, D.G. (42)

disgŵyl D.G. 84, D.E. 56

egwyddor = *ag*- uchod

eilŵydd 'complaisance'? M.A. 199, D.G. (30)

eŵybr § 300, G.IL. F.N. 70

Garaŵys c M.A. 149, *Graŵys* I.D. 41

gogŵydd d M.A. 199

golochŵyd D.G. 96, D.E. 88

gorchŵyl M.R. F.N. 59, D.E. 9

gorffŵys, gynt *gorffóŵys* D.E. 113

gorŵydd 'steed' I.D. 46, D.N. 5

gwanŵyn c § 62, D.G. (10), D.E. 18, D.N. 15

---

[1] Hefyd *awyn* G. 224; llygriad o *afwynau* (*awŵynau*) yw *awenau* ' reins.'

[2] Ymddengys bod *allwedd* yn hŷn ffurf.

[3] Aeth y lluosog *anwydau* yn '*nwydau*, ac o hwnnw y lluniwyd y gair diweddar *nwyd*.

gwaradŵydd cd D.G. 256
gwenŵyn M.A.172, T.A. G. 235;
  d -o G.G. i 94
gŵydd a 'goose' R.P. 1029
gŵydd a 'presence' M.A. 217
gŵydd a 'wild'; tir gŵydd
  M.B. D.G.G. 130, D.G. (55)
Gŵyddel F.N. 13
gŵyddfa¹ 'tomb'; e yr Ŵyddfa
gŵyddwn 'I knew' I.D. 2;
  gŵyddud D.G. 460
gŵyl a 'modest'
gŵyl a 'holiday'
gŵylan D.G. 226; e yr ŵy-
  lan § 412 (2)
gŵylio 'to watch' (o gŵyl)
Gŵynedd D.G. 41, 314, Gu.O.
  G. 217
gŵyr ad 'bent'
gŵyr a 'knows'
gŵyth a M.A. 242 (adŵyth)
llasŵyr c I.D. 9, G.I. 32
magŵyr c D.G. G.G. iii 2, H.D.
  eto ii 100
morddŵyd I.G. 639, I.D. 70

morŵyn § 40, D.G. (83), D.E.
  17, 40
neithiŵyr D.G. 424, D.E. 19
nodŵydd d T.A., I.F. F. 22
olŵyn d I.D. 36, G.I. 35, 57
pabŵyr c D.E. 121
paradŵys c I.D. 101
parŵydydd c G.G. i 100
perŵyl G. 75, I.G.E. 41
presŵyl B.T. 28, M.A. 146
synnŵyr d § 121, D.G. (22)
tadŵys c D.E. 83
terrŵyn M.A.165, 214, D.G. 89,
  301 ²
tramgŵydd cd M.A. 219
ŵybr b D.G. (88), 103
ŵybren b D.G. 70
ŵylo bd; ŵyl 'will weep' G.G.
  ii 85
ŵyll³ b 'owl, goblin' H.C.IL.
  CY. X 237
ŵyneb b § 307, D.G. 29, 73
ysgŵyd 'shield' M.A. 235
ysgŵydd 'shoulder' M.A. 219
ystŵyth d I.G. 638

Gellid ychwanegu hen ferfenwau yn -ŵyn, fel adolŵyn 'be-seech' (3ydd un. pres. adolwg), amŵyn 'defend' (amwg 'defends', amug 'defended'), gorllŵyn D.G. (79) 'visit' (gorllwg M.A. 241, gorllug 200), oll fel dŵyn (dwg, dug).

Tebyg mai lleddf yw egwyd, ond ni chefais odl i'w brofi; ni welais ond egwydydd, egwydlaes, ac nid mewn llusg. Gair di-weddar mewn llên yw egwyl, er ei fod yn air llafar, ac yn bur debyg i hen ffurfiad; y mae'n debyg hefyd mai o gŵyl y daw, a bod y sain lafar yn gywir. Llygriad cymharol ddiweddar o clogfaen ydyw clogwyn, fel adŵyn L.G.C. 179 o adwaen; seinir yn lleddf, Gr.O. 8.

¹ Hefyd gŵyddfedd M.A. 241, glaswŵydd ib.; yr Ŵyddgrug.
² Felly yn yr holl hen odlau; terfyn ydyw terŵyn yn M.A. 226, a darlleniad amheus ydyw yn I.G.E. 39, cf. I.G. 167; ond fe'i harferid yn y 15fed ganrif, gweler I.G.E. 355.
³ Camgymeriad yw gŵyll; nid oes g yn y gair, ac nid oes le iddi yn y gynghanedd yn D.G. 289; darllener "Egwan bi ag wyneb ŵyll." Gweler ysgrif yr Athro Ifor Williams yn BBCS. i 234.

(3) Talgrynion : wy

athrywyn § 411, G.G. ii 114

Bedwyr M.A. 254, 296

Berwyn D.E. 60, D.N. 11

celwydd R.P. 1223, D.G. 338 ;
 d -u G.I. 27

cnewyll D.G. 78

cychwyn M.A. 185, 214, D.G.
 (56) ; d -u R.M. 28

chwŷd ad

chwŷf a M.A. 289, 356 ; d -u
 S.G. 93

chwŷl a D.G. (57), 333

dedwydd § 298, M.A. 239, D.G.
 (26, 65)

dihewyd M.A. 220, 227

diwyd M.A. 242, D.N. 112

diwyg D.G. 256 ; d -u IL.A. 14

echwyn D.G. 304

edwyn c D.G. (108), G.Gl. G.G.
 iii 19

erchwyn (gwely) D.G. 331,
 R.G.E. F.N. 56 ; 'protector'
 T.A. G. 234

erchwys 'pack (of hounds)'
 M.A. 247, R.P. 584

ewyn d D.G. (44, 72, 101)

gorwydd 'forest' R.P. 1031,
 L.G.C. 324

gwŷd a M.A. 276

gwydr a I.G. 557

gwŷdd a 'wood' (lliaws o eng.)

gwŷg a 'vetch' D.G. 239

gwŷl a 'sees' G.I. 5, G.IL. G.G.
 iii 8

gwyll a 'darkness' D.G. (55)

gwyllon 'madmen, outcasts',
 gwylliaid 'outlaws'[1]

gwŷn a 'passion, pain'

gwŷr a 'men'

gwŷs a 'is known' M.A. 162, 262

gwŷs a 'summons' M.A. 247,
 D.N. 28

herwydd R.P. 1351, I.G. F.N.
 20, D.G. 188

llewych d M.A. 274

llewyg, d -u § 154

llŵyrwys H.D. G.G. ii 76, 130

menwyd M.A. 205, 254

syberwyd M.A. 180, 220, S.T.
 G.R. 370

tragywydd M.A. 141, 228

tywyn (goleu) d D.G. 204

tywyn (tywod), D.N. 1, 3, etc.,
 D.G. 73

tywys (ŷd) D.N. 29, H.D. G.G.
 ii 76

ysgwyd 'shakes', o ysgydw M.A.
 203a.

Yn y tafodieithoedd yn gyffredin try wy yn y goben i w, fel
yn chwnnu am chwynnu, gwmon Gr.O. 32 am gwymon. Troes
cychwynnu yn cwhwnnu, ac yna cwnnu yng Ngwent. Troes
cychwyfan (o chwŷf) yn cwhwfan ; a heblaw chwyfu yr oedd
berfenw arall chwyfio, a throes hwnnw'n chwifio. Tebyg mai
ffurfiad cyffelyb o chwŷl yw chwilio. Prin y gellir profi wy yn
y goben ag odl ; nid yw'r beirdd awdurol yn odli'r w dafod-
ieithol ; eithriad yw diwgodd (lle'r ymddengys bod yr w'n hen,
cymharer diwc R.P. 1027, B.B. 8) :

Hi wnaeth ddrwg nis diwgodd.—I.D. 10, cf. D.G. 437.

[1] Cf. " I geisio gwylliaid a gwsg allan " H.D. G.G. ii 27, a gweler Ifor
Williams, *BBCS.* i 228–233.

Ac nid odlent y sain safonol *w̯y* am eu bod yn osgoi llusgiaid ag *y*, gweler § 316.

Nid oes air sicrach ei ffurf na *cychwyn*, a chamddarlleniad am *llyn* yw'r *llwyn* a roir i odli ag ef yn G. 177. Y mae llawer o feiau fel hyn yn y llawysgrifau a'r copïau argraffedig, megis rhoi *celwydd* i odli â *gŵydd* yn D.G. 256. Felly ni ellir bod yn sicr o'r ffurf bob amser heb gymharu a chadarnhau.

(4) PETRUS.

Ar ol llafariad y mae'r sain weithiau'n betrus, ac adlewychir yr ansicrwydd yn y berfenwau. Ymddengys bod tuedd yn gynnar i droi *ŵy* i *w̯y* ar ol llafariad. Wrth y nod c uchod gellir casglu mai *aw̯ydd* oedd ffurf gyntaf y gair hwn, ac felly yr odlir ef yn gyffredin, ond fe geir *aw̯ydd* yn lled gynnar, a throes *aw̯yddaw* M.A. 499*b* yn *aw̯yddu*. Yn yr odlau hynaf *Poŵys* a geir, ond *Poŵys* yn aml yn y cywyddau. Yr un modd, *tyŵyll* yn yr hen, ond *tyw̯yll* yn aml gan D.G., ac ar ei ol; a'r berfenw *tyw̯yllu* yn IL.A. 91 (yn y fl. 1346).—Eithriad yw'r gwrthwyneb: dengys Ogam Bryn y Beddau mai *tyw̯ysog* yw ffurf wreiddiol y gair hwn[1]; ond odla T.A. *tŵysog* mewn llusg F.N. 146, ac fe geir *toŵys*, a'r berfenw *twyso* D.FF. xi, Luc vi 39 (1620), er mai *twsu*, sef *tyw̯ysu*, yw'r hen ferfenw ar lafar Gwynedd.

Dodais yn y rhestri uchod y geiriau sy'n rheolaidd yn odli un ffordd; y mae'n sicr mai *ŵy* sy'n wreiddiol yn *graŵys*,[2] ac nis ceir ef ond felly. Ni cheir *aw̯yr* ond unwaith, mi debygaf,[3] sef G.Y.C. R.P. 1418; *aŵyr* a geir yn rheolaidd; ac er bod *eŵyn* yn digwydd unwaith mewn hen englyn R.P. 1036, ni cheir ei ol wedi hynny, namyn *ew̯yn*; felly fe roed y rhain yn eu lleoedd yn y rhestri. Fe allesid chwanegu amryw eiriau â *w̯y* diamheuol, megis *byw̯yd, cyw̯ydd, ffrew̯yll, new̯ydd, tyw̯ydd*, yn y rhestr yn (3) uchod.

Ni newidir yr *ŵy* yn y terfyniadau berfol -*wys*, -*wyd*; ond erys, fel yn *glanháŵyd*, hyd heddyw. Ac ni newidir yr -*ŵy* derfynol, sy'n rheolaidd yn ol nod b yn yr enwau *Llyŵy* D.G. 46, 370, a *Taŵy* R.N. G.G. i 118.

---

[1] Rhys, *Lect.*, 1879, td. 272. Darlleniad yr Ogam yw *(to)wisaci*, a'r Lladin TOVISACI; gwahaniaethir rhwng *w̯* gytseiniol ac *w* lafarog yn llythrennau'r Ogam.

[2] Tardd *caraŵys* (treiglad benywaidd o hwn yw *y garaŵys*) yn rheolaidd o'r Lladin *qua(d)rāgēsima*.

[3] Ceir *aw̯yr/sŷr* yn B.T. 23, ond tebyg gennyf mai *aw̯er/sêr/llyther/ prifder* yw'r odl yno; y mae *awer* yn rheolaidd o *āer-*, fel y mae *aw-ŵyr* o *āēr*, a chollwyd y ffurf gyntaf.

Dodir isod y geiriau o'r dosbarth hwn sy'n amrywio yn yr odlau, gyda chyfeiriadau:

aw̥ydd C. M.A. 156, D.B. eto 219, D.G. 284: *aw̥ydd* C. M.A. 185, H.C.ᴵᴸ. G.G. i 184.

brow̥ys M.A. 149, 238: *bryw̥ys* H.D. G.G. ii 76, 87.

Pow̥ys R.P. 1036, M.A. 147, 149, 186, I.G. 167, G.Gl. D.E. 145: *Pow̥ys* I.D. 58, D.N. 7.

tyw̥yll R.P. 1045, B.B. 30, M.A. 216, 228, D.G. 117, 267, 283: *tyw̥yll* D.G. (11, 68), 185, 285, 421.

tow̥ys C. M.A. 186: *tyw̥ys* T.A. c. i 348.

Heblaw amrywiaeth y cyfuniadau uchod, fe geir un enghraifft o *w̥y* yn troi'n *ŵy* oherwydd nad oedd yn hawdd seinio'r *w̥* ar ol dwy gytsain eraill, sef—

cyfrw̥ys B.T. 78, B.B. 57, M.A. 187, 247: *cyfrŵys* P.M. M.A. 204, D.G. (61), *anghyfrŵys* D.G. 193.

Gellir crybwyll hefyd fod dau air gwahanol *echw̥ydd* ‘llifeiriant, rhaeadr,’ ac *echŵydd* ‘ canol dydd, nawn ’ (*gwed' echŵydd* ‘ *after*-noon ’) wedi eu cymysgu gryn lawer o ran sain oddieithr yn yr odlau hynaf oll, CY. xxviii 68.

422. Mewn odl y mae'r gyfatebiaeth yn dechreu â llafariad y sillaf ac yn cynnwys y seiniau diweddol, § 216 ; nid oes dim *o flaen* y llafariad yn cyfrif : odla *gwŷdd* â *dŷdd.* Yn y ddeusain *w̥y,* nid yw'r *w̥*'n rhan o'r odl—yr *y*'n unig sy'n cyfrif ; a'r bai mewn lleddf a thalgron yw odli'r *y* hon â'r ddeusain *ŵy.* Ac fe geir y bai bob tro yr odlir llafariad â deusain. Dyry Simwnt fel enghraifft y llinell hon o lusg :

Yn Iál | gwnai Ruffudd Maelawr.[1]

Y mae twyll-odl fel yna'n amlwg i bawb, ac nis gwneir mewn cynghanedd, nac yn wir mewn canu rhydd ond pan roir sain dafodiethol yn lle'r sain gywir mewn odl. Ni oddefir hynny mewn cerdd dafod ; a ffordd yr hen athrawon o ddywedyd mai gwrthuni yw arfer ffurf lwgr fel *ymlán* i odli â *thán* oedd datgan bod odl fel “ Cerdd *ymlaen* nefol *dán* ” yn cynnwys y bai gwaharddedig lleddf a thalgron.

423. Yn y sillaf olaf ddiacen fe symleiddiwyd *ae* i *e* yn lled gynnar mewn rhai geiriau, yn enwedig ffurfiau berfol

[1] P.ᴸ xcvi.

ac enwau, megis *adwen, caffel, gafel, chware, Ithel, Dinmel.*
Fe sgrifennid *adwen* cyn diwedd y drydedd ganrif ar ddeg,
ac fe geir y lleill hefyd weithiau yn y cywyddau :

> Yr ydwyf, hyd yr adw*en*,
> Yn dwyn haint ni'm gad yn h*en.*—G.I.H. (?) D.G. 443.
> Duw a wn*êl*, rhwydd af*el* rhin.—R.G.E. G. 98.
> Fab Hyw*el*, af*el* Ifor.—I.D.B. G. 162.
> Ith*el*, delw Fihang*el* deg.—I.G. 330.
> Yn Ninm*el* gyda'r d*el*yn.—B.A.

Gweler *gallel/cél* D.G. (8), a *gafel, Elfel, gadel, caffel* [1]
L.G.C. 12, 13. Anfynych y ceir *-eth* am *-aeth* fel yn
dewindabeth T.A. F.N. 138 ; ac *ae* a welir amlaf ond odid yn y
lleill, megis *gael/gafael* D.G. (36), *chwarae/mae* eto (32, 42),
I.G. G.G. i 50, *afael/gael* G.I.Ll.F. G.G. i 67, *drychafael/hael*
R.N. G.G. i 118.

> Myned at Ith*ael* hael hen.—I.G. 337.

424. Eithr cyfnewidiad diweddarach o lawer oedd troi
ai ac *au* yn *e* ; yr oedd ffurfiau'r iaith lenyddol wedi eu
sefydlu a'u sicrhau yn y traddodiad barddonol cyn i'r
tafodieithoedd ddechreu gwneuthur hyn. Mewn rhigymau
fe geir ffurfiau fel *defed, pethe,* etc., yn y bymthegfed
ganrif; ond dirywiad tafodieithol y cyfrifid hyn, ac nis
ceir yng ngwaith y beirdd awdurol.[2] Y mae'r iaith ysgrif-
enedig ddiweddar yn cadw'r ffurf lenyddol yn gywir
oddieithr mewn ychydig iawn o eiriau.

Y geiriau hyn yw *adain, cyfair* (ar *gyfair,* etc.), *dywaid*
'says', a'r berfenwau *tybiaid, syniaid, ystyriaid, darllain* ; yn
y rhain dodir *e* yn lle'r *ai* (wrth gwrs *e* sydd i *fod* yn *myned,
gweled, clywed, ymddiried* ; hefyd yn *dywed* 'say thou'; ac *e,*
nid *ai,* sy'n gywir yn *niwed*). Yn y ganrif ddiwaethaf fe
gamlythrennid *rhiain* yn *rhian.* Defnyddiais ffurfiau cywir yr
holl eiriau hyn hyd yn oed mewn rhyddiaith yn y llyfr hwn ;
ac wrth mor anfynych y digwyddir arnynt y cenfydd y darllenydd
mor agos i'r safon lenyddol yw'r iaith sgrifenedig gyffredin yn
hyn o beth.

---

[1] Y pedwar wedi eu printio ag *ae* gan Degid er gwaethaf yr odl.
[2] Hyd yn oed yn L.G.C., y llacaf ei gelfyddyd ohonynt yn y 15fed
ganrif, anaml iawn y ceir ffurfiau fel *aden* 56, *gleifie* 46.

425. Heblaw dirywiadau tafodieithol fe luniwyd yn y cyfnod diweddar rai ffurfiau ffug; y mae'r naill a'r llall i'w gochel, § 32. Wrth ofalu am y ffurf lenyddol fe aethpwyd weithiau dros y terfyn, ac fe roed y ddeusain lle mae'r llafariad seml i *fod*, sef rhoi *au* neu *eu* yn lle *e* yn *bore*, *camre, godre, tyle* ; *ai* yn lle *e* yn *ychen*, ac *ae* yn lle *e* yn *toreth*.

Ymddengys mai yn awdlau L.G.C. yr arferwyd y ffurf ffug *borau* gyntaf er mwyn odl, ac fe'i ceir rai gweithiau wedi hynny mewn odlau dwbl (sef i odli â *dorau, gorau*, etc.); ond y mae *camrau, godreu* etc. yn ddiweddarach ; a thebyg gennyf na welir y gam-ffurf *ychain* yn odli yn unman cyn y bedwaredd ganrif ar bymtheg, er y myn Tegid brintio *ychain* yn L.G.C. 189, 193, lle mae'r gair yn odli â *men*. Y mae *borau* ym Meibl 1620, ac ni chanfu Dr. Davies mai ffug oedd hyd yn rhy ddiweddar—fe'i cywirir yn ei Eiriadur 1632. Eto yr oedd y cyfansoddeiriau'n gywir ar lafar yr adeg honno, fel y dengys *boregwaith* Ezec. vii 7, 10 ; felly mewn hen lusgiaid : " ar d*eg* for*eg*waith " D.G. 391 ; " Etif*edd* ar for*edd*ydd " T.A.

426. Ffug arall a geid yn y ganrif ddiwaethaf oedd rhoi *ae* yn lle *ai* yn y geiriau *afiaith, araith, cyffaith, disglair, goddaith, gweniaith, rhyddiaith, talaith*. Ag *ai* yr odlid y geiriau hyn bob amser gynt, ac fe gadwyd y traddodiad yn gywir hyd ddyddiau Pughe ; gweler *W.G.* 33–4, *E.W.G.* 14–15.

Gellir profi'r ffurfiau'n aml wrth y berfenwau ; arwydd *ai* yw -*io*, megis *teithio, seinio*; arwydd *ae* yw *u*, megis *saethu, taeru*; a dengys *areithio, disgleirio*, etc. mai *ai* sydd yn *araith, disglair*, etc. *E.W.G.* td. 158, Note.

427. Nid oes wahaniaeth gwreiddiol rhwng *ei* ac *ai*, na rhwng *eu* ac *au*, a gall y ffurf gyntaf odli â'r ail yn y parau hyn, fel y gwelsom mewn llusg § 315. Ond pan odlant mewn sain neu brifodl gwell eu hysgrifennu'r un fath, megis—

Un gair a *gair* gan y gog (§ 62),

yn hytrach nag " a geir ". Ond nid odla *ai* ac *au* ; lle

gwelir y fath odl y mae'r darlleniad bob amser yn amheus ;
er enghraifft, y mae—

Gallas*ai* ar dro*au* draw

mewn cwpled sy'n llwgr drwyddo, D.G. 256 ; a lle ceir
mau/dialai yn D.G. 35 y mae gwell darlleniad *Mai/di-elwai*
yn G. 46. Am ambell hen lusg fel—

Wedy anghyfr*eith* wn*euth*ur

yn R.P. 1296, yr eglurhad yw mai hen ffurf *wneithur* a
odlid.

Nid odlir *ae* ac *au* chwaith ; ond fe edlwyd *gwarae/biau* gan
L.G.C. 12, ac yn ddiweddarach *chwarae/brau* T.A. F.N. 154,
a *chwarae/tristáu* S.V. CY. ix 6. Ond *chwarae/mae* gan D.G.
§ 423.

Y llafariaid u, y *ac* i.

428. Yn y canol oesoedd fe seinid *u* fel yr *u* Ffrangeg, ac
yr oedd gwahaniaeth amlwg rhwng ei sain a sain eglur *y*
(e. e. rhwng *hún* a *hŷn*). Yng ngweithiau'r gogynfeirdd fe
gedwir y gwahaniaeth hwn yn drwyadl, ac nid odlir *u* byth
ag *y*. Mewn geiriau unsillafog fe barhaodd y gwahan-
iaeth ar lafar hyd yr unfed ganrif ar bymtheg, ac felly'n
ddiameu y parhawyd i broffesu cadw'r hen reol. Ond
mewn sillafau diacen yr oedd sain *u* wedi ymdebygu i sain
eglur *y* yn y bedwaredd ganrif ar ddeg ; ac o ddechreu
cyfnod y gynghanedd gaeth fe odlid *u* ac *y* yn ddiwahan-
iaeth *pan fai un ohonynt, neu'r ddwy, mewn sillaf ddiacen.*
Er enghraifft :

Saith gyw*ydd* i Forf*udd* fain.—D.G. (8).
Forf*udd* yn 'i d*ydd*, ni'm dawr.—Eto (17).
Hael Forf*udd*, merch fed*ydd* Mai.—Eto (20).
Ni b*ydd* wedi Gruff*udd* Gryg.—Eto (113).
Gofal*u*, heb d*ŷ*, heb dâl.—T.A. F.N. 150.

Yn y brifodl : *beunydd/rudd* D.G. (39), § 121 ; *yfory/du*
D.G. (59) ; *i fyny/ddu* LL.G. D.G.G. 167 ; *estyn/un* D.E. 15 ;
tyfyn'/bun eto 18 ; *gynt/wrthunt* T.A. F.N. 150 ; ac weithiau

mewn cynghanedd lusg, § 317. Felly, er mai â hi ei hun
yr odlir pob un o'r ddwy fynychaf, eto y mae awdurdod y
prif feirdd dros eu hodli â'i gilydd os mynnir. Ond ni
wneir hynny pan fo'r acen ar y *ddwy* ; yr oedd y gwahan-
iaeth i'w glywed dan yr acen, ac nid odli, ond proestio, a
wnaent, fel *dŷn* a *fûn* mewn proest cyfnewidiog gan D.E.
G. I 20.

429. Er bod esiampl y prif awduriaid yn glir, mynnai'r
mân athrawon mai wrth y llythreniad, ac nid wrth y sain,
y dylid odli ;[1] ac fe geisiai'r beirdd diweddar ddilyn y rheol.
Ond ni fedrent ei chadw'n gywir am na wyddent mo'r
llythreniad cywir : odla Gronwy *Merchyr* â *cur*, am ei fod
yn synio mai *Merchur* yw'r gair ;[2] a phe gwybuasai
Galedfryn mai *corun* (ac nid *coryn*) yw ffurf iawn y gair
hwn, diau na chawsem gantho'r pennill pert—

> Dringo'r Wyddfa, gopa gw*yn*,
> A chware ar ei chor*un*.[3]

Tybid bod yn rhaid cam-ysgrifennu *i fyny* i gyfiawnhau'r
odl mewn cwpled fel—

> Ym mhob llên ag awen g*u*
> Sir Fôn sy ar i fyn*y*.[4]

Y mae'r odlau hyn yn berffaith gywir, nid wrth reol y
gogynfeirdd, ond wrth reol yr iaith ddiweddar, am fod y
diweddiadau'n unsain ynddi hi. Gellir dywedyd bod *u* ac *y*
yn y sillaf olaf ddiacen ar yr un tir yn union ag *-on* ac
-onn ; nid oes fwy o reswm dros gyfri *Morfudd/bedydd* yn
dwyll odl, na thros wahardd *afon/calon*(*n*) fel trwm ac
ysgafn, § 415.

---

[1] Rhoir ll*ys*/cynhenn*us* yn esiampl o dwyll odl yn J.D.R. 293, ac
esiamplau cyffelyb yn yr holl reolau diweddar : S.R. 166, R.D. (1808)
154, etc.
[2] Gr.O. 6 ; gwyddai Gronwy mai *dies Mercurii* oedd *dydd Merchyr* yn
Lladin, ond ni wyddai fod eisiau *ū* hir yn Lladin i roi *n* Gymraeg ; yr *ŭ*
fer Ladin dan effaith *i* ar ei hol a roes *y* yn rheolaidd yn Gymraeg.
[3] *Caniadau* 38 ; *corun* o'r Llad. *corōna* ; yr *ō* hir (fel *ū* hir) yn rhoi *u* yn
Gymraeg.   [4] T.M. 252.

Ni buasai camlythreniad fel *coryn* am *corun* yn bosibl oni bai nad oes wahaniaeth yn y sain ; a chan mai'r un yw'r sain y mae'r odl yn gywir pa ffordd bynnag yr ysgrifenner hi. Ond yn y canol oesoedd yr *oedd* gwahaniaeth, a'r pryd hwnnw nid oedd yn bosibl *cymysgu*'r ddwy : gellir dibynnu'n hollol ar odlau'r gogynfeirdd a llawysgrifau'r oesoedd hynny am y gwahaniaeth rhwng *u* ac *y*. Y mae'r orgraff ddiweddar yn cadw'r gwahaniaeth bron yn gywir ; ac y mae'n werth ei gadw, a chywiro'r ychydig wallau, er mwyn cywirdeb y sain yn y ffurfiau tarddiadol, megis ysbard*u*n, ysbard*u*no ; arof*u*n, arof*u*nais ; etc. Ond prin, efallai, y mae'n werth cywiro pethau mor gynefin â dywed*y*d, wrth*y*nt, hebdd*y*nt, drost*y*nt, etc., gan nad oes dim yn dibynnu arnynt, a bod y sain yn gywir.

NODIAD.—Yr oedd y gwahaniaeth rhwng *u* ac *y* i'w glywed hyd yr unfed ganrif ar bymtheg yn y deuseiniaid *uw* ac *yw* acennog a diacen ; a'r unig esiampl o *y/u* fel twyll odl a rydd Simwnt yw *erglyw/Duw* P.Ⅱ. xciv. Nid yw *Duw* yn odli â dim ond *gwir-Dduw*, etc., a *huw* ' hwian ' (heblaw mewn llusg, fel yn § 309). Camlythreniad yw *diluw* o waith un a wyddai Ladin, ond *ni* wyddai na all *ŭ* fer Ladin roi *u* yn Gymraeg. Y ffurf reolaidd o *dilŭvĭum* yw *dilyw* ; dyna'r hen ffurf, ac nid yw'r gair byth yn odli â *Duw* cyn y cyfnod diweddar. Gweler § 432 (2).

430. Seinir -*yg* ddiacen yn -*ig* drwy Gymru oll er y ddeuddegfed ganrif, fel yn *tebig, meddig, cerrig, diffig,* etc. ; -*ic* a sgrifennir yn yr hen lawysgrifau, ac nid yw'r -*yg* diweddar ond casgliad o'r tarddiadau *tebygu, meddygon,* etc., sy'n dangos mai -*yg* yw'r sain wreiddiol, ac nid -*ig* fel yn *pendefig, pendefigion.* Odlir *dychymig, diffig, cynnhebig,* etc., â *nadolig, hirdrig,* etc., gan Gynddelw M.A. 152*b*. Ac felly yr odlir y fath eiriau'n wastad yng nghyfnod y cywyddau :

> Nid annheb*ig*, ddidd*ig* ddydd.[1]
> Pawb a deb*ig*, pan dd*ig*iwyf.[2]
> A'i fr*ig* yn deb*ig* i dân.[3]
> Ond dychmygion dynion d*ig*,
> A cham oedd pob dychym*ig*.[4]

Gweler *meddig/trig* L.G.C. 348 ; *diwig/cig* G. 138 ; *rhyfig/ arbennig* G. 171 ; etc. Ond fe geidw'r *y* ei sain mewn

[1] D.G. 27. [2] Eto G.G. i 6. [3] D.E. 26. [4] D.G. 22.

unsillafion fel *plyg, cryg,* ac mewn cyfansoddeiriau ohonynt fel *unplyg, dyblyg,* etc. ; gweler odlau Dafydd : *plyg/gogryg* 244 ; *gwyrblyg/cryg* 255 ; *dyblyg/cryg* 258 ; unwaith fe geir *cryg/dirmyg* 249, ac unwaith *cryg/diwyg* 256.

431. Fe dry *y* yn *i* hefyd weithiau (1) ar ol *g* neu *ng*, fel yn *cregin, megis, ergid, efengil* ; gweler *megis/dis* G.Gr. D.G.G. 135 ; *mil/efengil* F. 5, E.P. 278.

(2) Ar ol *i* neu *ei* yn y goben, fel yn *dilin, llinin, gwreiddin* :

> Dan chwerth*in*, dil*in* dy daith.[1]

Gweler *trin/gwreiddin* G. 178. (Eithr *i* sy'n wreiddiol yn *meitin* ; ac yn *dilid* 'dilyn,' fel yn *er-lid, ym-lid*.)

432. (1) Yn y ddeusain *yw* fe droes yr *y* yn *i* ar ol *d* ac *dd* yn y canol oesoedd ; mewn hen lawysgrifau fel y Llyfr Coch ag *i* yr ysgrifennir *ydiw* a *heðiw* bob amser, ac yn y cywyddau hynaf felly'r odlir *heddiw* yn wastad, ac *ydiw* yn gyffredin :

> Myn y Gŵr a fedd, *heddiw*
> Mae gwayw i'm pen am wen w*iw*.—D.G. (100).
>
> Dodaist wayw llon dan fron fr*iw*;
> Dídost ar dy fryd *ydiw*.—D.G. 35, G. 46.

Gweler *heddiw* yn odli â *gwiw* D.G. (46), *rhiw* (71), *llygliw* (101), *ffriw* I.G. 287, *lliw* IL.G. G.G. i 11, 12, I.D. 22 ; ac *ydiw* yn odli â *tywynlliw* D.G. (7), *gwiw* I.G. 107, 130, 609, etc., I.D. 10.

Ond fe geir *heddyw/byw* yn I.D. 25, ac o'r oes honno fe'i hodlir ag *-iw* ac *-yw*. Yr oedd *ydyw* yn odli â'i ffurf seml *yw* o'r dechreu, e. e. D.G. (32), I.G. 431, ac weithiau â gair fel *byw* D.G. (22) ; yn ddiweddarach fe'i hodlir ag *-iw* ac *-yw*.

(2) Fe geir *iw* yn lle *yw* hefyd weithiau ar ol *i* (neu *ei*) yn y goben ; fe welir *distriw, diliw* yn aml yn y llawys-grifau am *distryw, dilyw*, ac fe geir odlau fel *diliw/rhiw*

L G.C. 469, heblaw *clyw/dilyw* D.N. 23. Hyn, efallai, sy'n cyfri am odl fel *penceirddryw/gwiw* [1] D.G. (9).

aw *ac* o.

433. Cyn dechreu cyfnod y cywyddau yr oedd *aw* yn y sillaf olaf ddiacen wedi troi'n *o* bron ym mhob gair y digwyddai; yn lle *pechawd, allawr, rhodiaw, Madawg*, etc., fe ddywedid *pechod, allor, rhodio, Madog*. Fe barhawyd i sgrifennu'r hen ffurfiau mewn rhyddiaith am amser maith; ac mewn barddoniaeth fe ddefnyddid yr hen neu'r newydd i odli yn ol fel y bai cyfleus. Yn y mesurau caethion fe ganiateir hyd heddyw arfer yr *aw* er mwyn odl; ond o ddiffyg cydnabyddiaeth â'r hen iaith y mae'r beirdd diweddar, wrth fanteisio ar y goddefiad, wedi syrthio i gamgymeriadau chwithig a digrifol.

434. Y pwynt i ddal arno yma ydyw bod dau ddosbarth o sillafau terfynol yn cynnwys *o* yn awr; (1) rhai ag *aw* ynddynt gynt; (2) rhai ag *o* ynddynt erioed; ac nad oes a wnelo'r goddefiad ddim â'r ail dosbarth. Arfer *hen ffurf* a oddefir; ond nid arfer hen ffurf yw dodi *aw* mewn gair na bu ynddo *aw* erioed—yn hytrach, camgymeriad trwstan ydyw. Yr oedd y beirdd diweddar dan eu dwylo—ni wyddent ystyr y peth; meddwl yr oeddynt mai rhyw gast y gellid ei chware â phob *o* oedd ei throi'n *aw*. Er bod yn amlwg mai *o* wreiddiol sydd yn *esgob*, fe'i troid yn *esgawb* i odli â *pawb*. [2] Ysgrifennai D.I. *dyniawn* 73 yn lle *dynion*, a *geirwawn, gofidiawn* 72, a llawer o'r cyffelyb. Tebyg na wyddai Dewi Wyn mai gair Lladin oedd *credo*; ond os gwyddai, fe dybiai, wedi gwneuthur gair Cymraeg ohono, fod gantho hawl i'w ystumio i *credaw*. [3] Y mae nid yn unig

---

[1] Camddarlleniad yw *diledryw/gwiw* D.G. 405; *dilédfeirw* R. ii 676.

[2] *Barddoniaeth Cynddelw* 72; fe'i gwneid ers talm mewn cellwair cler-wraidd, D.E. 135.

[3] D.W. 167. Yn ei ieuenctid fe alwodd Emrys yn "enwawg Gymmraw" 25; gwir bod hwn wedi ei brintio'n "enwawg gymmraw" yn GR. 262; ond nid yw 'famous fright' yn rhoi synnwyr.

T.M. 126, ond hyd yn oed Alun 107, yn troi *yno* yn *ynaw*!
Dyma lunio "hen" Gymraeg wrth reol y fawd. Ac â'r
trwstaneiddiwch hwn y brefodd Iolo'r nodyn aflafar *deffraw*
D.G. 522 wrth rodio yng nghroen Dafydd ap Gwilym.[1]

435. Nid wrth reol beiriannol y mae penderfynu i ba
ddosbarth y perthyn gair, ond wrth hanes y gair ei hun.
Gynt yr oedd *ysgol* i ddysgu (*yscol* R.B.B. 200), ac *ysgawl*
i ddringo (*yscawl* R.M. 90); ond erbyn hyn *ysgol* yw'r ddau
air, heb ddim i ddangos y gwahaniaeth.[2] Gan mai *gwran-
dawaf* yw'r ferf o *gwrandaw*, fe ellid casglu wrth *deffroaf*
mai ffug yw *deffraw*;[3] ond ni ddeil y gwrthwyneb bob
amser : er mai *athrawon* yw'r lluosog, y mae'n berffaith sicr
mai *athro* yw unigol y gair hwn, ac mai ffurf ffug wedi ei
llunio o'r lluosog yw *athraw*, gweler *W.G.* 108. Nid oes
reol gyffredinol ; ond fe ellir nodi i ba ddosbarth y perthyn
terfyniadau y ffurfir llawer o eiriau â hwynt.

(1) **aw** oedd gynt yn y terfyniadau hyn :

Enwau ac ansoddeiriau : -og (enwau dynion), *tywysawg,
marchawg*; (ansodd.), *llidiawg, arfawg*, etc. ; -or (enwau
dynion), *porthawr, crythawr, cantawr*; -dod, *trindawd,
cymhendawd*, etc.; -od (trawiad), *cleddyfawd. ffonnawd*;
-ol (ansodd.), *nefawl, dwyfawl, ysbrydawl*; -lon (ansodd.),
prydlawn, ffyddlawn, etc.

Berfau : -odd, *carawdd, rhedawdd, enillawdd*; -och (gor-
ffennol), *carasawch, gwnaethawch*, etc.

Berfenwau : -o, -io, *wylaw, blinaw, rhodiaw, diffygiaw.*

Arddodiaid : -o (3ydd unig. gwr.), *arnaw, iddaw, trwyddaw,
wrthaw*, etc. ; -och, ar ol *dan-, arn-, at-, ohon-* yn unig,
megis *danawch, arnawch.*

(2) **o** wreiddiol sydd yn y terfyniadau hyn :

Enwau ac ansoddeiriau : -on, -ion (lluos.), *lladron, Saeson,
dynion ; duon, oerion*, etc.; -od (lluos.), *llygod, llewod,*

---

[1] Gweler Ifor Williams D.G.G., 1914, td. lxxxiii, y dadleniad cyntaf o
dwyll " cywyddau'r Ychwanegiad."

[2] Y mae'r gwahaniaeth yn aros yn y geiriau Saesneg a Ffrangeg
cyfatebol : o'r Lladin y tardd y ddau air—*ysgol, school, école* o *schola* ; ac
ysgawl, scale, échelle o *scālae.*

[3] *Deffröi* (nid *deffro*) oedd yr hen ferf-enw, gweler Silvan d.g.

eryrod, ag *un* eithriad, *pysgawd*; -**os** (lluos.), *plantos*,
gwrageddos, etc.

Berfau : -**o** (dibynnol), *gwelo, caro, mago* (gynt *maco*), etc.;
-**om**, -**och**, -**ont** (dibynnol), *gwelom, gweloch, gweloni.*

Arddodiaid: -**of**, -**ot**, -**om**, *trosof, ynot, erom*, etc.; -**och**
(lle bynnag y mae *o* yn yr unigol), *trosoch, ynoch, eroch.*

436. Yr oedd y traddodiad yn fyw yn oes y cywydd, ac fe
gedwid y gwahaniaeth yn gywir oddieithr y rhoid weithiau
-*awr* yn lle -*or* yn y geiriau *tymawr* R.P. 1244, *elawr* G. 234,
hawddamawr F.N. 154 ; yr hen ffurfiau oedd *tymor* B.A. 13, *gelor*
a *hawddamor* M.A. 150. Yn yr unfed ganrif ar bymtheg fe geir
W.IL., 110, 112, yn rhoi *aw* yn *angor, rhagor*, a hyd yn oed yr
enw Groeg *Antenor*! Awgryma hyn fod yr *o* a ddôi o *aw* yn *o*
agored, gan fod tuedd i seinio *o* yn agored o flaen *r*.—Ond ni
wnaethpwyd *goror* yn *gorawr* hyd y blynyddoedd diweddar, diau
am y gwyddai'r beirdd nad *awr* oedd yr ail elfen, ond *or* ' terfyn '
(" heb *or*, heb eithaf" B.A. 15). Yr oedd hyd yn oed Pughe yn
deall *gor-or*, er ei fod yn rhoi *aw*'n anghywir mewn lliaws o
eiriau fel *agor, agos, aros, dangos*, etc.

437. Y mae'r hen *aw* ddiacen yn aros eto ar lafar mewn
ychydig eiriau fel *distaw, darllaw*. Gan mwyaf, geiriau
cyfansawdd ydynt, fel *llýsfrawd, dírfawr, déunaw, dẃyawr*,
lle mae pwysigrwydd ystyr yr ail elfen yn gwrthweithio
deddf y sain. Lle cyll yr elfen ei hystyr yn ystyr y gair
cyfansawdd, y mae'r ddeddf yn gweithredu, fel yn *anodd*,
dwylo, union. Gynt hefyd fe geid *llïos, Ionor, cyfion, ansodd*,
ac effaith iaith lyfr yw rhoi *aw* yn y rhain. Y mae'n
gyfreithlon rhoi *o* am yr hen *aw* ym mhob gair y mae neu
y bu *o* ar arfer ynddo, ond nid, wrth gwrs, mewn geiriau fel
dirfawr lle nid oes ac ni bu *o* erioed.

> Maddau [1] un ym oedd *anodd*
> Na bai yn fyw neb un fodd.—I.D. G. 135.
>
> Ni fyn cariad 'i wadu,
> Na'i ddangos i *lios* lu.—D.G. 69.

NODIAD.—Deddf yr iaith ddiweddar yw bod *aw* yn y sillaf
olaf ddiacen yn troi'n *o*, fel yn yr holl derfyniadau yn § 435 (1).

---

[1] *Maddau* ' part with ', gweler gwaelod td. 169.

Y prif beth a rwystra hyn yw bod yr *aw* mewn sillaf a geidw ei hystyr yn glir. Y mae *anodd* wedi colli ei ystyr negyddol o 'not easy', ac ennill ystyr gadarnhaol 'difficult'; ac ni feddylir am *anodd* fel 'án-háwdd' mwy nag am *galed* fel 'an-feddal'. Nid 'dwy law' yw *dwylo* ond 'hands', ac wrth ei ddywedyd ni feddylir am y gair *llaw* mwy nag y meddylir am y gair *buwch* wrth ddywedyd *gwartheg*. Nid yw *iawn* wedi cadw ei hen ystyr o 'straight' fel na feddylir amdano wrth ddywedyd *union*. Yn y rhain y mae'r ddeddf yn gweithredu'n ddi-rwystr. Y goddefiad barddonol yw arfer hen ffurf (cf. § 39), sef ffurf y gair cyn i'r ddeddf ddechreu dyfod i weithrediad.

Odl Gudd ac Odl Ewinog.

438. "Odl gudd" y gelwir cyfatebiaeth a geir trwy gysylltu â diwedd gair ddechreu'r gair a'i dilyno; hi ddigwydd mewn cynghanedd sain a chynghanedd lusg, gweler enghreifftiau yn § 299 (2) a § 311. Y mae'n gyfreithlon mewn cynghanedd am nad ystyrrir bod toriad yng nghorff y llinell (cymharer § 245); ond ar ddiwedd llinell y mae toriad yn ddealledig, a thrais ar egwyddor mydr yw rhoi odl gudd yn y cyfryw le. Ni welir byth mo'r beirdd awdurol yn gwneuthur hynny; yr unig fan y ceir odl gudd yn y brifodl ydyw o flaen y gair cyrch mewn paladr englyn neu doddaid, am nad yw'r brifodl yno ar ddiwedd y llinell, megis—

> Nid af i Lan Daf am nad *wy* '—*l*awen,
> Mae Lewys heb ddim h*wyl*.[1]

> Brenin gorllewin, llywia'*r*—*t*air aelwyd ;
> Y mab dewr ydwyd am bedwar Edw*art*.[2]

Ymhell ar ol y cyfnod euraid y dechreuwyd rhoi odl gudd ar ddiwedd llinell, ac ymddengys mai'r englyn gwantan a ganlyn oedd y cyntaf o'i fath :

[1] J.D.R. 284; "*wyl* [*Awenn*]" yno, ac ar ymyl y ddalen "Odl Gûdh yw [*wyl awenn*]," enghraifft dda i ddangos na wyddai J.D.R. ddim oll am ba beth yr oedd yn siarad. Argreffir yr englyn yn gywir gan S.R. 142, ond dyfynna nodiad J.D.R. heb ond hanner ei gywiro.

[2] L.Mg.; gweler tair eng. yn W.IL. 110.

Pa fwyd a roddwyd i rai,—pa ansawdd,
Pa unsaig mor ddifai ?
Pwy ar ddaear nis carai ?
Pleser ymarfer â maip.

S.R. 143 sy'n dyfynnu'r englyn, "yr hwn," medd ef,
"a gafodd *Iaco* ab *Dewi* gan un *J. R. J.* Ac fe a dystiol-
aethodd mai peth dieithr ydoedd, ac na welodd ef y cyfryw
erioed, na chwaith glywed sôn am dano." Dyna dystiolaeth
gŵr a ddylai wybod.[1] Mae'n amlwg mai mewn ysbryd
cellweirus y gwnaethpwyd yr englyn, fel y bydd y beirdd
digrif yn diweddu llinell ar ganol gair; ac o'r cellwair hwn
y tarddodd syniad y beirdd diweddar fod iddynt ryddid
i ddileu terfynau mydr drwy redeg llinellau i'w gilydd ag
odl gudd.

439. Anghyffredin yw odl ewinog, sef odl lle bydd mud
galed ar ddiwedd gair yn cyfateb i un feddal wedi ei chaledu
gan flaensain ar ei hol, megis -*d* gan *h*-, *d*-, neu *t*- (§§ 372,
374, 376):

Ni bu heb *fynd* | *helynt* | dall [2]
A drwg oedd *fynd* | *trwm hynt* | draw.[3]

440. Chwanegu *at* ddiwedd gair a wneir mewn odl gudd;
ni chaniateir y gwrthwyneb, sef tynnu *oddiwrth* y diwedd,
yr hyn a wneir yn fynych mewn cytseinedd, §§ 244, 265.
Gwelais mewn rhyw ysgriflyfr diweddar y pennill hwn dan
enw M.R. :

Rhaid i berchen anrhydedd
Fel cardot*yn fyn*d i'w fedd.

Ond yr hen ddarlleniad yw—

Myn fy nghr*ed* fyn*ed* i'w fedd.[4]

Mewn odl ddiweddol rhaid i'r holl seiniau o'r llafariad i
ddiwedd y gair gyfateb; gweler §§ 216, 220, 309, 310, 341.

---

[1] Yr oedd Iago ab Dewi (1648-1722) yn bur gyfarwydd â barddoniaeth
Gymraeg ; bu'n copïo llawer iawn ohoni—y mae ol ei law ar liaws o'r hen
lawysgrifau, ac amryw o'i gopïau eto ar gael ; gweler cynwysiadau R.

[2] § 124 ; odl : *fynt*/hel*ynt* ; cytseinedd : t*é*lynt | t*á*ll.

[3] W.C. E.P. 218.　　　[4] Priodolir y cywydd hefyd i G.Gl.

PROEST.

441. Cyfatebiaeth diwedd geiriau ydyw proest hefyd;
ond lle mae cyfatebiaeth odl yn dechreu â llafariad y sillafau,
mewn proest y mae'r llafariaid yn amrywio, a'r elfennau
cytseiniol ar y diwedd yn unig a gynwysir yn y gyfatebiaeth.
Ond rhaid i'r rhain gyfateb fel mewn odl: (1) nid etyb
cytsain ddwbl i un sengl, sef sillaf drom i un ysgafn; (2) y
mae'r lled-lafariaid yn cyfrif. Yn y ddau beth hyn y mae'r
gyfatebiaeth yn wahanol i gyfatebiaeth cytseinedd, ac yn
unrhyw â chyfatebiaeth odl. Mewn gair, hanner odl yw
proest, sef yr hanner olaf ohoni.

442. Yn gyntaf, rhaid gochel " trwm ac ysgafn " mewn
proest, fel mewn odl, § 413. Ni phroestia *tán* a *llon*—rhaid
cael *tán* a *són*, neu *rhan* a *llon*, i broestio. Yn y sillaf olaf
ddiacen nid erys y gwahaniaeth, § 415.

443. Yn ail, y mae'r lled-lafariaid yn cyfrif: i broestio
â *iawn* rhaid cael *mewn*—y llafariad *a* yn newid, ond y lled-
lafariad *w* a'r gytsain *n* yn aros fel mewn odl, § 341, 1.
Gan hynny, os bydd deusain yn y sillaf, rhaid cael deusain
yn diweddu'n gyffelyb i broestio â hi. I'r pwrpas hwn fe
rennir y deuseiniaid yn ddau ddosbarth :

(1) Talgrynion : *aw, ew, iw, ow, yw, uw.*[1] Heb gytsain
ar y diwedd gellir cael pedair i broestio'n hawdd, megis
llaw, glew, gwiw, byw; ond nid hawdd cael pedair o'r gyfres
hon gyda chytsain, oddieithr *ch*, fel *tawch, ewch, dowch,
lluwch.*

(2) Lleddfon : *ae, oe, $\widehat{wy}$, ei* (neu *ai*), § 418 ; er enghraifft
fe broestia *llaeth, doeth, ffrwyth, rhaith*. Nid yw'r elfen led-
lafarog yn hollol unsain yn y pedair hyn yn awr ; ond
mewn Hen Gymraeg *i* oedd ei sain ynddynt oll,[2] ac os

---

[1] Gelwid hwynt yn dalgrynion am fod *w* (oherwydd symudiad y
gwefusau) yn debyg i gytsain, ac yn cyfnewid ag *f* : *ysgafn, ysgawn*, etc.
[2] Yn orgraff yr Hen Gymr. *laith, doith, fruith, reith* fuasent.

edrychir ar ffurfiau gwreiddiol y sillafau uchod (o'r Lladin
y tardd y pedair), fe welir bod y diweddiad cytseiniol yn
unsain ynddynt oll o'r cychwyn : *lact-*, *doct-*, *fruct-*, *rect-*.
Fe welir felly fod proest a'i reolau yn draddodiad hynafol
iawn.

Yr un ddeusain oedd *eu* ac *au* yn wreiddiol, § 427, ac fe'i
gelwid yn "ddipton wib" am nad oedd dim yn proestio â hi [1]—
nid deusain oedd *ou*, ond dwy sillaf : *ymarhö-us*. Yr un modd,
nid oedd *ey* ac *oi* wedi eu cywasgu'n ddeuseiniaid, ac am hynny
ni chynwysid y rhain ymysg y deuseiniaid lleddfon.

444. Yng ngweithiau'r cynfeirdd fe geir proest yn ach-
lysurol yn lle odl. Yn y canol oesoedd fe ddechreuwyd
gwneuthur defnydd mwy trefnus ohono trwy ei roi i nodi
diwedd pob llinell o bennill neu res o benillion. Er enghraifft
mewn molawd ar fesur rhupunt yn y Llyfr Du y mae'r ail
ran yn benillion â'r lleddf broest *-aeth, oeth, -ŵyth, -eith* ; [2]
dyma'r pennill cyntaf :

Greid bleiδ blynghawd, greδf deδf durawd, gnawd brawd-
wri*aeth*;
Gwr oeδ Eiδoel, gorwy reol, gorδethol δo*eth*,
Gwyδbwyll dragon, gosparth Brython, gosgymon g*ŵyth*,
Gwawd tryganeδ, gnawd cyhydeδ, gorseδ meδw*eith*.

Yn y mesurau caethion ni wneir hyn yn rheolaidd ond
mewn penillion o linellau saith sillaf a elwir " englynion
proest" §§ 549–50, er y cymerir rhyddid weithiau i'w
wneuthur mewn mesurau eraill, § 551. Pan ddefnyddir
proest fel hyn yn lle odl, rhaid gochel rhoi deusain leddf
i ateb i un dalgron neu i lafariad seml ; cam-broest yw
hynny, yn cynnwys y bai "lleddf a thalgron."

Proest i'r Odl.

445. Diben y gytseinedd gyntefig oedd amlygu curiadau

---

[1] *A* 1119.
[2] B.B. 10–13 ; y mae'r ddau bennill cyntaf yn rheolaidd, ond y mae
llinell yngholl rhwng y 3ydd a'r 4ydd, a diwedd y 4ydd yn cynnwys rhyw
wall copïo.

drwy gyfatebiaeth dechreuad sillafau, megis *tr*wm, *tr*aeth § 220 ; ac ni feddylid am y diweddiadau. Nid yw'r gynghanedd groes fwyaf clymedig ond peth a dyfodd o'r gyfatebiaeth seml yna, § 237 ; a thrwy'r cyfnod y buwyd yn cywreinio'r gyfatebiaeth o flaen yr acen ni feddyliodd neb fod eisiau i'r diweddiadau ar ei hol gyfateb. Ac felly yng nghytseinedd y cynganeddion yr oedd yr orffwysfa a'r brifodl yn diweddu'n wahanol bron bob amser, nid am fod yn *rhaid* iddynt amrywio, ond am *nad* oedd raid iddynt gyfateb. Fe'u cymerid fel y doent, ac fe ddigwyddai weithiau mai unsain fyddent :

> Poen ddól*ur* | pan feddýli*er*.—G.M.D. § 361.
> A llón*ydd* | oedd erllý*nedd*.—G.M.D. R.P. 1207.
> Gar llaw t*ân* | y gŵr llwyd h*ên*.—D.G. (81).
> Y mórb*en* | du i'm érb*yn*.—D.G. (69).
> O dál*aith* | yr hen dýl*ŵyth*.—L.G.C. F.N. 101.
> A mynég*i* | myn Iág*o*.—L.G.C. 186.
> Ar 'y m*în* | cael 'i siwgr m*ân*.—I.D. 17.
> I'm cál*on* | y mae cél*yn*.—D.N. 22.
> O Ddú*w* | pa ryw fyd a ddá*w*.—D.E. 8.
> Deuliw n*ŷf* | 'i dal a wn*áf*.—D.E. 32.
> Yn gyfiawn dáw*el* | rhag ofn dí*al*.—G.T. J.D.R. 236.

Ym mhob un o'r rhain y mae'r orffwysfa'n ffurfio proest perffaith â'r brifodl, a hynny dan yr un aceniad. Yn ddiweddarach fe waharddwyd hyn fel bai a elwid " proest i'r odl."

446. Yr oedd G.M.D. yn un o'r cynganeddwyr mwyaf meistrolgar, ac y mae gantho lawer o linellau fel y ddwy uchod ; gellir bod yn sicr felly na waherddid proest i'r odl yn y bedwaredd ganrif ar ddeg. Nid oes fawr amheuaeth chwaith am y llinellau a ddyfynnwyd o D.N.,[1] D.E., a G.T. ; tebyg gan hynny mai un o "reolau Tudur Aled" yw'r

---

[1] Er bod *calon* wedi ei newid i *coludd* yn G. 153. Gan nad ymddengys bod awdurdod llsgr. dros y darlleniad hyll hwn, rhaid ei gymryd fel ymgais i "gywiro" 'r llinell. Cymharer *cordud/cardod* gan D.N. yn § 474, a *Mredudd/gymrodedd* D.N. 23.

gwaharddiad hwn. Cyn meddwl am y peth fel bai fe fu
Dudur ei hun yn euog ohono:

> Ўn diwýdr*ŵydd* | yn dádwr*aidd*.[1]
> Dy gár*u* | wedi gẃr*a*.[2]

447. Nid bod yr orffwysfa a'r brifodl yn diweddu yn yr
un gytsain neu heb gytsain yw'r bai, ond eu bod yn *proestio*
yn ol rheolau §§ 441–3. Y mae gan Dudur liaws o linellau
lle mae'r orffwysfa a'r brifodl yn cytseinio, megis—

> Coed o'i fŏn | codi a fýnn.[3]
> Llyfn iáwn | a allai fy nẁyn.[4]
> Er áme*u* | o rai ýma,
> Er hyn Dúw | sy'n rhannu dá.[5]

Nid oes broest i'r odl yn yr un o'r rhain; y mae trwm ac
ysgafn yn y gyntaf, lleddf a thalgron yn yr ail, a deusain
a llafariad yn y lleill, yn peri nad yw'r diweddiadau'n
proestio. Ac fe geir digon o linellau fel yr uchod yng
ngwaith prifeirdd wedi dyddiau T.A., megis W.Ⅱ.:

> Tŵr yw hẁnn | fal Troea hĕn.—30.
> Ni ad i'r ŭn | fynd a'i ránn.—31.
> A hyder lléw, | od âi'r llŭ.—17.
> A wreiddio Dúw | o wraidd dá.—20.
> Ni alla' drói | i unlle dráw.—133.

Y mae'r rhain yn ddifai yn ol y rheol. *Proestio* yw'r bai:
y mae rheol Simwnt yn glir, a'r enghreifftiau a rydd[6] c
linellau beius yn ei chadarnhau:

> Y dewr gẃr*ol* | drwy gwér*yl*.
> Y dý*n*, | fe ffaeliodd dy dŏn.

448. Pan ddigwyddai'r peth mewn cynghanedd sain fe'i
gelwid yn "ddybryd sain." Enghreifftiau Simwnt[6] yw—

> Yn arglwydd | ar*ŵydd* | ir*aidd*.
> Cadr | 'i dar*adr* | drwy der*ydr*.
> Pe cedwid am dir | gwír | gwýr;

a dyfynna J.D.R. 291 ddwy mewn cwpled:

---

[1] O'r cywydd "Bardd wyf ac yn byw ar ddau."   [2] c. ii 75.
[3] G. 253.   [4] O'r cywydd "Pwy sy ben yn pasio byd", i ofyn march.
[5] F. 30.   [6] P.Ⅱ. xcii.

Cywir | yw'ch géirw*i*r | gá*rw*r,
Cywir | ar y gw*í*r | yw'r g*ẃ*r.

Yr un bai â phroest i'r odl yw dybryd sain, ac y mae'r cwbl a ddywedir am yr hyn yw a'r hyn nad yw'r naill yr un mor wir am y llall. Proest i'r odl yw'r ddau, ac afraid oedd dau enw; ond gellir edrych ar "ddybryd sain" fel term byr am "broest i'r odl mewn cynghanedd sain." Nid oes, er enghraifft, ddybryd sain yn y llinellau a ganlyn am nad yw'r orffwysfa a'r brifodl yn *proestio*:

Pe bai am dda | heb dr*a* | dr*aw*.—W.Ⅱ. 45.
Ap Bleddyn, | pwy h*ý*n | no hón*n*?—W.Ⅱ. 169.

Mae'n debyg mai'r rheswm bod dau enw ar yr un peth yw mai mewn cynghanedd sain y sylwyd arno gyntaf fel peth annymunol, gweler § 452; a thebyg mai 'cynghanedd sain ddybryd' a olygid wrth "ddybryd sain." Pan ddeuthpwyd i sylwi arno mewn croes ni thalai'r enw hwn, a galwyd ef yno'n "broest i'r odl." Cadarnheir hyn gan y drefn yn yr hen reolau: daw "dybryd sain" o flaen "proest i'r odl" ynddynt, P.Ⅱ. xcii, J.D.R. 291.

449. Nid yw proest i'r odl yn fai ond mewn cynghanedd *gytbwys*; mewn geiriau eraill, proestio sillafau o gyffelyb aceniad sy'n unig yn feius. Anghofiodd Simwnt grybwyll hyn; ond fe ddywedir yn glir yn J.D.R. 295 mai bod yr orffwysfa a'r brifodl "mywn Prôst, *ac yn* [*yr*] *un accen*" yw'r bai.[1] Felly mewn croes neu draws ddisgynedig, ac yn nwy ffurf anghytbwys y sain nid yw proestio'r orffwysfa a'r odl yn fai gwaharddedig. Y mae proestio diweddiadau anghytbwys yn beth cyffredin, nid yn unig yng ngwaith T.A., ond yng ngweithiau'r athrawon Gr.H. a S.V., a graddedigion ail eisteddfod Caerwys, yn enwedig mewn croes neu draws ddisgynedig:

Aeth i'r *bédd* | a'th rybúddi*odd*.—T.A. § 144.
Mae o'n t*í*r | mwy antúri*wr*.—T.A. G. 253.

---

[1] Y mae'r un geiriau yn y rheol ynghylch dybryd sain yn J.D.R. 291, ond fel arfer nid yw J.D.R. yn ei deall, ac fe ry "neu" diystyr yn lle'r "ac." Yn yr un rheol yn S.R. 170 y mae'r "ac" yn gywir.

Newydd d'*áir* | yn nydd d'órẁ̃yr.—T.A.
Yn 'i sgrín | ysgyriónwn.—Gr.H. F.N. 164.
I un g*ŵr* | a iawn gérir.—S.V. C.C. 359.
A phur w*áed* | Griffri ýdẁ̃yd.—W. IL. 6 ; cf. 17, 21, etc.
Ys da 'ríóed, | ysdôr ýdẁ̃yd.—W.IL. 195 ; cf. 232.
Oll ger brón | Lloegr a'i brénin.—W.IL. 73.
Bwlch di ráid | balchder ýdẁ̃yd.—S.Ph. CY. ix 25.
O ran d*á* | ni'm gwrandéwi.—S.Ph. BR. iv 298.
Hael eríóed, | holi'r ýdẁ̃yd.—W.C. E.P. 205.

Nid yw hyn ond ychydig o'r degau o enghreifftiau a gesglais.
Yr hyn sy ddifai mewn croes sy ddifai mewn sain ; ond gan
mai ffurf brin yw'r sain anghytbwys ddisgynedig, § 292, ni
cheir ond ychydig enghreifftiau mewn sain o'r aceniad hwn.
Dyma ddwy o ddau baladr englyn, gorffwysfa'r gytseinedd
yn ffurfio rhagwant (ar y bumed) :

Y testun | yw hýn | lle'i hénwon.—T.A.
Wyd hwn | yn ddi dẁ́n | o waed únion.—W.IL. C.IL. 28.

Ond y mae digon o enghreifftiau mewn sain anghytbwys
ddyrchafedig, am fod hon yn ffurf gyffredin o sain, § 297.
Dyma rai :

Dy gyffion | béilchion | bob ún.—T.A.
Mae 'nwylo | heb déimlo | d*á*.—W.IL. 254.
Pob gŵr, pob bachgen | ll*á*wen | a llón.—W.IL. C.IL. 30.
Ymserthu, | brawýchu | bró.—S.Ph. E.P. 298.
O ŵr heb fod | hýnod | hýd.—W.C. E.P. 209.
Digon | oedd ddígon | i ddýn.—W.C. E.P. 248.

Y mae'r llinellau uchod, croes a sain (oddieithr rhai T.A.),
oll o gynganeddiad y prif awdurdodau yn y cyfnod y cyfrifid
" proest i'r odl " yn fai ; fe welir felly fod yr ymadrodd yn
rheol J.D.R. yn gywir, ac mai proestio " yn yr un acen "
yn unig a waherddir.[1] Hyd yn oed yn yr un acen y mae'n
amlwg yr ystyrrid bod cytsain ar ol yr orffwysfa yn achub
proest llafarog, fel hyn (cf. § 247) :

Deiliodd mẁ̃y n|o dolydd M*ái*.—W.IL. 90.

---

[1] Mewn sain, yn yr ail odl a'r brifodl yn unig y gwaherddir hyn ; gall
yr odl gyntaf broestio yn yr un acen â'r brifodl fel y gwelir mewn dwy o'r
enghreifftiau uchod.

450. Nid yw dwy sillaf fel *byd* a *bŵyd* yn proestio, am mai llafariad a deusain sydd ynddynt; ond y mae diwedd y llafariad yn un â lled-lafariad y ddeusain, nes bod yr effaith yn debyg i broest; fel hyn: *byyd* / *bwyd*. Am hynny fe waharddwyd y gyfatebiaeth hon hefyd yn yr orffwysfa a'r brifodl; ac am na ellid ei galw'n broest i'r odl, fe'i galwyd yn "ymsathr odlau." Enghreifftiau Simwnt (P.ɪʟ. xciii) yw—

> Y *gŵr* | o Gaerlleon G*áwr*.
> Y mab rhy h*ýdr* | ym mhob br*ŵydr*.

Nid oedd hyn chwaith yn fai mewn amryfal acen:

> Na newyn, | chwérwdd*yn*, | na ch*ŵyn*.—T.A. F. 27.
> Dysgu | pregéth*u*, | nid g*áu*.—W.C. E.P. 220.

Cyn amser T.A. nid oedd yn fai o gwbl; fe geir digon ohono dan yr un acen hefyd:

> Ag úd*waedd* | dan fron, ag ád*wedd*.—G.M.D. R.P. 1231.
> Beth yw i mî? | byth y M*ái*.—D.G. (87).
> Pob ll*ŵyn* | a fydd pebyll *ŷn*.—H.R. G. 167.

Nid yw priodoldeb yr enw "ymsathr odlau" am hyn yn amlwg iawn; bai arall, mi dybiaf, a elwid felly gyntaf, a phan ddyfeisiwyd y bai hwn, fe'i rhestrwyd gyda hwnnw, § 520.

451. Nid oedd yr un o'r rhai a honnai ddysgu cynghanedd yn y ganrif ddiwaethaf yn deall beth *oedd* proest;[1] ac ni thraethwyd mwy o ffolineb dinistriol â phendantrwydd anwybodaeth ar un pwnc nag ar broest i'r odl.

(1) Fe dybid mai cytseinedd oedd proest, a thrwy hynny fe gondemnid ugeiniau o gyfuniadau perffaith gywir; gweler § 447.

(2) Fe ddyfeisiwyd y trosedd newydd a elwir "hanner proest," sef gwahardd *-t/-d*, etc.; tebyg mai R.D. oedd awdur yr ynfydrwydd hwn, canys nid oedd gantho enw

---

[1] Mewn *un* yn unig o chwe enghraifft rheolau Richards, 77, o Broest i'r odl a Dybryd sain y mae proest; ac nid oes gymaint ag un ym mhum eng. Caledfryn, 152.

arno yn 1808.[1] Yn y diwedd yr oedd -*th*/-*dd* ac -*ll*/-*l* wedi
mynd yn droseddau! [2]

(3) Nid yn unig hynny, ond fe synhwyrid proest lle bai
dwy gytsain ar gyfair un, megis -*n*/-*rn* ; ffansïai E.F.
glywed proest yn re*d*/'r all*t* 491, a ryddi*d*/roddan*t* 499!
" A gais moch, gwich a glyw."

(4) Er bod y rheol yn glir yn S.R. (a'r ail arg. ohono,
1824), fe fynnid bod proestio sillafau anghytbwys yn fai,[3]
a thrwy hynny fe gondemnid llu mawr o linellau fel y rhai
a ddyfynnir o waith y beirdd awdurol yn § 449.

(5) Er bod y rheolau'n glir mai mewn " croes neu draws "
(S.R. 167) neu mewn " sain " (eto 170) y mae proestio â'r
odl yn feius, fe fynnid ei fod yn fai mewn llusg hefyd, ac
ar un trawiad dyna ddifreinio degau o linellau prydferth
a chywir fel—

> Nid oes falchder | yn f'eryr.— D.N. 72.
> Gydag ef | y cartrefaf.—L.G.C. 189.
> Cariad | a dyf fal hadyd.—W.IL. 33.
> Collais Elin | liw hinon.—Gr.O. 29.

(6) O ddiffyg ystyriaid, neu wybod, mai'r *brifodl* yw'r
" odl " na ddylid proestio'r orffwysfa â hi, fe dybid bod
proest yn waharddedig yn y gynghanedd bengoll a genir
mewn paladr englyn. Dyma ddwy enghraifft o'r bai
tybiedig, a W.IL. a'u cant :

> Gossawg Brycheiniawg, barch anian,—Arth*ur*,
> Nerth*wr* tlawd a thruan.—35 ; cf. 83.

> Gwelais feirdd digeirdd diogan,—a'n ll*es*
> Yn ll*ys* Dolwyddelan.—68 ; cf. 135.

Y mae hyn yn gyffredin iawn mewn hen englynion cyn ac

---

[1] Yn R.D. 1808, td. 154, " haner proest" oedd *fyw/fai*, ond "nid llai
na phroest" oedd *Lot/lwyd*. Yn Richards 77 (gan D.T. ?) "hanner
proest " oedd yr olaf. Yn R.D. 1818, td. 190, " proest hanerog " oedd y
ddau.

[2] Gweler *Yr Ysgol Farddol*, 76-7.

[3] Er eng. Taliesin ab Iolo, c.b.y.p. 1829 td. 175; Gwallter Mechain,
Gwaith ii 466, gwaelod.

wedi pasio deddf " proest i'r odl." Y mae Arth*ur*/nerth*wr* yn broest, bid siŵr; ond nid -*wr* yw'r " odl," namyn -*an*. Yn gyffelyb yn yr ail enghraifft : nid yw'r proest yn cyffwrdd â'r odl. Cynghanedd groes bengoll yw—

> A'n lles | yn llys Dolwyddelan,

ac nid yw'r orffwysfa'n proestio â'r brifodl ynddi mwy nag mewn croes ddisgynedig fel—

> Gwen dlo*s* | ag anadl i*s*el.—§ 242.

452. Nid yw'r holl waharddiadau hyn ond drychiolaethau disylwedd o greadigaeth dychymyg dynion oedd yn y tywyllwch. Y mae'r rheol wirioneddol yn seml ac eglur ; ac nid yw'r rheswm amdani'n anodd iawn ei ddirnad chwaith. Gwaherddid *odli*'r orffwysfa a'r brifodl, § 519. Hanner odl yw proest, ac nis gwaherddid ; ond mewn sain, lle bai dau air yn ymyl ei gilydd ar y diwedd yn proestio'n gytbwys, fel yn " arglwydd ár*ŵydd* í*răidd*," nid oedd modd peidio a sylwi ar y gyfatebiaeth fel peth o'r un natur â " gormodd odlau " ; a gwaharddwyd hi. Yna cymhwyswyd yr un egwyddor at groes a thraws. Ni thybiaf y dymunai neb ddirymu'r gwaharddiad hwn : nid oes gaethiwed afresymol yn rheol Tudur Aled. Ond gau dybiau oedd gwaharddiadau rhwystrus y ganrif o'r blaen ; ac yng ngoleuni'r hyn *yw* proest y maent yn diflannu fel bwganod yng ngoleuni dydd.

ACENIAD.

Aceniad Cynghanedd Gytsain.

453. Ni chaiff neb flas ar gynghanedd heb ddysgu adnabod cyfatebiaeth y ddwy brif acen yn yr orffwysfa a'r brifodl. Hyd oni ddêl yn ail natur iddo'i chanfod rhaid iddo ymarfer â chwilio amdani. Cael hyd i'r orffwysfa yw'r cam cyntaf, ac nid oes gan amlaf ddim sy haws. Wedi sicrhau, drwy

absenoldeb odl fewnol,[1] mai croes neu draws yw'r gyng-
hanedd, edrycher ar y gair olaf yn y llinell ; yna ceisier
yn ei chanol neu tua'r dechreu air o gyffelyb aceniad
a chytseinedd ; diwedd y gair hwnnw fydd yr orffwysfa.

454. Cymerer diweddiadau acennog i ddechreu ; dyma
dair enghraifft :

(1) Llunio cerdd uwchben llwyn cyll.[2]
(2) A lluniaidd wyd, llyna ddawn.[3]
(3) A fai les i fil o wŷr.[4]

(1) Yr ail brif acen yma yw *cýll* ; rhaid felly mai'r
gyntaf yw c**érdd**. Cyfrifer y cytseiniaid o'r dechreu i'r acen
hon, *ll, n, c* ; y mae'r rhain o flaen yr ail yn yr un drefn.
Felly traws gytbwys acennog yw hon :

*Llun*io c**é**rdd | uwchben (*ll*wyn *cý*ll.

(2) Yr ail brif acen yw **dd***áwn*. Nid oes dim a gyfetyb
i hon mewn aceniad a chytseinedd ond -**dd** *ẃyd* ; felly dyna'r
orffwysfa, a chroes gytbwys acennog yw hon :

A *ll*uniai**dd** ẃyd, | *ll*yna dd**á**wn.

(3) Yr ail brif acen yw *wŷr* ; yma rhaid gweithio'n ol i'r
gytsain sydd o'i blaen, fel hyn : -l *o wŷr*. Y brif acen
gyntaf felly yw l**és** ; a dyma eto groes gytbwys acennog
(anhydyn § 236) :

A *f*ai *l*és | i *f*il o wŷr.

455. Os diwedda'r llinell yn ddiacen, megis â gair fel
meddýliău neu *meddýliẅn*, y goben -**ddýl**- yw'r ail brif acen ;
a rhaid i'r gyntaf gynnwys yr (*dd* a'r) *l*, naill ai mewn
goben acennog, neu mewn gair acennog o un sillaf, *dd⌣l* ;
fel hyn :

A**m** dd**ó**l*ŭr* | fy (*meddý*l*iău*.[5]
A**m** a dd**é**l | y *meddý*l*iẅn*.[6]

---

[1] Fe all odl *ddamweiniol* fod mewn croes, fel nad yw odl yn braw sicr
bob amser.
[2] D.G. (54).   [3] Eto (39).   [4] T.A. F.N. 137.
[5] § 45.   [6] D.E. 8.

Felly, traws gytbwys ddiacen a chroes ddisgynedig yw'r rhain.

456. Y mae llawer gair cyfansawdd a mwy nag un ffordd o'i acennu, megis *di fái* a *dífai*. Os digwydd i'r cyfryw air gytseinio â diwedd y llinell, rhaid i'r aceniad gyfateb hefyd, megis :

> *Gŵr di fái* | o *grud* i *fédd*.[1]
> *Dífái* | gennyf 'i (*dýfiắd*.[2]

457. Felly, trwy gael hyd i'r gyfatebiaeth gytseiniol ac acennol sy rhyngthi â diwedd y llinell y mae penderfynu lle'r orffwysfa ; ac wedi penderfynu hynny y gwelir pa un ai croes, traws, ai croes o gyswllt fydd y gynghanedd. Os ceir bod yr ail gyfres o gytseiniaid cyfatebol yn dechreu yn neu cyn diwedd yr orffwysfa, croes o gyswllt fydd hi. Cymerer eto linell T.A., § 270 :

> Gosod y drwg is dy draed ;

y mae'n amlwg ar unwaith mai **drẃg** sy'n cyfateb i **dráed** ar y diwedd ; ond y mae'r ail gyfres o gytseiniaid yn dechreu â'r *g* yn *drwg*, ac felly dyma groes o gyswllt :

> *Gosod y drẃ(g* | *is dy dráed*.

Anfynych iawn y bydd amheuaeth ynghylch yr aceniad ; ond y mae hynny'n bosibl. Dyma enghraifft :

> Er na bai ŵr yn y byd.—D.E. 22.

Yr ail brif acen yw **bŷd**. Os cymerir **bái** i ateb iddi yn yr orffwysfa, dyna groes rywiog :

> *Er na bái* | *ŵr yn y bŷd*.

Ond gan nad yw dechreuad llafarog yn cyfrif os bydd cytsain o'i flaen § 346, fe ellir cymryd **bai ẃr** i gyfateb i **bŷd**, a dyna groes o gyswllt :

> *Er na bai ẃ(r* | *yn y bŷd*.

Tebyg mai fel croes rywiog y canodd D.E. hi, canys croes rywiog a ystyrrid yn oreu yn ei amser ef, § 277 ; ond pes

---

[1] W.IL. F. 33, § 405.   [2] H.C.IL. F. 16.

canesid gan fardd diweddar, fe ddisgwyliai i chwi ei chyfrif iddo'n groes o gyswllt. Ni all yr amwysedd ddigwydd ond lle bo dwy sillaf heb gytsain rhyngthynt, a'r acen yn bosibl ar y naill neu'r llall.

458. Y mae hyn oll yn syml ac elfennol iawn, yn ddiameu; ac nid yw ond ffordd arall o draethu egwyddor a eglurwyd yn llawn a manwl yn §§ 233-276. Ond yr oedd yn werth ei gosod allan yn y ffordd hon hefyd, canys *dyma'r pwnc pwysicaf mewn cynghanedd.* Ac er mor syml yw, ychydig iawn o sgrifenwyr llawysgrifau ac argraffwyr, a hyd yn oed o olygwyr hen farddoniaeth, sy'n ei ddeall. Fe welir ysywaeth ugeiniau o hen linellau wedi eu llurgunio a'u troi'n rhyddiaith gan gopïwyr a golygyddion trwy ddiffyg dirnadaeth o'r egwyddor seml hon. Cam-rennir geiriau cyfansawdd :

> Sion Rhylau synhwyrol oedd.—W.IL. 217.
> Roi tew gwys ar waed dugiaid.—W.IL. 40.
> Rhywiawg walch Urien Rheged.—D.G.G. 149,

yn lle—

> Siôn rhy lán, | synhwyrol óedd.
> Roi téwgŵys | ar waed dúgiáid.
> Rhywiáwgwǎlch | Urien Rhégěd.

Gwneir dau air yn un ac un yn ddau :

> Llawn athrist yw lluniaeth rhai.—D.G.G. 143.
> Dwrn y niwl darian Einion.—W.IL. 144,

yn lle—

> Llawn a thríst | yw lluniaeth rhái.
> Dwrn Ýniẅl, | darian Éiniŏn.[1]

Newidir geiriau gan ddinistrio'r gytseinedd :

> Wasgaru gwŷr Sgwier Llwyd.—W.IL. 60.
> Gan wynt aeth y gerdd yntau.—C. i 199,

---

[1] *Yniwl* oedd tad Enid :

> Dwylo cain lle nid êl cŵl,
> Deufraich Enid ferch *Yniẉl.*—I.D. 23.

Dyma waith copïwr anwybodus: "daufraech union ferch fanwl"! ib. ar waelod y ddalen. Gweler *cŵl/Yniẉl* hefyd yn L.G.C. 302.

yn lle—

> Wasgaru *ll*ú | Sgwïer *Ll*ẃyd.
> Ga*n* wýnt | aeth 'i gâ*n* ýntău.

Dyma waith copïwr anllythrennóg:

> Hyd elawr na deiladwn.—W.Ⅱ. 192.
> Deiladwn mewn lle dilyth.—W.Ⅱ. 192.

yn lle—

> Hyd élăwr | nag adéilẘn.
> Adéilẘn | mewn lle díl*ẏ*th.

A dyma gywiriad golygyddol diamcan:

> Ai wraig [o] rywiog wyneb.—W.Ⅱ. 66;

amlwg yw mai *wen* yw'r gair coll:

> A'i wraig *wén* | rywiog ẃynĕb.

Gellid llenwi tudalennau ag enghreifftiau fel hyn o gyng-aneddion wedi eu hanafu *in transit*; yn ffodus, er y difrod, fe genfydd y cyfarwydd fwriad y bardd gan amlaf yn eglur ddigon.

459. Mewn mesur rhydd fe roir sillaf ddiacen yn fynych lle mae acen yn y mydr, ac fe'i gwneir o fwriad i osgoi undonedd, § 224; ond ym mhrif acenion y gynghanedd rhaid cael geiriau y *gellir*, beth bynnag, eu hacennu. Ni rydd neb air diacen i wasanaethu fel prif acen yn niwedd y llinell[1]; ond fe wneir hynny weithiau, yr un mor amhriodol, yn yr orffwysfa.

460. Ni ddylai fod gogwyddair[2] yn yr orffwysfa. Gogwyddair yw gair gwan, sef gair heb acen ei hun, ond yn gogwyddo at air arall, a hwnnw'n cynnal yr acen. Y gogwyddeiriau Cymraeg yw (1) o flaen enw: y fannod *y, yr,*

---

[1] Wedi sgrifennu'r gair mi welaf fod yn rhaid cymryd *neb* fel ychydig bach o ormodiaith, § 82; fe all un fel Tudno roi gair fel yr arddodiad *i* i orffen llinell: "Yma drachéfn | mae drych *i*.—*Telyn Tudno* 131. Ac fe allai Hwfa Môn roi'r rhagenw *a*: "Ingoedd érch y llengoedd *â* | Yfant o lid Iehofa."—*Gwaith*, 1883, td. 55.

[2] *Proclitic* neu *enclitic*: gellir eu gwahaniaethu trwy alw'r naill yn "ogwyddair blaen," a'r llall yn "ogwyddair ôl." Nid oes eisiau ystyriaid ond y cyntaf yma.

a'r rhagenwau *fy, dy, i, ўn, ўch, eu* (camlythreniad W.S. o *i,
ўn, ўch* yw *ei, ein, eich*). Ni ellir acennu'r un o'r rhain.
Nid rhaid gwastraffu papur i ddangos gwrthuni aceniad
fel hwn gan D.W. 183 :

> Gau oedd *ýr* | egwyddórion.

(2) O flaen berfau : y rhagenwau perthynol *a, y, yr, ydd*.
Er y gellir weithiau acennu'r rhain,[1] ni rydd yr hen feirdd
monynt yn yr orffwysfa ; eithriad anhapus yw—

> Ag arian *á'*i | gyr yn wír. —I.F. F. 42.

(3) Cysyllteiriau fel *a, neu, na,* etc. ; *yn* o flaen ansoddair,
etc. Er y gellir acennu'r rhain i bwrpas neilltuol, nid ydynt
addas i'w rhoi yn yr orffwysfa, yn enwedig pan na bo rhith
o esgus dros y pwyslais, fel yn—

> Mwynaf ddi(m *á* | nefoedd míl.[2]
> Ar ei fedd *ýn* | araf, ddw̃r.[3]

461. Y mae i arddodiad yn gyffredin ei acen ei hun, ac
er ei bod yn wannach fel rheol nag acen yr enw ar ei ol, eto
nid edrychid arno fel gogwyddair gan yr hen gywyddwyr.
Fe'i ceir yn yr orffwysfa weithiau lle mae'n awr yn hollol
ddiacen, megis—

> Hawdd *gán* | borthmon (haidd ag ýd.[4]
> I'w gofyn *rhág* | ofn y rháin.[5]

Nid llawn mor chwithig yw—

> Cael iechyd *ýn* | y clych dw̃r.[6]
> Ef âi wan *drós* | afon dráw.[7]
> A hiroes *î'*r | rhai y sýdd.[8]

Ond rhyw lusgo'r gynghanedd er ei gwaethaf sydd i'w
glywed yn y rhain hefyd. Er bod yr acen ar yr arddodiad

---

[1] Megis mewn cyferbyniad â'r negydd : "dyn *a* welais, nid dyn *ni*
welais."
[2] *Telyn Tudno* 246 ; "mwynaf *d*im" mewn gwell Cymraeg.
[3] Eto 250 ; tebyg na feddyliodd neb arall am y fath aceniad â hwn : "A
managió | *r*um na *g*ín," ! 244.
[4] L.G.C. 389.   [5] I.D. 23.   [6] T.A. F.N. 143.   [7] T.A.
[8] W.Ll. G. 290.

yn oddefol, ni bydd yn foddhaol heb fod ystyr i'r pwyslais.
Yn llinell olaf englyn R.G.D. § 106, y mae goslef cwyn
anobaith i'w glywed yn y pwys sydd ar yr *heb* :

> A chwilio *héb* | ei chael hí.

462. Y mae acen gref ar yr arddodiad, a'r enw ar ei ol
yn colli ei acen, mewn ymadroddion fel *ól ýn-ol, ben drá-phen, law ýn-llaw*, etc. ; er eng. :

> Law *ýn*-llăw | a'th (lawénllŏer.[1]
> Dâl *ýn*-năl | rhwng (dwy lánnĕrch.[2]
> Ael *ýn*-ăel | â'i elýniŏn.[3]

Ac mewn sain :

> O lwyn | *í*-lw̆yn | aniálw̆ch.[4]

463. Y mae gan flaenddod acen annibynnol weithiau,
a gall ymddangos yn yr orffwysfa, yn enwedig y negyddion
an-, di-, ond hefyd *cyd-, gor-, gwrth-, rhy-, tra-* ; er eng. :

> Nag *án* f|onheddi(g ýnfy̆d.[5]
> Yn *gy̆d* | wynion eu gádŭ.[6]

Yng ngorffwysfa cytseinedd sain :

> Dwy Faelor | o'i ór | w̆yriŏn.[7]

Y mae'n ddigon priodol hefyd roi acen yr orffwysfa ar elfen
gyntaf aml enw cyfansawdd, megis—

> Fry i *Lán* | Ymddyfri lýs.[8]

Ond gwrthuni perffaith yw trychu gair rhwng ei wraidd
a'i frigau, fel yn—

> Y maes grým- | -ùsa' o Gréd.[9]

464. Mewn llinell fer o gynghanedd groes neu draws,
sef llinell o 4, 5 neu 6 sillaf, nid oes ond dau guriad, sef un
ar bob un o'r ddwy brif acen ; ond mewn llinell o 7 sillaf
neu fwy y mae o leiaf dri, ac yn aml bedwar, ac felly
heblaw'r ddwy brif acen y mae un neu ddwy eraill ysgafn-

---

[1] T.A. [2] D.N. 79. [3] Eto 61.
[4] D.G. (63) ; ac mewn sain bengoll : "O don | *í*-dŏn | édn [sugndraeth," (97). [5] IL.G. G.G. iii 7. [6] G.Gr. D.G.G. 148.
[7] L.G.C. 457. [8] Eto 160. [9] Eto 16.

ach. Gan fod yr acen ysgafnach yn dyfod o flaen y brif acen yn un o ddau hanner y llinell, fe ellir ei galw'n " rhag-acen." Dynodir hi isod â'r nod ` uwchben y llafariad.

Gan na all y ddwy brif acen gynnal ond dau guriad boed y llinell yr hyd y bo, rhaid cael rhag-acenion ar gyfair y curiadau eraill ; a rhaid gosod yr holl acenion heb droseddu rheol gyffredinol gosodiad, sef—

¶ Ni ddylai fod mwy na dwy sillaf ddiacen, neu wan, gyda'i gilydd yn unman, oddieithr yn unig lle bo un o flaen gorffwysfa neu raniad llinell, a dwy ar ei hol.

465. Mewn croes neu draws o 7 sillaf y mae rhag-acen bob amser (gyda'r eithriadau a nodir yn § 468) rhwng yr orffwysfa a'r brifodl, sef o flaen yr ail brif acen ; galwer hon yr " ail rag-acen ". Fel hyn :

> Dy gréfydd, | dèg oréuferch,
> Y sýdd | wrthẁyneb (i sérch.[1]
> Y férch | a wnaeth gwàyw dan (f'áis
> A gáraf | àg (a gérais.[2]

Mewn traws fe ddigwydd y rhag-acen yn gyffredin, ond nid o angenrheidrwydd, yn y darn y trosir drosto, fel y gwelir yn yr enghreifftiau hyn. Mewn traws fantach a'r orffwysfa ar y gyntaf rhaid i'r rhag-acen fod ar y bedwaredd, fel yn—

> Drúd | yr adwàenwn dy (dró,[3]

onide fe ddaw tair sillaf wan ynghyd ar ol yr orffwysfa.

466. Rhaid i'r rhag-acen fod yn ddarostyngedig i'r brif acen, a chan ei hysgafned, hi all fod ar ogwyddair, § 460, megis yr *àg* 'and' uchod ; ond fel yn yr enghraifft hon rhaid bod sillaf hollol ddiacen rhyngthi a'r brif acen bob amser ; dyma enghreifftiau eraill :

> Ystýrmant | *ỳr* (ystórmoedd.[4]
> Fonhéddig | *fỳ* (nyhúddo.[5]

---

[1] D.G. (10).   [2] Eto (36).
[3] § 257, lle gellir gweled enghreifftiau eraill.   [4] M.R. F.N. 60.
[5] D.E. 37.

Cyfrẃystra | ǎ'i cyfréstriodd.[1]
Cymhésur | ẏ cymhẃysai.[1]

Dan yr un amod hi all ddisgyn ar sillaf gyntaf gair hir,
megis—

'I ddẃywawl | ǎrglwyddíaeth.[2]

Y mae'r aceniad ysgafn hwn yn codi o duedd naturiol yr
iaith i roi acen eilradd ar sillaf wan rhwng dwy eraill, ac ar
flaensillaf o flaen sillaf wan. Ond os blaenddod ag acen
annibynnol, § 463, fydd y sillaf, gall ddyfod yn nesaf i'r
brif acen :

Eféngyl | yn ddǐ fýngus.[3]

467. Yn aml iawn fe geir rhag-acen o flaen yr orffwysfa
hefyd ; hon yw'r " rhag-acen gyntaf." Bydd felly bedair
acen yn y llinell ; fel hyn :

Dẏwed áir | wèdi d'órwedd,
Yr ẏdwyf í | àr dy fédd.[4]

Dùw a líwodd, | dàl éwyn,
Dy wàllt áur | i dẃyllo dýn.[5]

Fel o'r blaen, gall yr ail rag-acen fod ar ogwyddair neu sillaf
gyntaf gair hir :

Èrchi ým | à gorchýmyn.[6]
Dẁys iáwn | yw dẏ wasánaeth.[7]
Màe'n 'i hárch | ǎ'm hanérchai.[8]
Mìl fáwr | yn ẏmleférydd.[9]
Òed i'r gwr hẃn | drùgarháu.[10]

Gellir cyfrif y fath air neu sillaf yn rhag-acen gyntaf os
bydd sillaf ddiacen rhyngthi a'r brif acen, fel hyn—

Ẏ gorffénno | gàu'r ffýnnon ;[11]

ond nid pan ddêl yn nesaf at y brif acen : tair acen ac nid
pedair sydd mewn llinell fel—

A chéraint | à chwiórydd.[12]

[1] D.E. 11.
[2] Gu.O. G. 199.
[3] D.G. (62).
[4] W.Ll. 233.
[5] D.G. (39).
[6] D.G. (59).
[7] Eto (44).
[8] T.A. F.N. 154.
[9] D.G. (83).
[10] § 235.
[11] T.A. F.N. 145.
[12] W.Ll. 82.

Tair acen oedd yn wreiddiol mewn llinell o 7 sillaf; gweler § 472 (3).

468. Mewn croes (ac ar antur draws) gytbwys ddiacen lle bo rhag-acen gyntaf, fe all sillaf ddiacen sefyll yn lle'r ail rag-acen, fel hyn :

> Ag àur éos | gărúaidd.[1]
> Èos géfnllwyd | y̆sgáfnllef.[2]
> Mìl o wínwydd | mĕlýnion.[3]

Rhaid cael *sillaf*, er iddi fod yn wan, i gynrychioli'r ail rag-acen—gall y datgeiniad roi "acen retoregol," neu acen y miwsig arni, os myn. Am hynny, mewn croes neu draws gytbwys ddiacen o'r hyd hwn ni oddefir i'r orffwysfa fod yn nes i'r diwedd na'r *bedwaredd* sillaf o'r dechreu.

469. Peth arall a ddinistria rythm croes neu draws yw dodi tair acen olaf y gynghanedd yn nesaf i'w gilydd, fel hyn :

> A dy̆wyn i bób | dy̆n býw.—D.W. 181.

Am hynny mewn croes neu draws gytbwys acennog hefyd, o 7 sillaf, ni oddefir i'r orffwysfa fod yn nes i'r diwedd na'r *bedwaredd* sillaf. Ni cheir byth linell gloff fel yr uchod yng ngwaith y beirdd awdurol, oddieithr unwaith mewn deng milwaith, pan dwyller clust y bardd gan ddwy sillaf drom iawn ar y diwedd, megis—

> Mae stìwart yr Hólt | mèistr trául.[4]

470. Mewn cynghanedd ddisgynedig fe ddigwydd y tair acen ynghyd os bydd yr orffwysfa ar y bedwaredd. Enghraifft Simwnt[5] o'r camaceniad hwnnw yw—

> Y gẁr a bríg | àr brégeth.

Yn y ffurf hon ni all sillaf wan gynrychioli'r ail rag-acen— ni ellir rhoi cymaint ag acen retoregol (neu ddychmygol) ar sillaf ddiacen rhwng dwy acennog. Er enghraifft, mewn llinell fel—

> Am hàllta' iáith | melltíthion,[6]

[1] § 239.   [2] D.G. (40).   [3] D.N. 83.   [4] W.LL. 87.
[5] P.LL. xcviii.   [6] *Telyn Tudno* 178.

ni all *mell-* gymaint â *chynrychioli* rhag-acen.   Am hynny
mewn croes neu draws ddisgynedig o 7 sillaf gwaherddir
i'r orffwysfa fod yn nes i'r diwedd na'r *drydedd* sillaf.

471. Gwelir nad mympwy yw rheol gosodiad yr orffwysfa,
ond bod rhesymau mydryddol pwysig drosti.   Oherwydd
ei phwysigrwydd y mae'n werth ei hail-adrodd yn gryno:

¶ Mewn llinell o 7 sillaf ni ddylai'r orffwysfa fod yn
nes i'r diwedd na'r *bedwaredd* mewn croes neu draws gyt-
bwys, ac na'r *drydedd* mewn croes neu draws ddisgynedig.

Rheol seml iawn ydyw, ac os gofelir am ei chadw, fe
ofala'r rhag-acenion bron amdanynt eu hunain.   Torrir
hi'n fynych gan rai o'r beirdd diweddar, nid yn unig yn eu
gorymgais am groes o gyswllt, § 278, ond wrth lunio croes
gyffredin hefyd.[1] "Camosodiad mewn gorffwysfa" y geilw
Simwnt[2] y bai hwn.

472. (1) Oherwydd ffyniant y cywydd y mae mwy
lawer gwaith drosodd o linellau o 7 sillaf nag o'r holl
hydau eraill gyda'i gilydd.   Ychydig mewn cymhariaeth
sydd o linellau 8 sillaf.   Y mae'r hyd yn digwydd mewn
amryw fesurau, ac y mae iddo bedwar curiad yn gyffredin
mewn cynghanedd.   Mewn tawddgyrch cadwynog o'r dull
diweddar rhaid iddo fod bob amser ar groes gytbwys a'r
orffwysfa ar y bedwaredd, ac felly y tueddir i'w ganu hyd
yn oed lle ni bo rhaid, megis mewn byr a thoddaid:

> Wèdi Ífor | ỳ daeth Dáfydd,
> Dà oedd Ífor, | dà oedd Ddáfydd.[3]

Lle bo pedair acen ni ddylai'r brif acen gyntaf fod yn nes
i'r dechreu na'r drydedd sillaf; lle bo ar yr ail, bydd dwy
rag-acen yn y canol, fel hyn:

> Nid ófna | èf bèdwar (défnydd.[4]
> E wlých | y tàn gànol (échwydd.[5]

---

[1] Megis llinell Tudno uchod, a llawer eraill o'i waith, fel hon: "Yn
mwynhàu bír | mèwn báril," 246, pedair acen ynghyd!   [2] P.IL. xcviii.
[3] L.G.C. 325; yr un gair yn y brifodl lawer gwaith, § 524 (2).
[4] Eto 324.   [5] Eto 325.

Trwsgl yw hyn ; i gael pedwar curiad yn ddigloff rhaid i'r ddau gyntaf fod o flaen yr orffwysfa. Felly fe ddylai gorffwysfa ddiacen fod ar y bedwaredd ; a gall fod ar y bumed os bydd sillaf acennog ar ei hol. Mewn croes gytbwys acennog gall fod yn rhywle o'r drydedd i'r bumed, ac mewn croes ddisgynedig ar y drydedd neu'r bedwaredd. Gan amlaf ar y bedwaredd y ceir hi ym mhob ffurf, ac y mae llawer o benillion cyhydedd fer cyn llithriced a phenillion rhyddion.

(2) O flaen gair cyrch, tri churiad sydd mewn cynghanedd o 8 sillaf ; *un* rhag-acen a fydd ynddi felly, ac yn ol yr hen reolau fe ddylai'r gair a'i cynhalio ddiweddu ar y bumed, § 479.

(3) Yn awdlau'r gogynfeirdd a chynt, tri churiad sydd mewn llinellau 8, a diau mai hynny oedd y mydriad gwreiddiol. O air diacen ar ddechreu'r llinell y tarddodd y "rhag-acen *gyntaf*" mewn llinell o 7 neu 8 ; gweler § 561, Nodiad.

473. Mewn llinell o 9 sillaf y mae pedwar curiad yn wastad. Yn yr awdlau hynaf rhennir y llinell bob amser yn ddwy ran o 5 a 4, a dau guriad ym mhob rhan. Os croes a genir arni, yn y rhaniad, sef ar y bumed, y bydd yr orffwysfa esmwythaf ; ac fe'i ceir felly weithiau yn yr awdlau caeth hen, megis :

> 'I glòywdwf éuraid | à glodfórir.[1]
> A chỳrdd adéiniawg | a chèrdd dánneu.[2]

Ond yn amlach na hyn traws a genid, a'r orffwysfa ar y drydedd neu'r bedwaredd ; ac yna yr oedd yn rhaid cael rhag-acen yn y gair traws ar y bumed, ac un arall ar ei hol, fel hyn (dengys * raniad y llinell) :

> Trafáelawdd | fy mrỳd * (trẁy ofáleu.[3]
> Och ỳngod | a wnàeth * àn(wych ángeu.[3]
> A chyféddach | bèirdd * (òch o'i fáddeu.[2]

---

[1] G.M.D. R.P. 1321.　　　[2] Eto 1204.　　　[3] Eto 1205.

Yn y ddwy olaf y mae'r bumed yn odli â gair cyrch o'i blaen, fel nad oes amheuaeth am yr aceniad. Y mae llawer o linellau o'r aceniad hwn yn ddigon afrwydd; ond ni roid yr orffwysfa ar yr *ail*, fel y gwneid weithiau'n ddiweddarach. Ni weddai fod traws gyferbyn (§ 259) mewn llinell o 9 fel a geir yn aml gan L.G.C., megis—

> Érchais | fod dy dàd * yn àur d(órchog,
> Árwydd | y bỳddi * dìthau'n (éurog.—53.

Y mae'r bwlch mawr, a'r ddau guriad[1] ynddo, rhwng rhannau'r tipyn cytseinedd yn tywyllu'r gyfatebiaeth yn lân. Gwaeth fyth, od oes modd, yw traws fantach (§ 257), neu draws drwsgl fantach (§ 264), fel hon:

> Ág | o Wlàdus Ddù, un o (égin.—62.

Ni fuasai neb ond Lewis yn cynnig peth mor egwan dan enw o gynghanedd.

474. Yn ail linell toddaid y mae'r mesur yn *gofyn* rhaniad ar ol y bumed; ac yma, ar y bumed y rhydd beirdd y bymthegfed ganrif yr orffwysfa'n wastad,[2] i ochel afrwydd-deb rhag-acen ar y bumed, a chyfatebiaeth y curiad cyntaf a'r pedwerydd. Ond heblaw mewn toddaid, ar y bumed y gesyd y beirdd goreu hi'n bur gyson, pa un bynnag ai disgynedig ai dyrchafedig fo'r brifodl:

> I wàn y córdud | roi (nàw cárdod,
> I ẁrda gwárnoeth | ỳ rhoud gérnod.[3]

> Ni bu èisiau áwr | ar (nèb y sýdd,
> Ni bu ỳma 'ríóed | neb mẁy a rýdd.[4]

Yr unig ryddid a gymerir (ond nid mewn ail linell toddaid) yw ei rhoi weithiau ar y bedwaredd, yn enwedig o bydd

---

[1] Rhaid cyfrif dau, rhag bod gormod o sillafau gweinion ynghyd; darllener yr ail linell heb ond tair acen " árwydd y byddi dìthau'n éurog," a gwelir mai rhyddiaith ydyw.

[2] Prin y mae'n rhaid eithrio L.G.C.; camddarlleniad yw "Aur yw ei gledd | a'i ddager a'i glog" 48; yn llaw'r bardd ei hun ceir "Ac aur yw i gleδ | ai δagr ai gloc," R.P. 1409; ac efallai mai gwaith copïwyr yw'r bai mewn un neu ddwy eraill hefyd.

[3] D.N. 8.

[4] T.A.

acennog; ond o'i blaen y rhoir y rhag-acen gyntaf, nid ar ei hol ar y bumed, fel gan feirdd y ganrif gynt:

> Na chàrw o'r ýd | neu iẁr(ch o redyn.[1]
> Na hàul na llóer | na hèli na llýn.[1]

Ni roid mo'r orffwysfa byth ar y chweched. Heb fanylu ar yr aceniad, y mae'n amlwg i bawb mai anghyfartal yw dau "hanner" o 6 a 3.

475. Felly, mewn llinell o naw, priod le'r orffwysfa yw'r bumed, a goddefiad yw iddi fod ar y bedwaredd. Hen ffurf y llinell oedd dau hanner-llinell o 5 : 4, a goreu po leiaf y gwyrir oddiwrth yr hen fydriad hwn.

476. Naw sillaf oedd hyd rheolaidd llinell o bedwar curiad, ac yn yr hen amser nid oedd deg yn gyhydedd annibynnol oddieithr yn unig mewn llinell a gair cyrch ynddi, neu linell o ddau hanner, 5 : 5, fel mewn traeanog § 535 (5), neu gyhydedd hir § 536 (2). Ond ymhlith llinellau 9 y Cynfeirdd a'r Gogynfeirdd y mae cryn nifer o linellau 10, ac y mae'n amlwg bod ambell linell hir yn oddefol. Fe all y sillaf ychwanegol ddyfod yn y rhan gyntaf neu'r ail, ac felly yn lle 5 : 4 fe geir 6 : 4 neu 5 : 5 ; a'r rhaniad olaf yw'r goreu. Yn gynnar yn y bedwaredd ganrif ar ddeg fe wnaeth Einion Offeiriad y gyhydedd ddeg yn rheolaidd drwy ei rhoi ym mhob llinell o wawdodyn hir a'i alw'n fesur newydd dan yr enw "hir-a-thoddaid", § 567.

477. Gan mai yn y bumed neu'r chweched y mae rhaniad cynhenid a naturiol llinell o ddeg, ar un o'r ddwy hyn y gweddai i'r orffwysfa fod, ac o'r ddwy ar y bumed y bydd oreu: gweler enghreifftiau yn §§ 567, 578 (2). Os rhoir hi ar y bedwaredd, odid na bydd tair sillaf ddiacen gyda'i gilydd ar ei hol, ac y mae hynny'n gloffni i'w osgoi, § 464.

478. Deg sillaf sy mewn llinell a gair cyrch ynddi ; ac

---

[1] D.N. 5.

er y ceir ambell linell hir o 11 neu fer o 9 mewn hen
englynion, ni oddefir hyn yn y mesurau caethion. Rhennir
y llinell o ddeg yn ddau hanner ar y bumed; gelwir y
rhaniad hwnnw yn "rhagwant". Rhaid i'r ail curiad
ddyfod yng ngair y rhagwant, y trydydd yng ngair y
brifodl, neu'r " gwant ", a'r pedwerydd yn y gair cyrch, sef
o flaen yr " adwant ", § 535 (6). Yr un rheolau sy mewn
grym pa un bynnag ai mewn toddaid byr o 16 ai mewn
toddaid hir o 19 neu 20 y bo'r llinell.

479. Felly, tri churiad sydd yn y gynghanedd o flaen y
gair cyrch pa un bynnag ai 7, 8, ai 9 sillaf fo. Aceniad yn
gweddu i gynghanedd sain yw hwn, ac odid nad hi a gyfrifid
yn addasaf yma, canys ychydig iawn o ddim arall a geir
hyd yn oed yng ngwaith croes-addolwr fel T.A. Os
cynghanedd gytsain a ddefnyddid, yr oedd yn rhaid iddi
fod yn un ag *un* rag-acen ynddi, § 465, a honno ar air y
rhagwant. Anfynych dros ben y ceir croes, fel yr enghraifft
gyntaf isod; traws fydd y gynghanedd bron bob amser, a'r
rhag-acen yn y rhan draws fel y gwelir. Yn yr enghreifftiau
dengys * y rhagwant, a'r — y gwant. (1) Gair cyrch o dair
sillaf:

> Da génnym | i'w dèg * ýnys — draw rédeg.[1]
> Dílyn | llin Èutun * (déiliog — hyd Bówys.[2]
> Tád, | brodyr, nèiaint, * plan(t áeth, — a chéraint.[3]

(2) Gair cyrch o ddwy sillaf:

> Eddéwid | a gàiff * ar (ddáear — a mór.[4]
> Árglwydd | Sain Bèned * a (érglyw — wéiniaid.[5]
> Dẃyfil | sy'n dỳfo(d * i'w ófyn — béunydd.[6]
> O wlád | Brychèiniawg * (i Lẃydiarth — ym Món.[7]
> A thráed | y sèthrir * wr(th ródio — lýsau.[8]
> Llýsau | a sèthrir * nis (llýsid — y rháin.[8]
> Di-bléser | ỳdyw * (dy blásau — córniog.[9]
> Lle bu rá | a gwỳrdd * (lle bu rúdd — a glás.[10]

---

[1] G.Gl. J.D.R. 163-4.   [2] W.IL. 140.   [3] T.A. c. i 339.
[4] D.N. 37.   [5] P.IL. lxvii.   [6] H.S. 11.   [7] W.IL. 36.
[8] Eto 100.   [9] S.T. GR. 360.   [10] G.M.D. R.P. 1319.

(3) Gair cyrch o un sillaf :

Nid digérydd | Dùw, * (neud digárad — cérdd.[1]
Gwenhẁyfar ! ferch Rhỳs, * (gynhaeáfwin — gwýn.[2]
Pam y cýfarth | cì, * (pam y cýfedd — dýn ? [3]
Sóniwn | amdànat, * Polic(séna — áil.[4]
Éinion | ap Gwàlchmai * fu a'i (ánnedd — gýnt.[5]
Pand árfog | ỳdwyf, * (pwy'n y dýrfa — wéll ? [6]

Diacen, fel y gwelir, yw diwedd y gynghanedd bron bob amser. Os 9 sillaf fydd ei hyd, *rhaid* iddi derfynu felly, onide fe fydd tair sillaf wan ynghyd rhwng y rhagwant a'r brifodl neu'r gwant. Hyd yn oed â diwedd diacen, os terfyna'r rhagwant yn ddiacen hefyd, fe fydd tair sillaf wan ynghyd yn y canol, fel y gwelir yn y tair enghraifft olaf, ond nid yw hynny fai o boptu'r rhaniad, § 464.

480. O dan yr enghraifft gyntaf uchod yn J.D.R. 164 y mae'r sylw bod englyn yn dechreu â chroes yn " beth sydd ddieithr i'w glywed." Dieithrach fyth oedd i orffwysfa'r groes fod yn y rhagwant, a'r unig rag-acen o'i blaen, fel yn § 468, er bod aceniad y mesur yn gywir felly. Ond mewn englynion diweddar y mae pob aceniad a rhaniad i'w gael, ac ni ofelir dim am rag-acen na rhagwant mewn cynghanedd gytsain, gweler isod § 545, Nodiad 1.

481. Mewn toddaid byr y mae'r gair cyrch gan amlaf yn cytseinio â darn cyntaf yr ail linell—mewn geiriau eraill y mae'r gair cyrch a'r ail linell ynghyd yn ffurfio croes neu draws bengoll, § 336. Yn yr ail linell o chwe sillaf y mae *dau* guriad : y cyntaf yw ail brif acen y gynghanedd ; yr ail yw acen gair olaf y llinell. Cymerer yn enghreifftiau rai o'r geiriau cyrch yn § 479 a'r llinellau sy'n eu dilyn :

— *draw rédeg* || *dr*wy or*éu*d*i*r * Pówys. 1.
— *a chéraint,* || *chwiórydd* * mewn híraeth. 2.
— *béunydd,* || *bónedd* * sy'n 'i gánlyn. 3.

[1] A 1131. [2] T.A. [3] J.D.R 160.
[4] Gu.O. G. 189. [5] H.D. G.G. ii 95. [6] H.S. 12.

—ym *Môn* || a *mýn*wes * Dehéubarth.   4.
— *lýs*au || oedd *lés*iant * i'w téimlo.   5.
— a *glás,* || neud *glóes* * angau gýstudd.   6.
— *dýn* || gwedi *dẃyn* * 'i fáwredd.   7.
— *gýnt* || yn *gýnt*af * yng Ngẃynedd.   8.

Y mae rhaniad ar ol y cyntaf o'r ddau guriad ; dangosir ef
â * uchod. Bydd yn gyfleus cael enw arno ; galwer ef yn
" orwant."

482. (1) Fel y gwelir yn eng. 1, fe all y gorwant
ddyfod ar ol y bedwaredd sillaf os diwedd diacen fydd ;
dyma enghreifftiau eraill :

—*tra*ul *ófer* || nid *trw*y *láfur* * býchan.[1]
— *Béd*a || aml wy*bód*us * géudawd.[2]
— o *Fôn* || hyd ar *Fýn*ydd * Mýnnau.[3]
— *Cón*wy, || lle mae *cýnn*es * fáenor.[4]

Y mae tair sillaf wan yn dyfod ynghyd gan amlaf o gylch
diwedd y cyrch, fel y gwelir ; ond yn y fan hon nid yw fai,
gweler § 464. Eithr ni ellir rhoi'r gorwant ar bedwaredd
acennog heb i dair sillaf wan ddyfod o'i blaen yn yr un
rhan o'r llinell, ac y mae llinell fel a ganlyn yn anghywir,
fel y dywaid clust pawb wrtho ei bod yn gloff :

—*El*in *fách* || i *l*u *nef* wén * ýna.[5]

(2) Yn y drydedd sillaf y bydd y gorwant oreu, ac yno
y ceir ef amlaf o lawer, naill ai'n ddiacen fel yn 2, 4, 5, 8
uchod, ai'n acennog fel yn 7, ac yn—

— a *dróes* || i *d*ai *Rýs* * yn llúoedd.[6]
— *máẃr* || ar draws *mốr* * y Déau.[7]

Nid oes gloffni pan fo ar y drydedd.

(3) Fe'i ceir ar yr ail hefyd, yn acennog fel yn 6 uchod,
ac yn—

— *hóyw* || er *hó*en * blodau sírian.[8]
— a *róis* || i *Rýs* * yn y Týwyn.[9]
— na *gláif* || neu *glédd* * nag ysgĩen ; [10]

---

[1] H.E. M.A. 339.   [2] Ca. M.A. 284.   [3] D.N. 37.
[4] W.IL. 101.   [5] T.M. 197.   [6] D.N. 3.   [7] Eto 4.
[8] H.E. M.A. 339.   [9] D.N. 4.   [10] Eto 47.

neu'n ddiacen fel yn 3 uchod, ac yn—

— a'i *cýnn*wys, ‖ *cánn*wyll * gwlad a górsedd.[1]
— wéi*n*iaid, ‖ á*n*awdd * cael 'i gýfryw.[2]
— *tém*l ‖ *T*ómas * a'i etífedd.[3]
— á*il*, ‖ Élen, * Diadéma.[4]

Yma y mae tair sillaf wan ynghyd, ond yn ddifai am fod un o'r tair o flaen y gorwant.

(4) Ni all y gorwant fod ar y gyntaf heb i dair sillaf wan ddyfod ar ei ol, ac y mae hynny'n feius, § 464. Pan fo'r cyrch yn cyfateb i air unsillafog ar ddechreu'r ail linell mewn hen englynion, y mae'r gyfatebiaeth i'w chymryd fel un ragflaenol, § 222. Fe geir cyfatebiaeth ragflaenol yn amlwg yn sillaf gyntaf gair hir, megis—

— *llá*i ‖ *llyw*ódraeth * y póbloedd.[5]
— ym *médd*, ‖ *madd*éueint * anhýfryd ;[6]

ac y mae'r un mor amlwg mai â'r un aceniad y mae darllain y llinellau a ganlyn :

— *há*el ‖ *h*il Ówain * neu Fédwyr.[7]
— *glŵ*ys, ‖ *gl*oes álar * oféileint.[8]
— *ý*m ‖ a*m* nas cáf * yn bríawd.[9]
— *gw*án, ‖ *gwy*n 'i fýd * a'i crógai.[10]
— *pl*á ‖ *pl*ant Áddaf * gryniédig.[11]
— eu *bó*d ; ‖ *b*id i Rýs * Amhrédudd.[12]
— *pl*áid ‖ *pl*ant Ednýfed * Fýchan.[12]

Fe roes W.Ỻ. y gorwant ar y gyntaf unwaith neu ddwy :

— *má*wr, ‖ *mŵ*y * fydd trais a gófal.—108.
— ym mho*b bá*n, ‖ *pé*n * ar waed Celýnin.—135.

Efallai fod y bardd yn synio bod y pwys mawr a deflir mor effeithiol ar *mwy* a *pen* wrth dorri'r rheol yn cyfiawnhau'r peth.[14] Mewn enghreifftiau diweddar o'r camosodiad nid oes ond cloffni diesgus.

---

[1] G.M.D. M.A. 303.   [2] P.ỻ. lxvii.   [3] D.N. 23.
[4] Gu.O. G. 189, cf. R.M. 297.   [5] D.G. 460.
[6] E.S. M.A. 245 ; *maddeueint* = 'ysgariad', gweler gwaelod td. 169.
[7] G.M.D. M.A. 296.   [8] Eto 304.   [9] Eto 310.   [10] D.G. 453.
[11] H.Y. M.A. 343.   [12] D.N. 4.   [13] L.G.C. 165.
[14] Bu ef, neu rywun arall, yn cywiro'r ail drwy newid y cyrch i "pan

483. Yn yr holl enghreifftiau uchod y mae'r llinell yn diweddu'n ddiacen, ond hi all ddiweddu'n acennog.   Ar ol gorwant ar y bedwaredd :

> — a*r* 'i *gýrch* ‖ am au*r*, *górcha*w * y búdd.[1]

Ond gan amlaf ar ol gorwant ar y drydedd ddiacen :

> — *éurglo*d ‖ i *Árgl*wydd * nef a lláwr.[2]
> — ca*dárna*f ‖ o *dérna*s * Merfyn Frých.[3]
> — a*r ddwysi*r, ‖ u*rddáso*l * dad a mám.[4]
> — ne*b láwe*n, ‖ *ba lúoe*dd * a'r nis clýw.[5]

Ond anfynych y ceir y diweddiad hwn ar ol gorwant ar y drydedd acennog, am fod y symudiad yn garlam go ddiurddas :

> — goreu grým, ‖ gwr a gwráig, * mab a mérch.[6]

Ac ar ol gorwant ar yr ail y mae'n feius, am na ellir ei gael heb dair sillaf wan ar ol y gorwant.   Felly y mae cyfyngiadau ar y diweddiad hwn ; yn wir, gan nad oes ond dau guriad mewn 6 sillaf y mae'n amlwg bod yn fwy cyfleus i'r ail fod ar y bumed nag ar y chweched.   Hefyd, y mae llawer mwy o ddewis o ddiweddiadau diacen i odli.   Am y ddau reswm hyn yr oedd diweddiadau acennog yn anamlach o lawer iawn yn ail linell englyn unodl union na rhai diacen ; ac mewn englynion diweddar ni cheir ond rhai diacen yn unig.

484. Yn y cyrch y mae'r gynghanedd yn llawer rhyddach nag mewn llinell gyffredin.   Gellir nodi'r gwahaniaeth fel y canlyn :

(1) Nid oes eisiau gofalu am ochel proest, § 451 (6) ; yn hytrach fe'i croesewid gynt, am fod y gynghanedd bengoll yn rhywfaint cyflawnach felly.   Y mae uchod ac isod enghreifftiau pellach, ac nid rhaid dyfynnu rhagor.

---

yw ráid " c.ıl. 16 ; ond annaturiol yw symud yr acen oddiar *pen* ar *waed,* fel y gofyn hyn.   [1] D.G. 9.
[2] G.M.D. m.a. 314.   [3] D.N. 7.   [4] W.ıl. 35.   [5] Eto 69.
[6] L.G.C. 284.

(2) Er mai tair ffurf gyffredin croes a thraws a geir fynychaf, fe ellir yma arfer y ffurf anghytbwys ddyrchafedig os mynnir :

— budd fáwredd, ‖ byddaf fárw * amdánad.[1]
— ys gwnéuthum, ‖ ys gwnáeth * gwyd tros fólawd.[2]
— díau ‖ y dáw * dros y ddáear.[3]
— er cáffael ‖ aur y cóffr * a'r állawr.[4]

Y mae'r beirdd diweddar yn cymryd y rhyddid hwn, ac Iolo'n ymosod arnynt am hynny, C.B.Y.P. 210, heb ddeall natur cynghanedd bengoll.

(3) Lle'r atebid y gytsain ar ol yr acen ni ofelid bob amser am i'r acen ddisgyn yn uniongyrchol arni :

— o iáwn ‖ i Iéuăn * gan féirddlu.[5]
— rín ‖ gwyl ríčin * ddiánfon.[6]
— a géir ‖ a gwéwўr * o'r Ysbáen.[7]

Cyn y cyfnod caeth fe gymerid llawer o'r un rhyddid ag a geir yng nghyfatebiaeth sain bengoll fel y disgrifir yn § 338.

(4) Gall y gyfatebiaeth fod yn rhagflaenol, fel y gwelwyd yn § 482 (4).

(5) Gall fod yn wreiddgoll ; h.y. nid rhaid ateb y cytseiniaid o ddechreu'r cyrch mwy nag o ddechreu'r ail far mewn sain § 284, ac am yr un rheswm, sef nad yw dechreu'r cyrch yn ddechreu llinell. Fe gafwyd eisoes rai enghreifftiau :—ym mhob bán ‖ pén § 482 (4); caɗárnaf ‖ o dérnas § 483. Dyma eraill :

— fab Gwéstl, ‖ gwástad * drin digýngrair.[8]
— ar drómgad ‖ o drámgwydd * Mab Grúffudd.[9]
— gwnaeth wўr ‖ heb na thái * nag ádlam.[10]
— a'r cýlch ‖ fal cálch * ar ffenéstri.[11]
— priddaw'r gẃ(r, ‖ a gwáe * Gatrin Sálbri.[12]
— ydd â páwb ‖ a phob péth * ynghýfrgoll.[13]
— mae'r býd, ‖ oer yw bód * rhyw dýnged.[14]
— Mordé-ўrn ‖ a Déwï * 'ngwlad yr Húd.[15]

[1] G.M.D. M.A. 296.   [2] Eto 310.   [3] D.N. 105.   [4] Eto 53.
[5] Ca. M.A. 285.   [6] G.M.D. M.A. 309.   [7] D.N. 37.
[8] G.M.D. M.A. 300.   [9] Eto 302.   [10] D.N. 57; adlam = 'cartref.'
[11] Eto 106.   [12] W.IL. 108.   [13] Eto 110.   [14] Eto 148.   [15] D.G. 448.

485. Mewn toddaid hir y mae'r gair cyrch bob amser yn odli â'r gorwant, a hwnnw ar y bumed yn gyson mewn llinell 9, ac fel rheol mewn llinell 10, er bod goddefiad iddo fod ar y chweched yn y llinell hir. Y mae'r un aceniad i linell o 9 neu 10 yma ac ym mhob man arall; gweler §§ 473–477.

Aceniad Cynghanedd Sain.

486. Y mae i sain lefn dair prif acen, un ar bob un o'r ddau air sy'n odli, ac un ar air y brifodl, megis :

> Clywed cán | adar mán | Mái.[1]
> Ánnerch, | nag ánnerch, | génnad.[2]
> Ar dy gréd | na ddýwed | ddím.[2]

Ac wrth gwrs y mae i sain deirodl bedair acen :

> Gwýbod | dátod | mýdrglod | máwl.[3]
> Gorwácter | y glér | ófer | a ýf.[4]

Tair sydd i sain drosgl, canys nid yw ond sain a chyfatebiaeth ragflaenol ynddi :

> A séithwawd | cymhéndawd | cáwdd.[5]

Ac i sain gadwynog y mae tair neu bedair, § 305.

487. Fe genir sain weithiau ar linellau byrion nad oes ond dau guriad i fod ynddynt, megis hanner-llinellau cyhydedd hir ; yna, rhaid lleddfu neu ddileu'r ail acen ; fel hyn :

> Tréiglawdd cawdd cýffro * trwy'r frón hon héno
> O fód clod Clýdno * dan dó dáear.[6]

Ac os bydd sain deirodl, rhaid lleddfu'r gyntaf hefyd :

> Hedd wlédd senedd sáint * hael díwael fael fáint.[7]

Yma y mae dwy gyfatebiaeth am bob curiad trwy fod y sillafau diacen wedi eu clymu hefyd. Yr un rhodres o ddyblu cyfatebiaethau yw gwag orchest y sain ddwbl mewn llinell o gywydd.

---

[1] D.G. (12).   [2] Eto (13).   [3] Eto (60).   [4] § 300.   [5] § 304.
[6] G.M.D. M.A. 293.   [7] Ca. M.A. 286.

488. Pan ganer sain ar linell 7 sillaf, tair prif acen y gynghanedd yn unig a fydd weithiau yn y llinell, fel hyn:

> Tréuliais | a géfais | o gó.[1]
> Cyd bých, | lánwych | oléuni.[2]
> Tramẃyaf, | lẃyraf | lóywryw.[3]
> Pédrog | oedd énwog | a'i ddúr.[4]

Ond lle bo tair sillaf o flaen yr acen yn yr un rhan o'r llinell, y mae rhag-acen yn ddealledig o'i blaen. (1) Fe ddigwydd hyn fynychaf o flaen y brif acen gyntaf:

> Nid hàwdd cadw cýmen | wén | wých.[5]
> Trèch, lle'r ymddýrchaif | gláif | glás.[6]
> Mỳnwes-gylchýniad | mád | máith.[7]
> Y bẁa hẃn, | gẃn | mai gwír.[8]
> Ni bù, nid óes | i'n óes | ní.[9]

A dïau ei bod yn ddealledig yn y fan hon yn gyffredin pan na bo ond dwy o flaen y brif acen, ac efallai yn sillaf gyntaf gair hir, fel hyn:

> Gwnèuthur brád | yn ánad | néb.[10]
> Rhòis ar férch | dráserch | a dríg.[11]
> Tè-yrnásaidd | láriaidd | láw.[12]

(2) Anfynych y dodid acen rhwng y ddwy odl ond mewn sain gadwynog, § 305. Fe welir ambell esiampl fel—

> Cáeth | yw'r wlàd a'i máeth | i mí.[13]

Ond mewn llinell gloff fel a ganlyn y mae cywirdeb y darlleniad yn amheus:

> Gwae fí | pan roddais í | sérch.[14]

Diacen yn ddïau yw dwy sillaf o flaen yr ail odl:

> Dẃyn | dan frig bédwlwyn | ẙn býd.[15]
> I'm lláw, | gormodd bráw | i'm brón.[16]

---

[1] D.G. (18).   [2] Eto (39).   [3] Eto (15).   [4] D.N. 15.
[5] D.G. (14).   [6] (15).   [7] (25).   [8] (29).   [9] (31).
[10] (39).   [11] (11).   [12] (23).   [13] (52).
[14] (53); ?" pan rois í | fy sérch," cf. *rhois* uchod, *rhoist* (104), a *rhoes*, *rhoed* yn wastad. Nid yw'r cwpled yn G.G. i 21.   [15] D.G. (26).
[16] (18); ond hyd yn oed ag *un* sillaf fe ofyn y synnwyr acen yn "Parádwys | ẙw, mámwys | médd" (46), eithr annhebygol iawn yw hyn: gwell darlleniad yn ddiau yw'r hen (wedi newid *fy* i *y*): "Parádwys,| mámwys | y médd" D.G. 371.

(3) Anfynych y bydd tair sillaf o flaen y drydedd brif
acen mewn llinell o 7 ; fe'i ceir yn bennaf mewn seingroes
fel—

> Áed | y tráed | hyd àto'r ŵyl.[1]

Yma y mae rhag-acen y groes o flaen y brifodl, § 465, yn
rheidiol yn y sain hefyd ; a'r un modd lle ni bo ond dwy
sillaf o flaen yr acen, megis—

> O lýs | a gwýs | Lèwis Gwýn.[1]
> Frýd | ar y býd, | fràdwr, býth.[2]

Yn gyffelyb mewn sain seml lle bo'r synnwyr yn ei
gofyn :

> Y sýdd, | i'm ffýdd, | yn ddŵy ffón.[3]

Y mae aceniad llinell o 8 yn gyffelyb i aceniad llinell o 7,
ond bod y rhag-acen o flaen y drydedd brif acen yn amlach
ynddi :

> At Láwdden | hén | yn gỳnt no hýdd.[4]
> Os háel | Nudd Háel, | os bùan hýdd.[4]

489. Gan mai pedwar curiad sy mewn llinell o 9 rhaid
bod rhag-acen o flaen un o'r tair prif acen ynddi ; ac yma,
o flaen y drydedd y ceir hi fynychaf. Cedwir y rhaniad
5 : 4, a bydd dwy odl gyntaf y sain yn y rhan gyntaf :

> Dígwl, | difŵgwl | bèndefígaeth.[5]
> Ni ddýfod | táfod | lle gwnàed dýfyn.[6]
> Ef aeth Rhýs | o'r llýs | a hì ar lléd.[7]
> Cláred | a Dŵsed | a Mŵsgadél.[8]
> Aur glán | ag árian | ỳma gérir.[9]
> Ángau, | āg árfau | ìng, a'u górfydd.[10]

Fe'i ceir hefyd o flaen y brif-acen gyntaf :

> Neud trẁm farw rhíain | gáin | a gẃynir.[11]
> Ni chàn fy nháfawd | wáwd | weniéithaidd.[12]
> Ni bù un gýfarch | Márch | ap Méirchion.[13]
> Er cèrdded glénnydd | mýnydd | máwnog.[14]

---

[1] § 325.   [2] D.G. (105).   [3] I.B.H. F. 17.   [4] L.G.C. 325.
[5] D.G. 452.   [6] D.N. 5.   [7] Eto 17.   [8] L.G.C. 255.
[9] W.Ll. G. 292.   [10] Eto 284.   [11] G.M.D. M A. 304.
[12] D.G. 449.   [13] D.N. 59.   [14] W.Ll. 38.

Yn yr aceniad hwn fe geir y rhaniad 4 : 5 ambell dro :

> Un hèb 'i fái | yn 'i dái | a'i dír.[1]

Nid ymddengys y rhoid rhag-acen o flaen yr ail brif-acen yn yr hyd hwn.

490. Y mae pedair acen y sain deirodl yn dyfod yn esmwyth ar y mesur hwn, § 300 :

> Newýddion | róddion | ym Món, | a máeth.[2]
> Gáeaf, | cynháeaf | a háf | hýfaeth.[3]
> Cynháeaf, | gáeaf | trýmaf | trámawr.[4]

491. Yn yr un modd yr acennir sain o 10 sillaf. (1) Y rhag-acen o flaen y drydedd brif acen :

> Llys rýdd, | a'n lle sýdd | yn y wènllys hón.[5]
> Árfer | dy fáner | a'th glèdd dau-fíniog.[6]

(2) Y rhag-acen o flaen y brif acen gyntaf:

> Yn grỳf wrth gédyrn | déwrchwyrn | eurdórchog.[7]
> Cawn glỳwed cýtgerdd | yn fréugerdd | frígog.[8]

(3) Pedair prif acen sain deirodl :

> Cynháeaf, | gáeaf, | gwanwyn, háf | yn hón.[9]

492. Cynghanedd sain a geir fynychaf o flaen y gair cyrch mewn toddaid byr neu hir, a thri churiad a fydd ynddi pa un bynnag ai 7, 8 ai 9 sillaf fo, § 479. Rhaid i'r ail curiad fod yng ngair y rhagwant, sef y gair sy'n diweddu yn y bumed sillaf, § 478. Un curiad sy rhwng y rhagwant a'r gwant, ac un yn y gair cyrch. (1) Gair cyrch o dair sillaf:

> Llyfr dẃned | Dýfed, * dýfyn — ar wíndai.[10]
> Gwae fí, | Crist Céli, * cáled — yw rhýfig.[11]
> O háelder | fy nér, * fy Núdd — ar 'i gýrch.[12]
> Na nófiad | gléisiad * gláswyn — ar fórdrai.[13]
> Émprwr | wyd o ẃr * déwrwych — cadárnaf.[14]

[1] Eto G. 292.   [2] D.G. 450.   [3] Eto 451.   [4] W.Ll. 110.
[5] D.N. 54.   [6] Eto 65.   [7] W.Ll. 37.   [8] Eto 38.
[9] D.N. 54.   [10] D.G. 456.   [11] Eto 460.   [12] Eto 9.
[13] D.N. 5.   [14] Eto 7, cywir yn 9.

(2) Gair cyrch o ddwy sillaf:

O gámpau | górau * a gáraf — ar ŵr.[1]
Llawer brón | am hón * ym Mhénnardd — a lýsg.[2]
Háelaf, | digrífaf * goréufun — yng Nghâer.[3]
Rhif y gwýdd | a fýdd * i ddwy fíl — a'i áur.[4]
Ni bú | o Gýmru * ar farch gwýn — ffróenffoll.[5]
Llýs | i'r holl ýnys * i roi llýn — ag áur.[6]
Cŵynaw | ag ŵylaw * rhag álaeth — déiroes.[7]

(3) Gair cyrch o un sillaf:

O ddisýmlrwydd | sŵydd * gyfansóddwr — hárdd.[8]
Ni chél | i Hýwel * loyw garúaidd — lŵybr.[9]
Ef a brýn | y llýn * o'r gwinllánnau — máwr.[10]
Ni chlýbu | un llú * hyd yn Llé-yn — béll.[11]
A lle bú | gánu * mae mwg Iónawr — dú.[12]

493. Y mae ail odl y sain yn y rhagwant ar y bumed, a
gall yr odl gyntaf fod ar y sillaf a fynner o'r gyntaf i'r
bedwaredd fel y gwelir uchod.　Ond rhaid gofalu am reol
gosodiad, § 464.　Ni ddylai'r odl gyntaf fod ar y sillaf
gyntaf pan fo'r ail odl ar y bumed yn *acennog*, canys felly
bydd tair sillaf wan ynghyd; y mae enghraifft J.D.R. 164
o'r odl ar y gyntaf yn esiampl o'r cloffni hwn:

Pén | cawr Ynys Wén * i wínio — áliwns.

Ac ni ddylai'r odl gyntaf fod ar y bedwaredd *acennog*, canys
felly bydd tair sillaf wan o'i blaen.　Hefyd, os un sillaf
fydd y gair cyrch, rhaid i'r gwant (sef y brifodl) o'i flaen
fod yn ddiacen, fel mewn traws, § 479.

494 Mewn toddaid y mae'r gair cyrch yn odli â'r
gorwant, sef y bumed yn yr ail linell; ac felly, os sain
a fydd yn yr ail linell, bydd y cyrch a'r llinell ynghyd
yn ffurfio *un* sain deirodl; fel hyn:

— gánon, ‖ naf Món, | gloyw ddéon * àrglwyddíaidd.[13]
— o'i dréngi; ‖ gwae fí | is déri; * f'àis a dórred.[14]

[1] D.G. 10.　　[2] Eto 465.　　[3] Eto 466.　　[4] D.N. 4.　　[5] Eto 5.
[6] Eto 7.　　[7] W.Ll. 109.　　[8] D.G. 10.　　[9] Eto 449.　　[10] D.N. 4.
[11] Eto 5.　　[12] W.Ll. 111.　　[13] D.G. 450.　　[14] D.N. 19.

— er bráw ; ‖ nid wyf h*ŷ* hébddaw, * ddífraw | ddófraeth.[1]
— aed b*ý*rroes ; ‖ am w̄r nag éinioes * nid óes | ond áwr.[2]

Gwelir bod y rhag-acen o flaen prif acen olaf neu o flaen prif acen gyntaf y sain 9 sillaf, § 489. Os sain deirodl a fydd yn yr ail linell, bydd y cyrch a'r llinell yn sain bedeirodl ; a bydd pum prif acen ynddi, sef un am bob curiad :

— f*ý*ddaf, ‖ gáeaf, | cynháeaf * a háf | h*ý*faeth.[3]

495. (1) Mewn toddaid byr hefyd weithiau fe odla'r gair cyrch â'r gorwant ; yna fe genir yr ail linell yn gynghanedd groes, a rhaid i'r gorwant fod ar y drydedd,[4] a bod yn orffwysfa'r groes. Felly, y mae'r cyrch a'r ail linell ynghyd yn ffurfio cynghanedd sain ; dyma enghreifftiau o englynion unodl union :

— a Ffẃg ‖ Morgánnwg * mur g*ý*nnal.[5]
— ym mró, ‖ "a láddo * a léddir."[6]
— yr ẃyl, ‖ os cánn-wyl * nis cẃynaf.[7]
— it, ẃrda, ‖ y wréigdda * rywiógddoeth.[8]
— áur, ‖ braich hénaur * Brychéiniog.[9]

(2) Pan fo toddaid byr ar ddiwedd pennill neu ganiad, sef mewn englyn unodl crwca neu ar ddiwedd byr-a-thoddaid, ystyrrir yn gyffredin mai fel yna y dylid ei gynganeddu rhag diweddu â chynghanedd bengoll ; gweler, e. e., J.D.R. 166. Ond y mae llawer o benillion yn diweddu â thoddaid byr pengoll, hyd yn oed yn gymharol ddiweddar, megis—

Coed Brútus, dówys * Déau — a Gẃynedd,
O gánol * prif lẃythau,

ar ddiwedd unodl crwca yn W.Ỻ. 237, ac un cyffelyb ar ddiwedd byr-a-thoddaid yn 238.

---

[1] D.G. 451.   [2] W.Ỻ. 112.   [3] D.G. 451.
[4] Dyfynna J.D.R. 165 ddau englyn o waith Wiliam Egwad a'r gorwant ar y bedwaredd, gyda nodyn o amheuaeth, "barned yr athrawon," o law L.Mg. ; dyma'r ail gyrch :
— mor déilwng ‖ yw daróstwng * dróstun'.
[5] D.G. 10.   [6] Eto 461.   [7] W.Ỻ. 100.   [8] Eto 136.   [9] Eto 144.

496. Anfynych iawn y rhoir sain yn lle croes yn yr ail linell pan fo'r cyrch yn odli fel uchod; lle gwneir, rhaid dileu ei hail acen, fel y dangosir yn § 487; er enghraifft:

— urddédig || bendéfig * ryfig rýw.[1]

Aceniad Cynghanedd Lusg.

497. Y mae i gynghanedd lusg seml ddwy brif acen, sef acenion y ddau air a fo'n cynnwys yr odlau. Yr odl gyntaf yw gorffwysfa'r gynghanedd; ac ni ddylid rhoi gogwyddair yn yr orffwysfa mewn llusg mwy nag mewn croes, §§ 318, 460. Yn y llinell hon, D.W. 148,—

Am fonedd éi | gwestéion,

fe roir pwys hollol anghywir ar y rhagenw gogwyddol, heblaw rhoi iddo sain ffugiol y llythreniad anghywir *ei*, § 460 (1).

498. Mewn llinell fer o ddau guriad, nid oes ond y ddwy brif acen, § 464. Mewn llinell o 7 sillaf y mae o leiaf un rag-acen. Gall honno fod o flaen y brif acen gyntaf:

A mẁyn ádar | a'm cárai.
Ni thàu y góg | a'i chógor.
Yn ddỳn gláerwen | ysblénnydd.
Gwèniaith brýdferth | a chwérthin;

neu o flaen yr ail:

Pan ddél | yr hàf hirfélyn.
Banhádlwyn | ùwch yr ẃyneb.
Yr árglwydd | à'r arglẃyddes.
Gwárant | mòdrwy a mántell.

Yr holl enghreifftiau o § 307. Weithiau y mae dwy rag-acen yn amlwg, un o flaen pob un o'r ddwy brif acen:

Tàlwn fférm | pòrth Abérmaw.[2]

Ond bai yw rhoi dwy ar ol yr orffwysfa, i lesteirio clymiad yr odl.[3] Mewn llusg deirodl, § 320, y mae'r tair prif acen yn llenwi gofynion y mesur hwn.

---

[1] D.G. 10. [2] § 309.
[3] Fel yn " Dýma | bèn ar bòb áberth " § 311.

499. Mewn llinell o 9 sillaf y mae'r orffwysfa'n bur rheolaidd ar y bumed,[1] a rhag-acen o flaen pob un o'r ddwy brif acen :

> Àtad y déuaf | a chèrdd dáfod.[2]
> Rhof ìddo 'méndith | wèdi'i níthiaw.[3]
> Ni chylchÿnodd sér | nàg adéryn.[4]
> Pan fÿch lariéiddiaf | àr dy dáfod.[5]

Yr un modd mewn llinellau o 10 :

> Fal y bÿdd penáig | ar bÿsgod éigion,
> Felly màe'n benáig | ar ÿsgolhéigion ;
> Penàig oedd Ddéwi | yng ngwlèdd Caerllíon.[6]

> Y Gẁr fu ar gróes | a'th rò'n hiróesog.[7]

Mewn llusg deirodl y mae un rag-acen, yn gyffredin o flaen y brif acen olaf :

> Nid bás, | cywéithas | gẁr urddásaidd.[8]
> Ános | yw d'áros | ẁrth ymósod.[9]

Ond hi all fod o flaen y brif acen gyntaf fel yn y sein-llusg—

> A chèfn a chálon | y dýnion | dóniog.[10]

500. Ni chenid llusg gynt ond yn anfynych iawn o flaen y gair cyrch mewn toddaid byr na hir yn yr un o'r mesurau lle digwyddent. Yn yr enghreifftiau prinion a welir y mae'r odl gyntaf yn y rhagwant :

> Hir y trìgaist, hẃy * yw dẃyawr — o nós.[11]

Aceniad Cynghanedd Bengoll.

501. Acen gair olaf y llinell yw curiad olaf y mesur ; ac os bydd mwy nag un sillaf dros ben y gyfatebiaeth mewn cynghanedd bengoll fe ddaw'r curiad olaf yn y rhan

---

[1] Y mae eithriadau wrth gwrs, fel " ẁrth gástell | no'r wìber asgéllog " D.N. 64, os cywir y darlleniad. Y mae amryw yn L.G.C. ; gweler dwy yn 106.
[2] W.Ll. 78.   [3] Eto 101.   [4] D.N. 5.   [5] Eto 8.   [6] Eto 55.
[7] W.Ll. 38.   [8] D.G. 449.   [9] D.N. 7.   [10] § 327.   [11] D.E. 131.

bengoll, fel y gwelsom mewn toddaid byr § 481. Felly yn
awdlau'r Gogynfeirdd, § 337 :

> Górne | gwawr fóre | ar fór [díffeith ;

ac yn y cywyddau cynnar, §§ 335, 337 :

> Yn rhódiaw, | rhýdaer [ddísgwyl.
> Héirdd | féirdd | fýrddiwn [dilédfeirw.
> Dẁg drachéfn | tréfn | tri [chánrhwyd.

Weithiau, fel yn yr esiampl olaf, y mae cytseinedd y
gynghanedd sain yn mynd yn gyfatebiaeth ragflaenol.
Felly'n wastad lle bo sain bengoll o flaen gair cyrch, am
na ellir ond tair acen ynddi ; fel hyn :

> Hardd esíllydd | rhýdd, * rhodd ddídor—méddlyn.[1]

NODIAD.—Yr uchod, mewn egwyddor beth bynnag, ydyw
deddfau rhythm y farddoniaeth gaeth. Nid yw holl druth Iolo
Morganwg ynghylch ei "gorfannau" ond dynwarediad trwsgl
yn Gymraeg o'r hen gamgymeriad o geisio cyfaddasu at fardd-
oniaeth acennog Saesneg fesuriadau amser sillafau yn y
farddoniaeth glasurol, § 209. Fe ddatguddia W. Owen [Pughe]
yn ei *Lywarch Hen* td. lxxx yr hysbysrwydd a gawsai gan Iolo
ar y pwnc : "As to the metrical feet, or quantity, the Welsh in
this respect is the same as the Latin poetry. The feet are
called *Corvanau.*" Gwelir na wyddai Pughe ragor rhwng *feet*
a *quantity* ; ni wyddai Iolo chwaith ragor rhwng *quantity* ac
acen, ac ni allai ffurfio trefn ddealladwy o gymysgu'r ddau
beth.

Y CYMERIADAU.

502. Amcanai'r hen feirdd ddangos nid yn unig ddiwedd
llinell ag odl, ond hefyd ei dechreu â chytseinedd. Gelwid
hyn yn "gymeriad," am, mae'n debyg, fod y cof yn
cymryd dechreu'r ail linell o ddechreu'r gyntaf, etc. Yr
oedd y cymeriad i'w gadw drwy'r pennill. Mewn pennill
o gywydd nid oes ond dwy linell, a gellid newid y
cymeriad o bennill i bennill ; ond fe'i cedwid yn aml

[1] D.G. 12.

dros amryw gwpledau, ac weithiau drwy'r cywydd, fel yn amryw o gywyddau "gorchestol" D.E. Nid ystyrrid toddaid byr neu awdl-gywydd ond yn un llinell, ac nid oedd raid wrth gymeriad yn ei chanol, megis ar ddechreu "ail" linell englyn unodl union ; ond mewn gwawdodyn neu hir-a-thoddaid fe geid y cymeriad fel rheol ym mhob llinell.

503. Y cymeriad symlaf yw "cymeriad llythrennol", sef dechreu pob llinell o'r pennill â'r un sain ; fel hyn :

> *D*oe gwelais ddyn lednais lân
> *D*eg o liw, dygwyl Ieuan.[1]

> *Ll*ys i'r holl Ynys i roi llyn—ag aur
>   ag arian a brethyn,
>   *Ll*ety ieirll : o bob lle tyn
>   *Ll*u daear oll i Dywyn.[2]

Os â llafariad y dechreua'r pennill fe gedwir y cymeriad â llafariaid eraill, canys y *dechreuad* llafarog sy'n cyfrif, § 342 :

> *E*r un ferch oer iawn yw f'ais,
> *A* garaf ac a gerais.[3]

504. (1) Weithiau fe gywreinid y cymeriad trwy beri i'r geiriau cyntaf gytseinio drwyddynt ; gelwir hyn yn "gymeriad cynganeddol". Er eng. :

> *Honn*o a gaiff ei hannerch ;
> *Hein*us wyf heno o'i serch.[4]

> *Dyhudd*iant fydd y gwŷdd gwiw,
> *Dihudd*ygl o dŷ heddiw.[5]

(2) Neu fe wneir iddynt odli'n ddwbl ; gelwir hyn yn "gymeriad cyfochrog" :

> M*annau* mwyn am win a medd,
> T*annau* miwsig, tôn maswedd.[6]

505. Ond y mae cymeriad llythrennol syml yn rhy gaeth i'w gadw'n wastad os bydd gan ddyn rywbeth i'w

[1] D.G. (9).   [2] D.N. 7.   [3] D.G. 316, (22).   [4] Eto (20).
[5] Eto (76).   [6] F. 61.

ddywedyd heblaw clymu geiriau ; ac am hynny fe ganiateid
amryw oddefiadau.   (1) Gall llafariad ateb i gytsain a
chytsain i lafariad :

> *M*ynd yn gynnar i'w haros ;
> *E*gino niwl gan y nos.[1]

> *Yr* eos fain adeinllwyd,
> *Ll*atai ddechreu Mai im wyd.[2]

(2) Gellir yr un modd roi *h* neu *n* gyda chytsain :

> *H*ud yw golud a gelyn ;
> *B*rwydr dost yw, a bradwr dyn.[3]

> *N*a fydd leian y gwanwyn ;
> *Gw*aeth yw lleianaeth no llwyn.[4]

(3) Nid rhaid cyfatebiaeth o gwbl os bydd y synnwyr
yn anorffenedig yn y llinell gyntaf ac yn rhedeg i'r ail,
megis bod berf yn y gyntaf a'i gwrthrych neu ei dibeniad
yn yr ail.   Gelwir hyn yn "gymeriad synhwyrol."   Er
eng. :

> Duw a *farno* o'r diwedd
> *Barn* iawn rhof a gwawn 'i gwedd.[5]

> Cyd *bych* (lanwych oleuni)
> *Deg* a mwyn er dig i mi.[6]

Gallai'r bardd gymryd golwg cyn ehanged ag a fynnai ar
beth a gyfiawnhâi gymeriad synhwyrol ; er enghraifft fe
gant D.G. :

> Cael bod yn ben pysgodwr—
> Llyna ddawn uwch llyn o ddŵr.[7]

"Tor cymeriad" y gelwir dechreuadau amrywiol heb
esgus drostynt dan y pennau hyn.

506. Fe gedwir y cymeriadau, gyda'r goddefiadau uchod,
yn bur gyson yn yr hen gywyddau, ac fe geir cymeriad
llythrennol llawn yn fynych lle buasai rhediad y synnwyr
yn esgusodi ei dorri ; y mae'r cymeriad gan hynny'n help
weithiau i benderfynu'r darlleniad ; gweler, e. e., gwaelod

---

[1] D.G. (66).   [2] Eto (76).   [3] Eto (105).   [4] Eto (10).
[5] Eto (18).   [6] Eto (39).   [7] Eto (44).

td. 203. Ond yr oedd y beirdd yn aberthu'r egwyddor wrth ganiatau'r goddefiadau, yn enwedig y goddefiad olaf: nid yw cyfatebiaeth y gellir ei hepgor er mwyn synnwyr yn sefyll ar yr un tir â chyfatebiaeth ddiamodol fel prifodl. Ni theimlir eisiau peth a hepgorir yn rhwydd, ac ni wna'r beirdd diweddar fawr ymgais am gymeriad cytseiniol; fe ddaw cymeriadau llafarog yn fynych iawn heb eu ceisio, ac y mae'r goddefiadau'n esgusodi popeth arall bron.

Cyrch-gymeriad.

507. "Cyrch-gymeriad" y gelwir cyfatebiaeth a gysylltà ddiwedd pennill â dechreu'r nesaf. (1) Y ffurf fwyaf cyffredin arno yw ail-adrodd gair o ddiwedd y pennill cyntaf ar ddechreu'r ail; fel hyn, yn cysylltu dau englyn:

. . . Yn dri llu yn dy dair *llys*.

Llys i'r holl ynys i roi llyn—ag aur . . .[1]

Nid rhaid i'r gair ddyfod yn gyntaf yn yr ail pennill:

. . . . Deulwyth llong o dylwyth *llys*.

Llawer *llys* heb wŷs, heb waith—ar drensiwr . . .[2]

Nac ychwaith yn olaf yn y pennill cyntaf:

. . . . Angau *hiraeth* Angharad.

Hiraeth oer ar faeth a fydd,—a galar . . .[3]

(2) Nid rhaid ychwaith bod yr un ffurf iddo yr ail waith; fe geir *gleddau* ac yna *Cleddyfau* D.N. 37; *unawr* ac *awr* 28; *drawai* a *tharo* 63; *trangho* a *treinc* B.B. 70; a hyd yn oed ddau air o gyffelyb ffurf ond o ystyr wahanol, fel *gnawd* 'flesh' a *Ni nawd* 'it is not usual' B.B. 70; *y bryn* 'the hill' ac *a bryn* 'will buy' D.N. 4; ddwy*ael* ac *Ael*aw D.G. 465.

(3) Yn aml fe ail-adroddir mwy nag un gair, megis *llwybr urddas* D.G. 457; *dŵr a thir.* ‖ *Dŵr* yn wir *a thir* L.G.C. 45; *Duw 'i law.* ‖ *Duw â'i law*, o daw W.Ll. 108.

---

[1] D.N. 7; § 503. [2] Eto 28. [3] Eto 23.

(4) Yn lle ail-adrodd gair neu sillaf fe roir geiriau i groes-gynganeddu :

> . . . Meinwen, gorawen *gwyr* *wyd*.
> *Gwrídŏg* groywdon . . .[1]

Cyngogion.

508. Yn y caniadau hynaf, *wrth newid yr odl* yr arferid cyrch-gymeriad yn gyffredin, § 104 ; fe gadwyd yr egwyddor hon yn y mesurau caethion hyd y bwlch yn y traddodiad yn yr ail ganrif ar bymtheg.   Yn yr hen gyfnod rywbryd y canwyd "Kyngogion" Elaeth B.B. 70 ; saith o englynion o'r hen ganiad ydynt, wedi eu clymu â chyrchgymeriad, a diwedd yr olaf, *trenghi*, yn cyrchu i ddechreu'r cyntaf, *Can trenghis*, nes bod y gadwyn yn gron, § 104. Y mae llawer o gadwynau cyffelyb yng ngweithiau'r Gogynfeirdd ; teitl un gadwyn o 6 englyn gan E.S. i Lywelyn ab Iorwerth yw "Kyngogion o'r Dadolwch," M.A. 240.   Yn yr awdl-fesurau hefyd, edrycher lle mynner bron yng ngweithiau'r Gogynfeirdd, ac fe welir cyrchgymeriad lle bydd yr odl yn newid, ac yn aml y mae'r diwedd yn cyrchu i'r dechreu.   Yng ngwawr y cyfnod caeth fe ddywaid awdur y mesur tawddgyrch cadwynog y gellir newid y brifodl o bennill i bennill, "eithr rhaid yw eu bod yn *gyngogion*," ac eglurir hynny—"o ddiwedd y cwpl [sef pennill] hwnnw dechreu y llall, a diwedd yr holl awdl yn ateb i'r gair cyntaf o'r dechreu," *A* 1134.

Cyngogion yw'r hen lythreniad, ac amryfusedd yw rhoi *h* yn y gair.   Y mae'n amlwg ei fod yn tarddu o'r gwreiddyn Celtaidd adnabyddus **keng-* 'step', a welir hefyd yn *rhy-gyng-u* (*W. G.* 157) ; cymharer yr enw *clîmax* 'grisiau' a roes y Groegiaid ar ffigur a wneid â chyrch-gymeriadau § 116.   Ni ddigwydd yr enw *cyngogion* ond yn y ffurf luosog ; y mae'r rheswm yn amlwg—ni ellir *camu* o bennill i bennill heb fod yno fwy nag un.[2]

---

[1] W.IL. G. 259.

[2] Cymharer y Lladin *scālae*, Saes. *stairs*, Cymr. *grisiau*, lluosog o *gris* o'r Saesneg *grees*, a hwnnw 'i hun yn lluos. o *gree* (fel yn *de-gree*).

Ni ddeallodd Iolo mo'r enw : fe roes *h* ynddo, *cynghogion*, ac fe'i camdarddodd o *cynghaw*; fe'i gwnaeth yn unigol, *cyngog*, ac yn ei ffug-ddosbarth fe'i rhoes yn enw ar *fesur* nad yw fesur.

509. Yn y mesurau caethion y mae'r englynion ar ddechreu awdl yn aml yn gyngogion; fel rheol fe gysylltir yr olaf â dechreu'r pennill cyntaf o fesur awdl; yna cenir y penillion hynny ar yr un odl oll, fel nad oes eisiau cyrch-gymeriad i'w cysylltu hwy; er enghraifft :

4 englyn + 8 cwpl o ddoddeidiau, D.G. 23–5.
3 englyn + 8 pennill gwawdodyn byr, D.G. 448–50.
7 englyn + 8 pennill gwawdodyn byr, D.N. 3–5.
4 englyn + 12 pennill gwawdodyn byr, D.N. 7–9.
3 englyn + 10 pennill gwawdodyn hir, L.G.C. 47–50.
7 englyn + 44 llinell byr-a-thoddaid, L.G.C. 323–5.

Yn yr holl enghreifftiau hyn y mae diwedd yr awdl yn cyrchu i'r dechreu. Pe cyrchid o ddiwedd y gadwyn englynion i'r dechreu fe dorrid y cysylltiad rhyngthi â'r rhelyw, nes bod yr awdl yn rhannau mwy gwahanedig; fe wneir hynny hefyd weithiau, er enghraifft mewn cadwyn o 9 englyn yn D.G. 465–6. Y mae dwy gadwyn gron o 10 englyn yr un ar ddechreu "Marwnad Madawg " Ca. M.A. 285.

510. (1) Weithiau fe genid rhes o englynion yn unodl; yr oedd cyrch-gymeriad yn afraid felly. Gweler yr engh-reifftiau a ganlyn ar ddechreu awdlau :

16 englyn ar yr odl *-ai*, D.G. 452–5.
5 englyn ar *-ŵy* + 4 ar *-an*, H.E. M.A. 339.
4 englyn ar *-ydd*, L.G.C. 116.

Yn D.N. 23 y mae dau englyn unodl yng nghanol rhes o gyngogion. Fe all yr awdl oll fod yn unodl, fel yn D.G. 11–13.

(2) Lle bai englynion yn dechreu â'r un neu gyffelyb eiriau, nid oedd raid iddynt fod nac yn gyngogion nac yn unodl; anfynych y ceir hyn ar ddechreu awdl—y mae

enghraifft o ddau englyn â'r cymeriad dechreuol hwn yn L.G.C. 124.

(3) Er y cysylltid y gyfres englynion mewn awdl â chymeriad neu odl yn gyffredin, y mae ambell gyfres heb y cysylltiadau hyn, fel yn awdl wych G.M.D. i Wenhwyfar M.A. 303-4.

511. Weithiau fe wneid cân o englynion yn unig, ac yn aml fe'u cysylltid fel uchod.

(1) Y mae llawer cyfres o hen englynion yn dechreu â'r un geiriau, § 98. Y mae hwn yn gymeriad cyffredin yn englynion y Gogynfeirdd, gweler M.A. 170, 171, 176. Yn D.G. 9-10 y mae 10 englyn yn dechreu ag *O*, megis *O haelder . . . O ddewrder*, etc. Y mae 5 yn I.G. 424-5 yn dechreu â *Safn*, ac yn unodl hefyd.

(2) Y mae aml gyfres unodl i'w cael, o bob rhifedi o englynion ; gweler, e. e.—

> 7 englyn ar -*on*, Ca. R.P. 1243, M.A. 309.
> 5 englyn ar -*yn*, G.M.D. R.P. 1335.
> 11 englyn ar -*eu*, M.D. R.P. 1269-70.

(3) Y mae nifer yr englynion mewn cadwyn o gyngogion yn amrywio'n gyffelyb ; e. e.—

> 14 englyn gan D.Il.M., R.P. 1401-2.
> 11 englyn gan E.Wan, R.P. 1406-7.
> 6 englyn gan yr un, R.P. 1405-6.
> 7 englyn gan G.D.T., R.P. 1264 ll. 1-21
> 5 englyn gan yr un, R.P. 1265 gwaelod.

Gosteg a Chadwyn.

512. (1) " Gosteg " y gelwid pob cyfres gysylltiedig o englynion, pa un bynnag ai cyngogion ai unodl ai cymeriadol fyddynt, a pha un bynnag ai ar ddechreu awdl ai'n gân annibynnol. " Odlau [sef awdlau] a gostegion a chywyddau " yw teitl casgliad o farwnadau, etc. yn R. ii 377, lle gwelir bod *gostegion* yn cynnwys pob cân o englynion.

Ar ddiwedd yr 8 englyn *cyngogion* sy'n dechreu'r awdl yn
D.E. 74 fe geir ar ymyl y ddalen :

> tervyn yr englynion y rhain a elwir yn ostec ac llyma yn
> kanlyn yr owdl ar vessur gorchest y beirdd.

Uwchben rhes o 16 *unodl* o waith T.A. fe geir—

> Llyma osteg neu atteb a wnaeth tud[u]r Aled i ddeuddeg
> o brydyddion a haerodd . . . . .

Nid hawdd cyfrif am yr enw; tebyg felly ei fod yn hen.
Nid enw ar ddechreu awdl oedd, canys ni ddechreuai'r Gogyn-
feirdd mo'u hawdlau ag englyniou.[1] Gall mai'r eglurhad yw
bod caniad o englynion yn ffurf gyffredin ar amddiffyniad neu
her, yn hawlio gwrandawiad.[2] Yng ngosteg *A swynaf* Cynddelw
fe geir "Gostegwyr llys gostegwch; Gosteg beirdd, bardd a
glywwch! . . . Ateb a ganaf" B.B. 78–9. Cymharer â theitl
gosteg T.A. uchod, ac â'r teitl "Gosteg pan haerawdd y
prydyddion i'r bardd . . ." uwchben gosteg gan I.F., R. ii 379.[3]

(2) Enw diweddar ar gyngogion yw "cadwyn", ac enw
cyfleus a pherffaith gyfaddus yw. Ymddengys mai W.Mn.
a gyfyngodd *osteg* i ganiad unodl : "Gosteg yw caniad o
ddeuddeg englyn unodl union, yn unodl trwy'r caniad,"
F. 79. Ni rydd awgrym o ba le y cafas y rhif 12. Fe welir
wrth yr enghreifftiau uchod fod gosteg a chadwyn yn bob
rhif ond 12, er y ceir 12 yn naturiol mewn englynion
misoedd! D.E. 124–6. O'r gosodiad di-sail a direswm
uchod y daeth y syniad diweddar mai 12 sydd i fod mewn
gosteg a chadwyn. Y nifer goreu yw'r un a gydweddo â'r
testun.

513. Nid i gadwyno englynion yn unig yr arferid cyrch-
gymeriad, ond penillion o fesurau eraill hefyd wrth newid
yr odl ; gweler *euraid* ac *Aur* L.G.C. 41 ; *dy orfod* a *derfyn*
52 ; *gysger* a *Cysgu'r* 68, *sêl* ac *Insel* 68, etc.

---

[1] Nid yw gosteg *Aswynaf* Cynddelw'n perthyn i'r awdl a argreffir
ynghyswllt â hi yn M.A. 171 ; gweler B.B. 79 a'r nodiad yn M.A. 174.

[2] "Yna y dyd marchawg y llamysten *gosteg*" W.M. 396, sef *her* neu
challenge; cf. "*gostegion* priodas."

[3] Un o 5 teitl cyffelyb ; camddyfynnir 4 o'r 5 yn R.

Nodiad.—Peth diweddar ac anghyson â'r hen draddodiad yw rhoi cyrch-gymeriad o linell i linell ar yr un odl, fel y disgrifir yn c.b.y.p. 58–60. O gynganeddiad Einion Offeiriad o dawddgyrch cadwynog § 569 (1) y cad y cyfuniad hwn o gynghanedd bengoll a chyrch-gymeriad; ond yn y mesur hwnnw y mae'r odl yn newid bob yn ail linell. Geilw Iolo'r cyfuniad yn *gynghanedd* dan yr enw " tawddgyrch cadwynog," ac wedi lladrata enw mesur Einion y mae gantho'r wyneb i haeru mai " cam farn" yw ei roi'n enw ar *fesur*! c.b.y.p. 59–60.

Y Beiau Gwaharddedig.

514. Yr oedd llawer o hyfforddiant yr hen athrawon ar ddull gwaharddiadau, fel y mae naw o'r dengair deddf. Fe geir yn yr hen lyfrau o'r dechreuad restri o'r beiau gwaharddedig gyda disgrifiad neu eglurhad mwy neu lai cyflawn o'u natur; a than y pen hwn y dysgid cywirdeb mewn cytseinedd, odl, ac aceniad.

Beiau Mydryddol.

515. Fe ymdriniwyd eisoes ag amryw o'r beiau mydryddol, fel y canlyn:

Crych a Llyfn §§ 237, 240, 248, 261, 267, 282.

Proest i'r Odl, Dybryd Sain §§ 445–52, 484 (1).

Ymsathr Odlau (mewn rhan) § 450.

Trwm ac Ysgafn §§ 413–17.

Lleddf a Thalgron §§ 418–27.

Camosodiad Gorffwysfa § 471.

Tor Cymeriad § 505.

Cymerir y beiau eraill isod yn y drefn fwyaf cyfleus.

516. *Camosodiad* yw bod dwy gytsain mewn gwahanol drefn yn nau ben y gyfatebiaeth. Nid yw enghraifft Pedr Fardd—

Camosodiad | coes madyn,[1]

[1] *Yr Ysgol Farddol* 79.

yn werth dim, am mai enghraifft wneuthur ydyw ar ei hwyneb. Ni ddigwydd y bai ond lle bo'n hawdd twyllo'r glust, megis mewn dilyniadau fel *r*, *l* neu *n*, *m* a'r cyffelyb, a drawsnewidir mor aml mewn iaith ; [1] ac yn y rhain fe'i ceir yng ngwaith y cynganeddwyr goreu :

> Ag a*r* o*l* trais | ga*l*a*r* trwm.—T.A. c. ii 83.
> *N*i'*m* ceir (*m*wy | y*n* caru merch.—B.A. R. ii 85.
> We*rth*u gwin | o *th*ri*g* yna.—I.D. 76.
> Y*r* u*n* oedd | y*n* 'i wreiddiau.—I.D. 77.
> E*r* *M*air dwg | i Gy*m*ru'r dydd.—L.G.C. 144.
> Cawn *fedd* rhad | cyne*ddf*au Rhys.—H.K. C.C. 344.

Y mae'r olaf " yn velys yn y glust, ac yn torri rheolaeth," medd Simwnt.[2]

517. (1) *Twyll gynghanedd* yw bod cytsain yn un pen i'r gyfatebiaeth heb yr unrhyw i'w hateb yn y llall. Gelwir hyn weithiau'n " goll llythyren " neu " goll *n* " etc. gan ei henwi. Ni cheir y bai hwn chwaith ond lle twyller y glust, ac fe ddigwydd hynny fynychaf lle bo'r un gytsain yn rhywle arall yn y gyfres, o flaen neu ar ol y gytsain goll ; fel hyn :

> Golw*g* teg | fydd gweled hyn.—D.G. (43).
> Goste*g* a roir, | ag ust, draw.—Gr.O. 89.
> Och *n*a bawn ŵr | uwch ben neb.—Syr O.
> Cawgiau | a ch*r*eithiau | 'r frech wen.—An. P.IL. xciv.

Gellid cymryd yr olaf fel camosodiad hefyd, sef *chr/r..ch* ; neu fel crych a llyfn, y dechreuad crych *chr*⌐ yn cyfateb i'r llyfn *ch*⌐.

(2) Lled gyffelyb i dwyll camosodiad yw newid lle'r calediad mewn dwy gytsain dawdd, fel rhoi *th f* i ateb *dd ff*, gweler gwaelod td. 208, neu ddwy fud wahanedig,

---

[1] Er eng. *elor* o'r Hen Gymr. ge*l*or yn lle gero*l* o'r Lladin geru*l*a ; am*n*aid o'r Hen Gymr. an*m*eit. Ar lafar fe glywir ba*l*ir yn lle ba*r*il, cwi*ddil* yn lle cywi*l*ydd, etc.

[2] P.IL. xci ; gan fod *f* yn y ddeupen y mae'r gyfatebiaeth yn rhy amlwg i honni bod y ddwy'n " toddi."

gwaelod td. 214. Gellir galw hyn yn "dwyll caled a meddal"; ac fe wnai'r un term y tro am y bai o roi *d* i ateb *t* neu *d h*, etc., § 372.

518. *Twyll Odl* y gelwir pob bai mewn odli ond trwm ac ysgafn a lleddf a thalgron, am fod i'r rhain eu henwau penodol. Gall y twyll fod yn y llafariaid neu'r cytseiniaid. Twyll odl yn y llafariaid yw arfer gwahanol ddeuseiniaid megis *ai* ac *ae* neu *ae* ac *au*, neu ddefnyddio ffurfiau tafodieithol a ffugiol, §§ 424–7. Twyll odl yn y cytseiniaid yw cyplysu dwy debyg yn lle dwy unrhyw, megis *dig* a *Tegid* p.**ɪɪ**. xciv; fe dwyllir ambell glust ag odl fel hon (o'r un fan):

> Par*abl* dyn trwy*adl* o'm tref.

Fel hyn y dynwaredai S.T. ganu Robin Clidro:

> Aeth yn w*an* d*arn* o'r dyrnas . . .
> Coesf*ain* i Dég*aingl* bob dydd.—R. i 67.

Ystyrrid odli *w* ansillafog fel llafariad yn dwyll odl hefyd, § 357.

519. (1) *Gormodd Odlau* yw bod gair acennog yn y llinell yn odli â'r brifodl. Nid yw'r hen lyfrau'n gwahaniaethu rhwng gair acennog a gair diacen; yn hynny o beth y mae arfer y beirdd yn cynrychioli'r traddodiad yn gywirach. Mewn rheol atodiadol yn J.D.R. 294 odli "gair" a waherddir, pa le bynnag y bo, "ai ymmlaen ai yn ôl yr Orffwysfa, neu ynn yr Orffwysfa," a rhoir yr enghreifftiau hyn o'r bai mewn cynghanedd gytsain, sain a llusg:

> Càn*u* córn | i'r cènau c*ú*,
> Cýnnil | f*u* hẁn yn cán*u*.

> Càn*u* i'm Gwén | gýmen | g*ú*.

> Mae br*àd* cýfan | am dán*ad*.

Yn yr ail linell nid yw *fu* dan yr un o acenion y gynghanedd, ac nid yw'r odl yn feius. Ni chais y beirdd osgoi

odli geiriau diacen, yn enwedig ogwyddeiriau fel *a, i, o, ni,
na, nad,* etc. :

> Dàgrau óer, | *da* gỳrrai i*á*.[1]
> *Pan* fu'r wl*á*d | fàl ysg*á*d*an*.[2]
> *A* bàir ím | y bèrw ỳm*a*.[3]
> Coed bríglaes | a máes | *i* m*í*.[4]
> Hònno 'rháwg | n*i* wnèir a h*í*.[5]
> N*i* bù ar néb | o'm bàrn *í*.[6]
> Os iáwn | a gàis '*i* hénw*i*,
> Bẁriwn hẃn | ar '*i* bàrn h*í*.[7]

Y mae gwahaniaeth clir rhwng hyn ac odli geiriau dan
rag-acenion (ail-orffwysfâu), ac yn enwedig odli'r brif
orffwysfa, fel hyn :

> A óedd*ynt* | heb ddà ídd*ynt*.[8]

(2) Y mae'r ffurf hynaf ar reol " gormodd odlau " i'w gweled
yng ngramadeg Einion : " Bei ar englyn [unawdl uniawn] yw
bod mwy o odleu yndaw no phedeir " *A* 1136. Mewn llawer o
englynion hynafol, ac yn amryw o rai'r Gogynfeirdd, fe odla'r
rhagwant â'r gwant; gweler § 535 (7). Dyna a waherddir yn
y rheol hon. Yn y cyfnod caeth, cynghanedd sain a roid amlaf
i ddechreu englyn, a'i gorffwysfa ar y rhagwant; os odlid yr
orffwysfa â'r brifodl fe ddifethid y gynghanedd.[9] Os traws a
genid fe ddôi'r rhagwant yn y rhaniad ar ol y rhag-acen, § 479 ;
ac os odlid hwnnw hefyd â'r brifodl fe dywyllid y gynghanedd.
Yna gwaharddwyd odli pob gorffwysfa a rhaniad â'r brifodl.
Gwelir hyn yn rheol gyntaf J.D.R., td. 287 ; y mae'r bai i'w
ganfod, meddir, " pan fo un o'r Gorffwysfáeu yn unrhyw a'r
owdl bennaf," sef y brifodl; yna eir ymlaen i egluro hyn :
" neu pan fo geirieu . . . . . o flaen y brifodl . . . . yn Unodl a
hi." Yn yr eglurhad fe gollir golwg ar y gwahaniaeth rhwng
gair acennog a gair diacen.

520. Yn ddiweddarach fe waharddwyd *proestio'r* or-
ffwysfa â'r brifodl, § 445 ; ac fe gondemniwyd rhyw fath ar
led-broest, gan alw hynny'n *ymsathr odlau*, § 450. Am y

[1] D.G. (92).   [2] D.N. 13.   [3] D.G. (81).   [4] Eto (96).
[5] G.Gr. D.G.G. 141.   [6] D.N. 32.   [7] Eto 12.   [8] S.C.
[9] Y mae odl yn amlycach na chytseinedd; gellir ail-adrodd yr un gair
i *odli* heb i'r gytseinedd amharu ar yr odl § 105 ; ond nid i *gytseinio*, am
fod yr odl yn lladd effaith y gytseinedd. Ni chlywir cynghanedd sain
mewn llinell fel " Yn esgyn o fryn i fryn."

bai hwn yr arferir y term yn gyffredin; ond ar yr un enw
y gelwir bai arall hollol wahanol, sef llunio cynghanedd
lusg fel hyn:

> A chrwc ar 'i frest a llestr.[1]

Yr amryfusedd amlwg yma yw cymryd yr -*r* ar y diwedd
fel sillaf; ond am reswm arall y gelwir y peth yn "ymsathr
odlau," sef bod *llestr* yn llunio prifodl â rhyw air fel *ffenestr*,
ac felly fod odl y gynghanedd yn sathru ar y brifodl. Y
bai, medd Simwnt, yw rhoi "yr un llythyren neu yr un
llythyrennau i wneuthur dau wasanaeth ar unwaith, cyng-
haneddu ac odli hefyd." Prin y gwelir enghraifft mor
drwstan â'r uchod o'r peth, ond fe ry J.D.R. 290 y ddwy
enghraifft hyn o "wneuthur dau ddeunydd o'r un syllaf":

> Na llif na llanẇ nag annẇyd,
> Myn llaw Dduw, ferch, i'r lle 'dd ẇyd.

> Lle ni ddaw rhyfel aẇyr,
> Lle goleu canhwylleu cẇyr.

Y mae rhai fel hyn yn digwydd, e. e.:

> Y sêr a ddaw o'r aẇyr
> Fel fflamau canhwyllau cẇyr.—D.G. 104.

> Duw i'th gadẇ rhag pob adẇyth;
> Teg 'i ben, ti a gei bẇyth.—D.G. (45).

Eglura J.D.R. mai cam, ar ol cymryd yr *aw* yn *awyr* i
ateb dd*aw*, yw cymryd yr *w* drachefn yn -*ẇyr* i ateb c*ẇyr*.
Ond y tebyg yw mai *aw-ẇyr* a ddywedai D.G., gweler
gwaelod td. 241 uchod. Ni ŵyr neb na bu'r fath ynganiad
ag *annẇyd*, *adẇyth* hefyd. Ac yn y pennill—

> Hyd y mae iaith Gymräeg,
> A hyd y tyf hadau t*eg*.—D.G. (105);

ni ellir gwadu posibilrwydd ynganiad fel *Cymra[e]eg*, a'r
gysylltsain *e* yn cynrychioli'r *g* wreiddiol yn *Combragica*.
Os felly, y mae'r ddwy odl yn gyflawn. Ond, wedi hyn
beth bynnag, yr ynganiad syml a gyfrifid yn gywir; ac

[1] P.LL. xciii.

yn hwnnw y mae'r odlau yn y cwpledau uchod, yn lle
sefyll yn ddestlus ochr yn ochr, yn sathru traed ei gilydd.
Hwn yn ddïau oedd y bai a alwyd gyntaf yn "ymsathr
odlau."

521. *Rhy Debyg* yw bod y ddwy sillaf o flaen yr orffwysfa
a'r ddwy o flaen y brifodl, mewn cynghanedd gytbwys
ddiacen, yn cynnwys yr un llafariaid yn yr un drefn ; dyma
enghreifftiau Simwnt, P.IL. xciii :

> I*euan* | fy nghariad i*euanc*.
> Ll*awe*r | dïwrnod ll*awen*.
> Rh*ydeg* | fu yr anrh*ydedd*.

Odid nad un o reolau Tudur Aled oedd y ddeddf a wahardd-
odd hyn, gan nad yw'n ymddangos fod beirdd y bym-
thegfed ganrif, na Thudur ei hun cyn y deddfiad, yn
ceisio'i osgoi :

> Ag *athro*d | meistr ag *athro*.—G.Gl.
> Ll*awe*r | gŵr ni bo ll*awen*.—D.N. 33.
> Yr *anne*dd | wrth yr *Anne*ll.—L.G.C. 208.
> I I*euan* | y mae n*euadd*. —L.G.C. 366.
> Rh*yfe*dd | oni ddaw rh*yfel*.—T.A. R. i 636.

Bu rhai'n ddiweddar yn haeru bod cyfatebiaeth y llafariaid
acennog yn unig yn feius ; ond y mae diffiniad yr awdur-
dodau o'r bai yn berffaith ddiamwys—cyfatebiaeth dau bâr
o sillafau ydyw, lle ni bydd ond y cytseiniaid diweddol
"yn eu llestair i gydodli yn ddwbl." Chwanega Simwnt
na all y bai fod mewn cynghanedd gytbwys acennog ; am
ail-adrodd y llafariad acennog mewn llinell fel hon o
waith D.E. :

> Y mae a ph*éth* | am 'i ph*én*,

"ni ellir dim o'i alw yn rhy debyg," medd ef, "namyn
tebyg, ac nid yw fai." Yn wir, y mae'r hen gywyddwyr
fel pe'n *ceisio*'r gyfatebiaeth hon mewn traws fantach :

> A'i d*ŵyn* | nis gellir o d*ŵyll*.—D.G. (85).
> A M*áir* | i gynnal y M*ái*.—D.G. (88).
> S*áif*, | o doi adref â s*áil*.—G.Gr. D.G.G. 138.
> S*áith* | a'm casaodd fal S*áis*.—G.Gr. D.G.G. 151.

Rhyw oroesiad, efallai, o'r hen ymdeimlad o gytseinedd fel odl ddechreuol. Ond er nad yw hyn yn fai, hyfrytach i'r glust yn yr oesoedd diweddar yw amrywiaeth llafariaid yn unrhywiaeth y gytseinedd.

"Rhy debyg mewn synnwyr," § 531.

522. Pethau *wedi bod* ar arfer, ac wedi eu hanghymeradwyo, ydyw llawer o'r beiau gwaharddedig, fel y gwelir. Yn nechreu cyfnod y Gogynfeirdd gallai pob llinell ym mhob mesur ddiweddu'n acennog neu'n ddiacen; ond cyn diwedd y cyfnod fe welwyd bod englyn unodl union yn swnio'n well wrth amrywio aceniad y ddwy linell olaf, ac fe aeth hynny'n arferiad. Yna fe gondemniwyd yr aceniadau eraill a fuasai'n ddigon cyffredin cynt, sef dau ddiweddiad diacen, neu ddau acennog. Fe'u ceir ymysg y beiau yn *A* 1137 :

Bei ar englyn unawdl yw 'i fod yn *Garnymorδiwes,* sef yw hynny bod pob un o'r δeu bennill fyrrion [sef yr esgyll] yn lliaws sillafawg, fal y mae yr englyn hwnn :

Pei prynwn seithpwn sathrgrug—o'th oleu,
Pedoleu pwyll gaδug,
Mangre grawnfaeth, saeth saethug,
Mein a'e naδ yn Hiraδug.[1]

Bei ar englyn unawdl yw 'i fod yn *Dinab,* sef yw hynny bod y δeu bennill fyrrion hynny yn un sillafawg, fal y mae yr englyn hwnn:

Gwan wyf o nwyf a naws anhun—gwael
Am δyn gŵyl gweδeiδlun;
Gwen a gloyw a hoyw 'i hun,
Gwynfyd gwŷr y byd yw bun.

Dyna'r hen reolau, ac nid oes sôn ynddynt am fesur ond englyn. Yn esgyll yr englyn unodl union y daeth amrywiaeth acen yn y brifodl yn ddeddf, a benthyg o'r englyn yw aceniad y cywydd. Ond yn nisgrifiad Simwnt o'r beiau *Tin Âp* a *Charnymorddiwes,* P.Ⅱ. xcii, am "gywydd

[1] Gwaith Gwilym Ryfel yw'r englyn hwn medd *C* 322.

deuair hirion neu ddeuair fyrrion" yn unig y sonnir—yn
J.D.R. 287, fe grybwyllir y ddau.

523. (1) *Tor Mesur* yw bod mwy neu lai o sillafau
mewn llinell nag a ddylai fod, megis bod 8 neu 6 yn lle 7
mewn llinell o gywydd. Diameu y gellir cymryd bod y
beirdd awdurol yn cyhydeddu'n berffaith, yn enwedig ar
fesur cywydd (gan mor gynefin oeddynt â phob rhaniad ac
aceniad posibl yn yr hyd, § 224), ac mai copïwyr sy'n gyf-
rifol am y mynych dor mesur a welir yn eu gweithiau
mewn ysgrifen a phrint. Fe geir llawer o linellau rhy
hirion, megis yn y pennill hwn o gywydd yn D.G.G. 145:

> Anodd yw dy goeliaw unawr:
> A roi, di a'i dygi yr awr,

lle mae *yw* wedi ei roi i mewn yn y llinell gyntaf (gweler
y darlleniad cywir yn I.G. 514), ac *yr* yn lle '*r* yn yr ail.
Fe wneir y gwrthwyneb hefyd, sef gadael gair allan, a rhoi
'*r* ac '*n* yn lle *yr* ac *yn*, etc., nes bod y llinell yn rhy fer.
Lle gwelir *marw*, *delw*, *enw*, etc., yn cyfrif dwy sillaf y mae
rhyw lurguniad fel yna o waith copïwr wedi digwydd,[1]
canys tor mesur yw hynny yn ol datganiad pendant
Simwnt, § 357.

(2) Yn y trioedd cerdd hynaf fe ddefnyddir "tor mesur"
mewn ystyr ehangach i gynnwys twyll odl a gormodd odlau, yn
gystal â "hir a byrr," *A* 1140. Y brifodl sy'n dangos diwedd
y llinell, ac ystyrrid bod odl ddiffygiol, neu odl a ddeuai cyn y
diwedd, yn amharu ar y mesur yn gystal â chyhydedd ang-
hywir.—"Hir a byrr," meddir, yw bod y naill linell yn rhy hir
a'r llall yn rhy fer, *A* 1137. Fe ddigwydd y ddau beth weithiau
mewn hen englynion; ond efallai nad yw "hir a byr" ond hen
enw ar linell ry hir *neu* ry fer. Enghraifft J.D.R. 286 o "hir
a byr" yw englyn yn diweddu â llinell o 9, sef tor mesur syml.

524. Y mae rheol neu ddwy yn erbyn ail-adrodd gair mewn
pennill. (1) "Bei ar englyn yw bod yr un geir yndaw ɓwyweith
oni bydd deirgweith; oni bydd hytgyllaeth [neu *etgyllaeth*[2] neu

---

[1] Wm. Wynn, Llangynhafal, ar waith un o'r tylwyth hwn: "Where
tarw, *garw* occur, this scribler always robs the line of a syllable," *Camb.
Reg.* i 328-9. [2] *D* 31.

argyllaeth 'tristwch'] neu ysmalhäwch cariad yn escus drostaw''
A 1136.   Bai yn yr iaith, nid y mesur, yw hwn ; ac ni all rheol
ag eithriadau fel yna iddi fod yn ddeddf gaeth.   Y mae'n debyg
mai'r ystyr yw, mai gwendid yw ail-adrodd oni bydd yn ffigur
bwriadol ; mewn tristwch neu lawenydd y mae'n naturiol,
gweler § 106.   Pan adroddir yr un geiriau deirgwaith hefyd,
fel y gwelir yn aml yn englynion ac awdlau Bleddyn Fardd,
M.A. 253-5, y mae'n amlwg mai ffigur ydyw, a ffigur effeithiol
hefyd.

(2) Ond bai yn y ffurf yw *Gwestodl*, sef defnyddio'r un gair
ddwywaith i lunio'r brifodl mewn pennill, J.D.R. 289 : fel
hyn :

> I Ddafydd gelfydd ei *gân* —oer ofid
> Rhoi Ifor mewn graean ;
> Y llwybrau gynt lle bu'r *gân*
> Yw lleoedd y ddylluan.[1]

Fe syrthir i'r bai hwn, fel i'r bai trwm ac ysgafn § 413, trwy
gymryd yr englyn fel dau gwpled yn lle fel *un* pennill.   Ond,
yn rhyfedd iawn, fe ganiateid dodi'r gair i odli deirgwaith ;
megis—

> Byd ffyddlon dynion yw *Dúw*,—byd hyffordd,
> Byd diffaith bod heb *Ddúw* ;
> Byd oerddig bod heb Wirdduw,
> Byd heb ddim yw bod heb *Ddúw*.[2]

Weithiau fe roid yr un gair, yn enwedig enw personol, ym mhob
prifodl mewn pennill, megis *Dafydd* chwe gwaith yn L.G.C. 325,
Siôn wyth waith (2 bennill) 115.   Dïau mai fel ffigur bwriadol
y caniateid hyn.—Wrth gwrs, gall gair odli'n ddifai bob amser
â chyfansoddair ohono'i hun, megis *aur* â *rhuddaur*, etc.

Beiau Iaith a Mater.

525. Gramadegau Lladin wedi eu cyfieithu a'u cyfaddasu
at y Gymraeg oedd hen ramadegau'r llyfrau cerddwriaeth,[3]
ac o'r gramadeg y cymerwyd y beiau iaith.   Ond nid oedd
yr hen athrawon yn deall yn iawn fod gwahaniaeth
cyfreithlon rhwng priod-ddulliau'r Gymraeg a'r Lladin ; fe
ddyfynnid, er enghraifft, "pedwar gŵr" fel esiampl o " unig

[1] I.B.H. ieu. 51.   [2] D.G. 496.
[3] Ifor Williams, cy. xxvi 128-133.

a lluosog ynghyd,"[1] ac " Y mae neithior yfory " § 143 fel
" cam amser."[2] Ond ni chymerai'r beirdd sylw o waharddiadau fel hyn, a chanent yn gyffredin wrth eu greddf, sef yn gywir.

526. (1) Fe sylwyd uchod ar y beiau a ganlyn :

Unig a Lluosog (ynghyd) §§ 137–8, 142.

Gwryw a Benyw (ynghyd) §§ 139–41.

Cam Amser §§ 143–51.

Eisiau Berf §§ 163–9.

(2) Yr un bai yw *Cam Berson* â *Gwŷdd ac Absen*, sef rhoi'r ferf a'i thestun mewn personau gwahanol. Un enghraifft a ddyfynnir o hyn yw " Mi yw prydydd Gwenllïan,"[3] ymadrodd perffaith gywir : nid oedd y gramadegydd yn deall mai dibeniad y ferf yw *mi*, ac mai *prydydd* ydyw ei thestun. Ond ni luddiodd y cam-gyfarwyddyd hwn i'r bardd ganu—

Mi yw'r dyn a'r môr danaw.[4]

Os dilyn dyn ei dafodiaith naturiol ni chyfeiliorna yn y peth hwn. Wrth efelychu dulliau ieithoedd eraill y metha, megis pan roed " yr hwn wyt " yn ol y dull Lladin yn y pader yn lle'r hen " yr hwn sydd."[5] Y *trydydd* person yw'r rhagenw perthynol yn Gymraeg ; ac y mae hynny'n gywirach mewn rheswm na'i droi i berson ei ragflaenydd, fel y gwneir yn Lladin.

527. Nid oes eisiau diffinio *Amherthynas.* Gall fod yn fai cyd-destuniol, megis amherthynas â mater neu awyrgylch y gân, §§ 19, 20 ; neu'n fai mewn brawddeg, megis " blinai clod " § 27 : amherthynas rhwng berf a'i thestun.[6]

528. Y mae *Drwg Ystyr* yn derm cyffredinol yn yr hen drioedd, *A* 1140 ; ond fe'i harferir gan Simwnt fel pe na bai ond enw arall ar " ddrwg ddychymyg," P.Ll. xcv. Mwy

---

[1] D 29. [2] P.Ll. xcvii. [3] D 30. [4] B.A. [5] Ll.A. 147.
[6] Gellir dywedyd bod clod yn mynd ar gynnydd neu ar led neu'n cilio, yn darfod neu'n parhau—" hwy y pery " ; ond nid oes berthynas rhwng y syniad o " glod " a'r syniad o " flino."

priodol ei arfer, fel *Cam Ystyr*, am roi ystyr amhriodol i air, megis dywedyd "dwylaw *cudd*" § 28, pan feddylir " dwylaw *sy'n cuddio*."

529. *Drwg Synnwyr* y gelwir mydru geiriau heb synnwyr ynddynt, megis rhes o enwau fel a linynnwyd mewn ambell englyn : "Melin ac elin ac aelwyd," etc.[1] Yr oedd yr hen athrawon wedi eu dysgu mai berf oedd enaid ymadrodd, a thybient mai'r drwg, yma, oedd " eisiau berf " neu " eisiau enaid "; ond y drwg, os drwg hefyd, yw mai *nonsense* bwriadol yw'r pethau hyn. Fe all brawddeg ddi-ferf draethu synnwyr clir a grymus fel y gwelsom, ac ar gam y beiir ar y cyfryw fel " drwg synnwyr." Ond fe ellid yn burion arfer y term am lawer o ddarnau mewn awdlau cystadleuol, nad oes fodd cael hyd i ddim synnwyr ynddynt—er bod ynddynt ferfau.

530. *Drwg Ddychymyg* yw trwstaneiddiwch mewn trosiadau a chyffelybiaethau, yn fwyaf arbennig eu def-nyddio heb ganfod y delwedd, § 49. Effaith hynny mewn cân o fawl, ond odid, fydd "moliant a dychan ynghyd." Enghraifft Simwnt, P.Ⅱ. xcv, yw—

> O daw eisiau da ar d'ên,
> Un lleuad a'th wna'n llawen.

Ym meddwl y prydydd y (ddarpar ?) wraig oedd y "lleuad," ond, medd Simwnt, "e ddychymygai eraill mae y lleuad olau i yrru gwartheg." Fe rydd enghraifft mewn cyffelyb-iaeth dan y pen "dryg ystyr":

> Catrin fodd caterwen fain.

Os mawl a fwriedid, ni chanfu'r prydydd mo'r " gaterwen "; coegni a wêl pawb arall mewn gwrthddywediad fel " caterwen fain ", megis pe dywedasid am y ferch ei bod cyn wynned â'r frân.

531. Yn olaf, fe geir weithiau foliant a gogan ynghyd, neu'r difrif yn troi'n ddigrif trwy amwysedd sain : *Rhy*

---

[1] GR. 151, M.E. i 142, D.E. 128.

Debyg mewn Synnwyr y gelwir hynny.   Fe rydd Simwnt
P.IL. xciii a J.D.R. 291 enghraifft bob un o'r bai; ond y
mae'r naill yn rhy wael a'r llall yn rhy aflednais i'w
dyfynnu.   Nid mynych y digwydd y peth, ond dyma ddwy
enghraifft: ymgeisydd am y gadair yn rhoi yng ngenau
Enid y geiriau—

Ni fai lludd gennyf fy *llau*.[1]

' Fy lladd ' a feddyliai ef, gan ddefnyddio gair ffug o eiriadur
Pughe; ond am y *llau* mwy adnabyddus y meddyliai pawb
arall.   Daw'r ail allan o awdl o waith y llym Galedfryn ei
hun :

A Fuler anwyl, a *Phool* aur enau.[2]

---

[1] *Cofn. Eist. Rhyl,* 1904, td. 5.   [2] *Caniadau* 61.

V. Y MESURAU

532. Gellir olrhain yr hen fesurau Cymraeg oll i linellau o bedwar neu chwe churiad, § 214, gan gynnwys llinellau dwbl o wyth, a hanner-llinellau o dri.

533. Rhennir llinell bedwar curiad bob amser yn ddau hanner-llinell o ddau guriad yr un, sef 2′ : 2′. Fe geir hanner-llinellau odledig o bedair sillaf ac o bump yng nghaniadau Taliesin; o bedair fel hyn:

> Llwyfényꝺ-fán [1] | a'th éirch achlán,
> Yn ún trygán, | máwr a bychán.
> Taliésin-gán,[1] | tí ae diꝺán.[2]

O bump fel hyn:

> Urién Erechwýꝺ, | haeláf dyn bedýꝺ,
> Lliáws a roꝺýꝺ | i ꝺynión elfýꝺ.[3]

Nid yw nifer y sillafau mor rheolaidd â hyn yn yr holl ganiadau o'r dull yma; fe geir sillaf yn fyr neu'n ormod weithiau, ond y mae nifer y curiadau'n rheolaidd. Fe geir y dull hwn mewn caniadau diweddarach fel "Canu y Gwynt,"[4] "Cyfaenad Celfydd,"[5] etc., ac yn ei ffurf fyrraf yn y cywydd deuair fyrion o'r hen ganiad:

> Harꝺdeg rïein | hydwf lwysgein,
> Hoywne gwaneg, | huan debeg.[6]

Yr oedd y mesur islaw urddas y Gogynfeirdd; ond y mae'n sicr y cenid arno gan y glêr [7] drwy'r canrifoedd, ac fe arhoes yn y ffurf fer mewn canu gwerinaidd hyd ddiwedd yr unfed

---

[1] Gair cyfansawdd § 130, a'r ail acen felly, mae'n debyg, ar yr olaf ond dwy. Eithr *Llwyfenyꝺd*, *Taliesin* fel geiriau annibynnol.

[2] CY. xxviii 180. [3] Eto 171. [4] Eto 255. [5] B.B. 18.

[6] A 1135; *gwenig*, *debig* mewn eraill.

[7] Gwaith y prydyddion yw'r farddoniaeth awdurol a erys o gyfnod y Gogynfeirdd; ond yng ngwaith y glêr y cadwyd amryw hen ffurfiau; cf. § 535 (2), (3). Ni wn i pa mor hen yw'r enw clêr, ond yr oedd y dosbarth yn bod bob amser.

ganrif ar bymtheg ym Môn [1] a Morgannwg ; [2] ond fel mesur caeth fe'i cenid â chynghanedd ac aceniad cywydd, § 554.

534. Dull arall ar y mesur pedwar curiad oedd llinellau o 9 sillaf a'u diweddiadau'n unig yn odli, megis—

> Bore dúw Sadẃrn | cad fáwr a fú
> Ó'r pan ẟwyre héul | hýd pan gynnú.[3]

Rhennir y llinellau'n gyffredin yn 5 a 4 sillaf; ac y mae sillaf chwanegol yn ddigon aml yn gwneuthur y llinell yn 10 sillaf. Hwn yw'r mesur a elwir " cyhydedd naw ban," § 562.

535. Y mae amryw ddulliau ar y mesur chwe churiad. Fe rennir y llinell naill ai'n ddau hanner o dri churiad yr un, sef $3' : 3'$, neu'n dri thraean o ddau guriad yr un, sef $2' : 2' : 2'$.

(1) Y dull cyntaf i'w nodi yw hanner-llinellau o wyth sillaf yn odli â'i gilydd, megis yng nghân Taliesin :

> Arwyré gwyr Catráeth gan ẟýẟ |
>   am wledíg gweithfuẟíg gwarthegýẟ . . . .
> Ni roẟés na mäés na choedýẟ |
>   achlés i ormés pan ẟyfýẟ.[4]

Hwn yw'r mesur a elwir " Cyhydedd Fer," § 559, am, mae'n debyg, y cyfrifid yr hanner-llinellau'n llinellau.

(2) Dull arall yw hanner-llinellau o saith sillaf, y trydydd curiad (sef diwedd yr hanner-llinell cyntaf) yn odli â'r pedwerydd neu'r pumed neu â'r ddau, a diwedd y llinell yn cynnal y brifodl, fel hyn (o Farwnad Owein ab Urien a briodolir i Daliesin) :

> Enéid Owéin ap Urién | gobwyllíd Rheén o'i réid. . . .
> Owéin a'e cospés yn ddrúd | mal cnúd yn dylúd deféid.[5]

Hwn yw'r mesur a elwir " awdl-gywydd ", § 552 ; gwelir ei fod yn hynafol ; fe'i ceir hefyd yng ngwawr cyfnod y

[1] c.ɪʟ.c. iii 16-19.   [2] *Hen Gwndidau*, 1910, td. 1-16, etc.
[3] cʏ. xxviii 156.
[4] Eto 161, y testun yn llwgr, a hanner-llinellau ar goll.   [5] Eto 187.

Gogynfeirdd;[1] ond gadawsant hwy ef i'r glêr a'r werin, a thair llinell gyfan ohono (fel yr enghraifft yn nosbarth Einion, § 552) yw ffurf wreiddiol mesur penillion "Pen Rhaw." Fe'i gwelir mewn "englyn cyrch," ac yn niwedd "cyrch a chwta" Einion Offeiriad.

(3) Yn lle odli'n gyrch fel uchod fe geir y ddau hanner-llinell o saith yn cydodli yn nwy linell gyntaf "englyn milwr," canys llinell a hanner o'r hyd hwn oedd englyn ar y dechreu; a phan chwanegwyd hanner arall at englyn penfyr i wneuthur "englyn unodl union," yr oedd y ddau hanner olaf, sef yr esgyll, yn odli. Heblaw mewn englynion y mae'n debyg bod cwpledau odledig o saith sillaf, fel a welir yn "Nhraethodlau" D.G., yn hen fesur gan y glêr; a'r ffurf honno wedi ei chynganeddu ac amrywio aceniad yr odlau, § 522, ydyw mesur "cywydd deuair hirion," § 553, a elwir yn gyffredin yn "gywydd." Mewn cywydd ac awdl-gywydd y mae'n aml mewn cynghanedd bedwar curiad yn yr hanner-llinell yn lle'r hen dri, §§ 464, 467, 488, a'r un modd mewn cyhydedd fer § 472.

(4) Y dull byrraf ar linell chwe churiad yw tri thraean o bedair sillaf yr un, y ddau gyntaf yn cydodli, a'r trydydd yn cynnal y brifodl, fel hyn (o "Anrheg Urien" Taliesin):

Urién Rhegéd, | dywállofiéd | 'i léwenýb ;
Éur ac ariánt, | mór yw difánt | eu díhenýb,
Cýn nog y dáw | rhẃng 'i bwyláw | y gwésgerýb.[2]

Hwn yw'r mesur a elwir "rhupunt," § 556, ac fe'i ceir o'r cyfnod cyntaf ymlaen.

(5) Rhaniad arall, o hyd a rhythm gwahanol (mwy o sillafau diacen) yw tri thraean o 5, 5, a 6 sillaf yn yr hyd safonol, y ddau gyntaf yn odli â'i gilydd ac â chanol y

[1] M.A. 142, " I Drahaearn " yn y fl. 1081, Lloyd, *Hist.* 384.

[2] R.P. 1049; y mae'r llinell gyntaf o'r gân, "Gogyfercheis, gogyfarchaf, gogyferchyb," yn enghraifft o ddull hynafol o beidio ag odli'r ddwyran gyntaf. Yn y canol oesoedd fe wneid yr holl linell weithiau'n sain wreiddgroes ddwbl, fel hyn, "A llafn tra llafn, a llid tra llid, tremid treiddiaw " Se.B. M.A. 237.

trydydd, a'r trydydd yn cynnal y brifodl, fel hyn (o'r
Gododdin):

> Cynréin yn cwyƀ*áw* | fal glás heid ar*náw* |
> heb gili*áw* gyhafál.[1]

Weithiau yn lle odl fe roir cytseinedd i gysylltu diwedd yr
ail traean a dechreu'r trydydd:

> Oeƀ ré r(y)eréint | dan forƀwyd *Ger*éint, |
> *ga*rhirión, grawn gweníth.[2]

Yr un mesur yw hwn â thoddaid byr, ond bod trefn wahanol
i'r odlau; ac fe'i ceir yn lle toddaid byr mewn hen englynion
§ 537 (1), (2), ac mewn hen fyr-a-thoddeidiau § 561. Nid
yw ei hen enw ar gael; yn niffyg hynny, galwer ef
"traeanog."

Ffurf anghyffredin arno yw rhoi diwedd y traean cyntaf i
odli â'r brifodl, a diwedd yr ail â chanol y trydydd, fel hyn:

> Llym áwel, llwm br*ýn*, | anháwƀ caffael cl*ýd*, |
> llygrid rh*ýd*, rhewid ll*ýn*.[3]

Neu a diwedd yr ail yn cytseinio â dechreu'r trydydd:

> Rhúƀbraff y sáffwy, | ni sýll a'i ólwg |
> o ólud ni róƀwy.[4]

(6) Yn olaf, fe gyfunir y ddau raniad $3' : 3'$ a $2' : 2' : 2'$.
Yr hyd safonol yw 5, 5, a 6 sillaf, er bod rhai hen esiamplau
ryw sillaf neu ddwy yn fyr neu hir. Hwn yw'r mesur
a elwir "toddaid byr" ac fe'i ceir mewn englyn unodl
a byr-a-thoddaid. Dyma hen esiampl o doddaid byr o 15
sillaf:

> Staféll Gynƀylán * ys tyẃyll — henó |
> heb dán heb gannẃyll.[5]

Gwelir ei fod yn rhannu'n dri thraean o 5 sillaf yr un,
a hefyd yn ddau hanner o 8 a 7. Y mae'r ddau hanner yn
odli: *tyẃyll / gannẃyll*; ond gweler isod. Fel mewn
traeanog, y mae odl neu gytseinedd yn cysylltu diwedd yr
ail traean â dechreu'r trydydd. Diwedd y *traean* cyntaf

---

[1] B.A. 15. [2] B.B. 72; gweler §§ 97–8.
[3] B.B. 89; cf. R.P. 1043, ll. 43–4, M.A. 170*b*, ll. 12–13.
[4] C. M.A. 161. [5] R.P. 1045.

yw'r " rhagwant," a diwedd yr *hanner* cyntaf yw'r " gwant."
Gellir galw diwedd yr ail traean yn " adwant " ; hwn yw
diwedd y llinell o 10 sillaf yn ol y dull diweddar o sgrifennu'r
toddaid byr, fel uchod, yn ddwy linell.

(7) Nid oedd odli'r ddau hanner yn ddeddf gaeth yn yr hen
gyfnod ; yn wir, y mae'r gwant yn ddi-odl cyn amled â pheidio ;
megis—

> Staféll Gynởylán * ys tyŵyll — 'i nénn |
> gwedy gwénn gyweithýổ.[1]

O'r ochr arall, fe odlir y rhagwant *a*'r gwant weithiau â'r
brifodl, megis—

> Gorwýnn blaen af*áll*, * amg*áll* — pob dedwýổ, |
> hir ổýổ, meryổ m*áll*.[2]

Dyma'r hyn a gondemniwyd yn ddiweddarach fel " gormodd
odlau " mewn englyn, § 519 (2) ; ond efelychir ef fel hen ddull
gan W.Mn., Pss. cx, cxxxi. Gweler enghreifftiau eraill yn
§ 543 (1), ac enghraifft ddiweddar anymwybodol (a beius)
yn § 150.

Lle bai'r gwant yn odli â'r brifodl, a hefyd y rhagwant â'r
adwant, yr oedd y pennill yn doddaid byr ac yn draeanog ar yr
un pryd ; fel hyn :

> Oeổ ré r(y) er*éint* * dan forổ**ŵyd** — Ger*éint*, |
> garhirión, grawn eu b**ŵyd**.[3]

Fe wneid hyn fel rhyw orchest gan y beirdd cynganeddol ; e. e. :

> Hyn ýma a g*áf*, * hen ám*od* — a wn*áf* |
> gan Ífor Bryn Háf*od*.[4]

Gweler ymhellach ar y mesur toddaid byr, § 545.

536. Y mae tri dull ar y llinell ddwbl o wyth guriad, fel
y canlyn :

(1) Pedair rhan o 2′ : 2′ : 2′ : 2′, ac o bedair sillaf yr un,
y tair cyntaf yn cyd-odli, a'r bedwaredd yn cynnal y brifodl,
fel hyn (o'r Gododdin) :

> Eil Néổig-N*ár*, | neus dúg drwy f*ár* |
> Gwléổ i ad*ár* | o drýdar-drín.[5]

Hwn yw'r mesur a elwir " rhupunt hir," § 557.

[1] R.P. 1045.   [2] Eto 1033.
[3] B.B. 73 ; dros ddarllain " ry ereint " cf. *ry erhynt* B.B. 99.
[4] L.G.C. 191 ; cf. 131, a W.Ll. G. 258.   [5] B.A. 16.

(2) Yr un rhaniad ac odliad, ond o hyd a rhythm gwahanol, sef 5, 5, 5, 4 sillaf; fel hyn (o'r Gododdin) :

> Mawr méint 'i wehӳr | yng nghyfárfod-gwӳr, |
> [a] bẃyd i erӳr | erẏsmygéi.[1]

Hwn yw'r mesur a elwir " cyhydedd hir," § 563.

Y mae hen ffurf arno o gytseinio diwedd y cymal cyntaf â dechreu'r ail, yn lle odli'r ddau gymal; e. e.:

> Gwálchmei y'm gélwir, | gélyn y Sáeson ;
> Ar llés gwledig Món | gwéint ym mhlẏmnwyd.[2]

(3) Yr un rhaniad, sef $2' : 2' : 2' : 2'$, yn hydau cyhydedd hir, ynghyda rhaniad arall, sef " gwant," ar y trydydd curiad ; y gwant yn odli â'r brifodl, a'r pedwerydd curiad â'r chweched ; fel hyn (o'r Gododdin eto, yr ail ran sillaf yn hir) :

> O'r sáwl a weléis * ac a weláf — ym mӳd |
> Yn ymbẃyn arf grӳd | gwr-ẏd gwr-iáf.[3]

Hwn yw'r mesur a elwir " toddaid," § 564.

(4) Yr un mesur, â threfniant gwahanol o'r odlau, yw toddaid â chyhydedd hir, ac yn un y cyfrifid hwynt gan y Gogynfeirdd : gweler, e. e., awdl o waith P.M. yn R.P. 1422-4, M.A. 214-15, lle mae 15 pennill o ddau glymiad yr un, gan mwyaf o gyhydedd hir ; yn y 30 clymiad y mae 6 thoddaid ac (ar y diwedd) *un* cwpled naw ban. Yr un gwahaniaeth sy rhwng toddaid a chyhydedd hir ag sy rhwng toddaid byr a thraeanog ; a gall yr un clymiad fod yn enghraifft o'r naill a'r Hall, megis—

> Dẏwawd derwẏddon * dadéni — háelon |
> O híl erẏron | ó Erẏri.[4]

Ac yn y cyfnod caeth fe'i cyfrifid yn orchest canu toddaid a fyddai hefyd yn odli fel cyhydedd hir (cf. § 535 (7)) ; fel hyn :

> Nawdd Cáron ar hón, * rhínwedd — cerddórion ; |
> Náwdd yr engẏlion | ar Nónn Glyn Nédd ![5]

537. O linell a hanner o'r mesur chwe churiad y llunnid englyn ar y dechreu. Yr oedd y llinell gyfan naill ai (1) yn doddaid byr neu draeanog o 16 sillaf, ai (2) yn ddau

---

[1] Eto 6. [2] M.A. 143. [3] B.A. 15.
[4] P.M. M.A. 214. [5] L.G.C. 88.

hanner-llinell odledig o 7. Yr hydau *rheolaidd* yw'r rhain ; a hyd rheolaidd yr hanner-llinell chwanegol oedd 7. "Englyn o'r hen ganiad" y gelwir y ddau gyfuniad yn *A* 1129, *B* 491 ("ynglyn o'r hengerdd" yn *C* 323). Y mae tri dull arnynt, ac nid oes enw ond ar un ; rhaid felly gael enwau newydd ar y ddau eraill.

(1) "Englyn penfyr "[1] yw toddaid byr neu draeanog gyda hanner-llinell, megis—

> Staféll Gynbylán * neud athŵyd — heb wéb ; |
> mae ym méb dy ysgŵyd :
> Hyd tra fú ni bú doll glŵyd.[2]

Gweler enghreifftiau â thraeanog yn § 97.

(2) " Englyn byr crwca " yw hanner-llinell yn gyntaf, ac yna doddaid byr neu draeanog ; fel hyn (o ddiwedd y cyfnod, aceniad diweddar) :

> Ton trá-thon, tó-id tu tír,
> Gorúchel gwáebeu * rac bron bánneu — bré ; |
> Breib állan orséfir.[3]

Â thraeanog :

> Pénn a bortháf tu morbŵyd,
> Oeb ysgŵyd ar 'i wlád, | oeb olŵyn yng nghád, |
> Clebyf cád, cywlad rŵyd.[4]

(3) "Englyn milwr " yw tri hanner-llinell unodl o saith sillaf yr un, fel hyn :

> Goréu tri-dýn y dan néf
> A wérchetwís eu habéf :
> Pýll a Selýf a Sanbéf.[5]

Weithiau yn lle odl fe geir proest :

> Ysgŵyd a robéis i B*ýll,*
> Cýn no'i gysgú neu bu d*óll* :
> Dimiáw 'i hadáw ar w*áll.*[5]

"Ac felly y cenid yn amser y milwyr gynt "medd *D* 29. Dengys

---

[1] Yn Pen. 56/113 dywedir am yr englyn hwn " i vod ef o bennill hir o un sillaf ar bymthec a *ffenn byrr* iddo o saith sillaf."

[2] R.P. 1045 ; *athwyd* = 'aethost,' *ysgwyd* = 'tarian.'   [3] B.B. 89.

[4] R.P. 1039.   [5] Eto 1038.

hyn fod yr enw "englyn milwr" yn hen. Ni rydd *D* ond y drydedd ffurf. Ond yn *C* y mae'r drydedd a'r gyntaf, a dywedir "ar y moddeu hynny y kanei y milwyr gynt" 328; felly ni chyfyngid yr enw i'r drydedd ar y dechreu. Nid yw'r sylw yn *A* na *B*.

538. Dyna'n ddiameu y dulliau hynaf ar englyn.[1] Ymysg casgliadau o hen englynion fel a geir yn y Llyfr Coch y mae ychydig o rai o ddwy linell hir gyfan—yr hyd diweddar ; ond nid oes dim tebygrwydd bod yr un o'r rhain yn hŷn na diwedd yr hen gyfnod, a gall rhai fod yn ddiweddarach. O'r englynion sydd ar gael mewn copïau o'r hen gyfnod, sef y deuddeg [2] sy mewn ysgrifen o'r nawfed a'r ddegfed ganrif [3] yn llsgr. Juvencus, nid oes gymaint ag *un* yn cynnwys mwy na thri hanner-llinell ; englyn milwr yw un ohonynt ac englynion penfyrion yw'r lleill.

539. Yr hyn a wnaethpwyd at ddiwedd y cyfnod oedd chwanegu hanner-llinell arall at hanner-llinell yr hen englyn i wneuthur llinell hir gyfan ohono :

(1) Pan chwanegwyd hanner-llinell at englyn penfyr fe gad "englyn unodl union" §§ 544–6.

(2) Pan wnaethpwyd hanner-llinell englyn byr crwca yn bâr fe gad "englyn unodl crwca" § 547.

(3) Pan chwanegwyd hanner-llinell at englyn milwr fe gad englyn "gwastad" fel—

> Arwyᵭon chwerw chweched dyᵭ
> Y daw gwaed o'r gwellt a'r gwyᵭ ;
> Ŷn Arglwyᵭ a'n Argledryᵭ
> A'n rhoᵭes cred a bedyᵭ.[4]

Ond yn lle hyn fe welwyd y ceid gwell pennill pe gwneid y ddau hanner olaf yn awdl-gywydd, ac felly y mae'r pennill yn "englyn cyrch" § 548. Y mae'r englyn uchod

---

[1] Gweler Edward Lhuyd, *Arch. Brit.* 1707, gwaelod td. 250 c.

[2] Y cyntaf yn amherffaith, Skene, *F.A.B.* ii 1, ond y lleill yn ddigon cyflawn i ddangos y ffurf.

[3] Lindsay, *Early Welsh Script* 16.

[4] IL.F. R.P. 1389 ; gweler cyfres o 9 o englynion gwastad yn M.A. 134–5, un ohonynt yn helaethiad o'r englyn milwr a ddyfynnir yn § 543 (2).

ac un arall cyffelyb, fel olion ffurf hŷn, yng nghanol rhes o englynion cyrch.

Condemniwyd englyn gwastad fel "cam osodiad pennill" sef "canu englyn unodl ar fodd englyn prôst" J.D.R. 293. Hen englyn gwastad da yw'r esiampl a roir:

> Arglwydd y gelwir iôr tref,
> Neu ddau neu ddeucant cantref ;
> Ys arglwyddach Arglwydd nef—
> Nid Arglwydd neb onid Ef.[1]

(4) O chwanegu hanner-llinell at englyn milwr proestiog fe gad "englyn proest," §§ 549–50.

540. Y mae'r olrheiniad uchod o darddiad englyn unodl union yn mynd yn groes i ddamcaniaeth Rhys CY. xviii, sef mai o'r *elegiac couplet* Lladin y tardd. Fy rhesymau dros wrthod y ddamcaniaeth yw a ganlyn:—1. Y mae'n sicr mai llinell a hanner oedd yr englyn gwreiddiol, ac nid dwy linell fel y cwpled Lladin.—2. Gan mai ar y sillaf olaf yr acenniid geiriau yn yr hen Gymraeg, nid oedd yn yr hen doddaid byr ddim tebygrwydd i'r *hexameter* ; diwedda'r *hexameter* bob amser â'r aceniad ´ ˘ ˘ | ´ ˘ ; ond yr *hen* doddaid byr â'r aceniad ˘ ´ | ˘ ˘ ´ (neu ˘ ˘ ´ | ˘ ´), symudiad hollol wahanol. Nid yw bod y toddaid byr *yn awr* yn debyg i'r *hexameter* yn rheswm yn y byd dros ddal bod yr *hen* doddaid byr *annhebyg* yn tarddu ohono.—3. Y mae'n amlwg mai'r un tarddiad sydd i'r holl englynion ; nid yw englyn penfyr ac englyn milwr ond dau amrywiaeth o'r un peth, ac ni thybiasai neb fod yr olaf yn tarddu o'r mesur Lladin.—4. Bu gormod o duedd i darddu popeth o'r Lladin. Er eng., gwelodd Rhys nad o'r Lladin y tardd y gair *aradr* fel y tybiai rhai, *Welsh Phil.* 92 ; a chan fod y Brython yn gynefin ag aredig cyn gweld Rhufeiniwr erioed, nid oes dim yn galw am y dybiaeth mai o'r Lladin y daw'r enw. Os oedd un peth mwy na'i gilydd yn hynodi'r Brython a'r Celtiaid yn ol tystiolaeth yr ysgrifenwyr clasurol, disgyblaeth eu beirdd oedd hynny ; ac y mae'n amhosibl nad oedd yr hen fesurau o bedwar a chwe churiad ar arfer yn eu plith. Tebycach mai o un o'r ffurfiau a gymerth y mesur chwe churiad yn y Frythoneg y tardd y toddaid byr na'i fod yn tarddu drwy'r Lladin o ffurf a gymerth y mesur hynafol hwnnw yn y Roeg.

---

[1] Gwell *namyn Ef* Llan. 55/185 ; enwir dau fai ar yr englyn yn J.D.R. : "tin aâp, ac eisiau gair toddaid," sef gair cyrch.

Yr Hen Bedwar Mesur ar Hugain

541. Nid yw " pedwar mesur ar hugain cerdd dafod " yn hŷn na dechreu cyfnod y gynghanedd gaeth, canys Einion Offeiriad yw awdur cydnabyddedig tri ohonynt ; a thebyg mai ei drefniant ef ydynt, § 586.

Fe roir disgrifiad isod o'r hen bedwar ar hugain fel y ceir hwynt yn nosbarth Einion a Dafydd Ddu Hiraddug, gan nodi'r mesurau newyddion, a dangos fel y mae *un* mesur yng nghanu'r Gogynfeirdd weithiau'n ymddangos yn ddau neu fwy yn y pedwar mesur ar hugain. Rhennir y mesurau, fel yng ngramadeg Einion, yn dri dosbarth : Englynion, Cywyddau, Awdlau.

542. *Aceniad diweddiadau.*—Yn yr holl fesurau caethion fe all pob llinell, a phob rhaniad mewn llinell (os caniatâ'r gynghanedd), ddiweddu'n acennog neu'n ddiacen, oddieithr yn unig yn esgyll englyn unodl union, cwpled cyntaf englyn crwca ac englyn cyrch, a chwpled cywydd deuair hirion a byrion, lle mae'n rhaid amrywio'r acen yn y ddau ddiweddiad, § 522.

I. ENGLYNION.

1, 2. *Englynion o'r Hen Ganiad.*

543. Y mae'n bur debyg bod yr englyn o'r hyd newydd wedi ei lunio cyn diwedd yr hen gyfnod, gan fod yr hen englyn byr wedi mynd o'r ffasiwn yn llwyr yng nghyfnod y Gogynfeirdd. Fe geir ambell ganiad yn cynnwys englynion o'r hen hyd gydag ychydig o'r newydd,[1] dull sy'n mynd yn ol i'r hen gyfnod pan oedd yr hyd newydd yn dechreu dyfod i arferiad. Ond diameu y canwyd llawer o hen englynion yn y canol oesoedd, yn bennaf fel dynwarediad o hen ganu, er nad yw'n amhosibl

---

[1] Megis "Kyssul Adaon " ac "Ymbiban y Corff a'r Eneid " yn Llyfr Coch Talgarth, *BBCS.* ii 120, 128 (mwy o'r newydd yn yr olaf).

i'r hen englyn lusgo byw am amser ymysg y glêr; eithr yng ngwaith cydnabyddedig y Gogynfeirdd nid oes ond yr englyn newydd. Ond rhestr o'r prif fesurau, *hen a newydd*, yw dosbarth Einion, ac y mae'n cynnwys y ddwy ffurf fwyaf adnabyddus o englyn o'r *hen* ganiad; fel hyn:

(1) "Englyn penfyr," gweler § 537 (1). Yr enghraifft yn nosbarth Einion, *A* 1130, yw—

> Ónid ýnad * a darlléad [1] — llýfreu, |
> a'i éireu yn wástad,
> Áreith mywn cýfreith ni ád.

Yma y mae'r rhagwant ar y bedwaredd, ac yn odli â'r gwant, § 535 (7). Yn y gosodiad hwn bydd y llinell gan amlaf yn fer yn yr hen esiamplau: "Bid las lluarth, * bid diwarth — eirchiad" R.P. 1030; "Gnawd gwynt o'r môr, * gnawd dygyfor — llanw" 1031; rhaniad mwy cyfartal na 4, 6 enghraifft Einion.

Camddeallwyd yr enghraifft yn hollol gan D.N. yn ei awdl "enghreifftiol" §§ 598–9, 620; fe ofalodd am efelychu'r odl ddianghenrhaid yn y rhagwant, a gwnaeth "englyn" o 4, 4, 8, 7 unodl, heb air cyrch! Dilynwyd ef yn ei amryfusedd gan G.T. a L.Mg. yn eu hawdlau enghreifftiol hwythau J.D.R. 235, 239; a chan W.Mn. (ag "englyn" 4, 4, 7, 7) yn Pss. lxxxii, cxxxii.

Gweler yn § 537 (1) enghraifft reolaidd o englyn penfyr, heb yr un o'r gwyriadau sy mor fynych yn yr hen englynion mewn odliad, neu yng ngosodiad y rhagwant, ond â thoddaid o 15, gan mai 1 sillaf yn ddïau oedd (*y*)*sgwyd*.

(2) "Englyn milwr"; gweler § 537 (3). Yr enghraifft yn *A* 1130 yw—

> Chwerbid mwyalch mywn celli;
> Nid arb, nid erbir ibi;
> Nid llawenach neb no hi.

Y mae'r enghreifftiau'n waith gwirioneddol rhyw fardd hynafol neu ynteu efelychwr neu glerwr diweddarach, ac felly'n ddigynghanedd, fel y ceir gweled isod fod yr enghreifftiau o fesurau'r clerwyr, y tri hen gywydd (§ 584 (3)).

---

[1] *darllead* = 'darllenwr' Nid yw ystyr yr englyn yn hollol glir; gall nad yw'n hollol gywir. Rhywbeth fel hyn efallai: 'Except [to] a judge and reader of books whose words are just, he will not allow speech in court.'

Fel "cof am a fu" y dodwyd y ddau englyn hyn yn y rhestr, nid fel ffurfiau byw. Ni feddyliodd Einion am lunio enghreifftiau newydd ohonynt mewn cynghanedd, fel y gwnaeth D.N. ac eraill yn ddiweddarach, a hynny weithiau, fel y gwelsom, heb iawn ddeall y mesur.

Y mae'r salmau a ganlyn gan W.Mn. ar fesur englyn milwr: lxiv, xcvi, cxvii, cxix tau, cxxv.

3. *Englyn Unodl Union.*

544. Llunnir "englyn unodl union" o ddoddaid byr a chwpled o hyd ac aceniad cywydd deuair hirion [1] â'r un brifodl. Gelwir y toddaid byr yn "baladr," a'r cwpled yn "esgyll," yr englyn.

545. Hyd y toddaid byr yw 16 sillaf; ysgrifennir ef yn y canrifoedd diweddar yn ddwy linell o 10 a 6. Fe ddylai'r rhagwant fod ar y bumed sillaf, yn rhannu'r llinell o 10 yn ddau hanner cyfartal. Fe ddylai'r gwant fod ar y seithfed, yr wythfed, neu'r nawfed, yn rhannu'r toddaid yn ddau hanner mwy neu lai cyfartal. Y gwant, sef diwedd yr hanner cyntaf, sy'n cario'r brifodl gyntaf, § 535 (6). Gelwir y rhan a fo rhwng y gwant a diwedd y llinell o 10 yn "air cyrch." Am gynganeddiad ac aceniad y toddaid byr gweler uchod §§ 478–84, 492–3, 495–6, 500, 501.

NODIAD I.—Nid yw'r beirdd diweddar yn gofalu am y rhagwant ond mewn cynghanedd sain yn unig. Oherwydd mai'r sain a genid fynychaf yma fe dyfodd rhyw syniad mor gynnar â'r unfed ganrif ar bymtheg mai enw arbennig ar ail orffwysfa'r sain oedd "rhagwant," canys fe ddywaid Simwnt y gellir canu englyn â thraws "heb ragwahan ynddaw," megis "Arglwydd Sain Bened" etc. § 479 (2); "Ac er na bo ragwahan, y mae yn *rhaid* iddaw gael *gorffwysfa* yn y *bumed* silldaf" P.II. lxvii. Ni welodd Simwnt mai'r *orffwysfa* yr oedd yn *rhaid* ei chael ar y *bumed* oedd y "rhagwant." A hynny er ei fod yn canfod yn eglur, ac yn dywedyd, mai'r orffwysfa o flaen

---

[1] Gwrthuni diweddar iawn yw rhoi cwpled o 8 mewn englyn, gweler § 588.

y gair cyrch oedd y "gwant" (neu'r "gwahan" fel y gelwir y
"terfyniad" gantho ef). Yn ddiweddarach fe geir J.D.R. 164,
dan gam-gyfarwyddyd W.Mn. efallai (gweler F. 66, 71), yn galw
odl gyntaf y sain yn "want"; ac er bod y ddau'n datgan bod
yn rhaid bod "gosodiad" neu "orffwysfa" ar y bumed ym mhob
cynghanedd, fe anghofiwyd hyn gan ysgrifenwyr diweddar, am
eu bod wedi casglu wrth gamarferiad y termau mai pethau'n
perthyn i'r sain yn unig oedd gwant a rhagwant. Aeth R.D.,
yn ei 3ydd arg. 1826, gam ymhellach, a chamenwodd odl gyntaf
y sain yn "rhagwant," a'r ail, sef y rhagwant, yn "want."
Pawb wrth ei fympwy! Er y cyfnewidiadau mympwyol hyn
ni all bod amheuaeth am wir ystyr y termau; gweler § 535 (6).

NODIAD 2.—Cyfeiliornad arall yn J.D.R. 156 yw honni y
gall y gwant fod ar y chweched sillaf; trwy hynny fe rennir
y toddaid yn ddau "hanner" o 6 a 10! ac fe roir 4 sillaf yn y
gair cyrch ar gyfair yr *un* curiad sydd i fod ynddo. Nid oes
esgus dros y fath dor mesur a chloffni, canys y mae'r holl hen
lyfrau, o A i'r P.IL., yn tystio'n berffaith glir a diamwys mai'r
seithfed, yr wythfed, neu'r nawfed yw lle'r gwant, ac mai tair,
dwy, neu un yw'r gair cyrch i fod.[1] Dyry J.D.R. yn enghraifft
o gyrch o bedair y camddarlleniad bwngleraidd—

> Bron fraenwasg nos Basg * bu — dyddbrawd Duw Sûl |
>   Marw Tywysawg Cymru,

yn lle "*oedd* Basg * *y* bu — *brawd* Dúwsul | *Bwrw* Tywýsawg."[2]
Fe all cyfnewidiad bychan weithiau achosi'r gwall, fel yn R.P.
1328·38 (*hir yw* yn lle *ys hir*). Yn nhri safle cywir y gwant
fe hanerir y toddaid yn 7, 9, neu 8, 8, neu 9, 7; efallai mai'r
rhaniad cyfartal, 8, 8, a ddigwydd amlaf mewn hen englynion
cynganeddol, ond y mae 7, 9 a 9, 7 yn ddigon cyffredin hefyd.
Gweler enghreifftiau o'r tri gosodiad yn §§ 479, 492.

546. Dyma un o'r enghreifftiau o englyn unodl union a
roir yng ngramadeg Einion :

> Dilýneis, clwýfeis, * fal y'm clýw — déckant, |
>   Y décaf o ɓyn býw ;
>   Dólur górmoɓ a'm dóɓyw ;
>   Dílyn pryd éwyn, prid ýw.[3]

---

[1] A 1130; B 493; C 327; D 27; Mos. 110/6, 49; P.IL. lxvii.

[2] R.N. yn 1502; *brawd* (= 'barn') yn cadw cymeriad yn y cyrch, fel
brwydr yn yr englyn o'i flaen yn yr awdl. *Gloss* amlwg yw *dydd-*.

[3] A 1127; gwaith Bleddyn Llwyd, medd C 324; *a'm doddyw* = 'a
ddaeth imi.'

A dyma un o farwnad Gwenhwyfar G.M.D. :

> Gwae fi, lŵysgreir Méir, * mawr y'm cýffry — déigr |
>   Am eurdégwch Cýmry :
> Mýned mywn árgel wély—
> Mèinir dẃf is mýnor dý.[1]

Gweler enghreifftiau o englynion diweddar cywir yn §§ 12, 106.

4. *Englyn Unodl Crwca.*

547. Llunnir "englyn unodl crwca" o'r un elfennau, ond â'r cwpled yn gyntaf a'r toddaid yn ail, fel hyn o ramadeg Einion, A 1128 :

> Cyd ýmwnel, cýwyd bryd brýs,
>   Yn lláwen lléwych ýstlys,
> Lled(f)ryd cálon dónn * ef a'i déngys—grúb |
>   Lliw blaen grúg Genérys.

Gwell yr ystyrrir diweddu'r pennill yn ddi-bengoll, gweler § 495 (2). Dyma enghraifft ddiweddar dda (D.W. 109) :

> Mae y gŵr yn ymguraw,
>   A'i dylwyth yn wyth neu naw,
> Dan oer hin yn dwyn * y rhaw — mewn trymwaith : |
>   Bu ganwaith heb giniaw.

5. *Englyn Cyrch.*

548. Llunnir "englyn cyrch" o gwpled fel uchod a chlymiad o awdl-gywydd. Dyma'r enghraifft sydd yng ngramadeg Einion, A 1128 :

> Húnyb hírloyw 'i hýstlys,
> Gwýmp 'i llún yn 'i lláesgrys,
> Gwynlliw éwyn gwéndon iáwn
> O bẃfr éigiawn pan býfrys.

Gwelir wrth y gynghanedd fod yr enghraifft yn hen, ac y mae'n amlwg ei bod wedi ei chanu cyn y deddfiad bod y cwpled cyntaf i'w acennu fel cywydd. Fe aeth y mesur

---

[1] R.P. 1319; yr aceniad newydd 4 curiad yn y llinell olaf, § 535 (3).

yn y ffurf hon yn boblogaidd mewn canu gwerinol, ac fe'i ceir mewn hen benillion telyn [1] a hen gerddi fel "y Blotyn Du." [2] Ond fel mesur caeth yr oedd yn rhaid acennu'r cwpled cyntaf fel cywydd P.**ᴸ**. lxviii; dyma'r enghraifft yn D.N. 63 :

> Deng mil o filioedd oeddyn',
> Draw dri llu hyd ar dir Llŷn ;
> Dilynaist hwynt dal-ýn-nal,
> Dair ystâl, nid arhoes dŷn.

O awdl farwnad Syr T. Salbri o waith T.A. :

> Draw yr aeth dirwy ar win,
> Darfu oeri'r dorf werin,
> Darfu pen y dref a'u post,
> Darfu'r gost ar fara a gwin.

Ym moliant yn un gŵr fe wnaeth **T.A.** y brifodl yn broest (nid rhaid aceniad cywydd felly, gweler isod) :

> North yw dy ran wrth dy rym,
> Aeth yn dy ras, a'th wayw'n drwm ;
> Aethost, iawnlwyth Ystanlai,
> Lle nid âi y llew na dim.

Galwodd W.Mn. y dull hwn yn "englyn proest cyrch," a chanodd Ps. lxxxi arno.

"A'r kyfryw englyn hwnnw," medd *D* 29 am englyn cyrch, "a berthyn ar deulüwr diwladeib i ganu, ac ni pherthyn ar brydyb ymyrru arnaw rhag 'i howsed." Yn gyffelyb yn *C* 327. Adlais o ddiystyrwch y prydydd o fesurau poblogaidd. Nid yw'r sylw yn *A* na *B*.

6, 7, 8. *Englynion Proest.*

549. Llunnir englyn proest o bedair llinell o 7 sillaf yr un, a'u diweddiadau'n proestio yn lle odli ; gweler rheolau proest §§ 441-4. Y mae'r aceniad yn rhydd : gall yr holl

---

[1] Megis "Mae ffair y Borth yn nesu" P.T. 41. Gelwir y mesur "y truban" yn C.**ᴸ**.C. v-vi 59, a "mesur gwŷr deheubarth" 64. Ond Iolo a'i galwodd yn "driban Morgannwg" mae'n debyg. Bu'n boblogaidd trwy Gymru ; gweler cân arno gan Rolant Vychan, Caer Gai, eto ii 13.

[2] Eto iv 30.

ddiweddiadau fod yn acennog, neu'n ddiacen, neu'n gymysg fel y mynnir. Yn yr hen bedwar mesur ar hugain fe gyfrifid englyn proest yn dri mesur ("Tri rhyw englyn proest yssyb" *A* 1128), sef :

(1) "Proest dalgron," fel hyn :

> Adeiliwyd beb, gweb gwiwd*er*,
> F'eneid, i'th gylch, o fyn*or* :
> Adeiliawb cof dy al*ar*
> I'm calon, bilon bol*ur*.[1]

Â'r diweddiadau oll yn acennog :

> Eurawb Iorwerth geinferth g*â*n
> Erllyneb, gwir gyfedd gw*i*n,
> Arawd teg o oreu t*ô*n
> O rob Duw a eurawb d*ŷ*n.[2]

Gall y llinellau derfynu â llafariad seml, fel *da, lle, tro, ty,* neu â deusain dalgron heb neu gyda chytsain § 443 (1) ; neu, i lunio proest amlycach, â llafariad a dwy gytsain fel *-llt,* neu *-rth* neu *-thr,* etc. :

> Gweleis am farb harb h*ylithr*
> (Gwedy darllein gwawd éurll*ythr*
> Baradwyseib, berw d*ísathr*)
> Brib a derw—breubwyd ár*uthr*.[2]

(2) "Lleddfbroest." Yn hwn rhaid bod y pedair deusain leddf *ae, oe, ŵy* ac *ei* (diweddar *ai*) yn proestio, § 443 (2), naill ai heb neu gyda chytsain ar eu hol, fel hyn :

> Echwng gwenlloer oeb oer b*óe*
> Ym maengist, fawrdrist fár*w̤*dre*i* ;
> Aml gweb yn emyleu gw*áe*
> Am byn doeth, em Ddindáeth*ŵy*.[3]

O'r hen ramadeg :

> Llawen dan glaerwen len l*áes,*
> Llebf olwg gloyw amlwg gl*ŵby̆s,*
> Llathrlun manol a fól*eis,*
> Llarieib fonebigeib f*óes*.[4]

---

[1] G.M.D. R.P. 1318. [2] S., marwnad I.C., R.P. 1262.
[3] G.M.D. eto 1319.
[4] *A* 1129; gwaith Dafydd Ddu [Athro] medd *C* 325.

(3) " Proest gadwynog," pob llinell yn proestio â'r nesaf ati, ond y gyntaf yn odli â'r drydedd, a'r ail â'r bedwaredd. Yr oedd odl gadwynog yn digwydd ambell dro cyn hyn mewn proest ar fesurau eraill,[1] § 551, ac fe'i ceir mewn englyn proest lleddf o waith P.B. yn M.A. 262. Y mae dwy enghraifft yn yr hen ramadeg, un dalgron ac un leddf, o oes Einion a Dafydd Ddu.[2] Ni chefais yr un yn awdlau'r bedwaredd ganrif ar ddeg, ond y mae digon i'w cael yn ddiweddarach. Dyma un o waith T.A.:

> Nodi dyn nid adwáen*wn*,
> Nid adwaeniad y dý*nion*,
> Gwrda 'mhlith gwyrda mal h*ŵn*,
> Gwreigdda 'mhlith gwragedd mal h*ón*.

Â'r un odlau, oll yn acennog:

> Ymddifad ei thad, a th*ŵn*
> Archoll yn ei friwdoll fr*ón*,
> Yng nghur digysur, da g*ŵn*,
> Yn gaeth o'm hiraeth am h*ón*.[3]

Talgrynion yw'r rhain ; ond wrth gwrs fe geir aml broest cadwynog lleddf hefyd, fel hyn :

> At ryw y rhain trwy yr b*ŵyr*
> Y trof (cadwed Duw yr *áer* !)
> Troi i'r gwin a'r tri rhyw g*ŵyr*,
> Troi ar gylch i'r twr a'r g*áer*.[4]

550. "Mesur englyn proest yw wyth sillaf arhugeint," medd yr hen reol, *A* 1130, sef pedair llinell o 7. Ni allai lleddf broest fod yn hwy na hynny, am nad oedd ond pedair deusain leddf ; ond yr oedd saith lafariad seml wahanol (heb gyfrif yr *y* dywyll), ac fe ddechreuwyd canu penillion proest o chwe llinell yn y bedwaredd ganrif ar ddeg ; gweler cyfres o waith G.M.D. yn R.P. 1322-3. Fe geir aml un yn ddiweddarach ymysg englynion mewn

---

[1] Er eng. *-oed*, *-eid*, *-oed*, *-eid* ar gyhydedd naw ban yng Ngorhoffedd Gwalchmai M.A. 143 a. [2] Ni rydd *C* enw awdur.
[3] Gr.O. 29. [4] L G.C. 101.

awdlau, e. e. **L.G.C.** 132–3, 135. Prin yr gellir galw
pennill o 6 llinell yn englyn, onid edrychir arno fel englyn
milwr dwbl.

551. Heblaw mewn englynion fel uchod fe ddefnyddiwyd
proest yn lle odl yn awr ac yn y man mewn amrywiol
fesurau o amser y Gogynfeirdd ymlaen; gweler rhupunt
proest § 444; penillion pedair llinell proest o gyhydedd
naw ban gan E.S. M.A. 244 a L.G.C. 62–3; hir-a-thodd-
eidiau (a llawer o gam-broest "lleddf a thalgron") L.G.C.
424–5; englyn proest cyrch § 548.

II. CYWYDDAU.

9. *Awdl-Gywydd.*

552. Gwneir clymiad "awdl-gywydd" o ddwy linell o 7
sillaf yr un, a diwedd y gyntaf yn odli â gorffwysfa'r ail,
§ 535 (2); gelwir hyn yn "odl gyrch." Y mae aceniad y
diweddiadau'n rhydd, § 542. Diwedd yr ail linell yw'r
brifodl, a chynhelir hi drwy'r gân neu'r darn. Enghraifft
ddi-gynghanedd o dri chlymiad sydd yng ngramadeg
Einion, *A* 1135 :

> O gwrthody, liw ew*yn*,
> Was di fel*yn* gudynn**eu**,
> Yn ƀiwladeiƀ ƀa 'i lê*n*,
> A'i aw*en* yn 'i lyfr**eu**,
> Cael it filein aradrg*aeth*,
> Yn waethw*aeth* 'i gyneƀf**eu**.

Mewn cynghanedd fe ddisodlwyd yr awdl-gywydd bron yn
llwyr gan y cywydd deuair hirion, ac anfynych iawn y
ceir cân gyfan arno. Dyma ddechreu un :

> Llawenaf lle o Wyn*edd*
> Yw llys m*edd* a llysiau **Môn**,
> Lle mae Rhys â'r llym wayw rh*udd*
> Yn llyw*ydd* unwayw Lleon.
> Aerfab Llywelyn erf*ai*
> A rodd*ai* wisgoedd rhuddion.[1]

D.E. 89.

¶ Arferir y term "clymiad" yma am *ran* o bennill; y mae "clymiad" yn cynnwys y mesur yn llawn, ond rhaid cael *dau* i lunio pennill. Mewn awdl-gywydd, er enghraifft, ni cheir prifodl o gwbl heb ddau o'r elfennau sy'n llunio'r mesur, sef dau glymiad. Er mwyn eglurder, arferir "pennill" yn ei ystyr ddiweddar, ac nid am 'linell' fel y gwneid gynt. "Pennill" yw nifer o linellau'n ffurfio caniad byr, ac ynddo o leiaf *ddau ddiweddiad* yn llunio prifodl.

10. *Cywydd Deuair Hirion.*

553 Cwpled odledig o linellau 7 sillaf yw pennill o "gywydd deuair hirion"; rhaid i un brifodl fod yn acennog, a'r llall yn ddiacen § 535 (3), ond ni waeth pa un a ddêl yn gyntaf. Yn gyffredin fe newidir yr odl o gwpled i gwpled, ond weithiau fe genir cywydd ar yr un odl oll, fel "Cywydd Mai" D.G. (86). Tri chwpled i'r march yw enghraifft Einion, heb gynghanedd ond yn y cymeriadau. Nid oes ond y cyntaf yn *A*, ac nid yw'r cyntaf yn *D*; y mae'r tri yn *B* a *C*. Yn anffodus nid yw ffurf yr ail yn gwbl sicr; ymddengys mai darlleniad *C* yw'r goreu, a dodaf hwnnw'n gyfan yma (gydag un cywiriad):

> Breichffyrf, archgrwn, byrr 'i vlew,
> Llyfn, llygatrwth, pedreindew,
> Kyflwyb kofleid,[1] kyrch[2] amkaff,[3]
> Kyflym, kefnvyrr, kar*r*[4] gengraff,[5]
> Kyflawn o galon a chig,
> Kyfliw blodeu banadlvrig.

Y mae *amkaff* yn weddol sicr,[6] ac y mae aceniad diwedd y llinell nesaf yn debycach o fod yn gyffelyb nag yn wahanol;[7] gall yr enghraifft felly fod yn hŷn na rheol yr acen. Yng nghywyddau D.G. y mae'r acen yn rheolaidd:

---

[1] *C, D*; koflith *B*. [2] *C, D*; geirch *B*; (kyrch = keirch).
[3] *C*; am kaff *D*; ym gaff *B*.
[4] karn *C*; garn *D*; kadarn *B* (rhy hir); efallai mai karr, sef "carr gên," sy gywir; carr-gén-graff. [5] *C, D*; gen graff *B*.
[6] Gweler D.D.G., 1921, td. lxxii.
[7] Gair cyfansawdd yw'r diwedd pa un bynnag ai *gen-graff* ai darlleniad diweddar fel *cadarnbraff* a gymerir; ac ar y goben y mae'r acen debycaf yn y cyfryw.

ond mewn rhai ohonynt, rhai cynnar efallai, y mae llinell
gyntaf y cwpled yn aml, nid yn unig yn bengoll, § 335,
ond heb gynghanedd o gwbl; gweler e. e. D.G. (27–8).
Eithr fe gymerth y mesur ei ffurf derfynol dan ei law ef;
ac oherwydd poblogrwydd ei ganiadau serch, a llyfnder a
melyster y mesur, fe aeth yn llawer mwy cyffredin na'r
un mesur arall. Llinellau o gywydd yw mwyafrif mawr
yr enghreifftiau uchod o gynghanedd. Gan gynefined y
mesur nid rhaid dyfynnu enghreifftiau yma, ond gweler
darnau o hen gywyddau yn §§ 13, 82, 83, 84, 147, heblaw
lliaws o gwpledau drwy'r llyfr.

NODIAD.—Nid oes dim sail i'r syniad a ffynnai yn y ganrif
ddiwethaf y gall cwpled o gywydd fod yn llinellau 8 sillaf; ac
i'r neb sy'n gyfarwydd â chywyddau y mae'r cyfryw gwpledau
(fel yng ngwaith E.F.) yn wrthun i'r eithaf. Gwraidd y cyfeil-
iornad yw'r syniad y gall esgyll englyn fod yn 8 sillaf, a thardd
y syniad hwnnw o gymysgu hydau englyn a byr-a-thoddaid, peth
a ochelai'r hen feirdd yn ofalus, gweler § 588.

11. *Cywydd Deuair Fyrion.*

554. Cwpled odledig o gyhydedd 4 sillaf yw pennill o
"gywydd deuair fyrion." Yn enghraifft yr hen ramadeg,
§ 533, nid oes gynghanedd nac amrywiaeth acen; ond fel
mesur caeth fe gyfaddaswyd ato reol cynghanedd ac aceniad
cywydd deuair hirion. Wedi ei gaethiwo felly, mesur
gwael ydyw; ac ni chanwyd nemor ddim arno. Nid cof
gennyf weled cywydd cyfan o res o gwpledau ohono; ac
ni cheir yn gyffredin yn y gramadegau, mwy na'r awdlau
enghreifftiol, ond un cwpled yn enghraifft. Enghraifft
Simwnt yw—

Dewr hil, fil fur, | didarf Dudur.

Ond fe rydd G.R. 279 "rimin" (ei air ef) o ddeuddeg
cwpled yn dechreu—

It, ferch, serch sydd, | lawn lawenydd;
Da wyt a doeth, | eurddawn, wirddoeth.

12. *Cywydd Llosgyrnog.*

555. Llunnir "cywydd llosgyrnog" o ddwy, tair, neu bedair o linellau 8 sillaf a llosgwrn o saith, y llinellau o 8 yn odli â'i gilydd ac â gorffwysfa'r llosgwrn, a diwedd y llosgwrn yn cynnal y brifodl. Enghraifft Einion, *A* 1135, yw—

> Lluwch eiry manod mynyb Mynn*eu*,
> Lluoeb a'th fawl, gwawl gwawr deh*eu*,
> Llathrlun gol*eu* Oleubyb;
> Llifawb fy hoen o boen ben*yd*,
> Llubiawb im hun llun bun lloer b*yd*,
> Lled(f)ryd, nid byw*yd*, a'm byb.

Mesur newydd yn Gymraeg oedd hwn, wedi ei fenthyca o'r canu odledig Lladin.[1] Yr oedd y *dull* yn gynefin yn y rhupunt a'r gyhydedd hir, ond nid yr hydau hyn. Un mesur y cyfrifid ef er y gellid amrywio nifer y llinellau. Ychydig a ganwyd ar y mesur; y mae yn D.E. 61 gywydd cyfan arno, a'r clymiad cyntaf o hwnnw a ddyfynnir amlaf fel esiampl; dyma'r ddau gyntaf (er mwyn cadw'r brifodl, § 552):

> Y mae goroff em a gar*af*
> O gof aelaw ag a fol*af*,
> O choeli*af* gael 'i chal*on*,
> Am na welais i, myn Eli*en*,
> O Lanurful i lyn Aerf*en*,
> Wawr mor w*en* o'r moryni*on*.

Ni welais ganiad â thair na phedair o linellau 8 o flaen y llosgwrn, ond yn unig enghreifftiau o un clymiad yr un, P.M. lxvi, J.D.R. 190.

¶ Yn y clymiad cyntaf o gywydd D.E. y mae fol*af* a choeli*af* yn ffurfio "odl gyrch" § 552; ond y mae eisiau term i gynnwys gar*af* hefyd. Gwelir bod yr odl -*af* yn digwydd deirgwaith yma o flaen y brifodl; gelwir y cyfryw odl yn "rhagodl."

---

[1] Gweler Ifor Williams D.G.G. lxxv, D.D.G. lxxvi. Y mae llawer iawn o emynau Lladin ar y mesur hwn, gyda'r un amrywiaeth yn nifer y llinellau; gweler e.e. Mone, *Lat. Hymn.* i 120, 139, 140, 144.

III. AWDLAU.

13. *Rhupunt.*

556. Am ffurfiad "rhupunt" gweler § 535 (4). Yn y cyfnodau hynaf y mae'r ddau draean gyntaf yn aml yn odli â chanol y trydydd, fel yn y pedair llinell yn § 444; ac os bydd cytseinedd hefyd yn y traean olaf, fe fydd y llinell gyfan yn gynghanedd sain deirodl, fel yr ail a'r drydedd o'r llinellau a nodwyd. Y mae'r bedwaredd, fel y gwelir, yn llusg bedeirodl. Fe geir hefyd lusg deirodl, megis—

Duw yn gym*orth*, | yn nerth, yn b*orth*, | yn ganh*orth*wy.[1]

Ond yn fynych, yn lle odli, fe gytseinid diwedd yr ail traean â dechreu'r trydydd, nes bod y llinell yn sain bengoll, fel hyn :

Duw rhy'm rhoddwy, | rheiddun a*rl*wy, | e*rl*id cyngor,
Rhodd fodd fedru | rhif brif *bryd*u, | *bryd*est ragor.[2]

Weithiau y mae'r gynghanedd yn ddi-bengoll, ac yn y cyfnod caeth fe ddaeth yn rheol gwneuthur y ddau draean olaf yn groes neu draws gyfan ddi-bengoll fel hyn :

Och o'r colled | am eil *L*ún*ĕ*d, | e*m* oléun*ĭ* !
Och o'r trymfryd | a *ll*wyr dr*ís*t*ў*d | fod *ll*awr dr*ós*t*ĭ* !
Gwnaethost â'th was | *f*awr al*án*ă*s, | *F*eir, el*én*ĭ,[3]
Gwisgaw rhiein | is *g*laswe *f*éin, | ys *g*loeswae *f*í ! . . . .
Dwg hon i'th wlad | e*t*on o'*th* râd, | wy*t* U*n* a *Thr*í.[4]

Yn 1451 fe ddeddfwyd, pan ddiweddai'r ddau draean gyntaf yn ddiacen, fod yn rhaid eu hodli'n ddwbl, fel hyn :

Iawn o'i b*erchi* | i bawb *erchi*, | o bob eirchiad,
Ar y d*iben* | oes ann*iben* | i Siôn Abad.[5]

A phan ddiweddent yn acennog yr oedd yn rhaid cynganeddu'r ddau draean gyntaf ar wahan, yn gystal â'r ddau olaf ynghyd ; fel hyn :

*D*y óed on*d* *á*eth | a *r*ó'r G*ŵr* *á*eth | ar y wir gr*óg*.[6]

[1] B.B. 73. [2] Se.B. M.A. 236. [3] Llsgr. *oleuni*. [4] G.M.D. R.P. 1321. [5] P.Ll. lxix, J.D.R. 200. [6] D.N. 64 ; gweler nodiad 1, td. 333 isod.

¶ Y mae " traean " yn burion term i ddynodi un o'r tair rhan
sy mewn rhupunt neu draeanog; ond mewn rhupunt hir a
chyhydedd hir y mae mwy na thair o'r cyfryw rannau; am
hynny fe elwir rhan felly yn "gymal" isod.

557. Nid yw " rhupunt hir " yn fesur annibynnol yn yr
hen ramadeg—yn wir ni sonnir amdano o gwbl, er ei fod
yn rhan o dawddgyrch Einion, § 569. Gwelsom uchod
§ 536 (1) ei fod cyn hyned â'r Gododdin; ond ni chanai'r
Gogynfeirdd arno, er canu llawer ar gyhydedd hir; ac nid
hawdd gwybod ai mesur ydyw a gadwyd gan y glêr, fel
deuair fyrion, § 533, ai ei ffurfio o newydd a wnaethpwyd
trwy chwanegu cymal arall at rupunt ar fodd cyhydedd hir.
Tua dechreu'r bedwaredd ganrif ar ddeg [1] y ceir yr enghraifft
gyntaf ar ol yr hen gyfnod, mewn traethawd crefyddol;
odid felly nad oedd yn un o fesurau'r glêr. Cân y plant yn
y nefoedd ydyw, yn dechreu :

> Diolchwn, Iôn, | it dy roʊion |
> ini feibon | faboed dir**ym** ;
> Pe beym henion | fal yn ʊynion, |
> colledigion | digwyn fydd**ym**.

Chwe phennill fel yr uchod yw'r gân, yr un rhagodl trwy'r
pennill, a'r un brifodl i ddau bennill. Yn ddiweddarach yn
y ganrif fe newidid y rhagodl ym mhob clymiad, ac fe
wneid ei ddau gymal olaf yn un groes ddi-bengoll, fel gan
Risserdyn M.A. 292–3 ; ac fe ddechreuwyd tua'r adeg honno
wneuthur y rhagodlau'n ddwbl (yn null y canu odledig
Lladin), fel gan G.M.D. M.A. 314, a chan I.C. yn y gân y
dyfynnir esiamplau amlaf ohoni, sef "Mi a baraf i ddyn
araf." Dyma dri chlymiad o'i diwedd :

> Uthr ʊol*urieis*, | o'th serch c*urieis*, |
> y llaf*urieis* | fy llefer**yʊ** ;
> Llywiaf *awen* | llwybr per*awen*, |
> Efa l*awen* | yw f'eilew**yʊ**—
> Lleʊf engl*ynion*, | lliw rhos gw*ynion*, |
> lloer mor*ynion* | llawr Meirion**yʊ**.[2]

---

[1] IL.A. 95; amseriad y llsgr. yw 1346.   [2] R.P. 1287.

Ymhell wedi hyn, sef yn 1451, y deddfwyd bod yn *rhaid* i'r
rhagodlau fod yn ddwbl fel yna ; a chan na ellid odl ddwbl
lle bai'r cymalau'n diweddu'n acennog, fod yn rhaid *cyng-
aneddu*'r ddau gyntaf fel mewn cyhydedd hir ;[1] dyma
enghraifft o waith D.N. :

> Un oes a wnair, | a dwy neu dair |
> i'r iarll a gair, | er lliw a gwedd ;
> A'r groes oedd grair | i Dduw ddiwáir |
> a bair Gwyry Fair | a'r Gŵr a fedd.[2]

Y mae yn y caniad chwe phâr o benillion fel hwn (hanner
y trydydd pâr ar goll) ; yr un ragodl drwy'r pâr, ac yn
acennog yn y pâr cyntaf yn unig ; yr un brifodl *-edd* i'r
chwephar. Y mae rhagodlau dwbl yn rheol o hynny
ymlaen, ond yn gyffredin yn newid ym mhob clymiad,
L.G.C. 41-2.

558. Pa un bynnag ai hen fesur y Gododdin wedi ei
gadw oedd hwn ai peidio, fe ymddangosai i feirdd y bed-
waredd ganrif ar ddeg fel rhupunt a chymal wedi ei
chwanegu ato ; ac fe chwanegwyd cymal arall i lunio
" rhupunt hwyaf," fel hyn :

> Ar lwyr wared, | Grist, y'th aned, |
> Naf nef drefred, | naws gogoned | nis goganein ;
> A'r dysg a'r da | i lwyth terra, |
> rhag murn mawrbla | o ben Efa | i boenofein.[3]

Nid da rhy o ddim—rhyw ofer fesur yw hwn.[4] Ond, fel
â'r tri chywydd llosgyrnawg, efallai'r edrychid ar y tri
rhupunt fel un mesur.

<hr />

[1] " Hupynt yw mesur a rydd i'r bardd rydd-did i ganu naill ai'n
gynghaneddol ai'n gyfochr " (sef ag odl ddwbl) W.Mn. F. 74.

[2] D.N. 39 ; yn y pennill o flaen yr uchod y mae'r ddau gymal gyntaf yn
un gynghanedd groes, a'r ddau'n odli ; felly y mae'r orffwysfa'n odli â
diwedd y gynghanedd !

[3] G.M.D. M.A. 312 ; cf. Gronwy Ddu i Ferch M.A. 337 ; "hen fesur o
waith Gronw Ddu" medd J.D.R. 249 am eng. o *gân* Gr.D.

[4] Yn y clymiad o flaen yr un a ddyfynnir o'r Gododdin yn § 536 (1) y
mae 5 yn lle 4 cymal ; ond y tebyg yw mai dau glymiad a redwyd yn un
oherwydd tebygrwydd y rhagodlau *-awl*, *-awr*. Nid oes ond tri chlymiad
yn y caniad fel y mae.

14. *Cyhydedd Fer.*

559. Cwpledau o linellau 8 sillaf yn unodl oll yw "cy-
hydedd fer," a thri churiad yn y llinell yn yr hen esiamplau,
§ 535 (1). Fe genid lliaws o gwpledau ar yr un odl
i wneuthur caniad ; y mae yng "Nghanu Tysiliaw" Cyn-
ddelw 26 (sef 52 llinell) ar yr odl -*edd* yn y caniad cyntaf,
15 ar -*eint* yn yr ail, 14 ar -*ir* yn y trydydd, etc., hyd y
nawfed, M.A. 177-9. Yn nechreu'r cyfnod caeth fe gân
Casnodyn 11 o gwpledau ar -*ant*, eto 288, ac ychydig yn
ddiweddarach, G.M.D. ugain ar -*edd*, eto 316-17. Hyd yn
oed yn y rhain y mae llawer o gynghanedd bengoll i gadw'r
tri churiad, megis—

> Cyn gwisgaw mewn gwasgawd maenfeb.—317.

Ychydig iawn o ganu a fu ar y mesur yn y bymthegfed
ganrif, ac fe newidiwyd yr effaith drwy roi pedair acen
ynddo. Er enghraifft, fe gân L.G.C. 256-7 ddeuddeg
pennill o bedair llinell 8 sillaf, oll ar yr odl -*edig*, fel hyn :

> Pob rhyw adar pupuredig,
> In a nodant yn enwedig,
> Sy o fwydau yn safedig
> A gai wawdydd fai dysgedig.

Rhythm rhupunt hir yw hwn, nid rhythm yr hen gyhydedd
fer.

15. *Byr-a-thoddaid.*

560. Nid mynych, hyd yn oed yng nghyfnod y Gogyn-
feirdd y cenid cyhydedd fer yn syml fel uchod. Yr oedd y
mesur, sef 6 churiad ac 16 sillaf, yn un o'r rhai mwyaf
cyffredin ; ond yr oedd mwy nag un dull arno, ac fe genid
y cwpled odledig a elwir cyhydedd fer bron bob amser yn
gymysg â'r dull arall a elwir toddaid byr. Nid newid
mesur oedd hyn ond amrywio dull y mesur ; a phan genir
ef yn y modd hwn fe'i gelwir " byr-a-thoddaid." Nid oedd
reol yn y byd pa nifer o gwpledau cyhydedd fer i'w rhoi

rhwrg y toddeidiau ; yn wir, pan fai dwy sillaf yn y cyrch,
a'r gwant o'i flaen yn odli, nid oes wahaniaeth rhwng y
toddaid hwnnw a chwpled. Ond cymerer awdl P.M. i
Rodri fel yr argreffir hi yn M.A. 201–2, ac fe geir—7 gwpled,
toddaid, 9 cwp., todd., 1 cwp., todd., 4 cwp., todd., 2 gwp.,
oll ar yr odl -on. Dechreua'r awdl nesaf ati â thoddaid,
a cheir gan mwyaf gwpled a thoddaid bob yn ail, ar yr odl
-es. Yr unig reol oedd na ddodid dau doddaid ynghyd.[1]
Yn nosbarth Einion, A 1132, fe ddywedir y dylid dechreu
â thoddaid, ond y gellir rhoi "cymaint ag a fynner o benilleu [2]
byrion o wyth sillaf" rhwng y toddeidiau. Dyma'r esiampl
a roir :

> Y Gŵr a'm rhóbes * rhínieu — ar dáfawd, |
> Ag árawd [3] a géirieu,
> A'm tróses i gýffes nid géu,
> A'm tróso i'r tróseb góreu,
> I gúriaw górwisg fy ngrúbieu,
> I gáru Mab Dúw diámeu,
> I gýmryd pényd * rhag póeneu — úffern |
> Ag áffeith bechódeu.

Nid pennill yw hwn, ond dechreuad traethgan [4] o doddaid
a chwpledau bob yn ail : ar ol y darn uchod cwpledau a ddaw
nesaf, ac yna doddaid, ac felly ymlaen ; gweler enghraifft
o'r cyfnod caeth yn L.G.C. 324–5, lle mae 44 llin. ar yr
odl -ydd, yn dechreu a diweddu â thoddaid, gyda dau gwpled
rhwng pob toddaid a'i gilydd.[5] Ymddengys bod cyfyngu
nifer y cwpledau i ddau, a rhoi toddaid ar y dechreu a'r
diwedd, wedi ei wneuthur yn rheol yn 1451 neu gynt : y
mae'r ddau beth yn ddeddf yn rheol Simwnt P.IL. lxx. Yn
ei enghraifft ef, fel yn y rhan fwyaf o rai'r bymthegfed

---

[1] Ymddengys mai cam-raniad sydd yn M.A. 198b, lle daw tri ynghyd ;
cwpled yw'r ail i fod.

[2] Yn hytrach o *gwpledau*, gan yr hen brydyddion beth bynnag. Lle
gwelir nifer od o linellau yn y Gogynfeirdd odid nad oes linell ar goll.

[3] M.A. ; D ; ar wawd A.   [4] Gwaith G.Y.C. M.A. 271.

[5] Yr oedd beirdd yr 16eg ganrif yn deall y rheol yn burion, ond W.Mn.
yn unig sy'n ei gosod yn glir : "Nid rhaid ond un toddaid rhwng pob
pedair braich," F. 73.

ganrif, y mae pedwar curiad yn yr 8 sillaf; a chan mor
anghymharus yr ieuant â'r toddeidiau, nid rhyfedd na chenid
nemor ar y mesur oedd mor hoff gan y Gogynfeirdd.

16. Clogyrnach.

561. Ym myr-a-thoddeidiau'r Gogynfeirdd fe roir trae-
anog yn aml yn lle'r toddaid, § 535 (5); gweler M.A. 202b,
ll. 16–17, lle mae un traeanog ymysg lliaws o doddeidiau yn
awdl P.M.; M.A. 165–6, lle mae tri thraeanog-doddaid yn
awdl C. Ond weithiau fe geir traeanog yn amlach na
thoddaid fel yn awdl G. yn y M.A. 147–9, ac awdl C. yn
161–3. Yn y ddwy awdl hyn nid oes gan amlaf ond un
cwpled rhwng pob traeanog neu doddaid a'i gilydd; ac y
mae'n debyg mai hyn oedd y rheswm bod byr-a-thoddaid
yn y ffurf o fyr-a-thraeanog wedi ei wneuthur yn fesur
newydd yn y 24 trwy lunio pennill o un cwpled o gyhydedd
fer a thraeanog, a'i alw'n "glogyrnach." "A'r modd
hwnnw," medd A 1133, "a elwir dull Cynddelw." O'r
awdl a grybwyllwyd olaf y cymerir yr enghraifft; dyma un
arall rywfaint mwy dealladwy o awdl G. M.A. 148:

> A chýmradw a hírgadw hírgwyn,
> A hírgur o ổólur 'i ổwyn;
> Ac i Ddúw o'i ổáwn | yổ árchaf arch iáwn, |
> Awdl ffrẃythlawn, ffrwyth gýmwyn.

Dyma enghraifft mewn cynghanedd, gwaith G.Gl.:

> Derw yw'r adail, doir i'w rhodio;
> Deled Wynedd, daw Iâl dano;
> Dwyfil o dyfydd, | difalch yw Dafydd, |
> Di-negydd, dawn Iago.

Yma y mae dau draean cyntaf y traeanog wedi eu cy-
nganeddu, fel y gwelir; yr oedd hyn yn rheol, fel mewn
cyhydedd hir; gweler rhes o 8 o benillion clogyrnach o
waith Gu.O. yn G. 202–4.

Nodiad.—Yng nghaniadau'r Gogynfeirdd ar y mesur hwn (sef byr-a-thoddaid a byr-a-thraeanog) fe welir yn y cwpledau amryw linellau o naw ; ond *tri* churiad a fwriedid ynddynt, ac weithiau y mae'r tri'n amlwg, fel yn y ddwy hyn o awdl G. M.A. 147 :

> A héɓyw ni háwɓ wyf o'i fýned . . .
> Rhag gálar, garw áfar efrífed.

O'r ochr arall mewn llawer llinell o 8 rhaid cadw'r gair cyntaf yn ddiacen rhag bod pedair acen yn y linell, megis (eto 148) :

> Gwelais frád a chád a chámawn.

Lleddfir acen y gair trwy ostwng y llais; hynny yw ynganiad naturiol *Gwelais* yn y cysylltiad y mae yn y gân. Ond yn y penillion cynganeddol, pedwar curiad sy'n naturiol—yr oedd yr hen rythm wedi ei golli.

17. *Cyhydedd Naw Ban.*

562. Llinellau unodl o naw sillaf a phedwar curiad yw "cyhydedd naw ban " § 534. Anfynych y cenid ar y mesur gan y Gogynfeirdd heb roi ambell doddaid neu gyhydedd hir yn lle cwpled yn y caniad, § 565. Pan genid arno'n syml fe rennid y caniad yn benillion dau gwpled neu 4 llinell; yn yr engʰraifft hwyaf a goreu, sef Marwnad Gruffudd ap Cynan gan Feilir M.A. 140–1, yn y fl. 1137, y mae'r rhan gyntaf yn cynnwys 10 pennill (sef 40 llin.) ar yr odl -*awd*; yr ail ran 13 ar -*awg*; y drydedd 16 ar -*ydd*; a'r bedwaredd 4 ar -*ed*: cyfanswm, 43 pennill (172 llin.). Dyma'r pennill olaf yn y drydedd ran :

> Grúffuɓ grym ẃriawr | o'i fáwr féuyɓ
> Ni'm didóles nú, | ní bu gélwyɓ ;
> Yni fẃyf gynéfin | a dérwin wýɓ,[1]
> Ni thórraf a'm cár | fý ngharénnyɓ.

Y drydedd linell sillaf yn hir, § 534. Yn yr un modd y cenir y mesur yn y cyfnod caeth, ond gan gadw'r hyd yn

---

[1] H.y. " hyd oni fwyf a'm cartref mewn coed derw " (sef " yn fy arch ").

fanylach ; y mae, er engbraifft, ddeuddeg pennill ar yr odl
-*el* gan L.G.G. 12–13, wyth ar yr odl -*ad* 27–8 ; dyma un
pennill o'r rhes gyntaf, td. 13 :

> Mae rhái a léchai | bób gẃyl úchel—
> Mae háelion gwýchion | ní chār góchel ;
> Cýbydd a ýmgudd | ág a ýmgel—
> Ni cháis Marédudd | na chúdd na chél.

18. *Cyhydedd Hir.*

563. Llinell ddwbl o 19 sillaf ac wyth guriad yw
" cyhydedd hir " ; y mae iddi bedwar cymal o 5, 5, 5, 4
sillaf, a dau guriad ym mhob un ; y tri cyntaf yn odli, a'r
pedwerydd yn cynnal y brifodl, § 536 (2). Yn y Gogynfeirdd
fe'i ceir yn fynych yn gymysg â chwpledau o gyhydedd naw
ban, ond prin ar ei phen ei hun cyn y drydedd ganrif ar
ddeg.[1]   Pa faint bynnag o glymiadau a genid ar yr un odl,
fe'u rhennid yn benillion o ddau glymiad yr un, a hynny
cyn llwyr ddidol cyhydedd hir oddiwrth doddaid, gweler
§ 536 (4).   Dyma'r olaf ond un o 22 o'r cyfryw benillion
ar yr odl -*a* gan D.B. i Lywelyn (y llyw olaf) M.A. 224 :

> Mẃyfwy 'i gýthrub, | miréinfab Grúffub, |
> Máe yn 'i béurub | báwn ni chília ;
> Cýmen Lywélyn, | cýmyrth 'i dérfyn, |
> Cýmru o gýlchyn | á gylchýna.

Yn y cyfnod caeth fe gynganeddir y ddau gymal gyntaf ar
wahan, a'r trydydd a'r pedwerydd ynghyd.   Yn nechreu'r
cyfnod fe hoffid rhoi sain yn y cymalau byrion, § 487 ; ond
gwell yw croes, traws neu lusg, fel a geid fynychaf yn
ddiweddarach, am mai dau guriad sydd yn y cymal.   Fe
wna L.G.C. 73–4 ryw orchest o roi'r un rhagodl (-*yn*) ym
mhob clymiad o bum pennill, ond yn gyffredin fe newidir

---

[1] Yn y gân gyntaf yn y Llyfr Du dilynir gwawdodyn byr gan bum
clymiad o gyhydedd hir ar y diwedd ; gwaith clerwr yn agos i ddiwedd y
12fed ganrif, mi dybiwn, yw hon.

y rhagodl ym mhob clymiad. Dyma bennill o waith Gu.O.
yn dangos clymiadau'n diweddu â chroes :

> I ba lé o'i blás | ydd áwn, a'i ddínas ? |
> Áwen nid áddas | ónid íddo ;
> 'I fẃyd in a fýdd | a'i rád wiródydd |
> A'i ddá, annédwydd | ín 'i ádo.

A dyma bennill o L.G.C. 396 (un o saith ar yr odl -*ys*) yn
dangos llusg yn y cymal cyntaf, a sain yn y diweddiadau :

> Lléf ar Dduw néfol | a wnáwn, a ni'n ól, |
> Lléfain ol-ýn-ol | ar ól yr ýs ;
> Lléwod Gwenllían, | néfoedd a nófian', |
> Ill dáu yr áethan' | i'r llán o'r llýs.

Gall y sain hefyd fod fel hyn (o ddiwedd yr awdl):

> Nef wéithian yw rhán | Ówain a Rhýs.

Gweler diwedd § 564.

19. *Toddaid.*

564. Yr un hydau a rhaniadau sydd i " doddaid " ; ond yn
lle bod y cymal cyntaf yn odli â'r ail, y mae gwant yn yr
ail yn odli â'r brifodl ; gweler § 536 (3). Y mae toddaid
yn glymiad a geir yn fynych iawn yng ngweithiau'r
Gogynfeirdd, ond ni chenid mono byth ar ei ben ei hun,
ond ynghyswllt â chwpledau naw ban, ac â chyhydedd hir
pan ddechreuwyd canu honno'n annibynnol. Hyd y gwelaf,
y cyntaf i linynnu toddeidiau oedd G.D.A. yn ei awdlau
i Syr Gruffudd Llwyd yng ngharchar Rhuddlan yn 1322,
sef yng ngwawr y cyfnod cynganeddol ; a'r ddau doddaid
cyntaf o'r rhes yn -*ad* R.P. 1226, M.A. 276 yw'r enghraifft
o'r mesur yn yr hen ramadeg,[1] A 1131 :

> Nid digéryb Dúw, * neud digárad — cýrb, |
> Neud llai gwýrb i fýrb | o féirb yn rhád ;
> Neud lliaws frẃyn cẃyn * cánwlad — ynghýstub,[2] |
> O'th átal, Rúffub, | wayw-rúb róbiad.

[1] Dengys hyn fod Einion wedi sgrifennu'r gramadeg rywbryd ar ol 1322,
Ifor Williams, *Y Beirniad* v 132.

[2] Camosodiad odl gyntaf y sain, § 493.

Yn y cyfnod caeth fe'i cenid yn benillion o ddau ddoddaid yr un, ac wrth gwrs â chynghanedd ddi-bengoll; dyma'r cyntaf o ddeg pennill ar yr odl -*awr* gan D.N. 24:

> Mab Rhŷs aeth o'i lŷs * i láwr — yr Érwig: |
> Mewn gró a chérrig | máe'n garchárawr.
> Ban áeth gwróliaeth * ar élawr — o'r llŷs, |
> Bu bóbl 'i ýnys | héb eu bláenawr.

Ysgrifennir toddaid fel yna, yn ddwy linell o ddeg a naw. Y mae'r llinell gyntaf yn union yr un fath â llinell gyntaf toddaid byr; am ei chynganeddiad a'i haceniad gweler cyfeiriadau yn § 545, a gweler y ddau nodiad yno ar y rhagwant a lle'r gwant. Gall yr ail linell, fel ail linell cyhydedd hir, fod yn groes neu draws, neu'n sain; am ei chynganeddiad a'i haceniad gweler §§ 473-4, 494.

20. *Gwawdodyn.*

565. Yn gymysg â chwpledau naw ban, fel y sylwyd, y canai'r Gogynfeirdd doddaid a chyhydedd hir. Nid oedd reol yn y byd ar y trefniant: fe roid weithiau res o gwpledau, weithiau un, neu ddau, rhwng y toddeidiau, ac fe geir amrywiaeth mawr yn yr un awdl. Fe ellid hefyd ddechreu neu ddiweddu â'r naill neu'r llall. Ond yn gynnar yn y cyfnod fe welir tuedd i geisio effaith mwy telynegol drwy eu canu bob yn ail, yn enwedig gwpled a chyhydedd hir, fel ym "Marw-ysgafn" M. M.A. 142, ac awdlau byrion G., eto 145. Yn ddiweddarach fe gân G.B., eto 193, awdl gyfan o gwpled a thoddaid (neu gyhydedd hir) bob eilwers, gan ddiweddu â chwpled, ac fe ddechreua'i awdl i Ddewi yn yr un modd. Yna fe geir Ll.F. yn dechreu ei awdl i Gadfan, 248, â chaniad o naw o benillion amlwg o gwpled a thoddaid (ond *un* ohonynt yn gwpled a chyhydedd hir) ar yr odl -*ed*. Yng nghyfundrefn y 24, fe gyfrifwyd y pennill hwn yn un o'r mesurau, dan yr enw "gwawdodyn." Ni ddywedir yn yr hen ramadeg fod yn rhaid i'r ail glymiad

fod yn doddaid, ond yn unig ei fod i gynnwys 19 sillaf,
A 1131 ; eithr toddaid sydd yn yr esiampl a roddir, ac fe
gymerwyd mai toddaid a feddylid, gweler e. e. ddeg pennill
ar yr odl *-yd* gan G.M.D. R.P. 1319-20 ; dyma'r olaf
ohonynt :

> Er dy góron ƀréin, | géin gedérnyd,
> A'th ƀólur, Fab Méir, | uwch créir créulyd,
> Erbyn¹ gýmen Wén * (wýnfyd — enrhýdeƀ !) |
> I'r wléƀ a'r fúcheƀ | ƀíafiéchyd.

Ond yn ddigon aml fe odlid y toddaid fel cyhydedd hir
hefyd, § 536 (4), megis yn y pennill hwn o waith W.Ll.,
G. 292 :

> Aur glán ag árian | ýma gérir,
> Ag o wán állu | á gynúllir ;
> A da'r býd i gýd * a gédwir—dros² brýd, |
> A da'r býd i gýd | ýma gédir.

21. *Gwawdodyn Hir.*

566. Nid yn ffurf y pennill uchod yn unig y derbyniwyd
yr hen fesur naw-ban-a-thoddaid i mewn i'r gyfundrefn
newydd, eithr fe ellid dodi cymaint ag a fynnid o gwpledau³
o flaen y toddaid, ac yn y dull hwnnw fe elwid y mesur yn
" wawdodyn hir." Ond ni fanteisiwyd ar y rhyddid. *Dau*
gwpled a thoddaid sydd yn yr hen enghraifft, *A* 1132,
a honno a ddilynwyd fel patrwm. Tri phennill unodl o'r
hyd hwn sy gan Einion ei hun yn ei awdl i Rys ap
Gruffudd, CY. xxvi 134-5 ; ac fe geir Ca. R.P. 1236, ll. 1-30,
yn canu chwe phennill unodl o'r un hyd. Ychydig iawn
o esiamplau o'r pennill hwn, heb sôn am rai hwy, sydd i'w
cael yn y bedwaredd ganrif ar ddeg—gwawdodyn pedair
llinell a genir bron bob amser ; ond y mae gwawdodyn hir

¹ *Erbyn* = ' Derbyn.'
² *dros* F. 31, camddarlleniad amlwg yw *dwys* yn G.
³ Yn yr hen reol, " o bennilleu " *A* 1132, sef o linellau ; ond gweler uchod,
gwaelod td. 335, nodyn 2.

chwe llinell yn ddigon cyffredin yn y ddwy ganrif ddilynol.
Dyma enghraifft o waith W.Ⅱ., 112:

> Ef a wnáed dérwgist | o fáint hírgawr
> I roi'i górff áddfwyn, | éurgarw ffýddfawr;
> A rhoi hón ymhéll | dán ganghéll-lawr;
> A rhoi gwáedd óchain | uwch máin mýnawr:
> A'i énaid a gáid * heb na gáwr — na gwáe; |
> Yn y llé da máe | yn lláw Duw máwr.

NODIAD.—Ysgrifennir enw'r mesurau hyn yn *A* a *C* mewn
ffurf sy'n ymddangos yn ffansïol, sef *gwaewdodin* *A* 1131,
gwaywdodin *C* 329. Ond yn *A* 1132 y mae *gwaydodin* ag *y*
amherffaith megis o ryw betruster; ac yn *B* 494-5 *gwatodyn*,
gwawtodyn, *gwawdodyn* a *gwawdoddyn* (*dd* amherffaith), ac yn
D *wewdodyn*, *gwawt|odyn* a *gwawdodyn*. Yn ddiweddarach,
e. e. yn llaw Gu.O. yn 1455 yn Llst. 28/13, *gwawdodyn* a geir,
ac felly yng nghynghanedd T.A. F.N. 137. Tebyg mai hwn oedd
y traddodiad ar dafod leferydd. Gan mai pennill a dynnwyd o
wawd y prydydd yw, y mae'r enw'n bur debyg i ffurfiad o *gwawd*
â'r terfyniad -*od* fel yn *traethod*, a'r bychanig -*yn* fel yn *englyn*.
(Nid tebyg bod a wnelo'r enw â'r *Gododdin*, gan nad oes ond
ychydig o'r hen fesur ynddi.)

22. *Hir-a-thoddaid*.

567. Yr ydym yn awr yn dyfod at y tri mesur y dywedir
yn y llawysgrifau hynaf (*A* 1133, *B* 496) mai Einion
Offeiriad â'u "meddyliawdd."[1] Nid oedd lawer o waith
"meddwl," neu ddyfeisio, ar "hir-a-thoddaid"; nid yw ond
gwawdodyn hir a phob llinell yn 10 sillaf, § 476. Tebyg
mai Einion ei hun a gant yr enghraifft sydd yn ei ramadeg;
y mae honno, beth bynnag, yn un o'r rhai cyntaf a gan-
wyd.[2] Dyma'r pennill o *A* 1133, wedi ei gywiro o gopïau
eraill:

[1] Yn *C*, y diweddaraf o'r pedwar hen gopi, fe ddywedir mai Dafydd
Ddu a'u "dychymygawdd." Gan fod dau o'r tri mesur yn awdl Einion i
Rys ap Gruffudd, CY. xxvi 134-8, rhaid mai camgymeriad yw hyn. Mewn
rhai llyfrau diweddarach, megis P.Ⅱ. lxxiii, dilynir cyfeiliorn *C*. Ar ol
Iolo dyma'r ffregod a geir: "Ffurfiodd D. ab Edmwnd y mesur pert
hwn..."! *Yr Ysgol Farddol* 125.

[2] Y mae eraill o waith Einion yn ei awdl i Rys ap Gruffudd, CY. xxvi
137.

Gwýnfyd gwyr y býd | oeb bód[1] Anghárad,
Gwénfun, yn gýfun | a'i gwíwfawr gáriad ;
Gwánllun a'm llub hún, | hóenbwg barábliad ;
Gwýnlliw eiry dífriw | dífrisg ymdéithiad ;
Gwénn (dan eur wiw lénn, * lebf edrýchiad — gẃyl) |
Yw f'ánnwyl[2] yn 'i hẃyl, | héul gymhéiriad.[3]

Prin yr oedd yn werth estyn hyd y llinell i'w chanu'n
bengoll fel yna ; ond yn ddiweddarach, wrth gwrs, fe'i
ccnid â chynghanedd lawn, fel yn y pennill hwn o waith
D.E., 68 :

Gwáe fi am Dégau ! | gwíw fu am dýgiant ;
Gan gário lláfur | gwn gúr a llífiant ;
Gwawr rýwiog ýdyw ; | góreu y gádant,
Gánnaid, o Gýmry, | gwinéudeg ámrant ;
Gwáwdwaith, Eigr áfiaith, * o gróywfant — gwéais : |
Gwíw iddi rhẃymais | gywýddau rhámant.

Weithiau fe odlir y toddaid fel cyhydedd hir, § 536 (4), fel
hyn (ag ailadroddiad yn lle odl) gan T.A. :

Gẃrol, tra gẃrol, * trugárog — ẃrol : |
Ni bú dra gẃrol | na bái drugárog.

Y mae symudiad hir-a-thoddaid yn wastatach ac arafach na
symudiad yr hen fesur. Ni chenid cymaint arno ag ar
wawdodyn gynt ; ond yn y ganrif ddiwaethaf fe ddaeth yn
ffurf boblogaidd ar bennill bedd-argraff, ac fe gymerth le'r
gwawdodyn fel mesur hir mewn awdl.

Pedair llinell sydd o flaen y toddaid yn yr holl hen engh-
reifftiau, ac yn y rheol yn yr hen lawysgrifau ; ond yn
Mos. 110/54, yn y rhan sy'n honni bod yn gopi o ddosbarth
Einion, fe ddywedir y gellir rhoi " cymaint ag a fynner o benilleu
byrion o ddeg silldaf bob pennill." Gan mai o wawdodyn hir y
lluniwyd y mesur y mae hyn yn ddigon naturiol, gweler § 566,
a gweler ymhellach §§ 590–1.

23. *Cyrch-a-chwta.*

568. Ail fesur Einion yw " cyrch-a-chwta." Llunnir
hwn o chwe llinell 7 sillaf ac awdl-gywydd, oll â'r un

---

[1] bot *C*; vot *A, B*.   [2] vannwyl *B, C*; pann wyl *A*.
[3] Mos. 110/12; gymharyat *C*; gymheryat *B*; gymeryat *A*.

brifodl. Y mae aceniad y diweddiadau'n rhydd, § 542.
Nid oes fawr o wreiddioldeb yn hwn chwaith : nid yw
amgen nag englyn dwbl, sef cyfuniad o englyn gwastad,
§ 539 (3), ac englyn cyrch.[1] Ond am nad yw'r ffurfiad yn
amlwg fe 'mddengys chwe llinell yn nifer mympwyol, ac
am hynny nid hawdd cadw cyfrif ohonynt ; ac ni chanodd
neb ar y mesur hwn ond o raid mewn awdl ar yr holl
fesurau. Nid yw enghraifft Einion ei hun yn werth ei
dyfynnu ; efallai mai'r un a ddyfynnir yn gyffredin yn y
llyfrau diweddar yw'r oreu, sef pennill Gronwy i'r iaith
(Gr.O. 103) :

> Neud esgud un a'i dysgo,
> Nid cywraint ond a'i caro,
> Nid mydrwr ond a'i medro,
> Nid cynnil ond a'i cano,
> Nid pencerdd ond a'i pyncio,
> Nid gwallus ond a gollo
> Natur ei iaith, nid da'r wedd ;
> Nid rhinwedd ond ar honno.

24. *Tawddgyrch Cadwynog.*

569. (1) Nid yw "tawddgyrch cadwynog" eto ond dau
bennill o rupunt hir â'r un brifodl, ac ychydig o wahaniaeth
yn rhagodlau'r cyntaf. Yn lle bod y tri chymal cyntaf yn
odli nid yw ond yr ail a'r trydydd, ond y mae'r tri'n odli
â'r tri cyfatebol yn yr ail glymiad ; felly, os rhoir *a* am y
brifodl, odliad y pennill yw—*b, c, c, a* ; *b, c, c, a*. Y mae'r
ail pennill yn rhupunt hir rheolaidd, â'r un rhagodl yn ei
ddau glymiad, fel hyn : *d, d, d, a* ; *d, d, d, a*. Y mae
disgrifiad Einion o'i fesur yn faith,[2] ond nid yw'n cynnwys
mwy na mesur yr hydau a gosodiad yr odlau fel uchod,

---

[1] Efallai mai englyn "cwta" y galwasai Einion englyn "gwastad";
eglura hynny enw'r mesur : *cyrch-a-chwta* er mwyn perseinedd am *gwta-a-chyrch*.

[2] Gweler ef yn llawn (o *A*) yn erthygl Ifor Williams CY. xxvi 125 ; y
mae'n gyflawn ond gair neu ddau yn *B*, ac yn *C*, ond yn amherffaith
yn *D*.

gyda'r nodyn ar gyngogion, § 508. Dyma'i enghraifft, o
B 497, gyda darlleniadau *A* 1134 (nid yw yn *C*):

> Buɓiant[1] i feirɓ, | fyrɓeu dramwy, |
> Dramawr ofwy, | ofeg hael Nuɓ;
> Hoywon a[2] heirɓ | gan harɓ facwy |
> Fyɓant hwy[3] rwy | o'i ra a'i ruɓ.
> Arfeu pybyr, | erfei dymyr, |
> Arfawg frehyr | ā'r[4] gwŷr gwaywruɓ;
> Arial milwyr, | eirieu myfyr, |
> Eryr rhyswyr, | Rhys ab Gruffuɓ.

Heblaw'r odlau, fe welir yn yr enghraifft y gytseinedd a
ganlyn : yn nau glymiad y pennill cyntaf y mae cyrch-
gymeriad yn cysylltu'r cymal cyntaf â'r ail, yr ail â'r
trydydd, a'r trydydd â'r pedwerydd; effaith y cyntaf a'r
trydydd o'r cymeriadau hyn yw gwneuthur cynghanedd
braidd-gyffwrdd yn y llinell, neu sain bengoll oni orffennir
â'r un gytsain i'w gwneuthur yn ddi-bengoll fel yn ll. 4.
Yn nau glymiad yr ail bennill y mae cymeriad cynganeddol
yn gystal ag odl yn cysylltu'r tri chymal cyntaf, ac odl neu
gytseinedd yn cysylltu'r trydydd â'r pedwerydd, yn llunio
sain yn ll. 6, a sain bengoll yn ll. 8.

Yn yr hen ffurf ar gyhydedd hir a grybwyllwyd uchod
§ 536 (2) y cafodd Einion y syniad o gytseinio diwedd y cymal
cyntaf â dechreu'r ail, yn lle odli'r ddau gymal; ond ei syniad
ef ei hun oedd cydio yn yr un modd yr ail a'r trydydd, *sy*'n
odli.

(2) Tua diwedd y ganrif fe gant y Proll R.P. 1311,
M.A. 327, awdl o saith bennill dwbl fel uchod (56 llin.) i
Domas ap Hopcyn, yn dechreu fel hyn :

> Hoywlyw ryw ras, | ryseɓ edlym, |
> Odleu cyflym, | coflythr hylwyɓ.

Y mae sain, weithiau groes, yng nghymal cyntaf y ddau

---

[1] Budyant *B*; Amdyant *A*; gweler (5) isod.
[2] a *B*; wedi ei gadael allan yn *A* (rhy fer felly).
[3] hwy *B*; wy *A*.
[4] ar *A*, a llaw ddiweddarach wedi ei newid i ar*ch* (gall *ar* sefyll am *a'r*);
arf *B*.

glymiad gyntaf, ac yn nau gymal gyntaf clymiadau'r ail
ran; ac y mae'r gynghanedd gan mwyaf yn ddi-bengoll.
Cyn hynny, mewn awdl o waith Ieuan Llwyd [1] i Hopcyn
ap Thomas (tad yr uchod) R.P. 1415, M.A. 335-6, fe geir y
mesur wedi ei haneru drwy wneuthur pennill pedair llinell
o un clymiad o'r hanner cyntaf ac un o'r ail. *Nid oedd
felly ddim i odli â'r cymal cyntaf.* Hwn yn ddiau oedd y
"cadwynfyr" gwreiddiol. Dyma'r pennill cyntaf:

> Hawδfyd i'm pôr, | parawd foliant, |
> Filwr dyfiant, | difeth frwydrgleδ;
> Hylwyδ Hopcyn, | hylwybr ganlyn, |
> Heirδ a'i gofyn, | hirδa gyfeδ.

Y mae yn yr awdl 17 o benillion (68 llin.), oll â'r brifodl
-*edd.*

(3) Yn *D* y mae'r disgrifiad yn ddiffygiol iawn; [2] a'r
enghraifft a roir yw—

> Mawr y'th gereis, | mwy [3] y'th garaf, |
> Ni'th δi-garaf | er a gereis;
> Clod a'th bereis, | glud y'th baraf, |
> Unben araf, | eirżeu lledneis.
> Pob hynt afrwyδ [4] | boed rhagod rhwyδ; |
> Bych rwyf ganmlwyδ | ar swyδ pob Sais;
> Rhys δawn hylwyδ, | Rhys δidramgwyδ, |
> Rhys deg, f'arglwyδ | cyflwyδ cyfleis.

Yma y mae'r rhagodlau'n ddwbl yn y pennill cyntaf, a
gwneir i'r cymal cyntaf odli â'r brifodl. Mae'r llinell
gyntaf a'r drydedd hefyd wedi eu cynganeddu'n groes.

(4) Yn ol deddfiad newydd 1451, rhaid i'r holl ragodlau
fod yn ddwbl (neu gyfochrog), ond nid y prifodlau; ac nid
odlir y cymal cyntaf â'r brifodl fel uchod (*a, b, b, a*), eithr
yn ol y rheol wreiddiol yn yn (1) uchod (*b, c, c, a*). Fe

---

[1] Ieuan ILwyt vab y Gargam yn R.P., Iorwerth Llwyd (cam gopi) yn M.A.
[2] Gweler ef yn CY. xxvi 126; y mae'r copïwr wedi gadael mwy na'i
hanner allan, ac wedi ei droi'n ffiloreg wrth geisio'i fyrhau.
[3] ? *mawr*, er mwyn i'r groes fod yn gywir.　　　[4] *afrwyth* yn y llsgr.

genid pob llinell ar groes gynghanedd ond y bumed a'r
seithfed ; fel hyn :

> Tiriawg ydoedd, | tarw i gadau, |
> Tyr fwriadau | trwy 'i frodir ;
> Tarian bydoedd, | Twrn heb wadau, |
> Teg 'i radau, | hwynt a gredir.
> Tad caredig | tai rhwymedig |
> Terfynedig | tref a nodir ;
> Tëyrn, gwledig | tref gadwedig, |
> Twr caeedig, | traw y cedwir.[1]

Lle bai'r diweddiadau'n acennog yr oedd yn rhaid cael
croes ym mhob cymal heblaw croes yn y llinell gyfan, fel
hyn (bydd un clymiad yn ddigon) :

> I'r hael yn rhwydd | y rhol yn rhydd
> A sêl y sydd | i'r sawl sy wir.[2]

Felly, fel mewn rhupunt, fe geid dewis rhwng cyfochri a
chynganeddu'r cymalau, ond bod y gynghanedd yn ddwbl
yma mewn 6 llinell o'r 8. Heblaw'r holl gaethiwed hwn
fe dybid bod yn angenrheidiol odli'r sillaf gyntaf yn y
pennill â'r brifodl, fel y T*iri*awg a'r *I'r* yn y ddwy esiampl
uchod. O gamddeall ymadrodd yn rheol Einion y tarddodd
y syniad direswm hwn. Nid yw D.E. yn cadw'r rheol,
gweler D.E. 98–101, G. 104–7, ac nid oedd Gu.O. yn
1455 ;[3] y mae'n ddiweddarach felly na 1451.

(5) Wrth egluro *cyngogion* fe ddywaid Einion y dylai fod
"diwedd yr holl awdl yn ateb i'r gair cyntaf o'r dechreu,"
§ 508 ; fel y gwelwyd, *cyrchu* i'r dechreu a feddylir. Ond gan
mai *ateb* a arferir am ' odli' hefyd, fe dybiwyd bod diwedd y
pennill, sef y brifodl, i fod i odli â'r gair cyntaf. Mewn copïau
diweddar fe newidiwyd "gair cyntaf" (*A* 1134, *B* 497) i "silldaf
gyntaf " (Mos. 110/16), ac yna newidiwyd "diwedd yr holl awdl "
i "yr awdl," sef y brifodl ; ac yn P.LL. lxxii fe geir "a'r silldaf
gyntaf oll yn ateb i'r awdl " ; y mae'r frawddeg wedi ei thynnu
o'i chysylltiad, ac ni sonnir am y pwynt oedd dan sylw gan
Einion. Nid yw'r sillaf gyntaf yn ateb i'r brifodl yn yr un o'r

---

[1] L.G.C. 135.   [2] Eto 137.
[3] Llst. 28/16 ; newidiodd y pennill wedyn i'w roi yn ei awdl, G. 191-2.

saith bennill yn awdl y Proll, nac yn yr un o'r 17 yn awdl Ieuan
Llwyd, nac yn enghraifft *D*, gweler (3) uchod. Yn y darlleniad
cyffredin o bennill Einion, (1) uchod, y mae'r *Budd-* yn *Buδyant*
yn odli â'r brifodl *-udd* ; a'r digwyddiad hwnnw'n ddïau a
arweiniodd i gamddehongliad y rheol. *Amdyant* yw darlleniad *A*,
ac y mae llaw ddiweddar wedi rhoi rhywbeth fel *g* uwchben,
rhwng yr *y* a'r *a*, i wneuthur *Amδygant*; ond gwna'r *y* (sef *i*)
ar ei ol y llinell yn rhy hir. Darlleniad arall yw *Amdyrant
feirdd* J.D.R. 233. O blaid *Buddiant* y mae ei fod yn air a
arferai Einion CY. xxvi 136. Ond beth bynnag yw'r darlleniad,
y mae'r dystiolaeth uchod o'r hen esiamplau yn ddigon i brofi
na wyddai beirdd y bedwaredd ganrif ar ddeg ddim am reol
ddiweddar y bymthegfed.

(6) "A'r moδ hwnnw a gaffad wrth foδ Lladin," meddir ar
ddiwedd y disgrifiad. Buasai'r sylw'n llawer mwy pwrpasol pes
rhoid ar ol disgrifiad cywydd llosgyrnog, § 555. Nid yw'r hydau'n
debyg i'r canu Lladin, lle mae'r llosgwrn yn fyrrach neu'n hwy
na'r cymalau eraill bron yn ddieithriad mewn mesurau fel hyn.
Prin y buasai ail-adrodd y rhagodlau mewn dau glymiad yn
nodwedd digon pwysig i'w alw'n "fodd " y mesur ; ac nid oes
odlau dwbl yn yr enghraifft.—Y mae'r sylw'n dyfod i mewn yn
afrwydd, fel peth wedi ei wthio i mewn. Tebyg gennyf mai
nodyn ar ymyl y ddalen gyferbyn â rheol *cywydd llosgyrnog*
mewn copi cynnar ydoedd, ac i rywun ei gopïo i gopi arall, a'i
gamosod gyferbyn â diwedd adran yr *awdlau* yn lle gyferbyn â
diwedd adran y *cywyddau*.[1]

Ar ol Dafydd Ddu Athro.

570. Yr uchod yw'r gyfundrefn fesurau a ddisgrifir yng
ngramadeg Einion fel y golygwyd ef gan Ddafydd Ddu
tua chanol y bedwaredd ganrif ar ddeg. Nid yn y drefn
uchod y maent yno ; ond ni thynnais un allan, ac ni ddodais
un i mewn ; a'u nifer, fel y gwelir, yw 24.

571. Ni newidiwyd ond y nesaf peth i ddim ar y gy-
fundrefn rhwng canol y bedwaredd ar ddeg a chanol y

---

[1] Tybia Mr D. Thomas, *Cynganeddion Cymreig* 271, mai at y cyrch-
gymeriad y cyfeirir ; ond yr oedd yr hen ysgrifenwyr yn rhy gyfarwydd
â'r canu Lladin Canol, beth bynnag am hen ganu Cymraeg, i wneuthur y
fath gamgymeriad â hynny.

bymthegfed. Yn ystod y can mlynedd hynny, efallai, y caethiwyd peth ar y mesurau trwy ofyn diweddiadau di-bengoll, fel y disgrifiwyd uchod; ond nid effeithiai hynny ar y gyfundrefn. Yr unig gyfnewidiadau a wnaed mewn trefn a dosbarth oedd y ddau a ganlyn: (1) Yn lle cyfrif englynion proest yn *dri* mesur, fe'u cyfrifwyd yn *ddau*, sef "proest cyfnewidiog" a "phroest cadwynog"; y mae hyn yn fwy rhesymol, canys anghyson oedd cyfrif y cyfnewidiog yn ddau a'r cadwynog yr un, pryd y gall y naill a'r llall fod yn lleddf neu'n dalgrwn. (2) Fe gyfrifwyd "rhupunt hir" yn fesur yn y gyfundrefn; ni sonnid amdano yn nosbarth Einion. Trwy'r cyfnewidiadau hyn fe wellhawyd y dosbarthiad heb newid y sylwedd na rhifedi'r mesurau. Fel y canlyn gan hynny y safai'r gyfundrefn erbyn 1451:

ENGLYNION:	CYWYDDAU:	AWDLAU:		
1. penfyr	8. awdl-gyw.	12. rhup. byr	18. cyh. hir	
2. milwr	9. d. hirion	13. rhup. hir	19. toddaid	
3. un. union	10. d. fyrion	14. cyh. fer	20. gw. byr	
4. un. crwca	11. llosgyrn.	15. byr-a-th.	21. gw. hir	
5. cyrch		16. clogyrn.	22. hir-a-th.	
6. proest cyf.		17. cyh. 9 ban	23. c.-a-chwta	
7. proest cad.		24. tawddgyrch cad.		

Yn awdl enghreifftiol D.N., gweler §§ 598–9, 620, y mae un enghraifft, ac un yn unig, o bob un o'r 24 hyn.

MESURAU DAFYDD AB EDMWND.

572. Amcan eisteddfod Caerfyrddin, 1451, yn ddïau, fel y rhai a'i dilynodd, oedd cadarnhau breiniau'r beirdd a gwahardd i grachfeirdd a rhigymwyr bwyso ar y wlad yn eu rhith, er colled iddynt ac anfri arnynt. Un peth a ystyrrid yn angenrheidiol i hynny oedd caethiwo'r gynghanedd a'r mesurau fel y ceid profion caletach ar ymgeiswyr am raddau. Llawdden, meddir, a ddosbarthodd y gynghanedd, gan wahardd pob pengoll ;[1] a D.E. a aeth â'r gadair am ei drefniant o'r mesurau. Yr hyn a wnaeth ef oedd caethiwo rhupunt hir a byr, a'r tawddgyrch, fel y dangoswyd uchod,[2] a "dychmygu dau fesur yn lle ynglyn o'r hen ganiad [penfyr] ac ynglyn milwr, nid amgen gorchest beirdd a chadwynfyr."[3] Yn y rhestr o'r mesurau a sgrifennodd Gu.O â'i law ei hun [4] yn 1455 y mae'r hen englynion allan a'r ddau fesur hyn i mewn. Dau o gaethiwed eithafol ydynt; ond am gaethiwed y gofynnid, a D.E. a orfu ar bawb drwy gynyrchu dau fesur na fedrodd ef ei hun na neb arall ganu nemor ddim synnwyr a gramadeg, heb sôn am farddoniaeth arnynt. Ac nid dau *fesur* newydd yw'r rhain chwaith, ond hen fesurau wedi eu lincloncio i ynfydrwydd.

1. *Gorchest Beirdd.*

573. Nid yw "gorchest beirdd" ond rhupunt hir cwta, 4, 4, 4, 3, o ddiwedd englyn garr hir § 576 (2), wedi ei gaethiwo fel hyn : pob dwy sillaf o'r deuddeg cyntaf yn odli bob yn ail; pob pedair o'r deuddeg hyn yn gynghanedd groes, a'r saith olaf yn groes hefyd. Ni ddigwyddodd i mi weled rhes o benillion ar y mesur gan neb ond ei awdur; ac o'r chwech a wnaeth ef yn y rhes honno (D.E. 74-6) nid oes un a dâl ei ddyfynnu. Efallai mai'r goreu o'i waith yw hwn (D.E. 110):

> I'ch ll*ys* iach ll*awn*, | wiw R*ys*, yr *awn*, |
> A gw*ŷs* a g*awn*, | agos g**ed** ;
> A'th f*udd,* wyth f*ael*, | o g*udd* i'w g*ael*, |
> Aur rh*udd,* ŵr h*ael*, | rhwydd y rh**ed.**

---

[1] GR. 59-60, 101 ; priodolir iddo fwy nag a wnaeth, megis gwahardd proest i'r odl, etc.

[2] Cyfeirir at yr odlau dwbl ym marwnad Gu.O. iddo, "Dyblu owdl fal dwbledau" D.E. 140, ac ym mar. L.Môn, "cyfochrai" 142.

[3] Pen. 169/111 ; P.Ll. lxxiii.

[4] Llst. 28/11-16. Yn rhyfedd iawn eng. newydd sy gantho o orchest beirdd, a honno'n anghywir—heb y rhagodlau cyntaf.

2. Cadwynfyr.

574. (1) Nid yw "cadwynfyr" D.E. ond yr hen gadwynfyr, § 569 (2), wedi amrywio ychydig ar ei odliad, a'i gaethiwo trwy fynnu pob cymal yn groes, a phob llinell yn groes hefyd; golyga hyn ail-adrodd yr un cytseiniaid bedair gwaith yn y llinell! Gan fod amrywiaeth darlleniadau o enghraifft D.E., ac nad oes dim synnwyr ynddi i'w cywiro wrth hwnnw, gwell fydd cyfleu yma'r copi a wnaeth Gu.O. yn 1455 (Llst. 28/16):

> gwenvun gwynvawr geinvwyn gynvyl
> gariad gweryl giried gorau
> gwirvudd gyrvau gorvydd gweirvul
> goruc eryl gwiw ragorau.

Ni chanwyd ond enghreifftiau ar y mesur yn y dull hwn, ac nid oes synnwyr yn yr un ohonynt.

(2) Fel uchod y mae'r enghraifft yn P.Ⅱ. lxxii a J.D.R. 221, a'r rheol yn cyfateb; ond yn J.D.R. 225 fe ddywedir bod y "bedwaredd syllaf ynn atteb i'r owdl," ac fe ddarllenir *gwynfau* yn lle *gwynfawr* yn unol â hynny. Eithr *gwynfawr* yn sicr yw'r darlleniad cywir, ac y mae Simwnt P.Ⅱ. cvii yn sylwi nad yw'n odli â dim (ac yn tarddu'r enw o hynny—*byr* o fod yn *gadwyn*!) Byrhad o'r tawddgyrch cadwynog oedd y mesur ar y dechreu, fel y gwelsom § 569 (2), ac yr oedd y cymal cyntaf o angenrheidrwydd yn ddi-odl. Bu tri dull olynol o odli'r cymalau, fel y canlyn (gan roi o am y cymal di-odl, ac *a* am y brifodl):

> Ieuan Llwyd § 569 (2): o, *b*, *b*, *a*; *c*, *c*, *c*, *a*
> D.E., a G.T. § 601: o, *b*, *b*, *a*; *a*, *b*, *b*, *a*
> L.Mg. § 602, cf. § 604: *a*, *b*, *b*, *a*; *a b b*, *b*, *a*

Y mae G.T. yn dilyn odliad D.E.[1] Gwelir mai yn ol ail reol J.D.R. yr odla L.Mg. Nid yw penillion G.T. na L.Mg. "o'r hen ddull" (fel pennill Ieu. Llwyd) yn eu hodliad na'u cynganeddiad, ond yn unig nad oes ynddynt gynghanedd ddwbl D.E.

Nodiad.—Camgymeriad yw'r ffurf *cadwyn fer* a welir ar yr enw weithiau; *cadwynfyr* ydyw, a *byr* yn enw, yn golygu, efallai, bennill byr, am mai byrhad o'r tawddgyrch cadwynog oedd.

---

[1] Gan gymryd *terwyn* yn dalgrwn, fel eraill yn yr oes honno, e.e. D.I.D., gweler Dr. D. d.g., a gweler uchod, gwaelod td. 239, nodyn 2.

575. Yn y ddau fesur hyn y mae caethiwed cytseinedd ac odl wedi ei gario i eithafion, ac yn esgor ar ffiloreg yn lle barddoniaeth. Fe welwyd gor-gywreinrwydd yn arwain i ganlyniadau cyffelyb cyn a chwedi hyn, ond fel rhodres di-alw-amdano'n unig ; yn y mesurau hyn fe'i gwnaeth-pwyd yn rheol. Ond nid oedd raid i neb ganu arnynt oddieithr i ennill gradd—yr oedd canu *un* pennill cadwyn-fyr yn amod gradd pencerdd.[1] Mewn gair, nid mesurau oedd y rhain, ond problemau. Fel mesurau, neu ffurfiau i farddoniaeth, yr oeddynt yn amhosibl, ac nid rhyfedd os oedd rhai o'r prifeirdd yn erbyn eu dodi *yn lle'r* hen englynion yn y gyfundrefn. Pan aeth D.N. i ganu " awdl o'r 24 mesur" ar yr *hen* 24 y canodd.

Mesurau Eraill.

576. Mesurau mawl a cherdd ddifrif y prydyddion oedd y 24, oddieithr yr hen englynion ; ond yr oedd hefyd ar arfer ymysg yr oferfeirdd, sef y glêr, i gellwair a chanu gogan a maswedd, fesurau eraill a elwid yn " ofer fesurau ". Penillion oedd y rhain yn diweddu'n swta neu'n llusgo'n llaes, i beri difyrrwch drwy dor mesur. Gwatwar englynion yw'r enghreifftiau a geir, diameu am nad oedd yn werth gwneuthur *caricature* ond o fesur hollol adnabyddus ; fel hyn :

(1) " Englyn cil dwrn " : toddaid byr a rhyw ebwch o un curiad i odli ag ef yn lle esgyll ; megis—

> Hýbarch yw máb * y márchog, — yn áur, |
> Yn árian golérog,
> Tórchog.[2]

Dwl yw'r dyn ni wêl mai cellwair ydyw peth fel yna. Fe allesid meddwl mai hen enw arall ar hwn oedd " englyn

---

[1] J.D.R. 225. Am a ŵyr neb, ni chanodd ei awdur erioed ond *un.*
[2] J.D.R. 184 ; y llinell gyntaf yn fer, § 543 (1).

talcen slip," oni bai fod Talhaiarn yn dywedyd mai enw a
ddyfeisiodd ef oedd hwnnw, T. i 338.

Tipyn o'r dylni hwn i'r digrifol a barodd i G.T. a W.Mn.
ddefnyddio'r ofer-bethau hyn fel "hen fesurau," y naill yn ei
awdl i Fair, a'r llall yn ei salmau. Nid oes dim i brofi eu bod
yn hen. Fe ry'r ddau dair sillaf yn niweddiad englyn cil dwrn,
ac fe'i ceir gan W.Mn. yn Pss. vi, liii.

(2) " Englyn garr hir ": englyn unodl union a chwpled
o gywydd byr hen wedi ei roi rhwng yr esgyll i odli â
gorffwysfa'r llinell olaf, nes ffurfio â hi rupunt hir cwta,
4, 4, 4, 3, fel hyn :

> Dug fwyd â dwy rwyd * di rwydd ; — gŵyr wadu, |
> Garwden yr aflwydd ;
> Dyn gwridog yn dwyn gwradwydd,
> Diffaith melyn, | diflas englyn, |
> Dafydd Emlyn, | gelyn gŵydd.[1]

Dewisais y goreu o ddau ddarlleniad J.D.R. o'r englyn
dychan hwn ; y mae gantho enghreifftiau eraill, o gerdd
faswedd.

Fe ganodd W.Mn. un salm, lxv, ar y mesur hwn, ac un pennill
o'r Ps. vii ar yr un mesur, ond â gorchest beirdd[2] yn arr iddo ;
gweler esiampl gyffelyb o waith S.V. yn R. ii 268.

(3) Fe roes G.T., heblaw englyn cil dwrn, ddau englyn
garr hir yn ei awdl enghreifftiol, § 600. Nid yw'r ddau arr
hir o'r un ffurf â'r uchod ; y mae un fel yr uchod heb ei
drydedd linell, sef toddaid byr a rhupunt hir cwta ; a'r
llall yn doddaid byr a chyhydedd hir, fel hyn :

> Oen Duw y wyry Fair * yn dâl — am i'r wrach |
> Erchi bwyta'r afal ;
> Rhingyll fu'r angel | yn dwyn gair dan gêl, |
> Yn gyfiawn dawel | rhag ofn dial.[3]

[1] Eto 185; *gelyn gŵydd* = ' lleidr gwyddau,' mae'n debyg.
[2] Os cyfrifir y clymiad hwn yn eng. o'r mesur, y mae yn salmau W.Mn.
ugain o fesurau D.E. (nid "o gylch *pymtheg*" fel y dywaid Gwallter
Mechain yn rhagymadrodd yr ail arg.), heblaw'r hen a'r ofer fesurau a
nodir uchod, ac isod. Y mae tri ar ol, sef rhupunt hir, tawddgyrch
a chadwynfyr ; ac yn yr hen ddull y cenir cywydd byr.
[3] J.D.R. 236; crych a llyfn yn y cyrch.

Ieuad anghymharus mesur chwe churiad a mesur wyth sydd yma. Yr un peth a wneir pan gysylltir toddaid byr a thoddaid hir, § 579 (5).

577. (1) Nid oes dor mesur fel hyn mewn "englyn pendrwm," sef toddaid byr ac awdl-gywydd, megis—

> Mal arwain dwyrain * â'r darian — ruddaur, |
>   Arweddaist wlad Forgan :
> Emwnt deilwng mewn talaith,
> Mae arnad waith môr neu dân.[1]

Y mae hwn yn hen[2] amrywiad ar englyn unodl union ; ac o gymaint ag na newidir ond yr odliad ynddo, heb amharu ar yr hydau, ni ellir ei restru ymhlith yr ofer fesurau. Ond ni dderbyniwyd mono i'r gyfundrefn hyd yn oed fel mesur o hen ganiad ; ac nis defnyddid gan y beirdd gynt yn eu hawdlau (oddieithr G.T.), efallai am ei fod yn rhy debyg i englyn unodl union wedi ei anafu ac yn symud ar drithroed. Ond fe ganodd W.Mn. dair salm arno : xxxii, cvi, cxlvi.

(2) "Englyn toddaid" y geilw W.Mn. bennill o ddau doddaid byr, ac fe ganodd Ps. xli arno, a phob pennill ond un yn diweddu'n bengoll. Prin y ceir y ffurf hon ymhlith hen englynion ; y mae *un* enghraifft yn "Ymddiddan y Corff a'r Eneid" *BBCS.* ii 129 (y drydedd linell yn hir). Ond yn gyffredin fe ochelid rhag rhoi dau doddaid byr ynghyd, § 560.

(3) Disgrifir "trybedd y meneich" yn J.D.R. 186 fel 6, 6, 6, 5 unodl yn odli'n gyrch â llosgwrn o 7 ; yn yr esiampl gadawyd y llinell o 5 allan. Clymiad yw hwn, nid pennill ; fe gân W.Mn. un salm, lxvii, ar y mesur, ond nid yn rheolaidd iawn. Nid oes dim sicrwydd ai hwn oedd y mesur o'r enw. Ceir pennill o fesur arall yn esiampl dan yr esiampl a grybwyllwyd uchod yn J.D.R. ; gweler isod § 578 (3).

578. Er mor ffyddlon oedd y beirdd i osodiadau'r cydddealltwriaeth cyffredin, fe welid ambell un weithiau'n magu digon o annibyniaeth i geisio effaith newydd drwy ganu ar fesur neu drefniant o'i waith ei hun :

---

[1] Eto 186 ; gwaith G.T., R. i 619 ; y mae llawer yn ei awdlau ef.
[2] Er eng. fe'i ceir yn "Ymddiddan y Corff a'r Eneid," ll. 18-21, *BBCS.* ii 128.

(1) Fe geir yn L.G.C. 118-19 res o benillion pedair llinell o ddeg sillaf yn hanner-llinellau odledig, fel hyn :

> Tri pheth (trwy y ffydd) | arfawg ni dderfydd :
> Crwys yr eglwysydd, | Teifi, clod Dafydd.
> Tri hael, mal tri hydd, | yn saint in y sydd :
> Rhydderch ben rhoddydd, | Ifor a Dafydd.

Hen fesur Taliesin, § 533, wedi ei gynganeddu yw hwn ; ond y mae'n swnio fel cyhydedd hir wedi ei difetha.

(2) Hapusach o lawer oedd gwaith D.N. 54 yn chwanegu sillaf at bob llinell m wn penillion naw ban (fel y gwnaethai Einion mewn gwawdodyn hir, § 567) :

> Llety a gefais | gerllaw teg afon,
> Llawn o ddaioni | a llawen ddynion :
> Llyma un adail | lle mae newidion,
> Llys rydd, a'n lle sydd | yn y wenllys hon.

(3) Amrywiad arall a wnaeth D.N. 48-9 ar gwpledau naw ban oedd eu hodli'n gyrch fel awdl-gywydd ; fel hyn :

> Yn Arglwydd Rismwnt, | iôr, hwnt y rhed,
> Yn Arglwydd Somrsed | a gred i'r grog ;
> Yn farchog urddol | 'i detholwn,
> Yn eurlliw 'i wn, | yn iarll enwog.

Dyry J.D.R. 186 bennill pedair llinell o'r mesur hwn dan ei enghraifft o drybedd y meneich, § 577 (3) ; ac fe gân W.Mn. amryw salmau arno dan yr enw hwnnw, sef Pss. xxi, lx, xcvii, cxix schin, cxxxiii.

579. Nid yw'r amrywiadau uchod ond cyfaddasiadau eraill o egwyddorion a fu'n llunio'r mesurau ; yn yr ystyr honno gellir eu hystyriaid yn gyfreithlon. Ond y mae amrywiadau eraill na ellir eu disgrifio felly ; er eng. :

(1) Y mae gan L.G.C. 288-9 benillion pedair llinell 8 sillaf, a gwant a gair cyrch yn y drydedd linell. Peth a dyfodd am resymau neilltuol mewn llinell o 10 sillaf oedd gair cyrch, ac nid oes ystyr iddo nac esgus drosto mewn llinell o 8.

(2) Fe gân D.N. 66-8 res faith o linellau 12 sillaf ar groes-gynghanedd a'i gorffwysfa ar y chweched. Y mae'n

anodd gwybod pa fodd i'w hacennu ; y maent yn troi'n
rhyddiaith er ein gwaethaf.   Ni fedrodd yr awdur gadw
rhythm yr Alexandrin Ffrengig a fenthyciodd ; y mae'n
fwy llusgedig yma nag y dywedai Pope ei fod ar ddiwedd
cân Saesneg ddegsillafog :

> A needless Alexandrine ends the song,
> That, like a wounded snake, drags its slow length along.[1]

(3) Nid ieuad cymharus oedd rhoi cywydd deuair fyrion
a rhupunt byr ynghyd fel y gwnaeth S.V. yn y rhimpyn
mesur o'i waith a alwodd yn " ddymchwelawdl " :

> Y gŵr gorau | ym mrig iorau,
> A mawr giried | 'i air gwiried | a'i ragorau.[2]

(4) Yn 1611 fe ganodd Dafydd Llwyd Mathew " Owdl
o'r pedwar mesur ar hugain, a rhagor o fesurau o ddyfaliaeth
yr awdur." [3]   Un o'r mesurau a " ddyfalodd " oedd pennill
o saith linell o'r holl hydau yn eu trefn, sef 4, 5, 6, 7, 8, 9, 10
sillaf ; dengys hyn na wyddai mai *cy*hydedd yw sail mydr.
Dau eraill oedd 6, 6, 5 unodl a llosgwrn o 5 ; a 6, 5, 4, 4
unodl a llosgwrn o 5.   Cyfuniadau hollol ddiystyr yw'r
rhain.   Wedi colli golwg ar sail rythmig y mesurau, clym-
iadau o hydau mympwyol oeddynt, a gellid llunio digon o
rai cyffelyb !

(5) Peth hollol ddiweddar yw'r pennill a elwir *yn awr*
yn " englyn toddaid," [4] sef toddaid byr a thoddaid hir
ynghyd, gweler § 576 (3).   Gwaith Robert Hughes, Ceint
Bach, athro Dafydd Ddu Eryri, yw'r enghraifft hynaf
a welais ohono ; pennill i'w roi ar fedd Michael Evans yn
Llannerch-y-medd ydyw :

> Corph Michael yn wael ei wedd,—Wr dawnus,
>   A roed danaf i orwedd ;
> Trist gweled weithian ei annedd—Oerddu,
>   (Llon iwrch a fu) a Llannerch-ei-fedd [5]

[1] *Essay on Criticism*, ll. 356-7.   [2] P.IL. cvi.
[3] Llst. 133/257b ; 38/36 ; awdl i George Owen, Henllys.
[4] Am " englyn toddaid " W.Mn. gweler § 577 (2).
[5] R. i 267 ; y garreg wedi mynd ar goll, medd R. Parry (Gwalchmai),
Enwogion Môn, 1877, td. 47.

Tyfiant y Gyfundrefn.

Hanes y Mesurau.

580. Er mwyn canfod yn eglurach pa fodd y tyfodd y gyfundrefn bydd yn fanteisiol taflu cipdrem yn ol ar ei hanes.

581. Yng nghyfnod y Cynfeirdd yr unig fesur ar lun yr hyn a alwn ni'n bennill oedd englyn. Un mesur y cyfrifid hwn yn ddïau, canys ym mhob dull arno nid oedd ond llinell a hanner o'r mesur chwe churiad.

582. Llinellau o draethgan oedd yr holl fesurau eraill. Wrth "draethgan" y golygir caniad o nifer amhenodol o linellau o'r un hyd, yn rhes o gwpledau odledig neu glymiadau. Gellir dangos y gyfundrefn hynaf yn fyr fel y canlyn (rhoir yn y canol nifer y sillafau yn y *llinell*, sengl neu ddwbl, ac enw diweddar y mesur mewn llythrennau italig ar y diwedd):

A. Mesur pedwar curiad:

dull byrraf:	(*a*) $\frac{1}{2}$ llinellau odledig	8	*cyw. d. fyr.*
	(*b*) llinellau dwbl	16	*rhup. hir*
dull hwyaf:	(*c*) $\frac{1}{2}$ llinellau odledig	10	—
	(*d*) llinellau odledig	9	*cyh. 9 ban*
	(*e*) llinellau dwbl	19	*toddaid* / *cyh. hir*

Ni chenid (*e*) ond yn gymysg â (*d*).

B. Mesur chwe churiad:

dull byrraf:	(*a*) traeanau	12	*rhupunt*
dull hwy:	(*b*) $\frac{1}{2}$ llinellau cyrchodl	14	*awdl-gyw.*
dull hwyaf:	(*c*) $\frac{1}{2}$ llinellau odledig	16	*cyh. fer*
	(*d*) traeanau	16	*todd. byr* / *traeanog*

Ni chenid (*d*) ond yn gymysg â (*c*).[1]

Yn §§ 533–6 fe roir enghraifft o bob un o'r mesurau hyn o weithiau'r Cynfeirdd.

[1] Mewn traethgan a feddylir, canys yr oedd (*d*) yn gyffredin mewn englyn.

583. Erbyn cyfnod y Gogynfeirdd yr oedd yr englyn wedi tyfu i'w hyd diweddar. Ni chanent hwy mo'r hen englyn byr, ond yr oedd holl ffurfiau'r englyn newydd ar arfer ganthynt.

584. (1) O'r mesur pedwar curiad, yr oedd y ffurfiau (*a*), (*b*), (*c*) uchod islaw urddas y prydyddion, ac ni chanent ond ar (*d*) ac (*e*). Fe genid cyhydedd naw ban yn benillion dau gwpled yn fore; ond gan amlaf yn draethgan o gwpledau'n gymysg â thoddaid a chyhydedd hir. O'r draethgan fe wnaed pennill o gwpled a thoddaid, a elwid wedyn yn wawdodyn. Fe wnaed pennill hefyd o ddau glymiad o gyhydedd hir, ac yn y diwedd o ddau glymiad o doddaid.

(2) O'r mesur chwe churiad, anfynych y cenid (*a*), sef rhupunt, ac ni cheir (*b*) wedi gwawr y cyfnod, § 535 (2). Fe genid llawer iawn ar (*c*) a (*d*), ac yn draethgan bob amser, weithiau o gwpledau cyhydedd fer, ond yn gyffredin o gwpledau'n gymysg â thoddaid byr a thraeanog.

(3) Nid oes yng ngweithiau'r Gogynfeirdd, sef y prydyddion, ond y mesurau a enwyd; ond yr oedd ar arfer ymysg y clerwyr hen ddulliau syml o draethgan a elwid yn "gywyddau," sef cywydd deuair fyrion, A (*a*) uchod, ac awdl-gywydd, B (*b*) uchod. Odid hefyd nad oedd odliad y cyntaf yn hydau'r ail, sef cywydd deuair hirion, eisoes yn fesur cyffredin yn eu plith.

585. Gellir felly ddangos cyfundrefn diwedd cyfnod y Gogynfeirdd fel hyn (italeiddir *enwau*'r mesurau):

Penillion: 1. *englyn*; 2. dau gwpled *naw ban*; 3. *gwawd-odyn*; 4. dau glymiad o *gyh. hir*; 5. dau glym. o *doddaid*.
Traethganau: 6. naw ban/toddaid/cyhydedd hir; 7. *rhupunt*; 8. cwpledau *cyh. fer*; 9. cyh. fer/toddaid byr/traeanog.
Cywyddau (mesurau'r clerwyr): 10. *cywydd deuair fyrion*; 11. *awdl-gywydd*; 12. *cywydd deuair hirion*.

586. Paham y gwnaethpwyd un dwsin yn ddau? Efallai

mai rhyw ffansi y dylai elfennau'r gân fod o'r un nifer ag
elfennau'r iaith.   Dechreua Einion ei ramadeg â'r geiriau
" Pedeir llythyren arhugeint kymraec yssyb." Ond pa fodd
y *gallwyd* dyblu'r nifer?   (1) Mater o gyfrif oedd hyn i
gryn raddau.   Mae'n ddigon tebyg y cyfrifid englyn eisoes
yn bedwar : union, crwca, cyrch, proest ; drwy chwanegu
dau hen englyn a chyfrif proest yn dri, fe aeth y nifer yn 8 ;
dyna chwanegu 7 at y cyfrif uchod.

(2) Fe aeth y draethgan rhif 6. yn bennill dan yr enw
gwawdodyn hir ; ac fe aeth rhif 9. yn ddau fesur : traethgan
a elwid *byr-a-thoddaid*, a phennill a elwid *clogyrnach.*   Dyna'r
cyfrif yn awr yn ugain.

(3) Yr oedd eisiau pedwar yn rhagor : cymerwyd ben-
thyg mesur Lladin, a rhestrwyd ef ymysg y cywyddau fel
cywydd llosgyrnawg ; ac fe wnaeth Einion dri mesur
newydd allan o hen fesurau yn y modd a ddisgrifiwyd
uchod.

(4) Gan hynny y mae 20 o'r hen 24 yn cynrychioli'r
gyfundrefn hynafol a dyfodd gyda'r iaith Gymraeg ; tri'n
deillio'n anuniongyrchol ohoni ; ac un yn unig yn ddieithr
iddi.

NODIAD.—Nid yw'r hyn a ddywedir yn yr hen ramadeg (ac a
ail-adroddir yn P.Ⅱ. lxxiii) am drefn datblygiad yr hen fesurau
ond tyb ; ond gellir derbyn ei dystiolaeth am yr hyn a ddi-
gwyddodd yn yr oes yr ysgrifennwyd ef, sef mai Einion a wnaeth
y tri mesur newydd.

Traethgan a Phennill.

587. Wrth fwrw bras olwg fel yna dros yr hanes fe
sylwir droeau ar ryw gyfuniad o bedair llinell mewn traeth-
gan yn crisialeiddio'n bennill, ac yn mynd yn fesur ar
wahan.   Fe aeth gwahanol ddulliau ar yr un pennill hefyd
yn wahanol fesurau yn ymwybyddiaeth y beirdd.   Ac felly
o'r gyfundrefn gyntefig â'i hun pennill fe dyfodd o'r diwedd

y newydd â phenillion lawer. Ond nid penillion oedd holl fesurau'r dosbarth newydd chwaith.

588. Fel traethgan y cenid byr-a-thoddaid, ac felly y disgrifir ef yn y llyfrau ar ddiwedd y cyfnod caeth.[1] Ni luniwyd pennill o gwpled o gyhydedd fer a thoddaid byr am fod cyfuniad cyffelyb, a *gwell*, yn bod eisoes yn yr englyn unodl, union a chrwca, ac ni fynnai'r beirdd amharu ar berffeithrwydd yr englyn. Yr hyn a dybid yn y ganrif ddiwethaf oedd yn oddefiad, sef rhoi 8 sillaf ym mhob un o esgyll englyn, oedd y peth y gochelwyd yn ofalus rhagddo. Hyn yn ddïau a gadwodd fyr-a-thoddaid yn draethgan. Yr oedd y draethgan wedi cymryd ffurf reolaidd o ddau gwpled rhwng y toddeidiau; ond camgymeriad yw meddwl mai *pennill* yw'r dernyn a roir yn esiampl mewn gramadeg neu awdl enghreifftiol.

589. Nid oedd mo'r un gwrthwynebiad i lunio pennill o gyfuniad arall a ddigwyddai yn yr un hen draethgan (rhif 9., § 585), sef cwpled o gyhydedd fer a thraeanog ; ac fe wnaed y pennill hwnnw—clogyrnach.

590. Yn yr hen ramadeg fe ddywedir yn gyffelyb am wawdodyn hir ag am fyr-a-thoddaid, sef y gellid rhoi'r nifer a fynnid o linellau o flaen y toddaid. Y mae'n amlwg felly mai'r hen draethgan oedd y gwawdodyn hir. Ond fe aeth y draethgan honno hefyd yn rheolaidd ar ddechreu'r cyfnod—pedair llinell o flaen y toddaid ; a chan na ddechreuid â thoddaid yr oedd y draethgan yn ymrannu'n naturiol yn benillion chwe llinell—hyd newydd ar bennill.

591. Yr un yn ddïau yw hanes hir-a-thoddaid ; y mae'r enw'n awgrymu mai traethgan fel *byr*-a-thoddaid y bwriedid iddo fod ; ond o'r gwawdodyn hir y lluniwyd ef, ac fe aeth fel yntau'n benillion. Yn y ganrif ddiwethaf fe gad rhyw drywydd ar yr hen oddefiad ynghylch nifer y llinellau

---

[1] Yn dywyll yn P. Ⅱ. a J.D.R., ond yn berffaith oleu gan W.Mn., gweler nodyn 5, gwaelod td. 335 uchod.

o flaen y toddaid, ac fe genid y mesur weithiau yn draethgan o'r hen ddull, e. e. D.W. 99–100.

592. Wedi i glogyrnach, y ddau wawdodyn a hir-a-thoddaid ymffurfio'n benillion, fe'u cenid bob un, fel o'r blaen, yn ganiad o res o benillion unodl. Yr oedd yr effaith yr un, ond y safbwynt wedi newid : i ddechreu, traethgan yn ymrannu'n benillion ; yna, penillion yn ffurfio traethgan.

593. (1) Yr un modd am y cyhydeddau. Fe aeth cyhydedd fer, fel cyhydedd naw ban, yn benillion dau gwpled ; ond yn draethgan o res unodl y cenid hwynt.

(2) Llinell ddwbl oedd clymiad o doddaid neu gyhydedd hir ; felly *dau* glymiad a wnâi bennill o bedair llinell ; ac fe'i cenid yn yr un modd. Yn benillion o ddau glymiad hefyd y cenid rhupunt hir a byr, awdl-gywydd, a chywydd llosgyrnog.

(3) Gellir galw'r mesurau hyn yn "fesurau elfennol," canys llinellau, neu *elfennau* penillion ydynt. Yn y rhan fwyaf ohonynt ni cheir prifodl heb gysylltu'r elfen â'i chyfryw neu ei chyffelyb. Ac ym mhob un rhaid cael dwy elfen (o gwpled neu glymiad) i lunio pennill : y mae'r rheol yn bendant nad yw clymiad i sefyll ar ei ben ei hun,[1] ond fe'i torrid yn fynych yn y ganrif ddiwethaf. D.W., mi dybiaf, oedd y cyntaf i gyflawni'r anfadwaith mydryddol o roi clymiad o doddaid mewn awdl heb gymar na dim arall i ateb iddo.

594. Yn unodl neu'n gyngogion y dywedai Einion fod ei dawddgyrch cadwynog i'w ganu § 508. Yr un modd ei gyrch-a-chwta.

595. Traethgan amryfaelodl yw cywydd deuair hirion a deuair fyrion. Er y defnyddir eto'r hen ymadrodd

---

[1] " Rhyw fesurau ysydd unig **a** diffrwyth wrthynt eu hunain, heb eu cymharu o'u rhywogaeth eu hunain, neu o rywogaeth **arall a** fo tebyg iddynt," meddir yn J.D.R. 233 am y mesurau yn (2).

"pennill o gywydd" am gwpled, nid yw'n bennill yn yr ystyr sy gennym ni'n awr i'r gair. Ac nid yw dau gwpled yn bennill chwaith; ni synia neb am linellau'r cywydd yn ymrannu'n benillion—rhes ddidor ydynt, a "chymaint ag a fynner." Mewn gair, fe erys y cywydd yn draethgan bur.

Y MESURAU MEWN AWDL.

Awdlau Enghreifftiol.

596. Cân ar un mesur oedd awdl i ddechreu; ond yr oedd y Gogynfeirdd diweddar eisoes yn canu "teirawdl" a "phymhawdl" ynghyd weithiau (M.A. 238-9), ac yn ddiweddarach fe ystyrrid cerdd felly'n "awdl" ar dri neu bum mesur. Ac yna nid oedd ryfedd i Einion Offeiriad ganu awdl i Rys ap Gruffudd ar *ddeuddeg* awdl-fesur y dosbarth a wnaeth iddo; trwy hynny fe gyrhaeddai ddau amcan—dangos pa fodd i ganu ar bob mesur awdl, ac anrhydeddu ei noddwr ag awdl na bu erioed ei chyffelyb.

597. Ysywaeth, nid ymddengys bod copi cyflawn ohoni ar gael; ond y mae 11 o'r 12 caniad yn y copi a brintiodd yr Athro Ifor Williams yn CY. xxvi. Yr unig ddiffygion yn y rhain yw bod y clymiad cyntaf yn amherffaith; un clymiad arall o'r toddaid, un o'r rhupunt, a chwpled o'r cyrch-a-chwta, ar goll. Dechreua'r awdl ag enw *Rhys ap Gruffudd.* Y mae pob caniad yn unodl, ond yr odl yn newid o'r naill i'r llall, a chyrch-gymeriad yn cadwyno'r caniadau'n gyngogion. Y mae pedwar pennill yn y gwawdodyn, pedwar toddaid yn y byr-a-thoddaid, a thri phennill ym mhob un o'r caniadau eraill. Ar ddiwedd y nawfed, sef yr olaf o'r hen fesurau, y mae englyn; yna'r tri phennill hir-a-thoddaid; yna englyn a'r tri phennill cyrch-a-chwta; yna englyn—ond y mae'r tri phennill tawddgyrch cadwynog ar goll. Y mae bron yn sicr mai'r pennill a roir yn esiampl

yn y gramadeg, gweler § 569 (1), oedd yr olaf ohonynt gan
fod ei ddiwedd, *Rhys ab Gruffudd*, yn ateb yn llawn
i ddechreu'r awdl—gweler § 508. Eglura hyn pam y rhoed
yr enw ar *ddiwedd* y pennill.

Ni all y pennill yn *D*, § 569 (3), fod yn un o'r ddau eraill,
am nad etyb ei ddechreu i ddiwedd yr englyn, na'i ddiwedd i
ddechreu'r pennill uchod yn ol yr un darlleniad ohono. Hefyd
y mae odliad y cymal cyntaf yn groes i reol Einion, a'r odlau
dwbl yn ymddangos yn ddiweddarach.

598. Yr oedd D.N. yn enwog yn ei ddydd am chware
campau â chynghanedd a mydr; ymysg y lleiaf o'i
"orchestion"[1] y mae "pennill o'r wyth ran ymadrodd,"
a chyffelyb o ran syniad yw'r fwyaf, sef "awdl o'r pedwar
mesur ar hugain." Dyma'r gyntaf o'r rhain, canys ni
feddyliasai neb o'r blaen am roi *cywydd* mewn *awdl*, ac ni
feddyliodd neb wedyn chwaith hyd ddiwedd y cyfnod, *ond*
i efelychu gorchest "awdl enghreifftiol" D.N. Yr wyf yn
ei galw felly am mai casgliad o enghreifftiau yw. Nid oes
ynddi ganiad ar yr un mesur; yn wir nid oes ynddi
gymaint ag un pennill o'r un o'r mesurau elfennol (§ 593),
ond cwpled neu glymiad yn unig, a'r rheini'n odli i ffurfio
rhyw benillion cymysgryw, a chloffion weithiau am nad yw
eu hesgeiriau'n ogyhyd. Y mae'r awdl yn werthfawr am
ei henghreifftiau, ac yn enwedig am y dangosiad clir sydd
ynddi o'r *hen* bedwar mesur ar hugain yn eu ffurf ddi-
weddaraf; ac ystyriais mai buddiol fyddai ei dodi'n llawn
ar ddiwedd y llyfr, gan nodi'r mesurau. Ond na thybied
neb fod yr awdl batrymau i'w chymryd yn batrwm o awdl.

599. Edward yw'r brenin ynddi, felly ni chanwyd moni
cyn 1461; yn wir fe gyfeirir yn amlwg ynddi at oresgyniad
Gwynedd yn 1468;[2] felly gellir ei hamseru tua 1470. Ac
eto, er mai yn null caeth D.E. y mae'r ddau rupunt a'r
tawddgyrch ynddi, nid ei ddau fesur newydd ef, ond y ddau

---

[1] "Gorchestion Dafydd Nanmor" D.N. 118–120; S.R. 139–140.
[2] Gweler nodyn yr Athro Williams ar ll. 14, D.N. 176.

hen englyn sy'n cyflawni rhif y 24. Nid fel mesurau i ganu
arnynt, ond fel ffurfiau hanesyddol y dodasai Einion y rhain
yn y rhestr; yn nydd yr unodl union yr oedd yr englyn
penfyr yn swnio fel peth anorffenedig, ac felly'n ffurf
anfoddhaol. I gael yr holl 24 i mewn i'w awdl yr oedd yn
rhaid i D.N. ddewis rhwng yr hen anfoddhaol a'r newydd
amhosibl (§ 575), ac fe ddewisodd yr hen; ac nid hwyrach
mai fo oedd y cyntaf i wisgo'r hen englynion mewn
cynghanedd. Wrth gychwyn ffasiwn yr awdl o'r holl
fesurau fe wrthododd ddosbarth y problemau yn ffafr y
dosbarth traddodiadol.

600. Yn awdl G.T. i Fair nid oes mo'r defnyddiau i'w
hamseru; ond y mae'n llawer tebycach mai *dilyn* esiampl
D.N. a wnaeth ef na'i fod wedi ei ragflaenu. (1) Y mae'r
syniad o *un* awdl o *bob* mesur yn dwyn delw gorchestion
D.N. (2) Yn awdl D.N. y mae'r cywyddau wedi eu pacio
ar y dechreu, fel pethau tu allan i'r awdl megis; yna y
mae'r englynion a'r awdl-fesurau'n dilyn fel mewn awdl
reolaidd; ond wedi i gywyddau ymddangos unwaith mewn
awdl nid oedd mo'r un petruster, ac yn awdl G.T. fe'u rhoed
rhwng yr englynion a'r awdl-fesurau. *Cyn* 1414, medd Iolo,
y canwyd yr awdl (mewn eisteddfod dan nawdd Owain Glyn
Dŵr!);[1] tebycach o lawer mai tua 1480. Yr oedd G.T. yn
canu ar ol esgyniad Harri VII i'r orsedd yn 1485.[2]

601. Y mae awdl G.T. yn edrych yn debyg iawn i ymgais
i guro gorchest D.N. drwy amlhau'r mesurau. Fe'i har-
graffwyd yn J.D.R. 235–8, ond nid yw enwau'r mesurau'n
hollol[3] gywir; 30 sydd ynddi, fel y canlyn:

---

[1] C.B.Y.P. 213–14.

[2] Gweler R. ii 381, cywydd gan G.T. i'r "marchog arfog" Syr John
Morgan o Dre Degyr ("os 'aur y sydd ar syr Siôn"), a urddwyd gan
Harri VII, Evans, *Wales and the Wars of the Roses* 216–17. Yr oedd
G.T. yn ewythr frawd tad i L.Mg., C.Ll.C. iii 8; ac yr oedd L.Mg. yn canu
ar ol 1553. Buwyd yn amseru G.T. yn rhy gynnar o lawer; *iau* o un
genhedlaeth na D.N. oedd ef.

[3] Dodir y cwpled cyhydedd fer heb enw ar ol y cadwynfyr, a chamenwir
y naw ban yn gyhydedd fer. Yn C.B.Y.P. 213–18 y mae Iolo wedi newid y

(1) Yr *hen* 24 fel y maent gan D.N. ond heb gymaint
o odlau dwbl. Fe efelychir amryfusedd D.N. yn ei
enghraifft o englyn penfyr, § 543 (1)   .   .   . 24
  (2) Tybiodd G.T. mai rhyw ffurf arall ar englyn
oedd yr uchod, ac fe roes enghraifft o englyn penfyr
cywir   1
   (3) Chwanegodd dri ofer fesur, § 576 (3)   .   . 3
   (4) Fe roes rupunt "hwy na hir," sef â chwe chymal ;
a "chadwynfyr o'r hen ddull," ond ag odliad cadwynfyr
D.E., gweler § 574 (2) 2
                                                     Cyfanrif 30

602. Nid oes amseriad sicr chwaith i awdl L.Mg.
i Leision, Abad Glyn Nedd ; ond y mae'n debyg mai un o'i
weithiau cynnar oedd hi, a'i bod wedi ei chanu cyn 1523.[1]
Y mae hon hefyd yn J.D.R. 239-42, ac uwch ei phen y
geiriau " a'r pedwar mesur ar hugein ynddi ar ddull yr oes
honno "; ond y mae rhaniad ac enwau'r mesurau'n bur
wallus. Yr *hen* 24 sydd ynddi, fel yn awdl D.N., ond
gydag un chwanegiad, a elwir " cadwynfyr o'r hen ddull " yn
J.D.R. Ond nid yw'n odli yn " hen ddull " cadwynfyr, eithr
yn y dull diweddaraf, § 574 (2), sef fel hanner cyntaf
tawddgyrch o ffurf esiampl *D*, § 569 (3). Os tybiai L.Mg.
mai dull ar hanner cyntaf tawddgyrch oedd cadwynfyr, fe
ddichon nad ystyriai mono'n fesur ar wahan, ac felly mai
24 a gyfrifai yn ei awdl, yn ol y teitl yn J.D.R.

NODIAD.—Wrth wadu bod neb wedi sôn am 24 mesur cyn
D.E., neu efallai cyn T.A., fe ddywaid Iolo C.B.Y.P. 177 fod yn
awdl G.T. " naw mesur neu ddeg ar hugain," ac yn awdl L.Mg.
" ynghylch dau neu dri mesur ar hugain." (Wedi cyfrif yr
enwau yn J.D.R. yr oedd ; yno 29 a 22 ydyw rhifau'r *enwau*.)

drefn a chwanegu llinellau o'i waith ei hun, ond nid cymaint ag yn awdl
L.Mg. isod. Y mae copïau o awdl G.T., annibynnol ar gopi J.D.R. (*heb*
enwau'r mesurau, ac â rhai darlleniadau gwell) i'w gweled yn Llst. 47 ac
yn Llyfr Hir Llanharan ; y mae'r llinellau yn yr un drefn ynddynt ag yn
J.D.R.; nid oes un llinell ychwanegol ynddynt ; ac y mae'r ddau gopi yn llaw
Llywelyn Siôn!—" vy llaw j ħen sion " Llyfr Llanh. 301*b*, cf. R. ii 854, a
gweler *facsimile* o'r llofnod yn *Hen Gwndidau* 277.
[1] Yr oedd Lleision yn abad o 1513 hyd 1539.

Ond yr oedd "22 neu 23" yn anghysurus o agos i'r 24 oedd dan yr ordd gantho, ac fe estynnodd awdl L.Mg. yn 28, heb gofio dileu'r sylw a wnaethai cynt mai "22 neu 23" oedd ynddi. Yna, am fod copi J.D.R. yn fyrrach, fe roes nodyn i ddywedyd iddo weled *o leiaf* 20 copi ohoni, a'u bod yn amrywio'n fawr; anwiredd amlwg yw hyn—nid oes gymaint ag *un* copi amrywiol ohoni, ac ni ddichon bod degau wedi diflannu er ei amser ef.[1]— Yn awr sylwer: yn yr awdl fel y mae hi yn J.D.R. y mae 13 o linellau croes (neu draws) 9 sillaf, ac ym *mhob un* o'r 13 y mae'r orffwysfa ar y bumed yn ol y rheol, § 474; yn y 27 llinell chwanegol yn C.B.Y.P. 219-22 y mae 9 o'r cyfryw linellau 9 sillaf, ac y mae'r orffwysfa ar y bedwaredd mewn *saith* ohonynt, ac mewn *dwy* yn unig o'r naw y mae hi ar y bumed, lle rhôi L.Mg. hi'n ddieithriad.[2] Dyna ddal twyllwr yn deg; ac od oes neb a dyb nad Iolo Morganwg oedd y twyllwr hwnnw, nid oes ond ei "adel mewn anwiredd ac oferedd."

603. Ymddengys mai yng Nghaerwys, yn 1523, y cadarnhawyd dosbarth D.E., dan awdurdod ei nai T.A., cadeirfardd yr eisteddfod;[3] ac wedi hynny ei ddosbarth ef a ddangosir yn yr awdlau enghreifftiol. Y mae dwy, eiddo S.V. a W.Mn., yn argraffedig yn J.D.R. 242-8, ac un, eiddo W.IL., yn G. 258-64.

604. Yn awdl D. Llwyd Mathew a grybwyllwyd uchod, § 579 (4), fe geir yr hen englynion a hen fesurau eraill heblaw mesurau newyddion yr awdur a'r 24 sydd yn nosbarth D.E. Y mae gantho orchest beirdd yn arr i englyn garr hir, ac fe rydd bennill cyfan yn esiampl o'r mesur.[4] Eithr nid bardd o Forgannwg, fel y mynnai Iolo, ond o Gilpyll,

---

[1] Y mae'r casgliadau mawr yn weddol gyfa, ac yn awr yn ddiogel yn y llyfrgelloedd cyhoeddus. Bu Mr G. J. Williams a Mr E. J. Saunders yn eu chwilio oll, ac ni chawsant rhyngthynt ond dau gopi o'r awdl hon cyn amser Iolo, y ddau'n ddiweddar, ac yn amlwg wedi eu copïo o J.D.R., sef Llst. 165/64 (tua 1680) a Havod 13/67 (yn llaw Iago ab Dewi, 1684). Y mae dau gopi yn llaw Iolo, yn Llanover 13, a B.M. add. 15003; ac y mae *rhai* o linellau newydd Iolo ynddynt.

[2] Y mae L.Mg. yn cadw'r rheol yn llawer iawn caethach na D.N.; yn yr awdl hon nid oes un eithriad; yn ei holl awdlau eraill, yng nghasgliad Mr Saunders, nid oes hanner dwsin mewn degau lawer o linellau croes 9 sillaf, ac odid nad camgopïau yw rhai o'r rheini.

[3] "Konffyrmiad . . . er gwneuthur ordyr a llywodraeth ar wyr wrth gerdd ac ar i kelvyddyd" R. i 938. Cf. "Rheolau Tudur Aled," § 228.

[4] Gweler un arall o'i waith yn J.D.R. 220.

Llangeitho, oedd ef.[1] Nid llai, er hynny, y ceisiai beirdd
Morgannwg ddangos eu medr yn y mesurau hyn : dyma
bennill o gadwynfyr yn ei ffurf gaethaf o waith Meurig
Dafydd :

> gwawdydd gwiwdon gydwydd godiad
> gynnydd ganiad gwinwydd gwynion
> gorfydd gwyrfon gyrfydd geirfiad
> gwiwrydd gariad gwyrydd geirwon.[2]

Ychydig cyn blodeuo Iolo fe geir gan ei athro Lewis
Hopkin (1708–1771) "odl a'r pedwar mesur ar hugain
ynddi," [3] sef, wrth gwrs, 24 mesur D.E. Ni wyddai'r athro
ddim am "Gyfrinach" y disgybl! Erbyn hynny'r oedd
awdlau'r gramadegau wedi rhoi bod i'r syniad rhyfedd y
dylai awdl deilwng o'r enw fod yn glytwaith o'r holl fesurau;
fe ganodd Gronwy dair ohonynt, a'r olaf o'r rheini,
"Marwnad Lewis Morris," yw'r oreu, ond odid, a'r nesaf
i fod yn wir gân, o'r holl "awdlau ar y pedwar mesur ar
hugain."

Fe wyddai Iolo cystal â neb y cenid mesurau D.E. ym
Morgannwg fel yng Ngwynedd ; ac ar funud gwan, wrth sôn
am awdl Lewis Hopkin ("fy athraw godidog"), fe sgrifennodd :
"Y mae'n beth digon rhyfedd, ond i'r eithaf yn wirionedd, mai
Beirdd Morganwg yn unig o holl barthau Cymru a gadwasant
ar gof ag arfer hyd y dydd heddyw wybodaeth gyfiawnddysg
am orchestion Deio Pwll Gweppra"—gweler y geiriau mewn
facsimile o'i ysgrifen gyferbyn â td. 97 o *Hopkiniaid Morganwg.*
Ond y stori gyffredin wrth gwrs oedd mai hen fesurau oedd "dan
gadwedigaeth yng nghadair Morganwg, a gorchestion D.E. dan
lwyr wrthodedigaeth" c.b.y.p. 214.—Fe gafodd Meurig Dafydd
fenthyg y *Pum Llyfr Cerddwriaeth* am ddwy flynedd gan Siôn
Mawddwy, ac fe edliwiai Siôn hynny iddo mewn llythyr yn 1580,
gweler copi ohono yng *Nghydymaith Diddan* D. Jones Trefriw,
1766, td. 42 (adarg. o almanac S.R., 1718). Yn y gr. 207–10

---

[1] O dylwyth Cilrug, Lewis Dwnn, i 241 ; yr ach yn Havod MS. 7, medd
y Prifathro J. H. Davies.
[2] Pen. 96/162 : "mevrig dd. o forganwg ai kanodd a da a ffenkerddiaidd
yw hwnn." Gwelir mai'r odliad diweddaraf sydd ynddo, § 574 (2) ; ac
nad oes fwy o synnwyr ynddo nag sydd yn enghraifft D.E.
[3] *Hopk. Morg.* 242–6.

(Mehefin 1806) y mae copi arall, a "Pum Llyfr Cerddwriaeth" wedi ei newid i "pum llyvyr barddoniaeth" (rhag i neb weled bod Meurig Dafydd yn astudio'r P.ᴍ. a dosbarth D.E.), ac ar ei ol "Ateb" ffugiol. Yn yr "Ateb" fe roir yng ngenau Meurig (1) ymosodiad ar Siôn am ganu ar ddosbarth D.E.; "ef a lwyr ymwrthodwyd â hi ym Morganwg"—geiriau Iolo, cf. "lwyr wrthodedigaeth" uchod, ac "y mae ym Morganwg lawn ymwrthod â" hi, c.ʙ.ʏ.ᴘ. 9; ac (2) her i feirdd D.E. i ganu synnwyr ar y "gadwyn fer," etc. Y mae'r pennill cadwynfyr uchod o waith Meurig yn ddigon ei hun i chwilfriwio'r ffugiadau hyn.[1]

Awdlau Eraill.

605. (1) Yng ngweithiau'r Gogynfeirdd hynaf ar un mesur y cenid awdl, a'r mesur hwnnw'n gyffredin oedd naill ai byr-a-thoddaid §§ 560–1, ai naw-ban-a-thoddaid §§ 565–6. Fe genid y mesurau hyn hefyd weithiau heb ddoddeidiau, sef fel naill ai cyhydedd fer § 559, ai cyhydedd naw ban § 562. Anfynych y gwelir awdl fel un C. ᴍ.ᴀ. 155–6, lle mae'r mesur yn y chwarter olaf yn llithro o fyr-a-thoddaid i naw-ban-a-thoddaid ar yr un odl. Ond nid anaml y gwelir awdl ar fyr-a-thoddaid yn diweddu mewn englyn unodl union, G. ᴍ.ᴀ. 148–9, C. eto 153, 163.

(2) Heblaw awdlau fel uchod, yr oedd caniad o res o englynion yn beth digon cyffredin.

606. Yn y "Canu i Dduw" o waith C. ᴍ.ᴀ. 179–183 y mae dwy awdl annibynnol wedi eu printio fel un, y gyntaf yn cynnwys pum caniad yn gyngogion[2] ar y mesur naw-ban-a-thoddaid, a'r ail, bump yn gyffelyb ar fyr-a-thoddaid.

---

[1] Y mae copi a wnaed yn 1643 o lythyr Siôn yn B.M. add. 14886 (gweler ʀ. ii 1109), ac un arall yn Llst. 133 (ʀ. ii 664), heblaw copïau argraffedig 1718 a 1766; ond ni cheir yr "Ateb" cyn dydd Iolo. Y mae ei gopi anonest ef a'i ffug "Ateb," gyda'r pennawd fel yn y ɢʀ. ("o lyfr Morgan Llywelyn," etc.), i'w weled yn ei law ef ei hun yn Llanover C 34/503. Ymddengys iddo wneuthur copi arall o'r ddau mewn rhyw lyfr a alwai'n "llyfr I.B.H."; fe wnaeth Hugh Maurice ddau gopi o hwnnw'r un dydd, 24 Hyd. 1802, sef yn N.L.W. 122–C (Catalogue p. 117) a Llst. 161; o un o'r ddau hyn, yn ddïau, yr argraffwyd y llythyr a'r "Ateb" yn y ɢʀ.

[2] Ond heb gysylltu'r diwedd â'r dechreu. Ar ddiwedd y pumed caniad y mae "Kyndelu ae cant," yn dangos diwedd yr awdl.

Yr un modd y mae tair wedi eu cyfleu fel un yn 171-4,
a nodyn ar y diwedd : " D.S. Mae hon yn dri chanu yn y
Ll. Coch." Ond yn ddiweddarach fe genid tair neu bedair
neu ragor o awdlau'n gyfres, ac megis yn un gân ; a hynny
a arweiniodd i awdlau ar amryw fesurau, § 596.

607. Yn nechreu'r cyfnod caeth fe gân Ca. M.A. 287-9
awdl o naw o ganiadau byrion ar wyth mesur gwahanol, y
trydydd yn diweddu ag englyn unodl union, a'r chweched
ag englyn proest.   Ar ddiwedd awdl seml o 10 pennill
toddaid (40 llin.) M.A. 283-4 fe rydd *bedwar* englyn, unodl
union a phroest bob yn ail.   Ym " Marwnad Madawg"
285-7 fe rydd ddwy gadwyn gron o englynion ar y dechreu,
ac yna bum caniad ar wahanol fesurau yn gyngogion.   Yn
ddiweddarach fe gân G.M.D. M.A. 298-300 awdl o bedwar
caniad ar naw ban, toddaid, cyhydedd hir a gwawdodyn
byr ; y mae englyn unodl union ar ddiwedd pob caniad, a'r
cwbl yn gyngogion (ond heb gyrchu i'r dechreu).   Y mae
ei awdl i Wenhwyfar, 303-5, yn dechreu â rhes o englynion,
ac yn eu dilyn dri chaniad, ar wawdodyn byr, naw ban,
a rhupunt.   Ond fe geir hefyd, gan y ddau, awdlau syml
o un caniad ar un mesur yn unig.

608. Ar un mesur, gwawdodyn byr, y mae Awdl Foliant
Ieuan o Fôn D.G. 450-2 ; ond rhes o englynion a chaniad
ar un mesur ydyw ei awdlau eraill ef, gweler e. e. §§ 509-10.
Weithiau, heblaw englynion ar y dechreu fe roid un neu
ddau ar y diwedd hefyd ; er eng., yn awdl H.E. i Fyfanwy
Fychan, M.A. 339-40, y mae 9 englyn unodl union, 12 pennill
(48 llin.) o doddaid, a 2 englyn ar y diwedd.

609. Yn y bymthegfed ganrif fe ddechreuid bron bob
amser ag englynion, ac weithiau fe gymysgid englynion
unodl union a phroest.   Gan amlaf un caniad ar un mesur,
ac yn unodl, fyddai'r rhelyw o'r awdl ; ond fe ddiweddid
weithiau ag englyn neu ddau.   Fe ellid cymysgu gwawd-
odyn byr a hir am mai un mesur gwreiddiol ydynt.   Os

cenid dau neu dri chaniad ar wahanol fesurau gan newid yr
odl, fe'u gwneid yn gyngogion, ac weithiau fe roid englyn
ar ddiwedd pob caniad. Os edrychir awdlau cyhoeddedig
L.G.C., D.N., etc., fe welir eu bod oll wedi eu trefnu wrth
y rheolau hyn, ac yn yr un modd y cenid hyd ddiwedd y
cyfnod.

610. Yr oedd awdl gan hynny'n gân mewn dwy neu
dair neu fwy o rannau, i'w chanu ar gynifer o donau, pob
rhan yn "gosod" yn naturiol ar ei thôn ei hun. Clytwaith
yr awdlau enghreifftiol a barodd i'r beirdd diweddar golli
golwg ar hyn, ynghyda llwyr ysgariad y farddoniaeth a'r
miwsig ar ol dyddiau'r gwŷr wrth gerdd. Ond ymddengys
mai D.W. oedd y cyntaf i lunio awdl faith o dryblith
o fesurau a darnau o fesurau; yn lle symudiad trefnus
barddoniaeth dyma symudiad didrefn rhyddiaith—pethau
i'w llefaru, nid i'w canu. Y mae'n wir bod pob llinell yn
fraich o ryw hyd cydnabyddedig; ond ni byddai angen
mesur hyd o gwbl oni bai er mwyn *cy*hydedd, sef cadw'r *un*
hyd yn ol rhyw reol. Ond pan na chanfyddid yn y gy-
nghanedd ond rhythm rhyddiaith, i ba beth yr eid i drafferth
i'w *chyhydeddu*? O ddull rhyddieithol rhyddiaith a geir;
yr unig bethau o werth barddonol yn yr awdlau hyn ydyw
ambell ddarn o fydr cyson, fel y darn cywydd "Aml y mae
yn teimlo min" D.W. 109, neu ambell bennill cyflawn
ynddo'i hun fel englyn y rhaeadr, § 12. Y mae'r cyfanwaith
fel cyfanwaith yn ddiwerth, y mater a'r ffurf mor ddi-lun
a'i gilydd.

611. Yn ein dyddiau ni fe dyfodd rhyw ymdeimlad
greddfol mai camgymeriad oedd yr aflerwch hwn; ac fe
ddechreuwyd canu awdlau mwy trefnus, yn dilyn rhyw
batrwm yn eu rhannau. Ond y mae'r hen anghysondeb yn
aros weithiau yn y patrwm ei hun. Mewn rhes faith o
benillion wedi eu llunio o elfennau mor anghymharus â dau
gwpled o gywydd a phedair llinell o hir-a-thoddaid yr

ydym megis yn rhedeg a cherdded bob yn ail, ac yn cael
rhyw glenc bob tro wrth newid. Er y gellir cyfiawnhau
newidiadau sydyn i gyrraedd effeithiau arbennig mewn cân
fer delynegol, fel crych ddawns "Priodasgerdd" Gronwy
dyweder, eto symudiad gwastad urddasol a weddai i gân o
gwmpas mwy; ar fesur syml rheolaidd y mae caniadau
mawr y byd. Y mae hyn yn berffaith bosibl eto fel cynt
yn yr hen fesurau Cymraeg. Pan ganodd yr Athro Gwynn
Jones gerdd "Madog" fe dybiai llawer ei fod wedi dyfeisio
mesur newydd; ond mesur englyn unodl union ydyw, wedi
ei ganu'n ddi-odl i efelychu'r *elegiac couplet* Lladin y tybiai
Rhys ei fod yn tarddu ohono. Y mae'r paladr yn cyfateb
yn dda i'r *hexameter*, ond ni cheid effaith y *pentameter* yn
hollol yn yr esgyll heb iddynt fod yn din ab, a gwell yn
ddïau oedd osgoi hynny yn yr englyn.[1] Nid oedd raid i'r
efelychiad fod yn slafaidd; yr hyn sy'n wych ym mesur
"Madog" yw ei fod, trwy gadw'n weddol agos at rythm y
cwpled Lladin, yn cadw hefyd guriadau gwreiddiol yr
englyn, chwech yn y paladr a chwech yn yr esgyll. Y mae'r
gynghanedd yn iswasanaethgar i'r acen, nid yn llywodraethu
arni a'i gosod yn rhywle lle mynno hi ei hun; ac yn y
symudiad gwastad di-frys di-ffwdan y mae mawrhydi'r
mesur. Ni fuasai modd cael mesur mwy ardderchog i gerdd
o'r fath.

612. Gwaith ofer, i'm tyb i, yw ceisio *dyfeisio* mesurau;
ni allasai neb *ddyfeisio*'r fath fesur ag englyn "Madog."
Yn y mesurau y tyfodd y gynghanedd ynddynt y gwedda
hi oreu; ac nid yw eu posibilrwydd wedi ei ddirnad eto,
heb sôn am ei ddihysbyddu. Pe cenid byr-a-thoddaid yn
draethgan rydd, fel y gwnâi'r Gogynfeirdd, gan gadw chwe
churiad yn glir ym mhob toddaid ac ym mhob cwpled, fe
geid mesur o fodd *hexameter* a fyddai mor urddasol â'r
englyn di-odl ym "Madog." Mesur gwych hefyd fyddai'r

[1] Er na buasai'n fai *heb* odl, gan nad yw'n fai mewn proest, §§ 548-9.

hen naw-ban-a-thoddaid wedi ei ganu'r un modd, gan gadw pedwar curiad ym mhob llinell, a chan amrywio nifer y cwpledau rhwng y toddeidiau, a rhoi ambell gyhydedd hir yn lle toddaid lle bai hynny'n cyfateb i ysgogiad y meddwl. Fel mesurau telynegol y mae posibilrwydd diderfyn yn yr awdl-fesurau eraill ond eu canu yn eu priod aceniad. Nid mesurau newydd yw angen barddoniaeth gynganeddol Cymru heddyw, ond cael rhythm yr hen fesurau'n ol.

613. Nid yw canu mesur cynganeddol heb brifodlau'n beth hollol newydd; fe geir enghreifftiau mewn dychangerddi yn y bedwaredd ganrif ar ddeg; gweler tair gan y Mab Cryg a dwy gan yr Ustus Llwyd yn M.A. 365-7 ar fesurau toddaid, gwawdodyn, a chyhydedd hir. Fe ymddengys yn anghyson cadw odlau mewnol y sain a'r llusg ac esgeuluso'r brifodl; ond fe ellir dywedyd bod yr odlau mewnol yn dangos y curiadau, ac os cedwir y curiadau ni bydd cymaint o eisiau'r brifodl i ddangos diwedd y llinell. Y mae mwy o esgus dros ganu cân faith yn ddiodl, am yr enillir rhywbeth trwy hynny mewn unoliaeth ffurf; ond ar fesur perffaith unffurf yn unig y gellir hepgor odl i ddangos diwedd y llinell. A rhaid cymryd hynny'n eithriad sy'n profi'r *rheol* bod cân gynganeddol yn odledig. Ac os odlir o gwbl, rhaid i ddiwedd pob llinell (ond adwant toddaid byr) odli naill ai'n gyrch ai â llinell arall i ffurfio prifodl. Y mae'n hollol groes i draddodiad y gynghanedd adael llinellau od heb eu hodli.

DOSBARTH IOLO MORGANWG.

614. Yn yr ail ganrif ar bymtheg yr oedd achles yr uchelwyr i farddoniaeth Gymraeg yn cilio; wedi traean cyntaf y ganrif yr oedd urdd y gwŷr wrth gerdd yn cyflym ddiflannu, a'r hen gelfyddyd yn mynd ar goll. Ond ni chollwyd moni'n llwyr; fe gofid llawer englyn a chywydd, a bu gramadeg S.R., 1728, yn help i roi adfywiad iddi yn y ddeunawfed ganrif, wrth gwrs nid fel moddion bywoliaeth mwyach, ond fel difyrrwch oriau hamddenol. "Yn ol rheol y Gramadeg" y canodd Lewis Hopkin o Forgannwg ei awdl enghreifftiol, § 604; [1] ond yng Ngwynedd

---

[1] *Hopkiniaid Morganwg*, 242; yr oedd Rhys Morgan o Forgannwg wedi canu awdl "yn ol Rheol y *Grammadeg*" mewn pryd i'w phrintio yn y Gramadeg ei hun, S.R. 161-5.

y bu'r deffroad rymusaf, ac ni chynyrchodd yn unman ddim hafal i waith Gronwy. I Lewis Morris y cydnabyddai ef ei ddylêd am ei hyfforddi yn y gelfyddyd, gan ychwanegu "y gall y rhan fwyaf o feirdd Cymru, a'r a haeddant yr enw, gyfaddef yr un peth," Gr.O. 124.[1] Lewis yn ddiau oedd arweinydd y deffroad. Sefydlwyd Cymdeithas y Cymmrodorion yn Llundain gantho ef a'i frawd Richard, a'r Gwyneddigion yn ddiweddarach gan Owain Myfyr. Cenfigen eirias wrth wŷr Gwynedd fel ceidwaid traddodiadau barddas a lanwai enaid Iolo Morganwg, ac a wnaeth iddo benderfynu eu darostwng, a rhoi'r holl ogoniant i Forgannwg. Fe fynnai nad oedd eu traddodiadau'n hŷn na gwag orchestion D.E., pethau a gashâi â chas cyfiawn, petai ryw derfyn ar ei gasineb. Fe dybiai weled yn awdlau enghreifftiol G.T. a L.Mg. braw bod beirdd Morgannwg yn gwrthod dosbarth D.E., ac fe ddyfeisiodd y stori am eu gwrthryfel yn 1451, a'r rhwyg oesol rhyngthynt a beirdd Gwynedd a Deheubarth. Nid oes rithyn o sail i'r stori. Ar yr un mesurau'n gymwys y canai beirdd Morgannwg â beirdd Gwynedd; y mae eu gweithiau i'w gweled heddyw mewn copïau cyfoesol, ac nid yw eu celfyddyd yn gwahaniaethu un tipyn oddiwrth gelfyddyd beirdd eraill Cymru.[2] Yr oedd cadair Caerfyrddin yn gosod D.E. yn bencerdd Cymru oll; ac efô a fu'n "arwain" y gadair tra fu byw. Ar ei ol ef ei nai T.A., ac wedi hynny *Lewis Morgannwg* "a'i harweiniodd yn foliannus" medd un o hen gofnodion Iago ab Dewi, GR. 103. Cadarnheir hyn gan y teitl "Pencerdd y tair Talaith" a roir i L.Mg. yn J.D.R. 225. T.A. oedd patrwm mydryddol L.Mg., "Fy saer i'r holl fesurau," medd ef yn ei farwnad iddo. "Disgybl i Lewys Morgannwg" y gelwir Gr.H. yn ei drwydded i radd disgybl pencerddaidd; y mae'r drwydded ar gael heddyw yn llaw L.Mg. ei hun, ac wedi ei harwyddo gantho ef a dau eraill yn 1545, gweler copi ohoni yn R. i 1021. Gr.H. fu athro S.V. a phrif feirdd Gwynedd yn ail hanner y ganrif. Yr oedd beirdd y tair talaith yn un a chytûn, a'u pencerdd oedd L.Mg. yn ei ddydd. Nid yw'r rhwyg a'r elyniaeth a'r llid ond dychmygion meddwl gwenwynig.

615. Yr oedd tri chwarter awdl G.T. ar fesurau oedd yn nosbarth D.E., a'r chwarter arall ar hen ac ofer fesurau. Casgliad Iolo o hyn oedd fod beirdd Morgannwg nid yn unig *yn erbyn* dau fesur newydd D.E., ond hefyd *o blaid* pob hen fesurau.

---

[1] Gweler hefyd dystiolaeth I.B.H. ieu., uchod, gwaelod td. 138.
[2] Fel y gwelwyd uchod, fe gynganeddid hen fesurau gan D.N. a W.Mn. o Wynedd; D.IL.Mathew o Ddeheubarth; G.T. a L.Mg. o Forgannwg; a chwilen ym mhen D.N. oedd y dechreuad, § 599.

Gan nad oedd awdl L.Mg. yn cadarnhau hyn, fe amlhaodd Iolo'i
mesurau; ond ni fedrodd guddio'i ewin fforchog, § 602, NODIAD.
Ac fe ddyfeisiodd " Hen Ddosparth " o gelfyddyd Morgannwg.
Y mae gantho ddwy stori groes i'w gilydd am y dosbarth hwn : [1]
(1) Yn gyntaf, bu i feirdd Morgannwg *ar ol* 1451 "ymroi'n
ddiwyd ag yn egnïol i chwilio allan . . . . yr hen gelfyddyd "
C.B.Y.P. td. xiv, td. 3 ; dygwyd yr ymchwil ymlaen gan Feurig
Dafydd,[2] D. Llwyd Mathew,[2] D. Benwyn,[3] a Llywelyn Siôn ; [4]
o'u llyfrau hwy y " trefnodd " Edward Dafydd y dosbarth, ac fe'i
cadarnhawyd yn ei ŵydd ef ac eraill yn 1681,[5] eto td. 1.—(2) Yn
ail, " tywalltiad anwybodaeth " yw haeru nad yw'r dosbarth yn
hŷn na 1450; y mae " crybwylliadau tryfrith am yr Hen Ddos-
parth " yng ngwaith yr hen feirdd, eto td. viii ; ac fe'i holrheinir
i'r derwyddon, td. 8.

616. Er gwadu ohono hynafiaeth " 24 mesur " fe rannodd aml
fesurau ei " Hen Ddosparth " yn 24 o fathau, neu, yn ei eiriau ef
ei hun, yn " bedwar *ansawdd* ar hugain," eto 92, 177, ac fe
ddirmyga ddosbarth 1451 fel " dosparth pedwar *pennill* ar
hugain Gwynedd," eto 177, 240. Y mae'n cyhuddo D.E. o alw'r
penillion hyn yn fesurau, a rhoi camenwau arnynt—" eu galw
yn fesurau Cerdd, ar Enwau o'i grebwyll ynfyd ei hunan," eto 3.
" Gwagfarn," medd ef, yw galw proest yn *englyn*, 151, a cham-
enwau yw *englyn unodl cyrch, byr-a-thoddaid, hir-a-thoddaid,
cyrch-a-chwta, gwawdodyn byr* a *hir, clogyrnach*, etc., 101, 143–8,
153, 154, 116, etc. Gan fod y mesurau hyn dan yr enwau hyn
i'w gweled heddyw yn y Llyfr Coch mewn llythrennau a dorrwyd
cyn geni D.E., nid rhaid praw arall mai haeriadau anwireddus
yw'r rhain ; fe'u priodolir gan Iolo i Edward Dafydd a'i rag-
flaenoriaid, ond gan mai mewn geiriau (megis *crebwyll*) o'i ddy-
fais ef ei hun y treithir hwynt, ac nas ceir hwynt mewn dim
hŷn na'i lawysgrifen ef, fe ddaw'r athrod adref i glwydo, ac y
mae enw da beirdd Morgannwg yn ddilychwin. Y mae'n amlwg
mai gwaith un dyn yw C.B.Y.P. ; un egwyddor sylfaenol sy'n
gorwedd dan y traethawd ; yr un ysbryd eiddigus chwerw sy'n

---

[1] " Y *dd*osparth hon," medd Iolo, yn groes i bob arfer a thraddodiad.
Yr wyf yn gwrthod rhoi cylchrediad pellach i'r tipyn ffug hwn.

[2] Gweler § 604.

[3] Ar y mesurau arferol y canai D. Benwyn ; y mae casgliad mawr o'i
waith yn Jes. 13, ac arg. bychan gan J. Kyrle Fletcher, Cardiff 1909.

[4] Y mae cyfrolau mawr yn llaw LL. Siôn (llyfrau hir Llanharan, Merthyr,
Amwythig, etc.) ac nid oes air am fesurau Iolo, na'u hôl na'u harlliw yn
yr un ohonynt ; cf. gwaelod td. 365 uchod.

[5] Yr oedd Edward Dafydd yn canu " ar y pedwar mesur ar hugain "
yn *nechreu*'r ganrif, *Hen Gwndidau*, 278, 290.

anadlu drwyddo; yn yr un ieithwedd ryfedd yr ysgrifennwyd ef oll, ac mewn ysgriflyfrau eraill [1] y mae Iolo'n egluro'r ffordd oedd gantho i ffurfio'r cyfansoddeiriau! Gwallter Mechain oedd yr unig fardd o bwys yn yr oes honno a gredodd ei gamosodiadau, ac a'u llyncodd oll yn ddihalen. Yn iaith blaen Gwallter y maent yn swnio'n fwy arswydus nag ym maldordd C.B.Y.P., megis lle mae'n disgrifio D.E. yn dwyn ei ddefnyddiau o ddosbarth Iolo, *Gwaith* ii 169, ac yn sôn am y mesurau "a ledradaidd fenthyciwyd dan orchudd enwau ereill," eto 582. Yn ei anwybodaeth, yn ddïau, yr ysgrifennai Gwallter, ond nid felly ei dwyllwr. Yr oedd Iolo'n berffaith gyfarwydd â dosbarth Einion Offeiriad; fe'i copïodd â'i law ei hun, § 227, o gopi da a wnaethai Iago ab Dewi o *B* ac *A*; fe'i hastudiodd yn ofalus, ac ar ddiwedd ei gopi fe sgrifennodd nodyn yn datgan "nas gellir ammau hynnaf [*sic*] y Ddosbarth uchod, gan nas gellir llai na bod y *Pennillion Dangos* ynddi mor hên ac amser Tywysogion diweddaf Cymru." [2] Y mae'n amhosibl felly na *wyddai* mai'r un a'r unrhyw fesurau oedd parth mwyaf yr hen ddosbarth gwirioneddol, ac mai'r un enwau oedd arnynt ynddo ag yn nosbarth D.E. Yn wir, y mae'n amlwg ei fod yn gyfarwydd ag awdl Einion ar y 12 awdl-fesur, §§ 596–7, canys pan fynnai ffon arall i guro D.E. fe sgrifennai (heb fawr feddwl am gysondeb): "Einiawn Offeiriad first introduced Awdl ar y pedwar mesur ar hugain, or on those then known or usually practised, long before the time of Dd. ab Edmund, 100 years possibly." [3] Felly nid cyfeiliorni'r oedd ef yn ei gamosodiadau, ond twyllo'n fwriadol. Ac nid yw hyn ond rhan fechan o'r twyll mawr o lunio cyfundrefn o'i ben ei hun, a chyhoeddi honno fel "*hen* ddosparth" beirdd Ynys Prydain.

617. Egwyddor sylfaenol y gyfundrefn yw mai wrth ryw "nodau neillduolder" (C.B.Y.P. 79) y mae dosbarthu'r mesurau. Er enghraifft, yr un "mesur" yw pob clymiad yn odli fel awdl-gywydd; yr odl gyrch yw ei "ansawdd angen" neu nod ei neillduolder; fe'i gelwir yn "gyhydedd gyrch," a dyma ddwy enghraifft a roir ohono (eto 92–4):

(1) Yn y ty draw ger llaw'r lla*nn*,
    Ty gwiwla*n* teg a welaf.

(2) Un ydwyd y Bassed a nodwyd i'w bwys*au*
    Yn berchen glangampa*u* o forau 'marferiad.

---

[1] Megis Llanover C 41/187; a C 44/19, lle ceir enghreifftiau fel *goleu-bwyll, eglurbwyll, awenbwyll, crebwyll*, etc., medd Mr G. J. Williams.

[2] Cwrt Mawr 250, copi Dewi Silyn; yr un modd Cwrt 233, copi L. Richards, 1821, gweler *Dosp. Ed.* td. xiii, CY. TR. 1923–4, td. 7, 12.

[3] *Hopk. Morg.* td. 5.

Er bod y naill yn fyr a'r llall yn hir, yr un "mesur"[1] ydynt—mewn geiriau eraill nid *mesur* yw "mesur." Yr un "mesur" yw rhupunt byr a chywydd llosgyrnog a "Serch Hudol" a "God Save the King"! Nid *hyd* yw "mesur," ond *ansawdd*: pedwar *ansawdd* ar hugain sydd yn nosbarth Morgannwg. Beth yw meddwl *ansawdd* yma? Y mae i'w gael ar yr awdurdod uchaf mewn Saesneg diamwys lle sonia Iolo am y "system" yn y *Poems*, 1794, ii 226: "it is reduced to twenty-four elementary *classes*; . . . . . all the principles, all the varieties, all the combinations of verse that exist in nature belong to one or other of these." O ba le y daeth y syniad hwn? Fe godir cwr y llen gan y disgybl Gwallter, *Gwaith* ii 168: "Anianyddion a ranant goedydd a llysiau yn deuluoedd," medd ef, ac fe â ymlaen i egluro mai "teulu" fel hyn yw "mesur" yn yr "hen" ddosbarth. Diau mai ail-adrodd eglurhad Iolo y mae ef: yn nheitl ei farwnad iddo fe'i geilw'n "fardd ac anianydd clodwiw," eto i 58. Cyfundrefn Linnaeus oedd mewn bri'r adeg honno; yn hon y mae "twenty-four classes," ac medd hen *Enc. Brit.* 1797 (3rd ed., iii 431), "These 24 CLASSES comprehend every known genus and species." Onid yw blas y gwreiddiol ar "that exist in nature" Iolo? Dyma oleuni ar ddirgelwch arall hefyd. Pa fodd y gwnaeth gelyn y 24 mesur ddosbarth o 24 ei hun? "24 classes" oedd yn ei batrwm. Yn awr, yr oedd y patrwm ei hun yn gyfundrefn amryfus i gychwyn; dyma'r hyn a ddywedir amdani yn yr *Enc. Brit.* 11th ed., iv 300: "It is an artificial method, because it takes into account only a few marked characters in plants, and does not propose to unite them by natural affinities." Dyna ddisgrifiad cywir o'r efelychiad hefyd, ond rhoi *metres* yn lle *plants*. Y "marked characters" yw "nodau neillduolder" y mesurau; wrth y rhain y dosberthir hwynt, nid wrth eu perthynas naturiol; dyna'r *egwyddor sylfaenol*, yn amlwg, wedi ei chael o'r patrwm. Y mae'r patrwm yn dechreu ag 11 o'r *classes*, wedi eu trefnu wrth rif y *stamens*; y mae'r efelychiad yn dechreu â'r 9 gorchan, wedi eu trefnu wrth rif y sillafau yn y llinell.[2] Y mae'r patrwm yn diweddu ag un *class* cymysg o bob cyfryw blanhigion diflodau; y mae'r efelychiad yn diweddu ag un *ansawdd* cymysg o bob cyfryw benillion dyri. Un peth da a wnaeth Linnaeus yn ei gyfundrefn oedd symleiddio a chywiro'r enwau gwyddonol a

---

[1] "hynn o fesur" c.b.y.p. 92, ll. 3 o'r gwaelod; cf. 97, 100, etc.

[2] Nid oedd y dyfeisiwr wedi meddwl am yr ystyr hon i'r gair *gorchan* yn 1772, pryd y printiodd y nodyn "Gorchanau, *caniadau hyfryd rhagorol*," *Hopk. Morg.* 367.

arferir mewn llysieuaeth; onid cais trwstan i efelychu'r gamp hon yw'r lliaws newidiadau a wneir ar enwau mesurau a ffurfiau yn c.b.y.p., a'r haeriadau mai "gwagfarn a bai" oedd eu hystyron traddodiadol?—Ar fyr, copi, mor agos ag y caniatâi'r defnyddiau, o gyfundrefn Linnaeus, a fu farw yn 1778, yw'r "hen" ddosbarth y dywedai ei awdur amdano yn 1794 (*Poems,* fel uchod): "This system of versification is no modern thing; for, we have it in manuscripts of 500 years standing"![1]

618. Fe wyddai awdur y patrwm mai *artificial system* oedd dosbarthiad wrth nodau wedi eu dewis i'r pwrpas, ac fe osododd seiliau cyfundrefn naturiol; ond yr oedd yr efelychwr yn drahaus yn ei amryfusedd—cyfundrefn y nodau oedd yr unig wir ffydd farddol! Digon yma fydd ychydig o feirniadaeth gyffredinol arni.

(1) Y mae'r "nodau" o ddau fath, "ansawdd angen" ac "ansawdd braint," c.b.y.p. 77; peth angenrheidiol yn y mesur yw'r naill, peth a all amrywio ynddo yw'r llall; y cyntaf yw nod y "mesur," nid yw'r ail yn nodi ond yr hyn sy bosibl ynddo. Yn y "gorchanau" y mae cyhydedd yn ansawdd angen; mewn llawer o fesurau eraill trefniant y llinellau a'r odlau (e. e. c.b.y.p. 119) yw'r ansawdd angen, a gall cyhydedd amrywio fel y mynner. Pwy a ddewisodd gyhydedd yn ansawdd angen rhai mesurau, a rhywbeth arall yn ansawdd angen eraill? Y dosbarthwr ei hun, wrth gwrs: y mae'r dosbarthiad wedi ei seilio ar ei ddewisiad mympwyol ef.

(2) Y mae'r dewisiad yn fympwyol am nad yw'n gwahaniaethu rhwng yr hyn sy hanfodol a'r hyn sy ddamweiniol. Cyhydedd yw hanfod ffurf farddonol—y gwahaniaeth sylfaenol rhwng barddoniaeth a rhyddiaith. *Mesur, mydr,* a geiriau o'r un ystyr, yw'r enwau ar rywiau cerdd ym mhob iaith. Ym marddoniaeth y byd pethau damweiniol yw odlau a'u lleoliad; ond wrth y rhain y dosberthir "mesurau" yma, fel dosbarthu llestri mesur wrth liw a llun, a mynnu mai'r un "mesur" yw galwyn a hanner peint os bydd y ddau ar yr un ddelw. "Bai" yw galw proest yn englyn am mai llestr plaen ydyw; nid oes glust (o air cyrch) wrtho fel sydd wrth englyn unodl union! Y gwir yw bod rhaniadau Einion i englynion, awdlau a chywyddau yn llawer nes i ddosbarthiad gwyddonol i *natural orders,* nid am fod

---

[1] Clamp o un yw hwn; mwy cyfrwys oedd sôn am ei ffyddlondeb yn dilyn "ysgrif Edward Dafydd" c.b.y.p. vii, a dywedyd na welsai "ond dwy ysgrif o Gyfrinach y Beirdd erioed" xiii, y ddwy yn llaw E.D. Nid oes awgrym i neb arall weld yr un o'r ddwy; rheswm da paham—nid oedd Linnaeus wedi ei eni yn amser E.D.

Einion yn gwybod mwy am wyddoniaeth nag a wyddai Iolo, ond am ei fod yn dilyn traddodiad oedd a'i wreiddiau'n hŷn na damweiniau lleoliad odl, ac yn ei ddilyn yn *onest*.

(3) Y mae'r haeriad mai dosbarth o bob mesur *that exists in nature* oedd *hen* ddosbarth beirdd Cymru yn ynfydrwydd rhy amlwg i alw am ei ateb. Ni wyddai'r haerwr fod yn y byd bethau ni freuddwydid amdanynt yn ei athroniaeth ef; ond fe roes yn ei ddosbarth bob ffurf odledig y gallai ef feddwl amdani, llawer cymysgfa ddireol o gyhydeddau, hollol groes i egwyddor barddoniaeth gynganeddol Gymraeg, gydag enghreifftiau o'i waith ei hun wedi eu tadogi ar eraill. Afraid helaethu ar anghysonderau'r dosbarthiad; ni allai Wallter ei hun gael ond 23 "mesur" ynddo wrth reol y nodau (*Gwaith* iii 160), ac fe awgrymai i'r Eisteddfod gynnig gwobr fechan i ddyfeisiwr y "mesur" newydd goreu i gyflawni'r diffyg yn yr "hen" ddosbarth !

(4) Ymosodiad ffyrnig ar draddodiad prydyddion Cymru yw dosbarth Iolo Morganwg. Yr oedd yn yr hen gyfundrefn gyfyngiadau nad oedd ef yn deall na'u hystyr na'u hanes. Digon tebyg ei fod yn credu ar y dechreu mai dyfais D.E. oeddynt; wedi ymgydnabod â dosbarth Einion nid oedd fodd na wyddai amgen, ond fe barhaodd hyd y diwedd i warthruddo'r gyfundrefn draddodiadol drwy ei phriodoli oll i awdur y cyfyngiadau eithafol olaf (c.b.y.p. 240). Gan mai ei ddadl oedd mai o blaid rhyddid y safai beirdd Morgannwg, fe feddyliodd am ddyfeisio iddynt ddosbarth a fyddai'n ddigon rhydd i gynnwys pob mesur ; fel dablwr mewn llysieuaeth fe welai yn nosbarth Linnaeus o'r llysiau batrwm ardderchog, ac fe saernïodd ei ddosbarth wrth egwyddor a threfn hwn. Fe'i sgrifennodd mewn iaith chwyddedig ryfedd i roi gwedd henaidd arno ; fe sonia ynddo am ei "gynysgrif"; fe rydd ddarlleniadau amrywiol allan o gopi dychmygol arall ; fe edy baragraff yn anorffen gyda'r nodyn "Rhyw faint ar goll yma gan friw dalen. I.M.," td. 151—pob dichell i ddynwared copi o hen beth. Ac ar dderbyn proflen olaf y gwaith o'r wasg yn niwedd ei oes, fe allai sgrifennu, td. vi., "a thra chydwybodol yr wyf yn diolch i'r Duw mawr am gynnorthwy idd ei ddwyn i benn" !

619. Da yw gallu cofnodi, er yr holl dwyll a'r holl ystryw, mai marwanedig fu'r gyfundrefn. Ni chredodd D.T. ynddi (*Adgof uwch Anghof*, 35), ac felly y mae Iolo'n ei ddifenwi c.b.y.p. 173, fel yr enllibiodd Lewis Morris br. iii 54, ac na fedrai sôn am D.E. heb ei lysenwi. Ni chredodd R.D. chwaith, ac o'r rheolau a wnaeth ef drwy help rheolau D.T. y dysgodd beirdd y ganrif o'r blaen elfennau'r gelfyddyd. Yn eisteddfod 1819 fe gafodd Iolo a'r ffyddlon Wallter gan y beirdd basio bod yr un rhyddid o hynny allan i ganu ar fesurau C.B.Y.P. ag ar yr hen fesurau. Ond yn 1852 fe gwyna Cynddelw, *Tafol y Beirdd* 50, "ni chafodd hyny . . . . . nemawr o effaith ar gynnyrchion ein beirdd." Amcan y *Dafol* oedd newid hyn; ond ni thyciodd. Mawr yw grym traddodiad mewn celfyddyd; hen fesurau 1451 oedd y mesurau traddodiadol. Nid oedd un enghraifft i'w chael, ym Morgannwg nac unman arall, o awdl ar fesurau newydd Iolo; fe geisiodd Gwallter sgrifennu un ar "Ansawdd Gwybodaeth" yn 1800, *Gwaith* i 317; bu hon yn rhybudd gwerthfawr, ac ni lwyr ddiystyrodd ei hawdur y wers, er glynu yn ei gred. Y gwir yw, fel y sylwyd o'r blaen, § 612, mai'r hen fesurau cynganeddol yw'r goreu i gynganeddu; ac ynddynt hwy y blodeua'r gynghanedd tra fydd byw'r iaith.

ATODIAD.

620. Dodaf yma fel atodiad (gyda chaniatad Bwrdd Gwasg Prifysgol Cymru a'r Athro Ifor Williams) awdl enghreifftiol Dafydd Nanmor, D.N. 62, gweler §§ 598–9. Yr wyf wedi rheoleiddio'r orgraff, a dodi enwau'r mesurau uwchben yr enghreifftiau. Dynoda'r rhif o flaen yr enw drefn y mesurau yn yr awdl, y rhif ar ol yr enw eu trefn yn y rhestr yn § 571. Sylwer bod yr englyn penfyr yn anghywir, § 543 (1). Gweler hefyd ddiwedd § 598.

I DDAFYDD AP TOMAS AP DAFYDD

Gan Ddafydd Nanmor

1. *Cywydd Deuair Fyrion.* 10.

Braich tir Brychan,
Briw'r ieirll, bwrw ran ;

2. *Awdl-Gywydd.* 8.

Bwriaist a gyrraist ar gil
Ddeunawmil oedd yn ymwan.

3. *Cywydd Deuair Hirion.* 9

Ymwan fal tân a wnaut ti
Â'th gannwr wrth ddigoni,

4. *Cywydd Llosgyrnog.* 11.

A rhai gwrol yn rhagori,
A rhoi o gaer, a'i hegori,
Aber Teifi bort dwyfil.

5. *Englyn Unodl Union.* 3.

Dafydd ŵyr Ddafydd, gyr ddwyfil—ar ffo
Fal Syr Ffŵg â'th fasil;
A'th uncorff a wnaeth encil
A gwayw'n y maes i gan mil.

6. *Englyn Cyrch.* 5.

Deng mil o filioedd oeddyn',
Draw dri llu hyd ar dir Llŷn;
Dilynaist hwynt dal-ýn-nal,
Dair ystâl, nid arhoes dŷn.

7. *Proest Cyfnewidiog.* 6.

Dyn nid arhoes, dan d'aur hug,
Dy wayw'n dy rest, da na drwg;
Dy isarn, bych dywysog,
Drwy'r gŵr a drawai'r garreg.

8. *Englyn Penfyr (di-gyrch).* 1.

A tharo i'th wart â'th wayw a'th ddart;
Yn ynys Deau'n ystiwart
Iawn in dy gael yn dwyn gart.

9. *Proest Cadwynog.* 7.

Cael o'r war coler euraid,
Carw Edwart mewn caer ydwyd;
Cael o ebolion lonaid
Can ystabl it, cwnstabl wyd.

10. *Englyn Milwr.* 2.

Banid wyd ben o Dewdwr?
Brenhinllwyth, tylwyth o'r Tŵr,
Brycheiniog, bwrw chwechannwr.

11. *Englyn Unodl Crwca.* 4.

Bydd ŵr, gyr anwr i grog,
Bid ŵr ni bo dau eiriog;
Bid i'th law'n taraw 'mhlas tyrog—bolox,
Mab Elen Lueddog.

12. *Rhupunt Byr.* 12.

Dy oed ond aeth a ro'r Gŵr aeth ar y wir grog,

13. *Rhupunt Hir.* 13.

A holl ffrwythau o'th dylwythau;
Wyt o lwythau pob taleithiog.

14. *Toddaid.* 19.

Gwna d'isarn gadarn goedog—gann harcholl;
Gwna pwys dy wayw oll gann pais dyllog;

15. *Cyhydedd Naw Ban.* 17.

Un dwrf â llew yn d'arfau lliwiog
Yn tarfu gwerin mewn tref gaerog.

16. *Gwawdodyn Byr.* 20.

Un llaw ydwyd ar wayw yn llidiog
Â llaw Domas ar wayw lledemog;
Ef a'th ad Duw Dad odidog—deirgwart
Yn nhyrau Edwart yn hir oediog.

17. *Gwawdodyn Hir.* 21.

Anos yw d'aros, a'th wayw duriog,
Wrth gastell no'r wiber asgellog;
A'th ofn ar feilch, a'th faner fylchog
Yn dilyn gwaedwyr hyd Lan Gadog,
O'r bron, uwch afon, a chyfog—bob dri
Y gwŷr, a'u torri yn gwarterog.

18. *Cyhydedd Hir.* 18.

Un dwrf pan derfynt ag od gan y gwynt,
A naw erw oeddynt yn orweiddiog.

19. *Clogyrnach.* 16.

Y Gŵr a'i enw yn goronog
A wna d'osod yn dywysog
A'th gledd rhwng wyth glan, 'i ôl a welan'
Ar drychan aurdorchog.

20. *Cyhydedd Fer.* 14.

A'th weryrfeirch a'th wŷr arfog
A dyr canwayw ar dir Cynog.

21. *Byr-a-Thoddaid.* 15.

A gyr brwydr ar grwydr, wŷr Gradog,—fal brwydr
    Beredur fab Efrog ;
A'th ysgyren wyth ysgwariog,
A phen awchrudd i'w ffon ochrog,
O fewn trimaes, a'th lafn trumog
A wna llawer yn un llawiog,
Antur hen Arthur nerthog,—neu Frychan
    Neu Frochwel Ysgithrog.

22. *Cyrch-a-chwta.* 23.

Ond wyd ddoeth a chyfoethog,
A dewr a glew mewn dur glog,
A gwrol a thrugarog,
A di dlawd a dlyedog,
A llawen, a galluog,
A dihafarch wrth farchog ?
A dewr fuost drwy fowart
Yn llu Edwart yn llidiog.

23. *Hir-a-Thoddaid.* 22.

Ag ungwr ydwyd â gwayw onn gwridog
Yn tarfu trillu ar farch troëllog ;
Arfer dy faner a'th gledd dau finiog,
Ofni Is Teifi rhag gosod hafog ;
Uwch Teifi'n d'ofni, diofnog—Ddafydd,
Ofnog fydd llwdn hydd rhag llew danheddog.

24. *Tawddgyrch Cadwynog.* 24.

Bogwl cynnen, bugail cannau,
Briwa'r grannau, bwrw'r gwŷr enwog ;
Bâr a brynnen', bwrw beiriannau,
Bwried rannau brwydr dariannog.
Bwrw'n y glynnau bawb dros rynnau,
Bwrw'n y llynnau â'th bren lliniog ;
Bwriaist gynnau bobl ar frynnau ;
Bwriwch ynnau, wŷr Brycheiniog.

MYNEGAI

GAN

GERAINT BOWEN

Cyhoeddwyd gyntaf gan Wasg Aberystwyth, 1947

CYNNWYS

1. Awduron.

2. Termau Technegol Cerdd Dafod a Gramadeg.

3. Cyffredinol, etc., etc.